afgeschreven

OPSTAND
van de
ENGELEN

Libba Bray

Vertaald door Sandra van de Ven

moon

Voor Barry en Josh, natuurlijk.

En voor mijn innig geliefde vrienden, het bewijs dat we er op de een of andere manier wel in slagen onze eigen clan te vinden.

Oorspronkelijke titel *Rebel Angels*
© 2005 Martha E. Bray
Nederlandse vertaling © 2009 Sandra van de Ven en Moon, Amsterdam
Omslagontwerp Marlies Visser
Omslagbeeld Getty Images
Zetwerk ZetSpiegel, Best

ISBN 978 90 488 0252 4
NUR 284

www.moonuitgevers.nl

Full Moon is een imprint van Dutch Media Uitgevers BV

FSC
Mix
Produktgroep uit goed beheerde
bossen, gecontroleerde bronnen
en gerecycled materiaal.

Cert no. SGS-COC-003091
www.fsc.org
© 1996 Forest Stewardship Council

Moon drukt haar boeken op papier met het FSC-keurmerk. Zo helpen we oerbossen te behouden.

Alles wat we zien of lijken / is slechts een droom in een droom
– Vrij naar Edgar Allan Poe

* * *

Wie verleidde
Hen 't eerst tot die ontaarde muiterij?
De Slang der Hel; hij was het, wiens bedrog,
Door wraakzucht en naijver opgewekt,
De moeder van het menschgeslacht misleidde,
Toen hem zijn trots gestort had uit den Hemel
Met heel zijn heirschaar van opstandige englen,
Hen door wier steun begeerend zich te plaatsen
In glorie boven zijn gelijken, hij
Vertrouwde d'Allerhoogste te evenaren,
Als hij weerstreefde; en met eerzuchtig doel
Tegen den troon en 't koningschap van God
Schandlijken oorlog in den Hemel aanving,
Met nuttelooze poging trotschen strijd.
Hem wierp de Almachtge Kracht voorover neer
In vlammen van het hemelsch firmament,
Met gruwbare verwoesting, gruwbaren brand,
Neer tot boêmlozen doem, dat daar zou wonen...

O prins, o hoofd van veel getroonde Machten,
Die de ten strijd geschaarde serafijnen
Leidden ten oorlog onder uw gezag,
En in geweldge daden, zonder vrees,
D'eeuwigen Hemelvorst gevaarlijk waren,
Stellende op proef zijn oppermacht, gehandhaafd

Hetzij door kracht, hetzij door kans of lot;
Te wel zie en betreur 'k den wreeden uitslag,
Die ons met droev'gen val, schand'lijken neerlaag,
Den Hemel roofde, en heel dit machtige heir
Heeft neergestort in vreeslijke verwoesting,
Voorzoover goên en hemelsche natuur
Kunnen vergaan; want onoverwinlijk blijven
De geest, de ziel, en kracht keert spoedig weer,
Schoon al ons roem gedoofd zij, en verzwolgen
Ons zaalge staat hier in oneindig leed...

mijn keus
Acht heerschen eerzucht waard al zij 't in Hel;
Liever ben 'k vorst in Hel dan slaaf in Hemel.
Maar waarom laten we onze trouwe vrienden,
Van ons verlies deelhebbers en genooten,
Dus op den poel van de vergetelheid
Verslagen drijven, waarom roepen wij
Hen niet om dit droeve oord met ons te deelen,
Of eens nog, weer ten strijd verzaamd, te pogen
Wat in den Hemel te herwinnen zij,
Of wat nog meer te derven in de Hel?

– John Milton, *Het paradijs verloren*, boek 1

PROLOOG

7 DECEMBER 1895

Dit document bevat een waarheidsgetrouwe weergave van de afgelopen zestig dagen, door Kartik, broer van Amar, trouwe zoon van de Rakshana, en van de vreemde visitatie die ik kreeg en die me op deze kille Engelse nacht met behoedzaamheid vervult. Om bij het begin te beginnen, moet ik teruggaan naar het midden van oktober, na de tegenslag die zich voordeed.

Het werd al kouder toen ik het bos achter de Spence Academy voor Jongedames verliet. Per valk had ik een brief ontvangen van de Rakshana, waarin ik naar Londen werd ontboden. Ik moest de hoofdwegen mijden en ervoor zorgen dat ik niet werd gevolgd. Enkele kilometers lang reisde ik anoniem mee met de zigeunerkaravaan. De rest van de weg legde ik te voet af, alleen, aan het zicht onttrokken door bomen of de wijde mantel van de nacht.

De tweede nacht was ik uitgeput door mijn reis, halfdood van kou en honger – want mijn schamele portie vlees had ik twee dagen eerder al opgemaakt – en halfgek van eenzaamheid, en begon het bos trucjes met me uit te halen. In mijn verzwakte toestand zag ik in elke nachtzwaluw een geest en in elk twijgje dat knapte onder de hoeven van een reekalf een dreigement van de rusteloze zielen van eeuwen geleden afgeslachte barbaren.

Bij het licht van het vuur las ik enkele passages uit mijn enige boek, een exemplaar van de *Odyssee*, in de hoop moed te putten uit de beproevingen van de held. Want inmiddels voelde ik me niet meer zo dapper en was ik nergens meer zeker van. Uiteindelijk viel ik in een slaap vol dromen.

Het was geen verkwikkende slaap. Ik droomde van gras dat zwart was geworden als kool. Ik bevond me in een oord vol steen en as. Een eenzame boom stak af tegen een bloedrode maan. En ver in de diepte schreeuwde een reusachtig leger van onaardse wezens om oorlog. Boven het kabaal uit hoorde ik mijn broer Amar waarschuwend gillen: 'Faal niet, mijn broer. Vertrouw niet...' Maar op dat punt veranderde de droom. Zij was er. Ze stond over me heen gebogen, en haar roodgouden krullen leken wel een stralenkrans tegen de heldere hemel.

'Je lot is met het mijne verbonden,' fluisterde ze. Ze boog zo dicht naar me toe dat haar lippen vlak bij de mijne waren. Ik kon de warmte ervan net voelen. Ik werd snel wakker, maar er was niets, behalve de smeulende as van mijn kampvuur en de nachtelijke geluiden van diertjes die vlug dekking zochten.

Toen ik eindelijk in Londen aankwam, was ik half verhongerd en wist ik niet goed waar ik naartoe moest. De Rakshana hadden me niet verteld waar ik hen kon vinden; dat was niet hun gewoonte. Zij vonden mij altijd. Terwijl ik door de menigte van Covent Garden strompelde, maakte de geur van warme, zoute palingpastei me bijna gek van de honger. Ik stond op het punt de gok te wagen en er een te stelen, toen ik hem zag staan. Tegen een muur stond een man een sigaret te roken. Hij was onopvallend: hij had een gemiddelde lengte en bouw, droeg een donker pak met een hoed en had de ochtendkrant netjes onder zijn linkerarm geklemd. Verder had hij een goed verzorgde snor, en op zijn wang een litteken in de vorm van een wrede grijns. Ik wachtte tot hij zijn blik zou afwenden, zodat ik zonder gevolgen een pasteitje kon stelen. Zogenaamd belangstellend keek ik naar een stel straatartiesten. Een van hen jongleerde met messen terwijl de ander het publiek bespeelde. Een derde man, zo wist ik, sloop tussen de mensen door om ze van hun portemonnees te beroven. Toen ik weer naar de muur keek, was de man verdwenen.

Dit was het moment om toe te slaan. Met mijn hand verborgen onder mijn mantel reikte ik naar de stapel dampende pasteitjes. Ik had er net een in mijn handen, toen de man die tegen de muur had gestaan opeens naast me opdook.

'De Ster van het Oosten is moeilijk te vinden,' zei hij zachtjes maar opgewekt. Pas toen zag ik het speldje op zijn revers: een zwaard met een schedel. Het symbool van de Rakshana.

Opgewonden antwoordde ik zoals van me werd verwacht: 'Maar hij schijnt fel voor eenieder die hem zoekt.'

We pakten elkaars rechterhand vast en legden onze linkerhand erop, als broeders van de Rakshana.

'Welkom, novice, we wachten al een tijdje op je.' Hij leunde naar voren en fluisterde in mijn oor: 'Je hebt veel uit te leggen.'

Ik weet niet precies wat er toen gebeurde. Het laatste wat ik zag, was dat de vrouw van de pasteitjes enkele munten in haar zak stopte. Daarna voelde ik een scherpe pijn in mijn achterhoofd en werd alles om me heen zwart.

Toen ik bijkwam, bevond ik me in een donkere, muffe ruimte. Ik knipperde met mijn ogen tegen het plotselinge licht van vele hoge kaarsen die in een kring om me heen stonden. Mijn gevangennemers waren verdwenen. Mijn hoofd deed verschrikkelijk pijn, en nu ik bij kennis was, werd mijn angst gescherpt door de slijpsteen van het onbekende. Waar was ik? Wie was die man? Als hij een Rakshana was, waarom had hij me dan een klap op mijn hoofd gegeven? Ik spitste mijn oren, alert op geluiden, stemmen, iets wat me kon vertellen waar ik was.

'Kartik, broer van Amar, ingewijde in de broederschap van de Rakshana...' De stem, diep en krachtig, klonk ergens boven me. Ik zag echter alleen maar de kaarsen, en daarachter volslagen duisternis.

'Kartik,' herhaalde de stem, die duidelijk een antwoord verwachtte.

'Ja,' kraste ik toen ik eindelijk mijn stem had hervonden.

'Laat het tribunaal beginnen.'

De donkere kamer begon vorm te krijgen. Zeker vier meter boven de vloer liep een balustrade helemaal om de ronde ruimte heen. Daarachter kon ik net de onheilspellende, donkerpaarse gewaden ontwaren van de hoogste rangen van de Rakshana. Dit waren niet de broeders die me mijn hele leven hadden opgeleid, maar de machtige mannen die in de schaduw leefden en van daaruit heersten. Dat er een tribunaal werd gehouden, betekende dat ik iets heel goeds had gedaan – of juist iets heel slechts.

'Wij zijn verbijsterd over je resultaten,' ging de stem verder. 'Je opdracht was het meisje in de gaten te houden.'

Iets heel slechts dus. Een nieuwe angst kreeg me in zijn greep. Niet de angst dat ik zou worden mishandeld of beroofd door vandalen, maar de angst dat ik mijn weldoeners, mijn broeders had teleurgesteld, en dat ik me aan hun oordeel zou moeten onderwerpen, dat legendarisch was.

Ik slikte moeizaam. 'Ja, broeder, en dat heb ik ook gedaan, maar...'

De stem werd scherper en luider. 'Je moest haar in de gaten houden en verslag aan ons uitbrengen. Meer niet. Was die missie te moeilijk voor je, novice?'

Ik kon geen woord uitbrengen, zo bang was ik.

'Waarom heb je ons niet op de hoogte gebracht zodra ze het rijk betrad?'

'Ik... ik dacht dat ik alles onder controle had.'

'En was dat ook zo?'

'Nee.' Mijn antwoord bleef in de lucht hangen, als de rook van de kaarsen.

'Nee, inderdaad niet. En nu is er een bres geslagen in het rijk. Het ondenkbare is gebeurd.'

Ik wreef met mijn bezwete handpalmen over mijn knieën, maar dat hielp niet. De kille, metaalachtige smaak van angst drong in mijn mond. Er was heel veel wat ik niet wist over de organisatie waaraan ik me had verbonden, die ik mijn loyaliteit en zelfs mijn leven had beloofd, net als mijn broer vóór mij. Amar had me verhalen verteld over de Rakshana, over hun erecode. Over hun plaats in de geschiedenis als beschermers van het rijk.

'Als je meteen naar ons toe was gekomen, hadden we de situatie kunnen beheersen.'

'Met alle respect, ze is anders dan ik verwachtte.' Ik zweeg even terwijl ik dacht aan het meisje dat ik had achtergelaten: koppig en met schrikbarend groene ogen. 'Ik geloof dat ze goede bedoelingen heeft.'

De stem galmde: 'Dat meisje is gevaarlijker dan ze zelf weet. En een grotere bedreiging dan jij beseft, jongen. Ze heeft het in zich om ons allemaal te vernietigen. En nu hebben jullie samen de kracht ontketend. Er heerst chaos.'

'Maar ze heeft Circes huurmoordenaar verslagen.'

'Circe heeft meer dan één duistere geest tot haar beschikking.' De stem sprak verder. 'Dat meisje heeft de runen vernietigd waar de magie in huisde en die hem generaties lang hebben beschermd. Besef je dat er nu geen beperkingen meer zijn? De magie is losgelaten in het rijk, en iedere geest kan hem gebruiken. Nu al zijn er velen die hem gebruiken om de geesten te corrumperen die moeten overgaan. Ze worden naar het Winterland gebracht en sterker gemaakt. Hoe lang voordat ze de sluier tussen het rijk en deze wereld doen verzwakken?

Voordat ze een manier vinden om Circe te bereiken, of voordat zij een weg naar binnen vindt? Hoe lang nog voordat ze over de kracht beschikt die ze begeert?'

Een ijskoude, glibberige angst verspreidde zich door mijn aderen.

'Nu begrijp je het. Je beseft wat ze heeft aangericht. Wat ze met jouw hulp heeft aangericht. Kniel...'

Uit het niets kwamen twee sterke handen die me op mijn knieën dwongen. Mijn mantel werd om mijn hals losser getrokken, en ik voelde koud, hard staal tegen de ader die in mijn keel wild klopte. Dit was het dan. Ik had gefaald, ik had de Rakshana en de herinnering aan mijn broer te schande gemaakt, en nu zou ik dat met mijn leven bekopen.

'Buig je voor de wil van de broederschap?' vroeg de stem.

Mijn eigen stem, die door het plat van het mes in mijn keel werd samengedrukt, klonk wanhopig en verstikt. Het was de stem van een vreemde. 'Ja.'

'Zeg het.'

'Ik... ik buig voor de wil van de broederschap.'

Het mes werd weggehaald. Ik werd losgelaten.

Ik schaam me ervoor het te moeten toegeven, maar toen ik besefte dat mijn leven zou worden gespaard, barstte ik bijna uit in tranen van opluchting. Ik mocht blijven leven, en ik kreeg nog een kans om de Rakshana te bewijzen wat ik waard was.

'Er is nog hoop. Heeft het meisje ooit iets tegen je gezegd over de tempel?'

'Nee, mijn broeder. Daar heb ik nog nooit van gehoord.'

'Lang voordat de runen werden gemaakt om de magie te beheersen, maakte de Orde gebruik van de tempel. Volgens de geruchten is het de bron van alle kracht in het rijk. Dat is de plaats van waaruit de magie kan worden beheerst. Wie de tempel voor zich opeist, heerst over het rijk. Zij moet hem vinden.'

'Waar is hij?'

Het was even stil. 'Ergens in het rijk. Waar, weten we niet precies. De Orde hield hem zorgvuldig verborgen.'

'Maar hoe...'

'Ze moet haar verstand gebruiken. Als ze werkelijk tot de Orde behoort, zal de tempel waarschijnlijk op de een of andere wijze tot haar spreken. Maar ze moet op haar hoede zijn. Anderen zullen er ook naar zoeken. De magie is onvoorspelbaar, wild. Niets van de andere zijde is te vertrouwen. Dan nu het allerbelangrijkste. Zodra ze de tempel heeft gevonden, moet ze deze woorden spreken: "Ik bind de magie in naam van de Ster van het Oosten."'

'Wordt de tempel dan niet van de Rakshana?'

'De tempel komt ons toe. Waarom moet de Orde alles hebben? Hun tijd is voorbij.'

'Waarom vragen we haar niet ons mee naar binnen te nemen?'

Het werd even stil in de zaal, en ik was bang dat ik het mes weer tegen mijn keel zou krijgen. 'Geen enkel lid van de Rakshana mag het rijk betreden. Dat was de straf die de heksen ons oplegden.'

Straf? Waarvoor? Ik had Amar alleen maar horen zeggen dat we toezichthouders waren voor de Orde, een controlesysteem en een tegenwicht voor hun macht. Het was een wankel verbond, maar toch een verbond. Wat er nu werd gezegd, maakte me behoedzaam.

Ik was bang om het te zeggen, maar ik wist dat het moest. 'Ik denk niet dat ze uit vrije wil voor ons zal werken.'

'Vertel haar je doel niet. Win haar vertrouwen.' Er viel een korte stilte. 'Maak haar het hof, als het nodig is.'

Ik dacht aan het sterke, machtige, koppige meisje dat ik had achtergelaten. 'Zo gemakkelijk laat ze zich niet het hof maken.'

'Ieder meisje laat zich het hof maken. Het is een kwestie van de juiste aanpak vinden. Je broer Amar was er erg bedreven in om haar moeder aan onze zijde te houden.'

Mijn broer die de mantel van de verdoemden droeg. Mijn broer die een demonische strijdkreet slaakte. Dit was niet het juiste moment om over mijn verontrustende dromen te beginnen. Dan zouden ze me mogelijk als een dwaas of een lafaard beschouwen.

'Probeer bij haar in de gunst te komen. Vind de tempel. Snijd andere vrijers de pas af. De rest is aan ons.'

'Maar...'

'Ga nu, broeder Kartik,' zei hij toen. Hij gebruikte de eretitel die me op een dag misschien zou worden geschonken, als ik volledig lid werd van de Rakshana. 'We houden je in de gaten.'

Mijn gevangennemers kwamen op me af om me weer te blinddoeken. Ik sprong overeind. 'Wacht!' riep ik. 'Wanneer ze de tempel heeft gevonden en de macht aan ons is, wat moet er dan met haar gebeuren?'

Het was doodstil, afgezien van het flakkeren van de kaarsvlammen in de lichte tocht. Uiteindelijk galmde de stem door de zaal.

'Dan moet je haar doden.'

HOOFDSTUK
ÉÉN

DECEMBER 1895
Spence Academy voor Jongedames

Aah, Kerstmis!

Bij de meeste mensen roept het woord alleen al allerlei dierbare, nostalgische herinneringen op aan een grote dennenboom versierd met engelenhaar en glazen ballen, overal cadeaus in kleurig inpakpapier, een brullend haardvuur en volle glazen, zanggroepen die voor je deur kerstliedjes komen zingen, hun vrolijk scheefstaande hoeden wit van de sneeuw die naar beneden dwarrelt, een mooie, dikke gans op een serveerschaal, omringd door appels. En natuurlijk vijgentaart na.

Tja. Heerlijk. Dat zou ik allemaal heel graag willen.

Waar ik nu zit, op de Spence Academy voor Jongedames, lijken die kersttaferelen heel ver weg, gedwongen als ik ben om een kerstversiering in de vorm van een trommelaartje te maken met niets dan zilverfolie, watjes en een stukje touw, als bij een duivels experiment in het tot leven wekken van een lijk. Het monster van Frankenstein is vast nog niet half zo angstaanjagend als dit belachelijke ding. Mijn figuurtje zal

15

geen mens kerstvreugde schenken. Veel waarschijnlijker is het dat het een kind aan het huilen zal maken.

'Dit slaat nergens op,' mopper ik. Op medelijden hoef ik echter niet te rekenen. Zelfs Felicity en Ann, mijn twee beste vriendinnen – of liever, mijn enige twee vriendinnen hier – schieten me niet te hulp. Ann is vastbesloten van natte suiker en kleine aanmaakhoutjes een exacte replica te maken van het kindeke Jezus in zijn kribbe. Ze lijkt nergens aandacht voor te hebben, behalve voor haar handen. En Felicity op haar beurt kijkt me aan met haar koele, grijze ogen alsof ze wil zeggen: lijd maar. Dat doe ik ook.

Nee, helaas is het de afschuwelijke Cecily Temple die me antwoordt. Die lieve, lieve Cecily, of zoals ik haar in mijn geheime gedachten liefkozend noem: 'zij die puur met haar aanwezigheid de lucht verpest'.

'Ik begrijp werkelijk niet waarom het je zoveel moeite kost, miss Doyle. Het is echt heel eenvoudig. Kijk, ik heb er al vier af.' Ze toont me haar vier volmaakte jongetjes van zilverfolie. Ze worden van alle kanten uitgebreid bewonderd: de prachtig gevormde armpjes, de piepkleine wollen sjaaltjes – uiteraard zelf gebreid door de handige Cecily – en de verfijnde dropglimlachjes, waardoor het lijkt of ze het heerlijk vinden om aan hun nek aan een kerstboom te worden gehangen.

Nog twee weken tot Kerstmis, en mijn stemming wordt met het uur somberder. Het mannetje van zilverfolie lijkt me te smeken hem af te schieten. Gedreven door een kracht die sterker is dan ik, zet ik het gemankeerde trommelaartje op het bijzettafeltje en laat hem een kleine voorstelling opvoeren. Ik verplaats het lelijke ding, waarbij ik hem dwing zijn nutteloze been mee te slepen, net als die zoetsappige Kleine Tim uit het verhaal van Mr Dickens.

'God zegene ons allemaal,' jammer ik met een meelijwekkend piepstemmetje.

Hierop valt er een geschokte stilte. Niemand durft me aan te kijken. Zelfs Felicity, die toch niet bekendstaat als een toonbeeld van betamelijkheid, is een beetje overdonderd. Achter me klinkt het bekende geluid van een keel die afkeurend wordt geschraapt. Als ik me omdraai, zie ik dat Mrs Nightwing, de afstandelijke directrice van Spence, op me neerkijkt alsof ik een lepralijder ben. *Tering.*

'Miss Doyle, vind je dat soms grappig? De draak te steken met het zeer reële leed van onze ongelukkige medemens in Londen?'

'I-ik... nou...'

Mrs Nightwing tuurt me over het randje van haar bril heen aan. Haar grijzende, hoog opgestoken haardos is als een nimbus die duidt op een ophanden zijnde storm.

'Wellicht, miss Doyle, zou je jezelf een tijdje in dienst moeten stellen van de armen, zoals ik toen ik in mijn jeugd tijdens de Krimoorlog verbanden aanlegde. Dat zou je een gezonde dosis medeleven bijbrengen die je niet zou misstaan.'

'J-ja, Mrs Nightwing. Ik begrijp zelf ook niet hoe ik zo gemeen kon zijn,' ratel ik.

Uit mijn ooghoek zie ik Felicity en Ann diep over hun versieringen gebogen zitten, alsof het fascinerende voorwerpen zijn die tijdens een archeologische opgraving aan het licht zijn gekomen. Dan zie ik dat hun schouders schokken en besef ik dat ze ingehouden zitten te lachen om mijn benarde toestand. Van je vrienden moet je het hebben.

'Dit kost je tien punten van goed gedrag, en ik verwacht van je dat je tijdens de vakantie als straf een daad van naastenliefde verricht.'

'Ja, Mrs Nightwing.'

'Over die daad van naastenliefde schrijf je bovendien een verslag, en ten slotte kom je me vertellen hoe de ervaring je karakter heeft verrijkt.'

'Ja, Mrs Nightwing.'

'En aan die versiering moet nog heel wat gebeuren.'

'Ja, Mrs Nightwing.'

'Heb je nog vragen?'

'Ja, Mrs Nightwing. Ik bedoel, nee, Mrs Nightwing. Dank u.'

Een daad van naastenliefde? Tijdens de vakantie? Telt het verdragen van de aanwezigheid van mijn broer Thomas ook? Tering. Nu heb ik het voor elkaar.

'Mrs Nightwing?' Alleen Cecily's stemgeluid is al genoeg om me te doen schuimbekken. 'Ik hoop dat deze aanvaardbaar zijn. Ik wil niets liever dan de minderbedeelden ter dienst zijn.'

Het is alleszins mogelijk dat ik het bewustzijn zal verliezen, zo erg moet ik mijn best doen om een heel luid *Ha!* te onderdrukken. Cecily, die nooit een gelegenheid voorbij laat gaan om Ann te plagen met het feit dat ze beursstudente is, wil helemaal niets met de armen te maken hebben. Wat ze wél wil, is het lievelingetje van Mrs Nightwing worden.

Mrs Nightwing houdt Cecily's perfecte versieringen tegen het licht om ze grondig te kunnen bestuderen. 'Hier kan iedereen een voorbeeld aan nemen, miss Temple. Mijn complimenten.'

Cecily glimlacht zeer zelfvoldaan. 'Dank u, Mrs Nightwing.'

Aah, Kerstmis.

Met een diepe zucht pak ik mijn mislukte versiering en begin opnieuw. Mijn ogen branden en ik kan niet scherp zien. Ik wrijf erin, maar dat helpt niet. Ik heb slaap nodig, maar slaap vind ik nu juist zo beangstigend. Al weken word ik geplaagd door onheilspellende, waarschuwende dromen. Ik kan me niet veel herinneren wanneer ik wakker word, alleen maar fragmenten. Een kolkende, rood met grijze hemel. Een geschilderde bloem waar tranen van bloed uit druppelen. Mijn gezicht, ernstig en vragend, weerspiegeld in water. Maar de beelden die me bijblijven zijn van haar, mooi en bedroefd.

'Waarom heb je me hier achtergelaten?' roept ze smekend, en ik kan geen antwoord geven. 'Ik wil terugkomen. Ik wil dat we weer samen zijn.' Ik ruk me los en ren weg, maar haar stem achtervolgt me. 'Dit is jouw schuld, Gemma! Jij hebt me hier achtergelaten! Jij hebt me verlaten!'

Dat is alles wat ik me herinner als ik 's ochtends voor het opkomen van de zon wakker word, happend naar adem en nat van het zweet, nog vermoeider dan toen ik naar bed ging. Het zijn gewoon dromen. Maar waarom kwellen ze me dan zo?

'Jullie hadden me wel even mogen waarschuwen,' zeg ik klaaglijk tegen Felicity en Ann zodra we even alleen zijn.

'Jij had wel wat voorzichtiger mogen zijn,' zegt Ann berispend. Uit haar mouw trekt ze een zakdoek die grauw is geworden van het vele wassen, en ze dept er haar eeuwige loopneus en tranende ogen mee droog.

'Ik zou het niet hebben gedaan als ik had geweten dat ze pal achter me stond.'

'Je weet toch dat Mrs Nightwing net God is: ze is overal tegelijk. Sterker nog, misschien ís ze wel God, weten wij veel.' Felicity slaakt een diepe zucht. Het licht van het vuur werpt een gouden gloed op haar platinablonde haar. Ze straalt als een gevallen engel.

Nerveus kijkt Ann om zich heen. 'Z-z-zo moet je niet praten over' – ze laat haar stem dalen tot een fluistering – 'God.'

'Waarom niet?' vraagt Felicity.

'Wie weet brengt het wel ongeluk.'

Er valt een stilte, want we zijn nog te kort geleden te sterk met het ongeluk in aanraking gekomen om te kunnen vergeten dat er krachten aan het werk zijn die we niet kunnen waarnemen, krachten die alle rede en begrip te boven gaan.

Felicity staart naar het vuur. 'Ga je er nog steeds van uit dat er een God bestaat, Ann? Na alles wat we hebben gezien?'

Een van de geruisloze bedienden zweeft door de gang. Ze

draagt een wit schort dat scherp is afgetekend tegen het sombere grijs van haar uniform, met als gevolg dat in de duisternis alleen het schort zichtbaar is, terwijl de vrouw helemaal in de schaduw opgaat. Als ik haar nakijk wanneer ze de hoek om gaat, kan ik de vrolijke, verlichte zaal zien waar we zojuist vandaan zijn gekomen. Een zwerm meisjes van uiteenlopende leeftijden, tussen de zes en de zeventien, zet spontaan een kerstliedje in: 'God Rest Ye Merry Gentlemen', waarin God wordt gevraagd de vrolijke heren rust te gunnen. Er wordt niets gezegd over rust voor dames, vrolijk of niet.

Ik hunker ernaar me bij hen te voegen, de kaarsjes in de prachtige boom aan te steken, aan de koordjes van de felgekleurde knalbonbons te trekken en de bevredigende, vrolijke knal te horen. Ik hunker ernaar om geen grotere zorgen te hebben dan de vraag of de kerstman me dit jaar gunstig gezind zal zijn, of dat ik slechts kooltjes in mijn kous zal aantreffen.

Met hun armen ineen gehaakt als poppetjes die uit hetzelfde vel papier zijn geknipt, wiegen drie meisjes heen en weer. Een van hen legt haar hoofd vol zachte krullen op de schouder van het meisje naast haar, die op haar beurt een kusje op het voorhoofd van haar vriendin drukt. Ze hebben er geen benul van dat dit niet de enige wereld is. Dat er ver buiten de ontzagwekkende kasteelmuren van Spence, ver buiten het bereik van Mrs Nightwing, Mademoiselle LeFarge en de andere docenten die hier hun best doen om ons karakter en onze gewoonten te vormen als een homp gewillige klei, zelfs buiten de grenzen van Engeland, een oord is vol schoonheid en angstaanjagende kracht. Een oord waar alles wat je droomt waarheid kan worden, en je dus voorzichtig moet zijn met waar je van droomt. Een oord dat je kwaad kan doen. Een oord dat al een van ons heeft opgeëist.

Ik ben de schakel met dat oord.

'Laten we onze jassen gaan halen,' zegt Ann terwijl ze naar de immense, gewelfde trap loopt die de hal domineert.

Felicity kijkt haar nieuwsgierig aan. 'Waarom dan? Waar gaan we naartoe?'

'Het is woensdag,' zegt Ann terwijl ze zich afwendt. 'Tijd om bij Pippa op bezoek te gaan.'

HOOFDSTUK
TWEE

We lopen tussen de kale bomen achter de school door naar een bekende open plek. Het is vreselijk vochtig en ik ben blij dat ik mijn jas en handschoenen aanheb. Rechts van ons ligt de vijver waar we onder de vroege septemberhemel vaak loom in een roeiboot liggen. Die roeiboot ligt nu op de berijpte stenen en het bittere, dode wintergras aan de rand van het water. De vijver zelf is een gladde, dunne ijsspiegel. Maanden geleden deelden we dit bos met een zigeunerkamp, maar de zigeuners zijn allang vertrokken naar warmere oorden. In hun gezelschap is waarschijnlijk een zekere jongeman uit Bombay met grote bruine ogen, volle lippen en de cricketbat van mijn vader. Kartik. Onwillekeurig vraag ik me af of hij aan me denkt, waar hij ook is. Ik vraag me af wanneer hij me weer zal komen opzoeken en wat dat zal betekenen.

Felicity draait zich naar me om. 'Waar loop jij over te dromen?'

'Kerstmis,' lieg ik. Mijn woorden komen als kleine witte wolkjes uit een stoommachine over mijn lippen. Het is echt ellendig koud.

'Ik was vergeten dat je nog nooit een echte Engelse kerst hebt meegemaakt. Daar zal ik je dan in de loop van de vakantie mee moeten laten kennismaken. Dan glippen we het huis uit en gaan plezier maken,' zegt Felicity.

Ann houdt haar blik strak op de grond gericht. Zij blijft tijdens de vakantie hier op Spence. Ze heeft geen familie bij wie ze kan logeren, geen cadeautjes om heen en weer te schudden of herinneringen die haar tot de lente warm zullen houden.

'Ann,' zeg ik te opgewekt, 'jij boft maar dat je Spence helemaal voor jezelf hebt terwijl wij weg zijn.'

'Dat hoef je niet te doen,' antwoordt ze.

'Hoe bedoel je?'

'Je hoeft het niet mooier te maken dan het is. Ik zal eenzaam en ongelukkig zijn. Dat weet ik nu al.'

'O, hou eens op met dat zelfmedelijden. Als je zo doorgaat, hou ik het nog geen uur met je uit,' zegt Felicity geërgerd. Ze pakt een lange stok en slaat er in het voorbijgaan mee naar de bomen. Beschaamd zwijgend sjokt Ann verder. Eigenlijk zou ik voor haar in de bres moeten springen, maar ik begin me steeds meer te ergeren aan Anns weigering om voor zichzelf op te komen. Dus laat ik het erbij.

'Gaan jullie rond Kerstmis nog naar bals, denk je?' vraagt Ann, bijtend op haar lip, alsof ze zichzelf wil kwellen. Het is net zoiets als de sneetjes die ze met haar handwerkschaartje in haar armen maakt, de sneetjes die door haar mouwen aan het zicht worden onttrokken. Ik weet dat ze er weer mee is begonnen.

'Ja, natuurlijk,' antwoordt Felicity, alsof het een open deur is. 'Mijn vader en moeder organiseren een kerstbal. Iedereen komt.'

Iedereen behalve jij, had ze net zo goed kunnen zeggen.

'Ik zal opgesloten zitten met mijn grootmoeder, die nooit een gelegenheid voorbij laat gaan om me mijn tekortkomingen onder mijn neus te wrijven, en mijn ergerlijke broer Tom. Geloof me, het wordt een zware vakantie.' Ik glimlach in de hoop Ann aan het lachen te kunnen maken. Eerlijk gezegd voel ik me schuldig dat ik haar in de steek laat, maar niet schuldig genoeg om haar uit te nodigen met me mee naar huis te gaan.

Ann werpt me een zijdelingse blik toe. 'En hoe gaat het met je broer Tom?'

'Hetzelfde. Wat inhoudt dat hij nog steeds onuitstaanbaar is.'

'Dus hij heeft nog niemand op het oog?'

Ann is verliefd op Tom, die haar nooit een tweede blik waardig zou keuren. Het is een hopeloze situatie.

'Jawel, ik geloof van wel,' lieg ik.

Ann blijft staan. 'Wie dan?'

'Eh... ene miss Dalton. Haar familie komt uit Somerset, geloof ik.'

'Is ze mooi?' vraagt Ann.

'Ja,' zeg ik. We lopen door, en ik hoop dat het daarmee uit is.

'Net zo mooi als Pippa?'

Pippa. Beeldschone Pip met haar donkere krullen en violette ogen.

'Nee,' zeg ik. 'Niemand is zo mooi als Pippa.'

We zijn er. Voor ons staat een grote boom, waarvan de bast bevlekt is met een dunne laag rijp. Eronder ligt een zware steen. We trekken onze handschoenen uit en duwen de rots weg, zodat de weggerotte holte erachter zichtbaar wordt. Binnen ligt een merkwaardige verzameling voorwerpen: een hertenleren handschoen, een briefje op perkament onder een steen, een handvol toffees en een bosje uitgedroogde begrafenisbloemen, die door de wind worden meegevoerd zodra die door de oeroude wond van de eikenboom jaagt.

'Heb je het meegenomen?' vraagt Felicity aan Ann.

Die knikt en haalt iets tevoorschijn wat in groen papier is gewikkeld. Ze vouwt het papier open en haalt er een kerstversiering uit, een engel van kant en kralen. Allemaal hebben we er een deel van gemaakt. Ann pakt het geschenk weer in het papier en legt het bij de andere aandenkens op het altaar.

'Vrolijk kerstfeest, Pippa,' zegt ze tegen het meisje dat een kilometer of vijfenveertig verderop al twee maanden dood in haar graf ligt. Een meisje dat onze beste vriendin was. Een meisje dat ik wellicht had kunnen redden.

'Vrolijk kerstfeest, Pippa,' mompelen Felicity en ik haar na.

Een tijdje zegt niemand iets. De wind is koud hier op de open plek, waar niets hem tegenhoudt. Mistdruppeltjes dringen als scherpe korreltjes door de wol van mijn winterjas en bezorgen me kippenvel. Ik kijk naar rechts, waar de grotten zijn, gehuld in stilte, de toegang geblokkeerd door een nieuwe bakstenen muur.

Maanden geleden kwamen we met z'n vieren in die grotten bijeen om in het geheime dagboek van Mary Dowd te lezen, dat ons vertelde over het rijk, een magische wereld, verborgen achter de onze, die ooit werd geregeerd door een machtige groep tovenaressen die zich de Orde noemde. In het rijk kunnen we onze grootste wensen laten uitkomen. Maar er zijn ook duistere geesten in het rijk, wezens die erover willen heersen. Mary Dowd ontdekte hoe waar dat was. Net als wij, toen we onze vriendin Pippa voorgoed kwijtraakten.

Ann verbreekt de stilte. 'Afschuwelijk koud,' zegt ze.

'Ja,' zegt Felicity halfslachtig.

De wind rukt een koppig bruin blaadje van de boom, en het dwarrelt weg.

'Denk je dat we Pippa ooit zullen terugzien?' vraagt Ann.

'Dat weet ik niet,' antwoord ik, al weten we allemaal dat ze voorgoed weg is.

Even horen we niets dan het geruis van de wind door de bladeren.

Felicity raapt een scherpe stok op en prikt er doelloos mee in de boom. 'Wanneer gaan we terug? Jij zei...'

'... dat we terug zouden gaan zodra we de andere leden van de Orde hadden gevonden,' maak ik de zin af.

'Maar het is al twee maanden geleden,' zeurt Ann. 'Stel dat er geen anderen zijn?'

'Stel dat ze mij en Ann niet willen toelaten? Wij zijn niet speciaal, zoals jij,' zegt Felicity. Ze legt snerend de nadruk op het woord 'speciaal'. Dat drijft een wig tussen hen en mij, de wetenschap dat alleen ik het rijk kan betreden, dat ik die kracht heb en zij niet. Ze kunnen er alleen naartoe als ik hen meeneem.

'Je weet wat mijn moeder tegen ons heeft gezegd: het rijk beslist wie er wordt uitverkoren. Het is niet aan ons,' zeg ik, en ik hoop dat het daarmee uit is.

'Vertel eens, wanneer nemen de dames van de Orde contact met ons op, en hoe?' vraagt Felicity.

Ik voel me dwaas. 'Ik heb geen idee,' geef ik toe. 'Maar mijn moeder zei dat ze dat zouden doen. En ze kunnen moeilijk een advertentie in de krant zetten, hm?'

'En hoe zit het met die Indiase jongen die jou in de gaten moest houden?' vraagt Ann.

'Kartik? Die heb ik sinds de dag van Pippa's begrafenis niet meer gezien.' Kartik. Zit hij op dit moment tussen de bomen toe te kijken, klaar om me mee te nemen naar de Rakshana, die mannen die me ervan willen weerhouden ooit terug te gaan naar het rijk?

'Misschien is het dan voorbij en komt hij nooit meer terug.'

Die gedachte bezorgt me een steek in mijn hart. Ik moet telkens denken aan de laatste keer dat ik hem zag, zijn grote, donkere ogen vol met een emotie die ik niet kon thuisbrengen, de zachte warmte van zijn duim die langs mijn lip streek, waarna ik me merkwaardig leeg en onvolmaakt voelde.

'Misschien,' zeg ik. 'Of misschien is hij naar de Rakshana gegaan om hun alles te vertellen.'

Daar piekert Felicity een tijdje over terwijl ze met de scherpe stok haar naam in de droge boombast krast. 'Als dat zo is, zouden ze dan onderhand niet achter ons aan zijn gekomen?'

'Misschien wel.'

'Maar dat is niet gebeurd, begrijp je het dan niet?' Ze drukt te hard tegen de stok en hij breekt halverwege de Y af, zodat er nu FELICITV staat.

'En je hebt nog steeds geen visioenen gehad?' vraagt Ann.

'Nee. Sinds ik de runen kapot heb geslagen niet meer.'

Felicity neemt me koeltjes op. 'Niet één?'

'Niet één,' antwoord ik.

Ann stopt haar handen onder haar armen om ze warm te houden. 'Denk je dat de runen de bron van je visioenen waren, en dat je er voorgoed een eind aan hebt gemaakt toen je ze vernietigde?'

Daar had ik nog niet over nagedacht. Opeens voel ik me slecht op mijn gemak. Ooit was ik bang voor mijn visioenen, maar nu mis ik ze. 'Dat weet ik niet.'

Felicity neemt mijn handen in de hare en laat de onweerstaanbare kracht van haar charmes op me los. 'Gemma, wat een vreselijke gedachte – al die prachtige magie die verloren dreigt te gaan. Er is nog zoveel wat we niet hebben geprobeerd!'

'Ik wil weer mooi zijn,' zegt Ann, die nu warm begint te lopen voor Felicity's plan. 'Of misschien kan ik wel een ridder vinden, net als Pippa. Een ridder die oprecht van me zal houden.'

Het is niet zo dat ik deze discussie nooit met mezelf heb gevoerd. Ik hunker ernaar om de gouden zonsondergang boven de rivier te zien en alle macht te hebben die me in deze wereld wordt ontzegd.

Het is alsof Felicity mijn weerstand voelt afbrokkelen. Ze drukt een kus op mijn wang. Haar lippen zijn koud. 'Gemma, lieverd, kunnen we niet gewoon even snel rondkijken? Even naar binnen en naar buiten. Niemand hoeft het te weten.'

Ann doet ook een duit in het zakje. 'Kartik is weg en niemand houdt ons in de gaten.'

'En Circe dan?' help ik hen herinneren. 'Zij is daar nog ergens, en ze zit gewoon te wachten tot ik een fout maak.'

'We zullen heel voorzichtig zijn,' zegt Felicity.

Ik weet nu al hoe het verder zal gaan. Ze zullen blijven aandringen tot ik ermee instem hen mee te nemen. 'Eerlijk gezegd kan ik het rijk niet in,' zeg ik met mijn blik op het bos gericht. 'Ik heb het geprobeerd.'

Felicity doet een stap bij me vandaan. 'Zonder ons?'

Ik ontwijk haar blik. 'Eén keer maar,' zeg ik. 'Maar ik kon de deur van licht niet oproepen.'

'Wat jammer,' zegt Felicity. In haar stem klinkt een fluistering door: *ik geloof je niet.*

'Ja, dus je begrijpt dat we eerst de andere leden van de Orde moeten zien te vinden voordat we terug kunnen naar het rijk. Ik ben bang dat er op het moment geen andere manier is.'

Dat is een leugen. Waarschijnlijk kan ik op elk gewenst moment het rijk weer binnengaan. Maar nog niet. Niet voordat ik de tijd heb genomen om deze vreemde kracht die ik heb gekregen, dit geschenk dat tegelijk een vloek is, te leren begrijpen. Niet voordat ik heb geleerd mijn magie te beheersen, zoals mijn moeder me al meteen aanraadde. De gevolgen zijn te ernstig. Het is al erg genoeg dat ik de rest van mijn leven zal moeten leven met de dood van Pippa. Diezelfde fout maak ik niet nog een keer. Voorlopig is het beter als mijn vriendinnen geloven dat ik geen kracht meer heb. Voorlopig is het beter als ik tegen hen lieg. Tenminste, dat hou ik mezelf voor.

In de verte luidt de klok voor de vespers.

'Straks komen we nog te laat,' zegt Felicity, die al in de richting van de kapel loopt. Haar stem klinkt opeens zo kil als de wind. Ann volgt haar plichtsgetrouw, met als gevolg dat ik de zware steen weer voor het altaar moet rollen.

'Bedankt voor jullie hulp,' mompel ik terwijl ik tegen de steen duw. Dan zie ik het perkament weer liggen. Vreemd. Ik kan me niet herinneren dat een van ons het er heeft neergelegd, nu ik erover nadenk. Vorige week lag het er nog niet. En verder is niemand van deze plek op de hoogte. Ik haal het ingescheurde papiertje onder de steen vandaan en vouw het open.

Ik moet je meteen spreken.

Er staat een naam onder, maar die hoef ik niet te lezen. Ik herken het handschrift.

Het briefje komt van Kartik.

HOOFDSTUK
DRIE

Kartik is hier ergens. Hij kijkt weer naar me.

Dat is de gedachte die me tijdens de vespers volledig in beslag neemt. Hij is er en hij moet me spreken. Meteen, stond er in zijn briefje. Waarom? Wat is er zo dringend? Ik ben één brok angst en opwinding. Kartik is terug.

'Gemma,' fluistert Ann. 'Je gebedenboek.'

Ik ben zo afwezig dat ik er niet aan heb gedacht mijn gebedenboek open te slaan en te doen alsof ik meelees. Vanaf haar plaats op de voorste bank draait Mrs Nightwing zich naar me om en werpt me een boze blik toe, zoals alleen zij dat kan. Ik lees iets luider dan noodzakelijk is, om een enthousiaste indruk te wekken. Tevreden over mijn vroomheid draait de directrice zich weer om, en al snel word ik opnieuw overspoeld door nieuwe, zorgwekkende gedachten. Stel dat de Rakshana me eindelijk willen zien? Stel dat Kartik is gekomen om me naar hen toe te brengen?

Er loopt een rilling over mijn rug. Dat zal ik niet toestaan. Hij zal me moeten komen halen, en ik geef me niet zomaar gewonnen. *Kartik.* Wie denkt hij wel dat hij is? *Kartik.* Misschien zal hij proberen me onverhoeds te overvallen, me van achteren te besluipen en zijn sterke armen om mijn middel te slaan.

Dat zou natuurlijk tot een worsteling leiden. Ik zou me tegen hem verzetten, al meen ik me te herinneren dat hij behoorlijk sterk is. *Kartik.* Misschien vallen we dan wel op de grond en drukt hij me met zijn gewicht tegen de grond, met zijn handen op mijn armen en zijn benen op die van mij. Dan ben ik zijn gevangene, niet in staat me te bewegen, zijn gezicht zo dicht bij het mijne dat ik zijn zoete adem kan ruiken en de warmte ervan op mijn lippen kan voelen...

'Gemma!' fluistert Felicity, die rechts van me zit, scherp.

Blozend van verwarring keer ik met een ruk terug in het hier en nu, en ik lees de eerste zin die ik in mijn bijbel zie staan hardop voor. Te laat besef ik dat mijn stem de enige is in de stilte. Iedereen schrikt als ik plotseling begin te praten alsof ik het licht heb gezien. De meisjes giechelen verbijsterd. Mijn wangen gloeien. Dominee Waite kijkt me met samengeknepen ogen aan. Naar Mrs Nightwing durf ik niet eens te kijken, bang dat haar vernietigende blik me in vlammen zal doen opgaan. In plaats daarvan doe ik hetzelfde als de anderen: ik buig mijn hoofd voor het gebed. Al snel zweeft de schrille stem van dominee Waite weer over ons heen. Ik val bijna in slaap.

'Waar dacht je in vredesnaam aan?' fluistert Felicity. 'Je had een heel vreemde uitdrukking op je gezicht.'

'Ik ging op in het gebed,' antwoord ik schuldbewust.

Daar wil ze iets op zeggen, maar ik leun naar voren, mijn blik strak gericht op dominee Waite, waardoor ze zich niet verstaanbaar kan maken zonder de woede van Mrs Nightwing over zich af te roepen.

Kartik. Ik ontdek dat ik hem heb gemist, al weet ik dat het feit dat hij hier is slecht nieuws betekent.

Het gebed is ten einde. Dominee Waite zegent ons, zijn schaapjes, en laat ons vrij in de wereld. Inmiddels is de schemering gearriveerd, geruisloos als een spookschip, en daarmee de vertrouwde mist. In de verte twinkelen de lichtjes van

Spence. Vreemd. Er zijn de laatste tijd niet veel uilen te zien geweest. Maar daar is hij weer. Hij komt rechts van me tussen de bomen vandaan. Door de mist zie ik een gloed. Onder aan een boom staat een lantaarn.

Hij is het. Dat weet ik gewoon.

'Wat is er?' vraagt Ann als ze ziet dat ik blijf staan.

'Ik heb een steentje in mijn schoen,' zeg ik. 'Loop maar vast door. Ik kom er zo aan.'

Heel even blijf ik doodstil staan in de hoop dat ik hem zie, om mezelf ervan te overtuigen dat hij geen hersenspinsel is. De uil krast weer, en ik schrik. Achter me laat dominee Waite met een dreun de eikenhouten deuren van de kapel dichtvallen, zodat het licht opeens verdwijnt. Een voor een verdwijnen de meisjes voor me in de mist. Hun stemmen sterven weg. Ann draait zich om, half opgeslokt door het grijs.

'Gemma, kom mee!' Haar stem galmt door de mist voordat hij volledig wordt opgeslokt.

... ma... kom... mee... ee... ee...

Weer klinkt de roep van de uil tussen de bomen, dringender deze keer. De laatste paar minuten is het opeens heel donker geworden. Alleen de lichtjes van Spence en die eenzame gloed in het bos zijn nog te zien. Ik sta alleen op het pad. Snel til ik de zoom van mijn rok op en ren zo snel als ik kan achter Ann aan, met een zeer ondamesachtige kreet: 'Wacht op mij! Ik kom eraan.'

HOOFDSTUK VIER

Dit weet ik over de geschiedenis van de Orde.

Ooit waren ze de machtigste vrouwen die je je maar kunt voorstellen, want zij waren de hoeders van de magie die heerste over het rijk. Daar, waar de meeste stervelingen alleen in hun dromen of na de dood kwamen, was het de Orde die de geesten hielp de rivier over te steken naar de wereld achter alle andere werelden. Het was de Orde die hen hielp bij het vervullen van eventuele taken die hun ziel had gekregen, zodat ze konden overgaan. En het was de Orde die in deze wereld die onvoorstelbare kracht kon gebruiken om illusies te creëren, levens te veranderen en de loop van de geschiedenis te beïnvloeden. Maar dat was voordat twee nieuwelingen die aan Spence studeerden, Mary Dowd en Sarah Rees-Toome, de Orde vernietigden.

Sarah, die zichzelf Circe noemde, naar de machtige tovenares uit de Griekse mythologie, was Mary's beste vriendin. Maar terwijl Mary's kracht toenam, verpieterde die van Sarah. Het rijk had haar niet uitverkoren om op de ingeslagen weg verder te gaan.

In een wanhopige poging zich vast te klampen aan de kracht waarnaar ze hunkerde, sloot Sarah een pact met een van de duistere geesten in het rijk, in een verboden deel dat het Winterland heette. In ruil voor het vermogen het rijk te betreden wanneer ze maar wilde, beloofde ze de geest een offer – een klein zigeunermeisje – en ze haalde Mary over mee te doen. Met die ene daad verbonden ze zich met de duistere geest en vernietigden ze de kracht van de Orde. Om te voorkomen dat de geesten deze wereld zouden betreden, bleef Eugenia Spence, oprichtster van Spence Academy en hogepriesteres van de Orde, achter. Ze offerde zichzelf op aan het wezen, waarmee de Orde haar leider kwijtraakte. Het laatste wat ze deed was Mary haar amulet – het alziend oog – toewerpen en haar smeken het rijk voorgoed af te sluiten, zodat niets eruit kon ontsnappen. Dat deed Mary, maar ze vocht met Sarah om de amulet, waarbij er een kaars omviel. Een vreselijke brand verwoestte de oostvleugel van Spence, en tot op de dag van vandaag is die beschadigde vleugel afgesloten en ongebruikt. Men ging ervan uit dat beide meisjes bij de brand waren omgekomen, net als Eugenia. Niemand wist dat Mary er tijdens de brand in was geslaagd de grotten achter de school in te vluchten en dat ze het dagboek had achtergelaten dat wij uiteindelijk zouden vinden. Sarah werd nooit teruggevonden. Mary dook onder in India, waar ze trouwde met John Doyle en een nieuw leven begon als Virginia Doyle, mijn moeder. Aangezien ze niet in staat waren het rijk te betreden viel de Orde uiteen, en de leden wachtten waakzaam af tot ze hun magische wereld en hun kracht weer konden opeisen.

Twintig jaar lang gebeurde er niets. Het verhaal over de Orde verwerd tot een legende, een mythe, tot 21 juni 1895, de dag waarop ik zestien werd. Dat was de dag dat de magie van de Orde weer tot leven kwam – in mij. Dat was de dag dat Sarah Rees-Toome, Circe, ons eindelijk vond. Ze bleek toch niet te zijn omgekomen bij die vreselijke brand, en ze had haar bezoedelde band met die duistere geest uit het Winterland gebruikt om een wraakactie te plannen. Een voor een spoorde ze de leden van de Orde op, op zoek naar de dochter over wie werd gefluisterd, het meisje dat het rijk kon betreden en de oude glorie en macht kon doen herleven. Dat was de dag dat ik mijn eerste visioen kreeg, waarin ik mijn moeder zag sterven door toedoen van Circes huurmoordenaar, hetzelfde bovennatuurlijke wezen dat Amar van de Rakshana bruut vermoordde. De Rakshana zijn een cultus van mannen die de macht van de Orde bewaken, maar die tegelijkertijd vrezen. Dat was de dag dat ik Kartik ontmoette, Amars jongere broer, die mijn hoeder en kwelgeest zou worden, door verdriet en plicht met mij verbonden.

Dat was de dag die de rest van mijn leven zou bepalen. Daarna werd ik namelijk naar Spence gestuurd. Mijn visioenen leidden ertoe dat ik samen met mijn vriendinnen het rijk betrad, waar ik werd herenigd met mijn moeder en hoorde over mijn geboorterecht binnen de Orde; waar mijn vriendinnen en ik de magie van de runen gebruikten om ons leven te veranderen; waar ik vocht tegen Circes huurmoordenaar en het Orakel van de Runen kapotsloeg, de stenen die magie bevatten; waar mijn moeder uiteindelijk stierf, net als onze vriendin Pippa. Ik keek toe terwijl zij de keuze maakte te blijven, terwijl ze hand in hand met een knappe ridder wegliep naar een plaats waaruit ze niet kon terugkeren. Pippa, mijn vriendin.

In het rijk vernam ik mijn lotsbestemming: ik ben degene die een nieuwe Orde moet oprichten en hun werk moet voortzetten. Dat is mijn plicht. Maar ik heb ook nog een andere, geheime missie: ik moet het opnemen tegen de oude vriendin van mijn moeder, mijn vijand. Uiteindelijk moet ik het opnemen tegen Sarah Rees-Toome, en ik zal niet wijken.

De regen slaat onophoudelijk tegen het raam en maakt slapen onmogelijk, al ligt Ann luid te ronken. Maar het komt niet door de regen dat ik klaarwakker ben, dat mijn huid tintelt en dat

mijn oren op het kleinste geluidje zijn gespitst. Het komt doordat ik, telkens wanneer ik mijn ogen sluit, die woorden op het
perkament voor me zie: IK MOET JE METEEN SPREKEN.

Bevindt Kartik zich op dit moment ergens buiten in de
regen?

Een windvlaag slaat tegen de ramen, waardoor ze rammelen
als botten. Anns gesnurk zwelt aan en neemt af. Het heeft
geen zin om hier te blijven liggen piekeren. Ik steek het lamp-
je op mijn nachtkastje aan en draai de vlam zo laag mogelijk,
zodat ik net genoeg licht heb om te vinden wat ik zoek. Rom-
melend door mijn kledingkast vind ik het: het dagboek van
mijn moeder. Ik laat mijn vingers over het leer glijden en denk
aan haar lach, de zachtheid van haar gezicht.

Dan richt ik mijn aandacht op het dagboek dat ik inmiddels
door en door ken en blader er een halfuur lang doorheen op
zoek naar iets wat me houvast kan bieden, maar tevergeefs. Ik
heb geen flauw idee hoe ik een nieuwe Orde moet opzetten of
de magie moet gebruiken. Er staat geen nuttige informatie in
over de Rakshana en wat zij voor me in petto hebben. Ook staat
er niets méér in over Circe en hoe ik haar kan vinden voordat
ze mij vindt. Het is alsof de hele wereld wacht tot ik iets on-
derneem, maar ik weet niet eens waar ik moet beginnen. Had
mijn moeder maar meer aanwijzingen voor me achtergelaten.

De aantrekkingskracht van de stem van mijn moeder is sterk,
zelfs op papier. Ik mis haar terwijl ik naar haar woorden staar
tot mijn ogen dichtvallen, zwaar geworden door het lange
waken. Slaap. Dat heb ik nodig. Slaap zonder angstaanjagende
dromen. Slaap.

Met een ruk til ik mijn hoofd op. Werd er op de voordeur geklopt? Komen ze me halen? Al mijn zenuwen tintelen, al mijn
spieren zijn gespannen. Maar er is niets, behalve de regen.
Geen rumoer in de gang dat erop wijst dat iemand haastig de
deur gaat opendoen. Het is veel te laat voor bezoek, en Kartik

zou nooit via de voordeur komen. Ik begin al te denken dat ik het misschien heb gedroomd, als ik weer iemand hoor kloppen, luider deze keer.

Nu komt er wel iemand in beweging. Snel doof ik mijn lamp. Brigid, onze praatzieke huishoudster, klost mopperend voor de deur van onze kamer langs op weg naar de deur. Wie kan het zijn, zo laat op de avond? Mijn hart roffelt in hetzelfde tempo als de regen wanneer ik de gang in sluip en me vlak bij de trap op mijn hurken laat zakken. Brigids kaars werpt langwerpige schaduwen op de muur als ze met twee treden tegelijk de trap af rent, zodat haar lange vlecht wild achter haar aan wappert.

'Bij alle heiligen,' mompelt ze. Ze hijgt en blaast en bereikt de deur op het moment dat er voor de derde keer wordt aangeklopt. De deur zwaait wijd open en laat de striemende regen binnen. Midden in de nacht is er iemand aangekomen. Iemand die helemaal in het zwart is. Ik word misselijk van angst. Als verstijfd blijf ik zitten, niet wetend of ik de trap af wil rennen, de deur uit, of juist mijn kamer in wil vluchten en de deur wil barricaderen. Het is te donker in de gang om het gezicht van de bezoeker te onderscheiden. Brigid houdt haar kaars omhoog, zodat de gloed ervan op de gestalte valt. Als dit een lid van de Rakshana is dat mij komt halen, begrijp ik er niets van, want dit is een vrouw. Ze noemt haar naam, maar aangezien de deur nog openstaat, kan ik haar niet verstaan boven het geraas van de regen en de wind uit. Brigid knikt en vraagt de koetsier om de koffer van de vrouw in de gang te zetten. De vrouw betaalt hem, en Brigid doet de deur dicht en sluit daarmee de nacht buiten.

'Ik maak even het dienstmeisje wakker, dan kan ze u naar uw kamer brengen,' zegt Brigid nors. 'Het is niet nodig om Mrs Nightwing wakker te maken. Morgen zal ze u op gepaste wijze welkom heten.'

'Dat lijkt me alleszins aanvaardbaar,' zegt de vrouw. Haar stem is diep en ze heeft een lichte brouw-r, een accent dat ik niet kan plaatsen.

Brigid doet de lampen aan, maar niet te fel. Ze kan de verleiding niet weerstaan om op weg naar de dienstvertrekken nog één keer afkeurend te brommen. Zodra ze alleen is, zet de vrouw haar hoed af en onthult een dikke bos donker haar en een streng gezicht met zware wenkbrauwen. Ze kijkt om zich heen naar de met slangen gedecoreerde kandelaar, de gedetailleerde houtsneden van nimfen en centauren die her en der te zien zijn. Ongetwijfeld heeft ze de verzameling waterspuwers op het dak al gezien en vraagt ze zich af waar ze terecht is gekomen.

Dan blikt ze langs de brede trap omhoog en verstijft, met haar hoofd een beetje scheef. Ze knijpt haar ogen samen, alsof ze me kan zien. Snel duik ik weg in de schaduw en druk me met mijn rug plat tegen de muur. Een tel later hoor ik Brigid met haar scherpe stem bevelen blaffen tegen het slaperige dienstmeisje.

'Dit is miss McCleethy, onze nieuwe lerares. Draag haar koffers voor haar. Ik zal haar naar haar kamer brengen.'

Mimi, het dienstmeisje, reikt gapend naar de lichtste koffer, maar miss McCleethy neemt hem van haar over.

'Als je het niet erg vindt, draag ik deze liever zelf. Mijn persoonlijke spullen.' Ze glimlacht zonder haar tanden te laten zien.

'Ja, miss.' Mimi maakt een onderdanige reverence en richt dan zuchtend haar aandacht op de grote koffer die in de hal staat.

Brigids kaars verandert de trap in een dans van licht en schaduw. Op mijn tenen ren ik de gang door, en ik verstop me achter een varen op een houten standaard. Tussen de reusachtige bladeren door kijk ik naar de drie vrouwen. Brigid loopt voorop, maar miss McCleethy blijft op de overloop staan. Ze kijkt om zich heen alsof ze het allemaal al eens heeft gezien. Wat er daarna gebeurt, is hoogst merkwaardig. Bij de imposante dubbele deur die naar de door brand beschadigde oostvleugel leidt, blijft ze staan en legt haar hand op het kromgetrokken hout.

In mijn verlangen om alles goed te zien stoot ik met mijn schouder tegen de plantenpot. De standaard wiebelt vervaarlijk. Snel steek ik mijn hand uit om hem tegen te houden, maar miss McCleethy tuurt al in de duisternis.

'Wie is daar?' roept ze.

Met bonzend hart maak ik me zo klein mogelijk en hoop dat de varen me aan het zicht onttrekt. Het zou niet best zijn als ik werd betrapt terwijl ik midden in de nacht door de gangen van Spence sloop. Ik hoor het kraken van de vloerplanken, een teken dat miss McCleethy op me afkomt. Ik ben erbij. Al mijn punten wegens goed gedrag zal ik kwijtraken, en als straf zal ik eindeloos lang passages uit de Bijbel moeten overschrijven.

'Deze kant op alstublieft, miss McCleethy,' roept Brigid.

'Ja, ik kom eraan,' antwoordt miss McCleethy. Ze keert de dubbele deur de rug toe en loopt achter Brigid aan verder de trap op, tot het weer donker en stil is in de gang, afgezien van het gekletter van de regen.

Als ik eindelijk in slaap val, slaap ik onrustig, geplaagd door dromen. Ik zie het rijk, het prachtige groen van de tuin, het heldere blauw van de rivier. Maar dat is niet het enige. Bloemen die zwarte tranen plengen. Drie meisjes in het wit, met op de achtergrond het grijs van de zee. Een gestalte in een donkergroene mantel. Er rijst iets op uit de zee. Ik kan het niet zien; ik zie alleen de gezichten van de meisjes en de kille, harde angst in hun ogen voordat ze het op een gillen zetten.

Even word ik wakker en probeer ik me uit alle macht te oriënteren, maar de onderstroom van de slaap is te sterk, en ik beland in een laatste droom.

Pippa loopt op me af, met op haar hoofd een bloemenkrans,

als een kroon. Haar zwarte haar glanst, zoals altijd. Lokken strijken langs haar blote schouders, zo donker vergeleken met haar bleke huid. Achter haar is de bloedrode hemel doorspekt met dikke, donkere wolkenflarden, en een knoestige boom lijkt in zichzelf te willen wegkruipen, alsof hij levend is verbrand en alleen dit nog over is van zijn ooit zo trotse schoonheid.

'Gemma,' zegt ze, en mijn naam galmt door mijn hoofd tot ik niets anders meer kan horen. Haar ogen. Er is iets mis met haar ogen. Ze zijn blauwachtig wit, de kleur van verse melk, met een zwarte kring eromheen en een klein zwart stipje in het midden. Ik wil mijn blik afwenden, maar dat lukt niet.

'Het is tijd om terug te keren naar het rijk...' zegt ze keer op keer, alsof ze een zoet slaapliedje zingt. 'Maar wees voorzichtig, Gemma, schat... want ze hebben het op je gemunt. Ze hebben het allemaal op je gemunt.'

Met een angstaanjagend gebrul spert ze haar mond open en onthult de scherpe punten van haar afgrijselijke tanden.

HOOFDSTUK
VIJF

Als de ochtend eindelijk aanbreekt, ben ik zo moe dat het lijkt of er zand in mijn ogen zit. Ik heb een smerige smaak in mijn mond, dus gorgel ik met een slok rozenwater, die ik zo elegant mogelijk in de waskom spuug. Alleen het afschuwelijke beeld in mijn hoofd, van Pippa als monster, raak ik niet kwijt.

Het was maar een droom, Gemma, meer niet. Je schuldgevoel speelt gewoon op. Pippa heeft er zelf voor gekozen te blijven. Het was haar beslissing, niet de jouwe. Laat het los.

Ik spoel nog één keer mijn mond, alsof dat me werkelijk kan genezen van alles wat me mankeert.

In de eetzaal zijn de lange rijen tafels gedekt voor het ontbijt. Om de vier couverts staan er winterse boeketten van kerststerren en varens in zilveren vaasjes. Het ziet er prachtig uit. Ik bedenk dat het Kerstmis is en vergeet mijn droom.

Ik ga bij Felicity en Ann staan, en zwijgend wachten we achter onze stoelen tot Mrs Nightwing ons voorgaat in het gebed. Naast onze borden staan kommetjes vruchtenconfituur en grote klonten boter. De houtachtige, zoete geur van gebakken spek hangt in de lucht. Het wachten is een kwelling. Eindelijk staat Mrs Nightwing op en vraagt ons het hoofd te buigen. Er volgt gelukkig slechts een kort gebed, waarna we mogen plaatsnemen.

'Is het jullie opgevallen?' vraagt Martha op luide fluistertoon. Ze is een van de trouwe volgelingen van Cecily. Ze kleedt zich net als zij en begint zelfs een beetje op haar te lijken. Ze hebben hetzelfde bestudeerde, verlegen lachje en de neiging te glimlachen op een manier die wordt geacht ingetogen te zijn, maar waarbij het eigenlijk lijkt alsof ze een te groot stuk brood in hun mond hebben dat ze niet kunnen doorslikken.

'Wat?' vraagt Felicity.

'We hebben een nieuwe lerares,' zegt Martha. 'Zie je wel? Ze zit naast Mademoiselle LeFarge.'

Mademoiselle LeFarge, onze mollige lerares Frans, zit samen met de andere leraren aan een aparte, lange tafel. Ze heeft kennis aan een rechercheur van Scotland Yard, ene inspecteur Kent op wie we allemaal erg gesteld zijn, en sinds hij haar het hof is gaan maken, draagt ze fellere kleuren en modieuzere jurken. Haar vrolijkheid weerhoudt haar er echter niet van mijn abominabele Frans de grond in te boren.

Alle hoofden worden in de richting van de nieuwe lerares gekeerd, die tussen LeFarge en Mrs Nightwing in zit. Ze draagt een pakje van grijs flanel met een hulsttakje op de revers gespeld. Ik herken haar onmiddellijk als de vrouw die midden in de nacht is gearriveerd. Dat zou ik de anderen kunnen vertellen. Mogelijk zou het me behoorlijk populair maken aan mijn tafel. Maar waarschijnlijk zou Cecily meteen naar Mrs Nightwing toe rennen om haar op de hoogte te stellen van mijn nachtelijke avonturen. Daarom besluit ik maar een vijg in mijn mond te stoppen.

Mrs Nightwing staat op om iets te zeggen. Mijn vork, die op het punt stond in iets hemels te worden geprikt, moet roerloos op mijn bord blijven liggen. Stilletjes bid ik dat ze het kort zal houden, al weet ik dat ik net zo goed om sneeuw in juli kan vragen.

'Goedemorgen, meisjes.'

'Goedemorgen, Mrs Nightwing,' antwoorden we in koor.

'Ik wil jullie voorstellen aan miss McCleethy, onze nieuwe lerares. Naast tekenen en schilderen weet miss McCleethy ook veel over Latijn en Grieks, badminton en boogschieten.'

Felicity schenkt me een opgewonden glimlach. Alleen Ann en ik weten hoe blij ze hiervan wordt. In het rijk bleek ze een begenadigd boogschutter, een feit dat een schok zou zijn voor degenen die denken dat ze zich alleen interesseert voor de nieuwste mode uit Parijs.

Mrs Nightwing praat door. 'Miss McCleethy gaf hiervoor les aan de vooraanstaande meisjesschool Sint-Victoria in Wales. Ik prijs me gelukkig dat ze nu bij ons komt werken, want ze is al vele jaren een goede vriendin van me.'

Op dat moment schenkt Mrs Nightwing miss McCleethy een warme glimlach. Het is werkelijk verbijsterend! Mrs Nightwing blijkt tanden te hebben. Ik ben er altijd van uitgegaan dat ze uit een drakenei is gekropen. Dat ze bovendien een 'goede vriendin' heeft gaat mijn voorstellingsvermogen te boven.

'Ik twijfel er niet aan dat ze van onschatbare waarde zal blijken voor Spence, en ik vraag jullie dan ook haar hartelijk welkom te heten. Miss Bradshaw, zou jij misschien een liedje voor onze miss McCleethy willen zingen? Een kerstliedje zou leuk zijn, dunkt me.'

Plichtsgetrouw staat Ann op en loopt tussen de lange tafels door naar voren. Hier en daar wordt wat gefluisterd en gegrinnikt. De andere meisjes lijken het nooit moe te worden Ann te kwellen, die het hoofd buigt en hun wreedheden lijdzaam over zich heen laat komen. Maar wanneer ze haar mond opendoet en met haar prachtige, heldere, krachtige stem 'Lo, How a Rose E'er Blooming' begint te zingen, valt iedereen stil. Als ze klaar is, wil ik het liefst overeind springen en haar toejuichen. In plaats daarvan klappen we kort en beleefd terwijl ze terugloopt naar de tafel. Cecily en haar vriendinnen negeren Ann volkomen, alsof ze niet net ten overstaan van de hele zaal heeft staan zingen. Het is alsof ze voor hen niet bestaat. Alsof ze niet meer is dan een geest.

'Dat was schitterend,' fluister ik haar toe.

'Welnee,' zegt ze blozend. 'Het was verschrikkelijk.' Maar toch verbreidt een schaapachtige glimlach zich over haar gezicht.

Miss McCleethy staat op om ons toe te spreken. 'Dank je, miss Bradshaw. Dat was een plezierige manier om de dag te beginnen.'

Een plezierige manier om de dag te beginnen? Het was prachtig. Volmaakt zelfs. Miss McCleethy is gespeend van elke passie, besluit ik. In mijn denkbeeldige register zal ik haar twee punten voor slecht gedrag moeten geven.

'Ik zie ernaar uit om jullie te leren kennen en hoop dat ik jullie van dienst kan zijn. Je zult merken dat ik een veeleisende lerares ben. Ik verwacht dat je te allen tijde je uiterste best doet. Maar je zult ook ontdekken dat ik rechtvaardig ben. Als je je op je werk toelegt, zul je worden beloond. Zo niet, dan zijn de gevolgen voor jou.'

Mrs Nightwing straalt. Ze heeft een geestverwant gevonden, namelijk iemand wie menselijke vreugde vreemd is. 'Dank je, miss McCleethy,' zegt ze. Ze gaat zitten, voor ons het teken dat we eindelijk mogen gaan eten.

Ah, geweldig. Op naar het spek. Ik leg twee dikke plakken op mijn bord. Het smaakt hemels.

'Ze is echt de vrolijkheid zelve, nietwaar?' fluistert Felicity ondeugend. De anderen giechelen met hun lippen stevig op elkaar geklemd. Alleen Felicity kan het maken om zulke brutale dingen te zeggen. Als ik zo'n opmerking maakte, zou er slechts een afkeurende stilte vallen.

'Wat een vreemd accent heeft ze,' zegt Cecily. 'Buitenlands.'

'Volgens mij is het niet Welsh,' voegt Martha eraan toe. 'Eerder Schots, als je het mij vraagt.'

Elizabeth Poole laat twee suikerklontjes in haar onsmakelijke thee vallen en roert sierlijk. Ze draagt een dun gouden armbandje in de vorm van een klimoprank, ongetwijfeld een vroeg kerstgeschenk van haar grootvader, van wie wordt beweerd dat hij rijker is dan de koningin. 'Het is natuurlijk mogelijk dat ze Iers is,' zegt ze met haar hoge, afgeknepen stemmetje. 'Ik hoop maar dat ze geen papist is.'

Het zou tijdverspilling zijn om haar erop te wijzen dat onze eigen Brigid niet alleen Iers is, maar nog katholiek ook. Mensen als Elizabeth hebben geen moeite met Ieren, zolang ze hun plaats maar weten. En dat is onder de trap, als bediende van de Engelsen.

'Ik hoop in elk geval dat ze een verbetering is ten opzichte van miss Moore.' Cecily neemt een hap van haar toast.

Bij het horen van die naam doen Felicity en Ann er het zwijgen toe en slaan ze hun ogen neer. Ze zijn niet vergeten dat wij verantwoordelijk zijn voor het ontslag van onze vroegere tekenlerares, de vrouw die ons meenam naar de grotten achter Spence om ons primitieve godinnenschilderingen te laten zien. Miss Moore was degene die me vertelde wat mijn amulet betekende en wat hij met de Orde te maken had. Miss Moore was degene die ons verhalen vertelde over de Orde, wat uiteindelijk tot haar ondergang leidde. Miss Moore was een vriendin van me, en ik mis haar.

Cecily trekt haar neus op. 'Al die verhalen over vrouwen met magische krachten... Hoe heetten ze ook alweer?'

'De Orde,' antwoordt Ann.

'O ja, de Orde,' zegt Cecily. Met veel gevoel voor dramatiek gaat ze verder: 'Vrouwen die illusies konden creëren en de wereld konden veranderen.' Elizabeth en Martha moeten erom lachen, en dat trekt de aandacht van onze leraren.

'Klinkklare onzin, als je het mij vraagt,' zegt Cecily zachtjes.

'Het waren maar verhalen. Dat zei ze toch,' zeg ik. Ik mijd de blik van Ann en Felicity.

'Precies. Wat had het voor zin om ons verhalen te vertellen over tovenaressen? Ze hoorde ons te leren hoe we mooie tekeningen moesten maken, in plaats van ons mee te nemen naar een vochtige grot vanwege primitieve krabbels van oude heksen. Het is een wonder dat we niet allemaal zijn doodgegaan aan de griep.'

'Je hoeft niet zo melodramatisch te doen,' zegt Felicity.

'Maar het is toch zo? Ze heeft haar verdiende loon gekregen. Mrs Nightwing had groot gelijk dat ze haar ontsloeg. En jij had groot gelijk dat je de schuld legde waar die thuishoorde, Fee: bij miss Moore. Als zij er niet was geweest, was die arme Pippa misschien niet...' Cecily maakt haar zin niet af.

'Nou?' vraag ik op ijzige toon.

Cecily krabbelt terug. 'Dat mag ik eigenlijk niet zeggen.' Maar ze kijkt erbij als een kat die een muis heeft verschalkt.

'Pippa is gestorven aan epilepsie,' zegt Felicity, prutsend aan haar servet. 'Ze kreeg een toeval...'

Cecily laat haar stem dalen. 'Maar Pippa was de eerste die iets tegen Mrs Nightwing zei over dat ellendige dagboek dat jullie lazen. Zij was degene die opbiechtte dat jullie 's nachts naar de grotten waren geweest, en dat miss Moore jullie op dat idee had gebracht. Dat vind ik een merkwaardig toeval, jullie niet?'

'De scones zijn erg lekker vandaag,' zegt Ann in een onhandige poging van onderwerp te veranderen. Ze heeft een hekel aan conflicten, voornamelijk omdat ze altijd bang is dat het op de een of andere manier haar schuld is.

'Waar beschuldig je haar precies van?' flap ik eruit.

'Ik denk dat je dat wel weet.'

Ik kan me niet meer inhouden. 'Miss Moore heeft zich nergens schuldig aan gemaakt, behalve dat ze ons een volksverhaaltje heeft verteld. Ik stel voor dat we voortaan niet meer over haar praten.'

'Nou wordt ie mooi,' zegt Cecily lachend. De anderen volgen

haar voorbeeld. Cecily is een dwaas, maar hoe komt het dat ze het altijd voor elkaar krijgt om mij op mijn nummer te zetten? 'Natuurlijk neem jij het voor haar op, Gemma. Het gesprek begon immers met die merkwaardige amulet van jou, als ik het me goed herinner. Hoe heet het ook alweer?'

'Het alziend oog,' antwoordt Ann. Er kleven kruimels aan haar onderlip.

Elizabeth knikt en gooit nog wat olie op het vuur. 'Ik geloof niet dat je ons ooit hebt verteld hoe je eraan bent gekomen.'

Halverwege een scone houdt Ann op met eten. Haar ogen zijn zo groot als schoteltjes. Felicity schiet me te hulp. 'Dat heeft ze wel verteld. Een vrouw uit een dorpje heeft het aan haar moeder gegeven bij wijze van bescherming. Het is een Indiaas gebruik.'

Het is een amulet van de Orde, dat mijn moeder aan me heeft gegeven voordat ze stierf. Mijn moeder, Mary Dowd, die hier op deze zelfde school meer dan twintig jaar geleden samen met haar vriendin Sarah Rees-Toome een verachtelijk offerritueel heeft uitgevoerd dat het einde betekende van de Orde.

'Ja, dat klopt,' zeg ik zachtjes.

'Waarschijnlijk speelden ze onder één hoedje,' zegt Cecily tegen haar volgelingen op een fluistertoon die voor iedereen verstaanbaar is. 'Het zou me niets verbazen als ze...' Voor het effect zwijgt ze plotseling. Ik zou niet moeten toehappen, maar ik doe het toch.

'Als ik wat?'

'Miss Doyle, weet je niet dat het onbeleefd is om de gesprekken van anderen af te luisteren?'

'Als ik wat?' dring ik aan.

Een wrede grijns verbreidt zich over Cecily's gezicht. 'Als je een heks bent.'

Met de rug van mijn hand tik ik de kom confituur tegen Cecily's bord. Een deel van de frambozenjam spettert op haar jurk. Ze zal zich moeten omkleden voordat ze naar de les van Mademoiselle LeFarge gaat. Dat betekent dat ze te laat komt en strafpunten krijgt.

Verontwaardigd staat Cecily op. 'Dat deed je expres, Gemma Doyle!'

'O, wat klunzig van me.' Ik trek een duivels gezicht en ontbloot mijn tanden. 'Of misschien was het wel hekserij.'

Mrs Nightwing luidt een belletje. 'Wat gebeurt daar? Miss Temple! Miss Doyle! Waarom maken jullie zo'n kabaal?'

'Miss Doyle heeft expres confituur over mijn jurk heen gegooid!'

Ik ga staan. 'Het ging per ongeluk, Mrs Nightwing. Ik snap niet dat ik zo onhandig kon zijn. Arme Cecily, hier, ik help je wel.' Met mijn beleefdste glimlach veeg ik met mijn servet over haar jurk, wat haar alleen maar bozer maakt.

Ze duwt mijn hand weg. 'Ze liegt, Mrs Nightwing. Ze deed het expres, nietwaar, Elizabeth?'

Elizabeth, het gehoorzame schoothondje, steunt Cecily uiteraard. 'Zo is het, Mrs Nightwing. Ik heb het zelf gezien.'

Nu staat Felicity ook op. 'Dat is gelogen, Elizabeth Poole. Je weet heel goed dat het een ongelukje was. Onze Gemma zou nooit zoiets gemeens doen.'

Nou, dat is wél gelogen, maar ik ben er dankbaar voor.

Martha neemt het op voor Cecily. 'Ze heeft het altijd op onze Cecily gemunt. Ze is een hoogst onbeschaafd meisje, Mrs Nightwing!'

'Wat een belediging!' zeg ik. Ik kijk naar Ann, smekend om hulp. Maar ze blijft gedwee aan tafel zitten eten, niet bereid zich in het meningsverschil te mengen.

'Zo is het genoeg!' De barse stem van Mrs Nightwing doet ons zwijgen. 'Wat een welkom voor miss McCleethy. Waarschijnlijk pakt ze meteen haar spullen om de heuvels in te vluchten, in plaats van hier tussen de wilden te leven. Ik kan jullie onmogelijk als een troep Hades-honden op een nietsver-moedend Londen loslaten. Daarom zullen we ons de rest van de dag toeleggen op onze gebeden en het bijschaven van onze manieren, tot er een jongedame overblijft waar Spence trots op kan zijn. Laten we nu rustig verdergaan met het ontbijt en verdere onbetamelijke uitbarstingen achterwege laten.'

Gedwee gaan we zitten en eten verder.

'Als ik geen christen was, zou ik haar graag eens zeggen wat ik echt van haar denk,' zegt Cecily tegen de anderen, alsof ik haar niet luid en duidelijk kan verstaan.

'Ben je dan een christen, miss Temple?' vraag ik. 'Ik was er niet zeker van.'

'Wat weet jij van christelijke naastenliefde, miss Doyle? Je bent immers tussen de heidenen in India opgegroeid.' Cecily wendt zich tot Ann. 'Lieve Ann, je kunt beter niet met zo'n meisje omgaan,' zegt ze met een zijdelingse blik op mij. 'Ze kan je reputatie onherroepelijk schaden, en je reputatie is het enige waarop je je als gouvernante kunt laten voorstaan.'

Ik heb de duivel ontmoet, en ze heet Cecily Temple. Die boosaardige kikker weet precies hoe ze angst en twijfel moet zaaien bij Ann, het arme weesmeisje, de beursstudente die hier alleen maar is dankzij de goedertierenheid van een verre nicht, zodat ze voor haar kan komen werken zodra ze is afgestudeerd. Cecily en haar slag mensen zullen Ann nooit als gelijke accepteren, maar zien er geen been in om zich met haar te amuseren wanneer het hun uitkomt.

Als ik hoopte dat Ann van zich af zou bijten, kom ik bedrogen uit.

Ann zegt niet: 'Cecily, wat ben je toch een pad.' 'Cecily, je mag je gelukkig prijzen dat je rijk bent, want met dat gezicht zul je het nodig hebben.' 'Cecily, Gemma is een goede, dierbare vriendin van me en je zult mij nooit een kwaad woord over haar horen zeggen.'

Welnee. Ann blijft zwijgend zitten en laat Cecily in de waan dat ze heeft gewonnen, omdat ze niets terug durft te zeggen. Zo interpreteert Cecily het dan ook, en heel even geeft ze Ann het gevoel dat ze deel uitmaakt van haar kringetje van intimi, al is niets minder waar.

De aardappelen zijn inmiddels koud en smaakloos, maar ik eet ze toch op, alsof ik immuun ben voor het gegrinnik van de andere meisjes, alsof het van me afglijdt als regendruppels van het raam.

Zodra de tafels zijn afgeruimd, moeten we aan tafel blijven zitten voor een lange verhandeling over goede manieren. Het sneeuwt al de hele ochtend. Ik heb nog nooit sneeuw gezien, en ik wil niets liever dan door het dikke, witte pak lopen en de koude, natte ijskristallen op mijn vingertoppen voelen. De woorden van Mrs Nightwing dringen slechts vaag door tot mijn afwezige brein.

'Het laatste wat je wilt is dat de gegoede kringen je de rug toekeren, of dat de belangrijkste families je nooit meer komen bezoeken...'

'Vraag tijdens een bal nooit aan een heer of hij je waaier, boeket of handschoenen wil vasthouden, tenzij hij je begeleider of een familielid is...'

Aangezien ik behalve mijn broer en mijn vader geen heren ken, hoef ik me daar geen zorgen over te maken. Nou ja, dat is niet helemaal waar. Ik ken Kartik. Maar het is niet waarschijnlijk dat ik hem in de balzalen van Londen tegen het lijf loop. Wat voor nieuws heeft hij me te vertellen? Ik had op de terugweg van de vespers naar hem toe moeten gaan. Wat zal hij me een dwaas vinden.

'De dame met de hoogste rang betreedt als eerste de eetkamer. De gastvrouw komt als laatste binnen...'

'Luid praten of lachen op straat is een teken van onbeschaafdheid...'

'Omgang met een man die drinkt, gokt of zich met andere kwaden inlaat dient te allen tijde te worden vermeden, opdat hij je reputatie niet schaadt...'

Een man die drinkt. Vader. Ik wil de gedachte van me afzetten. Ik zie hem voor me zoals hij er in oktober uitzag: zijn ogen glazig van de laudanum, bevende handen. In de paar brieven die grootmoeder me sindsdien heeft geschreven, zegt ze niets over zijn gezondheid, zijn verslaving. Is hij genezen? Zal hij de vader zijn die ik me herinner, de opgewekte man met een glans in zijn ogen die snedige opmerkingen maakt waar we allemaal om moeten lachen? Of zal hij de vader zijn die hij sinds de dood van mijn moeder is geweest: de lege huls van een man die dwars door me heen lijkt te kijken?

'Een dame dient nooit zonder begeleiding de danszaal te verlaten. Dat kan aanleiding geven tot geroddel.'

De sneeuw hoopt zich op tegen de ruiten en vormt piepkleine, heuvelachtige dorpjes. Het wit van de sneeuw. Het wit van onze handschoenen. Van Pippa's huid. Pippa.

Ze hebben het op je gemunt, Gemma...

Een rilling loopt over mijn rug. Dat heeft niets te maken met de kou en alles met wat ik niet weet, wat ik niet durf te ontdekken.

HOOFDSTUK ZES

Alle moeilijkheden van die ochtend zijn vergeten zodra we naar buiten mogen. De krachtige, felle zon doet de verse, witte sneeuw oogverblindend fonkelen. De jongere meisjes gillen het uit van pret als de natte sneeuw over de rand van hun laarzen naar binnen komt. Een groepje is al aan een sneeuwpop begonnen.

'Is het niet schitterend?' verzucht Felicity. Ze kan pronken met haar nieuwe mof van vossenbont, dus ze is gelukkig. Ann loopt voorzichtig achter ons aan, haar mond vertrokken in een grimas. Voor mij is de sneeuw een wonder. Als ik er een handvol van oppak, verbaast het me dat het zo kneedbaar is. 'Hé, het blijft plakken!' roep ik.

Felicity kijkt me aan alsof ik opeens twee hoofden heb. 'Ach, natuurlijk.' Nu dringt het tot haar door. 'Je hebt nog nooit sneeuw meegemaakt.'

Het liefst wil ik me achterover laten vallen en me erin baden, zo opgetogen ben ik. Ik lik aan de sneeuw. Het ziet eruit alsof het naar vanilleroom zou moeten smaken, maar het is alleen maar koud. De vlokjes smelten meteen op mijn warme tong. Ik loop als een dwaas te giechelen.

'Hier, ik zal je iets laten zien,' zegt Felicity. Ze schept met haar beide geschoeide handen wat sneeuw op en maakt er al kloppend een harde bal van, die ze me laat zien. 'Ziehier: de sneeuwbal.'

'O,' zeg ik, maar ik begrijp er niets van.

Zonder waarschuwing smijt ze de samengepakte sneeuw naar me toe. De bal slaat hard tegen mijn mouw, zodat er natte ijskristallen in mijn gezicht en haar spatten tot ik ervan sputter.

'Is sneeuw niet fantastisch?' vraagt ze.

Eigenlijk zou ik boos moeten zijn, denk ik, maar ik moet lachen. Het is inderdaad fantastisch. Ik ben dol op sneeuw en ik wens dat het nooit meer weggaat.

Hijgend en puffend haalt Ann ons eindelijk in. Dan glijdt ze uit en ploft met een hoge kreet en een wolk van sneeuw op de grond. Het is misschien gemeen, maar Felicity en ik moeten er vreselijk om lachen.

'Als jullie doorweekt waren, zouden jullie vast niet zo hard lachen,' moppert Ann, terwijl ze weinig elegant overeind krabbelt.

'Doe niet zo onnozel,' zegt Felicity spottend. 'Het is niet het eind van de wereld.'

'Ik heb geen tien paar kousen in mijn kast liggen, zoals jij,' zegt Ann. Het is ad rem bedoeld, maar het klinkt vooral somber en klaaglijk.

'Dan zal ik je verder niet lastigvallen,' antwoordt Felicity. 'O, Elizabeth! Cecily!' Met die woorden laat ze ons in de kou staan en loopt met grote passen op de andere meisjes af.

'Maar ik heb echt niet zoveel kousen,' zegt Ann op verdedigende toon.

'Je klonk gewoon alsof je vreselijk met jezelf te doen had.'

'Niets komt er ook uit zoals ik bedoel.'

Mijn vrolijke middag in de sneeuw verliest wat van zijn glans. Ik geloof niet dat ik Anns gemekker nog een uur kan verdragen. Bovendien ben ik nog steeds een beetje boos op haar omdat ze het bij het ontbijt niet voor me opnam. Voordat ik erover kan nadenken, heb ik de sneeuw al in mijn hand. Ik gooi het naar Ann toe, recht in haar verraste gezicht. Voordat ze kan reageren, gooi ik nog een sneeuwbal.

Ann sputtert: 'Ik... ik...'

Een derde sneeuwbal spat op haar rok uiteen.

'Kom op nou, Ann,' zeg ik om haar uit haar tent te lokken. 'Laat je je zomaar door mij afstraffen? Of ga je wraak nemen?'

Het antwoord is een sneeuwbal tegen mijn hals. Het ijs sijpelt langs mijn kraag mijn jurk in, en ik gil het uit van de plotselinge kou. Als ik me buk om een nieuwe handvol sneeuw te pakken, weet Ann mijn hoofd te raken. Mijn haar is opeens drijfnat.

'Dat is niet eerlijk!' roep ik. 'Ik heb geen munitie.'

Ann blijft staan, en ik raak haar met een sneeuwbal die ik achter mijn rug verborgen heb gehouden. Haar gezicht is een toonbeeld van verontwaardiging. 'Maar je zei...'

'Ann, doe je dan altijd alles wat je wordt opgedragen? Dit is oorlog!' Mijn volgende poging is mis, maar Ann weet me opnieuw in mijn gezicht te raken. Ik ben gedwongen het hogerop te zoeken terwijl ik de sneeuw uit mijn ogen wrijf.

Onder de sneeuw is de grond modderig geworden door de vele regen. Mijn hakken zijn erin weggezakt, en omdat ik niets heb om me tegen schrap te zetten – geen boom of bankje – vrees ik dat ik onherroepelijk vastzit. Ik wil mijn voet optillen en val voorover, zodat ik bijna op mijn gezicht in de drek terechtkom. Maar iemand grijpt me stevig bij mijn polsen, sleurt me overeind en trekt me achter een boom. Als ik weer iets kan zien, kijk ik recht in zijn gezicht.

'Kartik!' roep ik uit.

'Hallo, miss Doyle,' zegt hij, glimlachend om mijn verfomfaaide uiterlijk. Gesmolten sneeuw druipt uit mijn haar op mijn neus. 'Je ziet er... goed uit.'

Ik ben vast een verschrikking.

'Waarom heb je niet op mijn briefje gereageerd?' vraagt hij.

Ik voel me dwaas. En ik ben blij om hem te zien. En een beetje op mijn hoede. Er schieten zoveel gedachten door mijn hoofd dat ik ze niet allemaal kan benoemen. 'Ik kan moeilijk wegkomen. Ik...'

Achter de bomen hoor ik Ann mijn naam roepen. Ze zoekt me, zodat ze met nog meer sneeuwballen wraak kan nemen.

Kartik verstevigt zijn greep. 'Het doet er ook niet toe. We hebben weinig tijd en ik heb je veel te vertellen. Er zijn problemen in het rijk.'

'Wat voor problemen? Toen ik wegging leek alles in orde. Circes huurmoordenaar was verslagen.'

Kartik schudt zijn hoofd. Onder zijn kap bewegen zijn lange, donkere krullen mee. 'Weet je nog dat je het Orakel van de Runen kapotsloeg en je moeder bevrijdde?'

Ik knik.

'Met behulp van die runen heeft de Orde in het verre verleden de grote magische krachten in het rijk ingeperkt. Ze dienden als een soort kluis voor hun magie. Het was een manier om ervoor te zorgen dat alleen zij er gebruik van konden maken.'

Ann roept weer. Ze is nu dicht bij onze schuilplaats.

Dringend fluistert Kartik: 'Toen jij de runen kapotsloeg, miss Doyle, heb je die kluis vernietigd...'

'... en de magie losgelaten in het rijk,' maak ik zijn zin af. Een kille angst kruipt in mijn botten.

Kartik knikt. 'Nu is de magie ongebonden en kan iedereen hem voor om het even welk doel gebruiken, al weten ze nog niet waarom. De magie is zeer krachtig. En nu hij zonder enige beperking in het rijk is losgelaten...' Zijn stem sterft weg. Dan zegt hij: 'Bepaalde elementen zijn eropuit om het hele rijk te overheersen. Mogelijk werken ze samen met elkaar... en met Circe.'

'Circe...' O mijn god, wat heb ik gedaan?

'Gemma, waar ben je dan? Ik kom je halen...' zegt Ann giechelend.

Kartik legt een vinger tegen mijn lippen en vlijt zich tegen me aan. Hij ruikt naar kampvuur en er ligt een lichte schaduw van baardgroei over zijn kaak. Ik kan nauwelijks ademhalen, zo dichtbij is hij.

'Er is een manier om de magie weer te binden. Dat hopen we althans,' zegt Kartik. Anns stem sterft in de verte weg, en hij doet een stap achteruit. De lucht stroomt in het gat dat tussen ons is ontstaan. 'Heeft je moeder het ooit over de tempel gehad?'

Ik sta nog te tollen van het gevoel van zijn borst tegen de mijne. Mijn wangen zijn rood, en niet alleen van de kou. 'N-nee. Wat is dat?'

'Het is de bron van de magie in het rijk. We willen dat jij ernaar op zoek gaat.'

'Is er een kaart? Een beschrijving?'

Kartik blaast zijn adem uit en schudt zijn hoofd. 'Niemand weet waar de tempel is. Hij is goed verborgen. Er zijn altijd maar een paar leden van de Orde geweest die wisten waar hij te vinden was. Dat was de enige manier om hem te beschermen.'

'Hoe moet ik hem dan vinden? Moet ik me op de wezens verlaten?'

'Nee. Je kunt niemand vertrouwen. Niets of niemand.'

Niets. Geen enkel wezen, levend of dood. Ik moet ervan huiveren.

'En mijn visioenen dan? Mag ik daar wel op vertrouwen?' Niet dat ik die de laatste tijd nog heb gehad.

'Dat weet ik niet. Ze hebben hun oorsprong in het rijk.' Hij haalt zijn schouders op. 'Dat kan ik niet zeggen.'

'En als ik de tempel vind?'

Kartiks gezicht verbleekt alsof hij doodsbang is. Zo heb ik hem nog nooit gezien. Hij kijkt me niet aan terwijl hij zegt:

'Gebruik deze woorden: "Ik bind de magie in naam van de Ster van het Oosten."'

'De Ster van het Oosten,' herhaal ik. 'Wat betekent dat?'

'Het is een machtige bindingsspreuk, een van de Orde, denk ik,' zegt hij met afgewende blik.

Anns stem komt weer dichterbij. Ik zie het blauw van haar mantel tussen de boomstammen. Kartik ziet het ook. Hij staat al klaar om weg te rennen.

'Ik neem binnenkort weer contact op,' zegt hij. 'Ik weet niet wat je in het rijk zult tegenkomen, miss Doyle. Wees voorzichtig. Alsjeblieft.' Hij draait zich om, blijft staan, maakt opnieuw aanstalten om weg te lopen, komt haastig terug en drukt een snelle kus op mijn hand, als een echte heer. Dan gaat hij er als een pijl uit een boog vandoor, rennend door de sneeuw alsof het hem hoegenaamd geen moeite kost.

Ik weet niet wat ik moet denken. De magie stroomt vrij door het rijk. Het is allemaal mijn schuld. Ik moet de tempel vinden en de orde herstellen voordat het rijk verloren gaat. En Kartik heeft me zojuist gekust.

Ik heb nog nauwelijks de tijd gehad om het allemaal tot me te laten doordringen als er zonder enige waarschuwing een scherpe pijn door mijn lichaam trekt, zo hevig dat ik dubbel klap en steun moet zoeken bij de boom. Ik ben duizelig en alles ziet er heel vreemd uit. Hemel, wat voel ik me ziek. Ik ben me ervan bewust dat er iemand naar me kijkt. De gedachte dat iemand me op zo'n kwetsbaar moment kan zien vervult me met ontzetting. Happend naar adem kijk ik op, in een poging me te oriënteren.

Aanvankelijk denk ik dat ik sneeuw in mijn ogen heb gekregen. Ik knipper met mijn wimpers, maar het beeld verandert niet. Ik zie drie meisjes, helemaal in het wit. Maar ik ken ze niet. Op Spence heb ik ze nog nooit gezien, en zo te zien zijn ze van mijn leeftijd. Ondanks de kou hebben ze geen jas aan.

'Hallo,' roep ik. Ze geven geen antwoord. 'Zijn jullie verdwaald?'

Ze openen hun mond om iets te zeggen, maar ik kan ze niet verstaan, en dan gebeurt er iets heel vreemds. De meisjes flakkeren en vervagen, tot er in de sneeuw geen spoor meer van hen te bekennen is. En net zo snel trekt de pijn weg. Ik voel me prima.

Een harde sneeuwbal raakt me vol op mijn kaak. 'Ha!' roept Ann triomfantelijk.

'Ann!' roep ik boos. 'Daar was ik niet op voorbereid!'

Ze schenkt me een zeldzame glimlach. 'Je zei het zelf al: dit is oorlog.' Met die woorden trekt ze zich onhandig huppelend door de sneeuw terug.

HOOFDSTUK
ZEVEN

'Dames, mag ik jullie onverdeelde aandacht? We hebben de grote eer vanavond het toneelgezelschap van Covent Garden te mogen verwelkomen. Zij zullen een zeer plezierig stuk gebaseerd op het sprookje van Hans en Grietje door de gebroeders Grimm voor ons opvoeren.'

Ik had eigenlijk gehoopt dat ik na de vespers en het avondeten tijd zou hebben om me met Felicity en Ann terug te trekken, zodat ik hun over Kartiks waarschuwing kon vertellen. Maar ik heb pech, want uitgerekend vanavond heeft Mrs Nightwing speciaal voor ons een toneelavond georganiseerd. Mijn nieuwtje zal even moeten wachten. De jongere meisjes kijken vol spanning uit naar het griezelige sprookje, compleet met eng bos en boze heks. De spelers worden aan ons voorgesteld door de leider van het gezelschap, een lange, forse man met een bepoederd gezicht en een reusachtige snor waarvan de punten met was in een prachtige krul zijn gedraaid. Een voor een verschijnen de spelers op het kleine podium in de balzaal. De mannen maken een buiging en de vrouwen een reverence. Of liever, de personages maken een buiging of een reverence. In werkelijkheid bestaat het gezelschap geheel uit mannen. Zelfs de arme ziel die Grietje speelt is een jongen, van een jaar of dertien.

'Spelers, neem uw plaatsen in,' buldert de leider met zijn diepe stem. Het podium stroomt leeg. Twee toneelknechten schuiven een houten decorstuk in de vorm van een stel bomen het toneel op. 'Laat het verhaal beginnen waar het hoort te beginnen: in een huis aan de rand van een heel donker bos.'

Het licht wordt gedimd. Het publiek zwijgt. Het enige geluid is het onophoudelijke getik van de koude regen tegen de geteisterde ramen.

'Vader,' roept de kijvende vrouw, 'we hebben niet genoeg te eten voor ons allemaal. We moeten de kinderen naar het bos brengen, waar ze zichzelf maar moeten redden.'

Haar man, een jager, reageert met wilde gebaren en een stem die zo melodramatisch is dat het lijkt of hij een heel slechte acteur imiteert. Wanneer duidelijk wordt dat dat niet het geval is, kan ik mijn lachen nauwelijks inhouden.

Felicity fluistert in mijn oor: 'Ik moet bekennen dat ik tot over mijn oren verliefd ben op de arme jager. Vermoedelijk is het zijn subtiliteit die me zo in hem aantrekt.'

Ik druk een hand tegen mijn mond om mijn lachen te bedwingen. 'Zelf ben ik helemaal weg van zijn vrouw. Misschien komt het door de baard...'

'Wat zitten jullie te smiespelen?' vraagt Ann, wat haar een scherp 'Sst!' oplevert van Mrs Nightwing, die achter ons komt staan. Zwijgend en stijf rechtop als een stel grafstenen staren we met geveinsde belangstelling naar het podium. Ik kan alleen maar hopen dat er arsenicum zat in de plumpudding die we vanavond hebben gegeten, zodat ik snel verlost zal zijn van deze klucht vol mannen in felgekleurde, folkloristische kleren die zich als vrouwen proberen voor te doen.

De moeder duwt Hans en Grietje het bos in. 'Goed zo, kinderen. Nog een klein stukje verder. Alles wat je je maar kunt wensen ligt aan de andere kant van het bos.'

Hans en Grietje verdwijnen in het bos en stuiten op het peperkoeken huisje. Met grote ogen en een overdreven glimlach doen ze alsof ze aan de geschilderde luiken van gom knagen.

De verteller loopt langs de rand van het podium heen en weer. 'Hoe meer ze aten, hoe meer ze wilden,' verkondigt hij plechtig. Een paar rijen verderop zit een stel meisjes achter hun geheven handen te roddelen. Er wordt gegiecheld. Wanneer het giechelen niet ophoudt, laat Mrs Nightwing ons, drie van haar schaapjes, met rust en gaat elders haar kudde bewaken.

Ik wil Felicity en Ann over Kartik vertellen, maar we worden te scherp in de gaten gehouden om nu een gesprek te kunnen voeren. Op het podium zijn de argeloze Hans en Grietje het huis van de heks binnengelokt.

'Arme kinderen, in de steek gelaten door de wereld. Ik zal jullie voeden. Ik zal jullie geven wat jullie verlangen!' De heks draait zich om naar het publiek en knipoogt veelzeggend. Braaf joelen en sissen we vol afkeuring.

De jongen die Grietje speelt roept: 'En zullen we dan als uw bloedeigen kinderen zijn, tantelief? Zult u van ons houden en ons alles leren wat we moeten weten?' Op het laatst slaat zijn stem over. In het publiek wordt weer gegiecheld.

'Ja, kind. Wees maar niet bang. Want nu jullie hier zijn, zoals ik zo vaak heb gewenst, zal ik jullie aan mijn borst drukken en nooit meer loslaten!' De heks drukt Hans zo stevig tegen haar omvangrijke nepboezem dat hij bijna stikt. We lachen vrolijk om die grap. Bemoedigd propt de heks een stuk vlaai in Hans' mond, wat nog meer gelach vanuit het publiek oplevert.

De lampen flakkeren. Overal wordt naar adem gehapt, en enkele levendigere meisjes slaken een kreetje. Het is gewoon een toneelknecht die met de verlichting speelt, maar het heeft het gewenste effect. De heks wrijft in haar handen en biecht haar duivelse plan op om de kinderen vet te mesten en in haar grote oven te roosteren. Dat bezorgt iedereen de rillingen, en even vraag ik me af wat voor vreselijke jeugd de gebroeders

Grimm hebben gehad. Het zijn geen vrolijke verhalenverteller met al dat gedoe over kinderen die door heksen worden geroosterd en meisjes die door lelijke oude vrouwen worden vergiftigd en zo.

Opeens hangt er een kilte in de lucht, een vochtige kou die doordringt tot op je botten. Heeft iemand een raam opengedaan? Nee, die zitten allemaal stevig dicht tegen de regen. De gordijnen bewegen niet; niets wijst op tocht.

Miss McCleethy loopt langs de muren door de zaal, met haar handen voor zich gevouwen als een priester die in gebed verzonken is. Een trage glimlach verbreidt zich over haar gezicht wanneer ze ons allemaal bestudeert. Op het podium is iets amusants gebeurd. De meisjes lachen. In mijn oren klinkt het vervormd en veraf, alsof ik onder water ben. Miss McCleethy legt haar hand op de rug van een meisje aan het eind van een rij; met een glimlach buigt ze zich over het kind heen om haar vraag te beantwoorden, maar onder die dikke, donkere wenkbrauwen zoeken haar ogen de mijne. Het is koud, maar ik zit te zweten alsof ik hoge koorts heb. Een wild verlangen om de zaal uit te rennen komt bij me op. Opeens voel ik me weer ziek.

Felicity fluistert iets tegen me, maar ik versta haar niet. Het gefluister zelf heeft een afschuwelijke bijklank, als de droge vleugeltjes en krabbelende pootjes van duizenden insecten. Mijn oogleden trillen. Een luid gebrul vult mijn oren, en ik val hard en snel door een tunnel van licht en geluid. De tijd wordt uitgerekt als een elastiek. Ik ben me bewust van mijn ademhaling, van het bloed dat door mijn aderen stroomt. Ik verkeer in de greep van een visioen. Maar het is een heel ander visioen dan ik gewend ben. Veel overweldigender.

Ik ben aan zee. Kliffen. De geur van zout. De hemel een weerspiegeling, woeste wolken boven mijn hoofd, een oud kasteel op een heuvel. Alles gebeurt snel. Te snel. Kan het niet zien... Drie meisjes in het wit springen absurd snel rond over de kliffen. Het zout, scherp op mijn tong. Groene mantel. Een geheven hand, een slang, kolkende hemel, wolken met strepen zwart en grijs. Iets anders. Iets... O, god, er rijst iets omhoog. Angst achter in mijn keel, als de smaak van de zee. Hun ogen. Hun ogen! Zo bang! Open nu. Zien het oprijzen uit de zee. Hun ogen, een lange, geluidloze gil.

Mijn bloed sleurt me terug, weg van de zee en de angst.

Ik hoor stemmen. *'Wat is er? Wat is er gebeurd?' 'Achteruit, geef haar wat lucht.' 'Is ze dood?'*

Ik open mijn ogen. Een groep bezorgde gezichten zweeft boven me. Waar? Wie zijn het? Waarom lig ik op de grond?

'Miss Doyle...'

Mijn naam. Moet antwoord geven. Mijn tong is dik.

'Miss Doyle?' Het is Mrs Nightwing. Haar gezicht wordt scherp. Ze beweegt iets smerigs onder mijn neus heen en weer. Afschuwelijke zwavelgeur. Vlugzout. Ik moet ervan kreunen. Ik draai mijn hoofd om de stank te vermijden.

'Miss Doyle, kun je staan?'

Als een kind doe ik wat me wordt opgedragen. Ik zie miss McCleethy aan de andere kant van de kamer staan. Ze heeft zich niet verroerd.

Geschrokken kreetjes en gefluister bereiken mijn oren. *'Kijk. Daar. Wat vreselijk.'*

Felicity's stem komt boven die van de anderen uit. 'Hier, Gemma, pak mijn hand vast.'

Ik zie Cecily met haar vriendinnen fluisteren. Ik hoor wat ze zegt. 'Wat afschuwelijk.' Ik zie Anns bezorgde gezicht.

'Wat... wat is er gebeurd?' vraag ik. Ann kijkt me verlegen aan, niet in staat me antwoord te geven.

'Kom, miss Doyle, dan brengen we je naar je kamer.' Pas als Mrs Nightwing me overeind helpt, zie ik de aanleiding voor al het geroddel: een steeds groter wordende rode vlek op mijn witte rok. Mijn eerste menstruatie.

HOOFDSTUK
ACHT

Brigid legt de warmwaterkruik onder de dekens tegen mijn buik. 'Arm kind,' zegt ze. 'Het is ook zo'n ellende. Ik had het ook altijd zo zwaar met de vloek. En ik moest nog gewoon werken ook. Uitrusten kon ik mooi vergeten, dat kan ik je wel vertellen.'

Ik ben niet in de stemming voor de pijntjes van onze lankmoedige huishoudster. Als ze eenmaal begint, is ze niet meer te houden. Dan krijg ik alles te horen over haar reumatiek, haar slechte ogen en die keer dat ze bijna een baan had gekregen in het huishouden van een achter-achter-achterneef in de twaalfde graad van de kroonprins.

'Dank je, Brigid, maar ik wil nu graag uitrusten,' zeg ik, en ik sluit mijn ogen.

'Natuurlijk, kindje. Rust, dat heb je nodig. Rust is het beste. Ik weet nog dat ik zou gaan werken voor een zeer edele dame – ze was ooit kamermeisje geweest van de nicht van de hertogin van Dorset, de meest respectabele dame die je maar kon vinden, geloof me...'

'Brigid.' Het is Felicity, met Ann op haar hielen. 'Volgens mij zag ik de dienstmeisjes naar beneden glippen voor een spelletje kaart. Ik dacht dat je dat wel zou willen weten.'

Brigid zet haar vuisten op haar omvangrijke heupen. 'Daar

hebben ze van mij geen toestemming voor gekregen. Die nieuwe meisjes ook, ze kennen gewoon hun plaats niet. In mijn tijd was de wil van de huishoudster wet.' Snuivend en zachtjes mopperend loopt Brigid weg. 'Een spelletje kaart. Wel heb ik ooit!'

'Gingen ze echt kaarten?' vraag ik aan Felicity zodra Brigid weg is.

'Natuurlijk niet. Maar ik moest haar op de een of andere manier zien weg te werken.'

'Hoe voel je je?' vraagt Ann blozend.

'Ellendig,' antwoord ik.

Felicity gaat op de rand van mijn bed zitten. 'Bedoel je dat dit de eerste keer is dat je... last hebt van de maandelijkse ziekte?'

'Ja,' snauw ik, want ik voel me een beetje als een niet begrepen exotisch dier.

Afgezien van de warmwaterkruik heb ik een kop sterke thee en een heel klein beetje brandy mee naar bed gekregen, met de complimenten van Mrs Nightwing, die volhield dat de brandy voor medicinale doeleinden bestemd was en dat ik het daarom voor deze ene keer best mocht hebben. De thee is koud en bitter geworden. Maar de brandy helpt. Het verzacht de zeurderige pijn in mijn buik. Ik heb me nog nooit zo belachelijk gevoeld. Als 'vrouw-zijn' dit inhoudt, kan het me gestolen worden.

'Arme Gemma,' zegt Ann met een klopje op mijn hand. 'En nog wel in het openbaar. Wat gênant voor je.'

Ik voel me vreselijk vernederd. 'Als ik zo brutaal mag zijn... Mag ik vragen wanneer jullie zijn begonnen met...?' Ik maak mijn zin niet af.

Felicity loopt naar mijn tafeltje en bestudeert de spulletjes die erop liggen. Ze haalt mijn borstel door haar platinablonde haar. 'Jaren geleden al.'

Natuurlijk. Dom dat ik het vraag. Ik kijk naar Ann, die meteen zo rood wordt als een kreeft.

'O, ik... Over z-zulke d-dingen moeten we niet p-praten.'

'Je hebt gelijk,' zeg ik, terwijl ik heel zorgvuldig aan het randje van mijn laken peuter.

'Waarschijnlijk is ze nog geen vrouw,' zegt Felicity koeltjes.

Meteen schiet Ann in de verdediging. 'Wel waar! Een halfjaar al!'

'Een halfjaar! Nou, nou. Dan is ze bijna een expert op dat gebied.'

Ik probeer uit bed te stappen, maar Ann duwt me terug. 'Nee, nee. Je moet niet rondlopen. Dat is niet goed voor je in je huidige toestand.'

'Maar... ik moet toch gewoon mijn leven leiden?'

'Je moet dit gewoon verdragen. Het is onze straf als dochters van Eva. Waarom denk je anders dat het de vloek wordt genoemd?'

Een diep gerommel trekt door mijn buik, waardoor ik me zwaar en prikkelbaar voel. 'O ja? En welke vloek treft de Adams van deze wereld?'

Ann opent haar mond, maar kan kennelijk niets bedenken, want ze doet hem net zo snel weer dicht.

Het is Felicity die met een staalharde blik in haar ogen antwoordt. 'Ze laten zich gemakkelijk verleiden. En wij zijn hun verleidsters.'

Het woord 'verleiden' doet me aan Kartik denken. Kartik en zijn waarschuwingen. De magie, vrij in het rijk. De tempel.

'Ik moet jullie iets vertellen,' begin ik. Ik vertel hun over Kartiks bezoek, over mijn taak en het vreemde visioen dat ik tijdens het toneelstuk kreeg. Als ik klaar ben met mijn verhaal, zitten ze met grote ogen naar me te kijken.

'Ik heb kippenvel. Stel je voor, al die magie die zomaar door iedereen kan worden gebruikt,' zegt Felicity. Ik kan niet zeggen of die gedachte haar angst aanjaagt of haar juist opwindt.

Ann kijkt bezorgd. 'Maar hoe kun je de tempel vinden als je niet eens het rijk kunt betreden?'

Ik was mijn leugen vergeten. Nu kan ik er niet meer omheen. Ik zal de waarheid moeten opbiechten. Ik trek het laken op tot aan mijn kin en maak me zo klein mogelijk. 'Ik heb het eerlijk gezegd nog niet geprobeerd. Al sinds Pippa niet meer.'

Felicity's blik zou glas kunnen laten knappen. 'Je hebt tegen ons gelogen.'

'Ja, dat weet ik. Het spijt me. Ik was er nog niet aan toe.'

'Dat had je best kunnen zeggen,' mompelt Ann gekwetst.

'Het spijt me echt. Ik dacht dat het zo beter was.'

Felicity's grijze ogen zijn zo hard als graniet. 'Lieg niet nog een keer tegen ons, Gemma. Dat is verraad jegens de Orde.'

De manier waarop ze dat zegt staat me niet aan, maar ik heb nu geen zin om tegen haar in te gaan. Ik knik en reik naar het glaasje brandy.

'Wanneer gaan we naar het rijk?' vraagt Ann.

'Zullen we om middernacht afspreken?' vraagt Felicity bijna smekend. 'O, ik sta te popelen om het allemaal weer terug te zien!'

'Ik voel me echt te slecht om vanavond te gaan,' zeg ik. Daar kunnen ze moeilijk iets tegen inbrengen.

'Goed dan,' verzucht Felicity. 'Rust lekker uit.'

'Wat is er?' vraagt Ann als ze de uitdrukking op mijn gezicht ziet.

'Waarschijnlijk is het niet belangrijk. Ik zat alleen te denken aan het laatste wat ik heb gezien voordat ik flauwviel: het gezicht van miss McCleethy. Ze wierp me een heel merkwaardige blik toe, alsof ze al mijn geheimen kende.'

Een duivelse grijns speelt om Felicity's volle lippen. 'De rrrechtvaardige maarrr veeleisende miss McCleethy, bedoel je,' zegt ze, de merkwaardige brouw-r van onze nieuwe lerares imiterend. Ondanks alles moet ik daarom lachen.

'Als ze een oude vriendin van Mrs Nightwing is, is ze ongetwijfeld een vreselijke zedenprediker die ons het leven zuur zal maken,' zeg ik nog steeds giechelend.

'Ik ben blij dat je wat bent opgevrolijkt, miss Doyle.' Miss McCleethy in hoogsteigen persoon staat bij de deur. De moed zakt me als een baksteen in de schoenen. O, nee. Hoe lang staat ze daar al?

'Ik voel me inderdaad een stuk beter, dank u,' zeg ik met een angstig piepstemmetje.

Ik ben er bijna zeker van dat ze alles heeft gehoord, want ze houdt mijn blik net zo lang vast tot ik me afwend, en dan zegt ze simpelweg, zonder veel geestdrift: 'Nou, ik ben blij dat te horen. Je hebt beweging nodig. Beweging is erg belangrijk. Morgen neem ik al mijn meisjes mee naar het gazon voor het boogschieten.'

'Wat een geweldig idee! Ik kan bijna niet wachten,' zegt Felicity iets te opgewekt, in de hoop eventueel opgevangen vervelende opmerkingen met een charmeoffensief te verdoezelen.

'Heb je enige ervaring met pijl en boog, miss Worthington?'

'Een heel klein beetje,' zegt Felicity bescheiden. In werkelijkheid is ze ontzettend goed.

'Fantastisch. Ik durf te wedden dat jullie en de andere jongedames allerlei verrassingen voor me in petto hebben.' Een merkwaardig scheef glimlachje speelt om miss McCleethy's strakke mondhoeken. 'Ik kijk ernaar uit om vriendschap met jullie te sluiten. Mijn eerdere leerlingen konden het goed met me vinden, ook al had ik de reputatie een vreselijke zedenprediker te zijn.'

Ze heeft alles gehoord. Het is gedaan met ons. Ze zal ons voorgoed haten. Nee, ze zal míj voorgoed haten. *Een uitstekend begin, Gemma. Bravo.*

Miss McCleethy inspecteert mijn bureau, waarbij ze de paar spulletjes die erop staan en liggen – het ivoren olifantje uit India, mijn borstel – oppakt om ze beter te bekijken. 'Lillian...

Mrs Nightwing heeft me verteld over jullie betreurenswaardige betrokkenheid bij jullie vorige lerares, miss Moore. Het speet me te horen dat ze zoveel misbruik heeft gemaakt van jullie vertrouwen.'

Opnieuw kijkt ze ons met die indringende blik van haar aan. 'Ik ben miss Moore niet. Geen verhalen, geen ongepastheden. Ik sta niet toe dat er onrust ontstaat. We zullen ons aan de letter van de wet houden. Daar kunnen we alleen maar beter van worden.' Ze bestudeert onze bleke gezichten. 'Och, lieve help, jullie kijken alsof ik jullie tot de guillotine heb veroordeeld!'

Ze lacht. Dappere poging, maar het klinkt niet hartelijk of warm. 'En nu denk ik dat we miss Doyle beter kunnen laten rusten. In de zitkamer wordt advocaat geserveerd. Kom mee, dan kunnen jullie me het een en ander over jezelf vertellen en kunnen we goede vriendinnen worden, hmm?'

Als een grote vogel die haar grijze vleugels spreidt legt ze haar handen op de rug van Felicity en Ann en leidt hen naar de deur. Ik blijf alleen achter, in de greep van de vloek.

'Welterusten, Gemma,' zegt Ann.

'Ja, welterusten,' zegt Felicity.

'Welterusten, miss Doyle,' voegt miss McCleethy eraan toe. 'Voor we het weten, breekt de ochtend alweer aan.'

'Jammer dat ik het boogschieten moet missen,' zeg ik.

Miss McCleethy draait zich om. 'Hoezo? Dat lijkt me niet, miss Doyle.'

'Maar ik dacht... gezien mijn toestand...'

'Ik tolereer geen zwakte in mijn leerlingen, miss Doyle. Ik zie je morgen op de schietbaan, anders krijg je strafpunten wegens slecht gedrag.' Het klinkt niet zozeer als een mededeling, maar als een uitdaging.

'Ja, miss McCleethy,' zeg ik. Ik heb besloten dat ik haar niet aardig vind.

Ik hoor vrolijk gelach in de zitkamer. Ongetwijfeld hebben Felicity en Ann inmiddels hun hele levensverhaal aan miss McCleethy verteld. Waarschijnlijk zitten ze nu als dikke vriendinnen bij de open haard hun advocaat op te lepelen, terwijl ik altijd het afschuwelijke, ongemanierde meisje zal blijven dat miss McCleethy een zedenprediker heeft genoemd.

Mijn buik doet weer pijn. Wat een ellende. Wat komt er voor een jongen bij kijken om de overstap naar het man-zijn te maken? Een lange broek, meer niet. Een mooie, nieuwe lange broek. Op het moment heb ik werkelijk aan iedereen een hekel.

Na verloop van tijd word ik warm en slaperig van de brandy. Telkens wanneer ik met mijn ogen knipper, lijkt de kamer iets smaller te worden. Ik val in slaap.

Ik loop door de tuin. Het gras is scherp en stekelig en doet pijn aan mijn voeten. Ik ben vlak bij de rivier, maar die is in mist gehuld.

'Dichterbij,' klinkt een vreemde stem.

Ik schuifel een heel klein stukje naar voren.

'Nog dichterbij.'

Ik sta aan de oever van de rivier, maar ik zie niemand. Ik hoor alleen die griezelige stem.

'Dus het is waar. Je bent gekomen...'

'Wie ben je?' vraag ik. 'Ik kan je gezicht niet zien.'

'Nee,' klinkt de stem. 'Maar ik heb jouw gezicht wel gezien...'

HOOFDSTUK
NEGEN

De volgende middag om tien minuten voor drie melden we ons op het grote gazon. Zes doelwitten zijn daar in een rij opgesteld. De felgekleurde ogen in het midden lijken me spottend aan te kijken: *toe maar, raak ons als je denkt dat je dat kunt.* Tijdens het ontbijt heb ik allerlei verhalen moeten verdragen over de héérlijke avond die ik heb gemist met die ongelooflijke schát van een miss McCleethy, die werkelijk álles over de meisjes wilde weten.

'Ze zei tegen me dat de Pooles van koning Arthur afstamden!' zegt Elizabeth opgetogen.

'Gemma, ze kan echt schitterende verhalen vertellen,' zegt Ann.

'Over Wales en de school daar. Daar hadden ze bijna elke week wel een bal, en er waren nog mannen bij ook,' zegt Felicity.

Martha doet een duit in het zakje. 'Ik hoop dat ze Mrs Nightwing kan overhalen om hier hetzelfde te doen.'

'Weet je wat ze ook nog zei?' vraagt Cecily.

'Nee, want ik was er niet bij,' antwoord ik. Ik heb nogal met mezelf te doen.

'O, Gemma, ze vroeg ook nog naar jou,' zegt Felicity.

'O ja?'

'Ja. Ze wilde van alles over je weten. Ze leek het niet eens erg te vinden dat je haar een zedenprediker had genoemd.'

'Gemma, nee toch!' zegt Elizabeth met grote ogen.

'Ik was niet de enige,' zeg ik met een boze blik op Felicity en Ann.

Felicity is niet van haar stuk te brengen. 'Wacht maar af, jullie worden vast dikke vriendinnen. O, daar zul je haar hebben. Miss McCleethy! Miss McCleethy!'

'Goedemiddag, dames. Ik zie dat we er klaar voor zijn.' Miss McCleethy schrijdt over het gras alsof ze de koningin is, en geeft ons bondige instructies over de juiste manier om een boog vast te houden. De meisjes vechten om haar aandacht en smeken haar hun te laten zien hoe het moet. En wanneer ze een demonstratie geeft en haar pijl meteen in de roos schiet, klapt iedereen alsof ze ons de weg naar de hemel heeft gewezen.

De eerste groep meisjes krijgt pijlen.

'Miss McCleethy,' roept Martha bezorgd. 'Moeten we per se echte pijlen gebruiken?'

Ze houdt de scherpe, metalen punt van de pijl van zich af gericht alsof het een geladen pistool is.

'Ja, kunnen we niet beter pijlen met rubberen punten gebruiken?' vraagt Felicity.

'Onzin. Er kan helemaal niets gebeuren, zolang jullie je pijlen niet op elkaar richten. Wie wil er als eerste?'

Elizabeth loopt naar de lijn die met kalk in het dode gras is getrokken. Met een paar aanwijzingen zet miss McCleethy haar in de juiste houding en leidt haar elleboog naar achteren. Elizabeths pijl valt met een plof op de grond, maar Miss McCleethy laat haar nog een keer oefenen, en nog een keer, en bij de vierde keer slaagt ze erin de onderkant van het doelwit te raken.

'Je gaat vooruit. Blijven oefenen. Wie is de volgende?'

De meisjes verdringen zich om als tweede te mogen. Ik moet toegeven dat ik ook graag wil dat miss McCleethy me aardig vindt. Ik neem me heilig voor mijn uiterste best te doen om haar voor me te winnen en haar die ongelukkige opmerking van gisteravond te doen vergeten. Terwijl miss McCleethy van het ene meisje naar het andere loopt om aanwijzingen te geven, oefen ik stilletjes wat ik tegen haar kan zeggen.

Dit is erg leuk, miss McCleethy, want ik wil al een hele tijd boogschutter worden. Wat slim van u, miss McCleethy, dat u dit hebt bedacht. Ik vind uw pakje erg mooi, miss McCleethy. Het is erg smaakvol.

'Miss Doyle? Ben je er nog bij?' Miss McCleethy staat al naast me.

'Ja, dank u,' antwoord ik. Nerveus pak ik mijn pijl en boog en neem mijn plaats achter de lijn in. De boog is veel zwaarder dan ik had verwacht. Hij trekt mijn rug en schouders krom.

'Je moet aan je houding werken, miss Doyle. Fier rechtop staan. Niet zo krom. Zo ja. Arm naar achteren. Kom, kom, je kunt best wel wat harder trekken.'

Ik doe mijn uiterste best om de boogpees naar achteren te trekken, tot ik gedwongen ben hem met een grom los te laten. De pijl zeilt niet bepaald door de lucht. Hij dobbert hooguit even voordat hij zich recht de grond in boort.

'Je moet hoger mikken, miss Doyle,' zegt ze. 'Ga die pijl halen.'

Mijn pijl zit onder de modder en sneeuw. Overal steken pijlen in de grond – behalve die van Felicity. Die van haar raken meestal wel het doelwit.

'Hebbes,' zeg ik volkomen overbodig, met een glimlach die niet wordt beantwoord. *Gebruik je charme, Gemma. Vraag haar iets.* 'Waar komt u vandaan, miss McCleethy? U bent niet Engels,' zeg ik in een poging een gesprek op gang te brengen.

'Je zou kunnen zeggen dat ik een wereldburger ben. Zet hem op de pees, zo.'

Ik worstel om de pijl op zijn plaats te krijgen. Hij wil niet meewerken. 'Ik kom uit Bombay.'

'Daar is het erg heet, in Bombay. Ik kon nauwelijks ademhalen toen ik daar was.'

'Bent u in Bombay geweest?'

'Ja, heel kort, om vrienden te bezoeken. Wacht, hou je elleboog dichter bij je lichaam.'

'Misschien hebben we gemeenschappelijke vrienden,' zeg ik, hopend dat ik op die manier bij miss McCleethy in een goed blaadje kom te staan. 'Kent u de Fairchilds...'

'Stil, miss Doyle. Concentreer je op het doelwit.'

'Ja, miss McCleethy,' zeg ik. Ik laat los. De pijl stuitert over het natte gras.

'Jammer, je had het door, maar toen aarzelde je. Je moet altijd zonder aarzeling toeslaan. Richt je op het doelwit, en nergens anders op.'

'Ik zie het doelwit heus wel,' zeg ik ongeduldig. 'Ik kan het alleen niet raken.'

'Ga je gekwetst en trots weglopen of ga je oefenen tot je je taak kunt volbrengen?'

Cecily straalt als ze hoort dat ik een uitbrander krijg. Ik hef de boog. 'Ik ben helemaal niet gekwetst,' mompel ik binnensmonds.

Miss McCleethy legt haar hand op de mijne. 'Mooi zo. Concentreer je, miss Doyle. Luister nergens naar, behalve naar jezelf, je eigen ademhaling. Kijk naar het midden tot je het niet meer kunt zien. Tot jij en het midden één zijn en er geen midden meer is.'

Mijn adem komt in kleine wolkjes uit mijn mond. Ik doe mijn best om alleen aan het doelwit te denken, maar mijn brein wil niet stil zijn. Wanneer was ze in India? Bij wie is ze op bezoek geweest? Vond ze het er net zo heerlijk als ik? En waarom mag ze me niet? Ik staar naar het midden van het doelwit tot het vervaagt.

Richt je op het doelwit, en nergens anders op.

Niet aarzelen.

Tot er geen midden meer is.

De pijl vliegt met een scherpe zweepslag weg. Hij boort zich in het canvas van het doelwit, helemaal onderin, en blijft daar trillend steken.

'Beter,' zegt miss McCleethy.

Rechts van me richt Felicity haar pijl, trekt hem naar achteren en schiet hem midden in de roos. De meisjes juichen wild. Felicity, de krijgsprinses, staat te stralen.

'Uitstekend, miss Worthington. Je bent erg sterk. Ik heb veel bewondering voor sterke mensen. Waarom denk je dat je zo goed kunt schieten?'

Omdat ze in het rijk bij een jageres in de leer is geweest, denk ik.

'Omdat ik verwacht te winnen,' antwoordt Felicity rustig.

'Goed zo, miss Worthington.' Miss McCleethy beent over het gazon om afgedwaalde pijlen uit het gras en de onderkant van de doelwitten te trekken en spreekt ons ondertussen toe. 'Dames, waar je je ook op toelegt, geef het nooit op. Je kunt alles worden wat je wilt. Maar eerst moet je weten wat je wilt.'

'Ik wil in elk geval geen boogschutter worden,' zeurt Cecily zachtjes. 'Mijn arm doet pijn.'

Miss McCleethy gaat verder met haar preek. 'Laat miss Worthington ons allemaal tot voorbeeld zijn.'

'Goed dan,' mompel ik. Ik zal net zo zijn als Felicity: een en al dadendrang en weinig bedachtzaamheid. Boos hef ik mijn boog en schiet een pijl af.

'Gemma!' schreeuwt Ann. In mijn haast heb ik niet gezien dat miss McCleethy voor mijn doelwit langsloopt. Razendsnel heft ze haar hand om de pijl tegen te houden die zich anders in haar hoofd zou hebben geboord. Ze slaakt een kreet van pijn.

Bloed verspreidt zich over haar witte handschoen. De meisjes laten hun pijlenkokers en bogen vallen en schieten haar te hulp. Ze zit op de grond en trekt haar handschoen uit. In haar handpalm zit een keurig rond gaatje. Het is niet diep, maar het bloedt wel.

'Geef haar een zakdoek!' roept iemand.

Ik bied haar de mijne aan. Miss McCleethy pakt hem aan en werpt me een boze blik toe.

'Het... het spijt me vreselijk,' stamel ik. 'Ik had u niet gezien.'

'Zie je ooit wel iets, miss Doyle?' vraagt miss McCleethy, ineenkrimpend van de pijn.

Felicity keert me de rug toe. 'Moet ik Mrs Nightwing gaan halen?' vraagt ze.

Miss McCleethy richt haar boze blik weer op mij. 'Nee. Ga door met oefenen. Miss Doyle zal me helpen de wond te verbinden. Bij wijze van boetedoening.'

'Ja, natuurlijk,' zeg ik terwijl ik haar overeind help.

Zwijgend lopen we terug naar de school. Binnen draagt ze me op verband te gaan halen bij Brigid, die de verleiding niet kan weerstaan om een preek af te steken over dat het Gods manier is om miss McCleethy te straffen omdat ze ons zoiets 'onnatuurlijks' als boogschieten wilde leren.

'Ze zou jullie moeten leren met naald en draad of van die prachtige aquarelverf om te gaan, als je het die goede oude Brigid vraagt, niet dat iemand dat ooit doet, jammer genoeg. Hier heb je je verband. Wikkel het goed strak om de wond.'

Met het verband in mijn handen ren ik terug naar miss McCleethy, die inmiddels haar hand heeft schoongespoeld en het bloeden met een theedoek tracht te stelpen.

'Ik heb het verband meegebracht,' zeg ik. Ik houd het haar voor, omdat ik niet weet wat ik ermee moet doen.

Miss McCleethy kijkt me aan alsof ik de dorpsgek ben. 'Jij zult de wond voor me moeten verbinden, miss Doyle.'

'Ja, natuurlijk,' zeg ik. 'Het spijt me. Ik ben bang dat ik nog nooit...'

Miss McCleethy valt me in de rede. 'Leg het verband over mijn handpalm en wikkel het helemaal om mijn hand heen. Zo ja, nu kruislings eroverheen, en dat een paar keer. Au!'

Ik heb te hard op de wond gedrukt. 'Het spijt me. Neem me niet kwalijk,' zeg ik. Ik ga door en maak het verband vast door het randje in te stoppen.

'En als je nu zo vriendelijk zou willen zijn, miss Doyle, om een andere handschoen voor me te halen. Ze liggen in mijn kast, in de bovenste la aan de rechterkant,' beveelt ze. 'En niet treuzelen, miss Doyle. We moeten terug naar de les.'

De kamer van miss McCleethy is bescheiden en schoon. Toch is het een vreemde gewaarwording om aan de andere kant van de gecapitonneerde deur te zijn, waar de leraren wonen. Ik heb het gevoel dat ik gewijde grond betreed. Ik open de mahoniehouten deuren van de grote kast en trek de bovenste la aan de rechterkant open. Daar liggen inderdaad de handschoenen, zoals ze al zei, keurig op een rijtje, ordelijk als soldaatjes. Ik kies een paar uit en kijk nog één keer om me heen in de kamer, op zoek naar aanwijzingen die het mysterie kunnen verhelderen dat onze nieuwe lerares is. Wat vooral opvalt is hoe weinig er te zien is. Geen persoonlijke spulletjes. Niets wat iets over haar zegt. In de kast hangen smaakvolle pakjes, rokken en blouses in grijs, zwart en bruin, niets wat de aandacht trekt. Op haar nachtkastje liggen twee boeken: de Bijbel en een boek met gedichten van Lord Byron. Er staan geen foto's van familie of vrienden. Geen schilderijen of schetsen – vreemd voor een kunstenares. Het lijkt wel of miss McCleethy nergens vandaan komt en bij niemand hoort.

Ik sta op het punt weg te gaan als mijn oog erop valt: de koffer die miss McCleethy met alle geweld zelf wilde dragen toen ze die nacht aankwam. Hij ligt stilletjes onder het bed.

Nee. Dat zou verkeerd zijn.

Zachtjes doe ik de deur van haar kamer dicht en trek de koffer uit zijn schuilplaats. Er zit een vergrendelbare sluiting op. Waarschijnlijk is hij op slot en heb ik pech. Met trillende vingers pruts ik aan de sluiting, die tot mijn verrassing gemakkelijk openspringt. Er zit heel weinig in: een advertentie voor een boekwinkel, de Gouden Dageraad, in Londen. Een merkwaardige ring van goud en blauw email met twee verstrengelde slangen die zich eromheen slingeren. Briefpapier en een pennenset.

Een papiertje valt op de grond en schuift onder het bed. In paniek laat ik me op handen en knieën zakken om het te zoeken. Ik steek mijn hand onder de volant en haal het papiertje tevoorschijn. Het is een lijstje: MISS FARROWS MEISJESACADEMIE. DE MACKENZIE SCHOOL VOOR MEISJES IN SCHOTLAND. KONINKLIJK COLLEGE VAN BATH. SINT-VICTORIA. SPENCE ACADEMY VOOR JONGEDAMES. Ze zijn allemaal doorgestreept, behalve Spence. Ik stop het papiertje zo goed en zo kwaad als het gaat terug in de koffer, hoop dat het niet opvalt dat er iemand aan heeft gezeten en schuif de koffer weer veilig onder het bed.

'Als je dat "niet treuzelen" noemt, miss Doyle, dan wil ik liever niet weten hoe lang het duurt als je het rustig aan doet,' zegt miss McCleethy bestraffend als ik weer binnenkom.

Ik denk niet dat miss McCleethy en ik ooit nog vriendinnen zullen worden. Ze trekt snel de schone handschoen aan. Haar gezicht vertrekt als ze hem over de wond heen trekt.

'Het spijt me,' probeer ik nogmaals.

'Tja, probeer in de toekomst gewoon voorzichtiger te zijn, miss Doyle,' snauwt ze met haar vreemde accent.

'Ja, miss McCleethy,' zeg ik, niet in staat een gaap te onderdrukken. Miss McCleethy knijpt dreigend haar ogen samen na dat vertoon van brutaliteit. 'Vergeef me. Ik slaap al een tijdje slecht.'

'Meer beweging, dat heb je nodig. Lekker bezig zijn in de frisse buitenlucht doet wonderen voor de gezondheid en het slapen. Op Sint-Victoria stond ik erop dat mijn meisjes elke dag een wandeling maakten om de zeelucht op te snuiven, weer of geen weer. Als het regende, trokken we een regenjas aan. In de sneeuw droegen we een winterjas. En laten we nu terugkeren naar het gazon, met jouw welnemen.'

Het zou wel eens kunnen dat miss McCleethy geen greintje gevoel voor humor heeft. En ik ben zojuist haar minst favoriete leerling geworden. Opeens kan Kerstmis niet snel genoeg komen.

HOOFDSTUK TIEN

De avond begint met een traditioneel kerstspel in de balzaal. Het is niet zozeer een formeel toneelstuk als wel een gedramatiseerde voordracht van kerstverhalen in kostuums uit kisten die in een van de vele ongebruikte vertrekken van Spence zijn opgeslagen. Een merkwaardige verzameling opgewekte meisjes van alle leeftijden, verkleed als herder, engel, elfje, dier of bloem, rent door de gangen en lacht op de trap. Een meisje is in de verkeerde koffer gedoken. Als een ballerina danst ze rond, gekleed in een versleten piratenjas en rafelige broek. Ann is de geest van de kerst uit het verleden en draagt een lange, bruine tuniek met een zilverkleurige sjerp om haar middel. Felicity ziet er in haar prachtige japon van rood fluweel en goudkleurig vlechtwerk rond de mouwen en zoom uit als een middeleeuwse prinses. Ze houdt stug vol dat ze de geest is van de kerst die nog komt, maar ik vermoed dat ze gewoon voor de mooiste japon van allemaal heeft gekozen en vervolgens heeft besloten dat ze er elk etiket op kan plakken dat ze maar wil. Ik ben de geest van de kerst van het heden in mijn groene gewaad en met een kroon van hulst op mijn hoofd. Ik voel me een beetje als een logge boom, ook al verzekert Ann me dat ik er 'heel kerstig' bij loop.

'Het is een wonder dat miss McCleethy je vandaag de kop niet heeft afgebeten. Ze keek alsof ze niets liever wilde,' zegt Ann wanneer we langs een groepje roddelende elfjes en enkele wijzen uit het oosten naar de eetzaal lopen.

'Ik deed het niet met opzet,' zeg ik verontwaardigd, terwijl ik de amulet van mijn moeder – mijn amulet – recht hang. Ik heb het uitgehamerde metaal gepoetst tot het blonk. 'Ze is een vreemde vogel. Ik vind haar helemaal niet aardig,' zeg ik. 'Vinden jullie haar niet raar?'

Felicity schrijdt over het tapijt als de prinses die ze is. 'Ik vind dat ze precies is wat Spence nodig heeft. Verfrissend eerlijk. Ik mag haar eigenlijk wel. Ze stelde allerlei vragen over me.'

'Dus alleen omdat ze je een compliment gaf, heb je besloten dat je haar aardig vindt,' zeg ik gepikeerd.

'Je bent gewoon jaloers omdat ze aan mij de meeste aandacht besteedde.'

'Dat is niet waar,' antwoord ik minachtend, maar eigenlijk is het wél een beetje waar. Felicity lijkt zonder er al te veel moeite voor te hebben gedaan nu al het lievelingetje van miss McCleethy te zijn geworden, terwijl ik van geluk mag spreken als ze me goedemorgen wenst. 'Weet je dat ze een lijst met scholen bewaart in een geheime kist onder haar bed?'

Felicity trekt een wenkbrauw op. 'En hoe weet jij dat nou weer?'

Ik word vuurrood. 'Hij stond open.'

'Onzin! Je hebt rondgeneusd,' zegt Felicity plagend. Ze haakt haar arm door de mijne. Ann pakt de andere vast. 'Wat zat er nog meer in? Vertel op!'

'Niet veel. Een ring met slangen eromheen. Hij zag er heel oud uit. Een advertentie voor een boekwinkel, de Gouden Dageraad. En die lijst.'

Twee jongere meisjes willen zich langs ons heen dringen. Ze hebben een ondeugende glimlach op hun gezicht, al dragen ze engelenkostuums. Felicity geeft een ruk aan de vleugels van het dichtstbijzijnde meisje, waardoor ze bijna valt. 'Wij staan hoger dan jullie. Achter aansluiten.'

Haastig trekken de meisjes zich terug.

'Wat zat er nog meer in de kist?' wil Ann weten.

'Dat was het,' antwoord ik.

'Dat was het?' herhaalt Felicity teleurgesteld.

'Ik heb jullie nog niet alles verteld over die lijst,' zeg ik. 'Alle scholen die erop stonden waren doorgestreept, alleen Spence niet. Wat vinden jullie daarvan?'

Felicity maakt een laatdunkend gebaar. 'Niets. Ze houdt een lijst bij van de scholen waar ze heeft gewerkt. Daar is niets vreemds aan.'

'Je voelt je gewoon in je wiek geschoten omdat ze je niet aardig vindt,' zegt Ann.

'Heeft ze dat dan gezegd?' vraag ik.

Felicity draait om haar as, zodat haar rok om haar benen golft. 'Dat hoeft niet. Het is overduidelijk. Ik bedoel, je hebt geprobeerd haar te doorbóren. Dat maakte het er niet beter op.'

'Ik zeg toch dat het per ongeluk ging!'

De twee jonge engeltjes zijn terug. Ze slagen erin vóór ons de eetzaal binnen te glippen. 'Stelletje kleine duivels!' grauwt Felicity. Gillend rennen de meisjes weg, opgewonden over hun eigen lef.

Het is een kersttraditie van Mrs Nightwing om een laatste avondmaal te organiseren voordat de meisjes voor de feestdagen naar huis gaan. Kennelijk is het ook traditie dat daarna een feest wordt gegeven in de grote salon, met sherry voor de leraren en warme cider voor de leerlingen. De schoonheid van het vertrek alleen is al genoeg om me dronken te maken. In de enorme stenen haard brandt een groot vuur. Onze boom, een dikke, vrolijke spar, staat in het midden van de kamer en strekt zijn takken uit als een gastheer die zijn gasten verwelkomt. Mr Grunewald, onze muziekleraar, is overgehaald om cello voor ons te spelen, iets wat hij verrassend behendig doet voor iemand van bijna tachtig.

We krijgen kerstbonbons om open te trekken. Een snelle ruk aan de linten en ze springen open met een scherpe knal waar iedereen zich half dood van schrikt. Ik begrijp nog steeds niet helemaal wat daar zo leuk aan is. Er worden kerstliedjes gezongen. De kaarsjes aan de boom worden aangestoken en bewonderd. Er worden geschenken aan onze leraren overhandigd. Voor Mademoiselle LeFarge wordt een Franse tekst gereciteerd. Voor Mr Grunewald wordt een liedje gezongen. Er worden gedichten, koekjes en toffee vergeven. Maar voor Mrs Nightwing hebben wij meisjes pas echt diep in de buidel getast. Iedereen maakt ruim baan wanneer Cecily met een grote hoedendoos in haar handen door de zaal heen loopt. Als oudste meisje heeft zij de eer om onze directrice haar geschenk te geven.

'Vrolijk kerstfeest, Mrs Nightwing,' zegt ze terwijl ze de doos overhandigt.

Mrs Nightwing zet haar glas op een bijzettafeltje. 'Lieve help, wat is dit nu weer?'

Ze haalt de deksel van de doos, vouwt het papier open en haalt een prachtige vilten hoed tevoorschijn, versierd met glanzende zwarte pluimen. Uiteraard is Felicity degene die het geschenk heeft uitgezocht. Een hartgrondig 'Ooo!' ontsnapt aan onze lippen. Overal klinken verwonderde en opgewekte kreetjes wanneer Mrs Nightwing de rijkversierde hoed opzet.

'Hoe zie ik eruit?' vraagt ze.

'Als een koningin!' roept een van de meisjes.

We klappen en heffen het glas. 'Vrolijk kerstfeest, Mrs Nightwing.'

Even lijkt Mrs Nightwing overmand door emotie. Haar ogen zijn vochtig, maar wanneer ze spreekt, klinkt haar stem net zo vast als altijd. 'Dank jullie wel. Het is een heel nuttig geschenk, en ik weet zeker dat ik er veel plezier aan zal beleven,' zegt ze. Met die woorden zet ze de hoed af en pakt hem voorzichtig weer in het beschermende papier. Dan doet ze de deksel erop en schuift de doos onder de tafel, uit het zicht.

Nadat we onze bekers nog eens hebben gevuld, glippen Ann, Felicity en ik weg en gaan gehurkt naast de boom op de grond zitten. De aardegeur van de takken bezorgt me een loopneus, en de warme cider brengt een blos op mijn wangen.

'Voor jou,' zegt Felicity terwijl ze me een fluwelen buideltje in de hand stopt.

Er zit een prachtige schildpadkam in. 'Wat mooi,' zeg ik, in verlegenheid gebracht door dat dure geschenk. 'Dank je wel.'

'O!' roept Ann uit als ze haar geschenk opent. Ik herken het. Het is een broche van Felicity die Ann heel mooi vindt. Ongetwijfeld heeft Felicity allang een nieuwe, maar Ann is er dolblij mee. Ze speldt hem meteen op haar kostuum.

'Hier,' zegt Ann verlegen. Ze geeft ons ieder een geschenk, gewikkeld in krantenpapier. Ze heeft een kerstversiering voor ons gemaakt, prachtige engeltjes van kant, net als die van Pippa.

Nu is het mijn beurt. Ik ben niet handig met naald en draad, zoals Ann, en ik heb niet zoveel geld als Felicity. Maar ik heb hun wel iets bijzonders te bieden.

'Ik heb ook iets voor jullie,' zeg ik.

'Waar dan?' vraagt Ann. Achter haar dansen de vlammetjes, zodat het lijkt alsof vuurvliegjes elkaar over de muur achternazitten.

Ik buig naar voren en fluister: 'Kom om middernacht hiernaartoe.'

Meteen springen ze boven op me, gillend van pret, want we gaan eindelijk terug naar het rijk.

Er klinkt een luid gekakel. Het is een lach die ik nog nooit heb gehoord. Misschien omdat het Mrs Nightwing is die lacht.

Ze zit te midden van de leraren, die inmiddels erg vrolijk zijn.

'O, Sa– Claire, wat ben je toch grappig,' zegt Mrs Nightwing. Ze klopt op haar borst alsof ze de lach daar wil doen ophouden.

'Als ik het me goed herinner, was jij degene die begon,' zegt miss McCleethy glimlachend. 'Moet ik je eraan helpen herinneren wat een brutaaltje je toen was?'

Als water door een gespleten boomstam stromen de meisjes toe, vol vragen die worden meegevoerd op de golven van hun onverzadigbare nieuwsgierigheid. 'Wat gebeurde er dan?' vragen ze. 'Vertel het ons toch!'

'Wisten jullie dan niet dat jullie directrice vroeger een grote ondeugd was?' zegt miss McCleethy plagerig. 'En een romantica bovendien.'

'Nou, nou,' zegt Mrs Nightwing berispend, terwijl ze nog een slokje sherry neemt.

'Vertel het ons toch!' smeekt Elizabeth. De anderen vallen haar in koor bij: 'Ja, toe!'

Wanneer Mrs Nightwing niet protesteert, gaat miss McCleethy verder met haar verhaal. 'We waren op een kerstbal. Wat een prachtige presentjes kregen we daar. Weet je dat nog, Lillian?'

Met haar ogen gesloten knikt Mrs Nightwing. 'Ja. Balboekjes met dikke rode kwastjes eraan. Schitterend, schitterend.'

'Er waren veel heren aanwezig, maar natuurlijk hadden we allemaal alleen maar oog voor één man, een man met donker haar, een zeer elegante verschijning. Wat was hij knap.'

Mrs Nightwing zegt niets, maar neemt nog wat sherry.

'"Dat is de man met wie ik ga trouwen," verkondigde jullie directrice tegen iedereen die het horen wilde, zonder een spoortje twijfel. We moesten allemaal lachen, maar op hetzelfde moment pakte ze me bij de arm en paradeerde langs die man heen...'

'Ik paradeerde helemaal niet!'

'... en liet heel slinks haar balboekje aan zijn voeten vallen, alsof ze het helemaal niet in de gaten had. Natuurlijk kwam hij haar achterna. En ze hebben drie dansen achter elkaar gedanst, tot de chaperonnes ingrepen.'

Daar zijn we opgetogen over.

'En wat gebeurde er toen?' vraagt Felicity.

'Ze is met hem getrouwd,' antwoordt miss McCleethy. 'Diezelfde kerst nog.'

Mr Nightwing? Soms vergeet ik dat Mrs Nightwing ooit getrouwd is geweest, dat ze ooit zelf een meisje was. Ik probeer me haar voor te stellen als jonge vrouw die met haar vriendinnen lacht en praat, maar ik zie het niet voor me. Ik kan me haar niet anders voorstellen dan ze nu is, met haar grijzende haardos, bril en strenge gezicht.

'Wat vreselijk romantisch,' zegt Cecily zwijmelend.

'Ja, vreselijk,' beamen we allemaal.

'Het was heel dapper van je, Lillian,' zegt miss McCleethy.

Er trekt een donkere wolk over Mrs Nightwings gezicht. 'Het was dwaas.'

'Wanneer is Mr Nightwing overleden?' vraag ik fluisterend aan Felicity.

'Dat weet ik niet. Ik geef je een pond als je het haar vraagt,' fluistert ze terug.

'Van je levensdagen niet.'

'Wil je het dan niet weten?'

'Zo graag nu ook weer niet.'

'Een pond, zei je?' Dat is Ann.

Felicity knikt.

Ann schraapt haar keel. 'Mrs Nightwing, is Mr Nightwing allang niet meer onder ons?'

'Mr Nightwing is al vijfentwintig jaar bij de engelen,' antwoordt onze directrice zonder van haar glas op te kijken. Mrs Nightwing is een vrouw van achtenveertig, hooguit vijftig misschien. Dat ze al haar halve leven weduwe is vind ik erg jammer.

'Dus hij was nog niet zo oud?' vraagt Cecily.

'Nee. Hij was nog jong, heel jong,' zegt ze, starend naar de oranje sherry. 'We waren zes jaar heel gelukkig getrouwd. Maar op een dag...' Ze maakt haar zin niet af.

'Op een dag?' dringt Ann aan.

'Op een dag ging hij naar zijn werk bij de bank.' Ze zwijgt om een slokje te nemen. 'En ik heb hem nooit meer teruggezien.'

'Wat was er dan gebeurd?' vraagt Elizabeth ontzet.

Mrs Nightwing lijkt geschrokken, alsof we haar een vraag hebben gesteld waar ze niets van begrijpt, maar dan komt langzaam het antwoord. 'Hij is op straat overreden door een rijtuig.'

Er daalt een afschuwelijke stilte neer, het soort stilte waarmee slecht nieuws waar je niets meer aan kunt doen vergezeld gaat. Ik zie Mrs Nightwing als onze directrice, een onneembaar fort. Iemand die alles naar haar hand kan zetten. Dat ze dat kennelijk toch niet kan, is bijna onvoorstelbaar.

'Wat vreselijk voor u,' zegt Martha uiteindelijk.

'Arme Mrs Nightwing,' voegt Elizabeth eraan toe.

'Wat vreselijk droevig,' zegt Ann.

'Laten we er niet te sentimenteel over doen. Het is allemaal al heel lang geleden. Geduld. Daar draait het om. Je moet leren onplezierige gedachten te verdringen en er nooit meer bij stil te staan. Anders doe je de rest van je leven niets anders dan jammeren in je zakdoek en je afvragen waarom. Daar bereik je niets mee.' Ze drinkt haar glas leeg. De deuk in het harnas is gerepareerd. Ze is weer de Mrs Nightwing die we kennen. 'Maar goed. Wie wil ons een kerstverhaal vertellen?'

'O, ik, graag,' kwettert Elizabeth. 'Het is een huiveringwekkend verhaal over een geest, Marley genaamd, met een lange ketting...'

Miss McCleethy valt haar in de rede. 'Doel je soms op *A Christ-*

mas Carol van Charles Dickens? Ik geloof dat we die allemaal wel kennen, miss Poole.'

Er wordt hier en daar om Elizabeth gegrinnikt. 'Maar dat is mijn lievelingsverhaal,' zegt ze pruilend.

Cecily tjilpt: 'Ik weet een mooi verhaal, Mrs Nightwing.'

Het zal ook niet.

'Aha, mooi, miss Temple.'

'Er was eens een meisje, het braafste meisje dat je je maar kunt voorstellen. Op haar karakter was niets aan te merken. Altijd was ze discreet, vriendelijk, gracieus en welgemanierd. Ze heette Cecile.'

Ik geloof dat ik wel weet welke kant dit verhaal op gaat.

'Helaas werd Cecile gekweld door een wild, wreed meisje, Jemima genaamd.' Ze heeft het lef me recht aan te kijken op het moment dat ze dat zegt. 'Omdat ze nu eenmaal een naar meisje was, pestte Jemima die arme, lieve Cecile. Ze vertelde leugens over haar en zette enkele van haar beste vriendinnen tegen haar op.'

'Wat vreselijk,' zegt Elizabeth afkeurend.

'Ondanks alles bleef Cecile vriendelijk en deugdzaam. Maar de spanning werd haar te veel, en op een dag werd het lieve kind onwel. Jemima's meedogenloze wreedheid deed haar in het ziekbed belanden.'

'Ik hoop dat Jemima haar verdiende loon krijgt,' zegt Martha. Ze haalt haar neus op.

'Ik hoop dat Cecile jammerlijk omkomt,' fluistert Felicity me toe.

'Wat gebeurde er toen?' vraagt Ann. Ze is dol op dit soort verhalen.

'Iedereen kwam te weten wat een afschuwelijk meisje Jemima in werkelijkheid was, en vanaf dat moment werd ze gemeden. Toen de prins vernam hoe lief Cecile was, stuurde hij zijn arts naar haar toe om haar te genezen, en hij werd stapelverliefd op haar. Ze trouwden, terwijl Jemima aan de bedelstaf raakte en over het platteland zwierf, blind omdat haar ogen door wilde honden waren uitgekrabd.'

Mrs Nightwing kijkt verward. 'Ik begrijp niet goed waarom dit een kerstverhaal is.'

'O,' voegt Cecily er snel aan toe. 'Het speelt zich af tijdens het feest rond de geboorte van onze Heer. En Jemima komt uiteindelijk tot inkeer en vindt werk in een kerkje op het platteland, waar ze de vloer veegt voor de dominee en zijn vrouw.'

'Aha,' zegt Mrs Nightwing.

'Dat vegen zal wel moeilijk gaan, aangezien ze geen ogen meer heeft,' zeg ik nors.

'Ja,' zegt Cecily opgewekt. 'Ze lijdt vreselijk. Maar daarom is het juist zo'n mooie christelijke vertelling.'

'Prachtig,' zegt Mrs Nightwing met enigszins dubbele tong. 'Zullen we een liedje zingen? Het is tenslotte Kerstmis.'

Mr Grunewald neemt plaats achter de piano en speelt een oud Engels deuntje. Sommige leraren zingen mee. Enkele meisjes staan op om te dansen. Miss McCleethy niet. Ze staart me recht aan.

Nee, ze staart naar de amulet. Als ze ziet dat ik naar haar kijk, schenkt ze me een brede glimlach, alsof we nooit onenigheid hebben gehad en hartsvriendinnen zijn.

'Miss Doyle,' roept ze, wenkend met haar hand, maar Ann en Felicity trekken me al overeind, ver bij haar vandaan.

'Kom, we gaan dansen,' zeggen ze.

De avond verloopt als een plezierige droom. De opwinding wordt veel van de jongere meisjes te veel. Dicht tegen elkaar aan genesteld vallen ze bij het haardvuur in slaap. Engelenvleugels worden verpletterd onder de slappe, mollige armen van hun lieve vriendinnetjes, en hun kroontjes van suikertjes en hulst hangen scheef in hun doorgewoelde haar. In een ver hoekje zitten Mrs Nightwing en miss McCleethy met gebogen hoofden te overleggen. Miss McCleethy spreekt op dringende fluistertoon, en Mrs Nightwing schudt het hoofd.

'Nee,' zegt onze directrice met een stem die door de sherry iets luider is dan normaal. 'Dat kan ik niet.'

Zachtjes legt miss McCleethy haar hand op die van Mrs Nightwing, terwijl ze iets prevelt wat ik niet kan verstaan.

'Maar denk eens aan wat het ons zal kosten,' antwoordt Mrs Nightwing. Even kruist haar blik de mijne, en snel kijk ik weg. Korte tijd later komt ze wankel overeind, met haar hand op de rugleuning van haar stoel tot ze haar evenwicht hervindt.

Lang nadat de lichten zijn gedimd, het vuur in de haard is gedoofd en iedereen zijn veilige bed heeft opgezocht, treffen Ann en ik Felicity in de grote salon. De laatste gloeiende sintels in de enorme stenen open haard hullen de reusachtige zaal in een spookachtig licht. De kerstboom lijkt nu een dreigende reus. In het midden staan de marmeren zuilen, versierd met elfjes, centauren en nimfen. De aanblik doet me huiveren, want we weten dat het niet zomaar beeldjes zijn. Het zijn levende wezens die daar gevangen worden gehouden door de magie van het rijk, het oord dat we weer willen zien, voelen en aanraken – als we kunnen.

'Vergeet niet dat je me een pond schuldig bent,' zegt Ann tegen Felicity. Haar tanden klapperen.

'Ik zal het onthouden,' antwoordt Felicity.

'Ik ben bang,' zegt Ann.

'Ik ook,' zeg ik.

Zelfs Felicity is ingetogener dan anders. 'Wat er ook gebeurt, we gaan niet zonder elkaar weg.' De rest zegt ze niet: want Pip heb je achtergelaten... om te sterven.

'Afgesproken,' zeg ik. Ik adem diep in, in een poging mijn zenuwen de baas te worden. 'Pak mijn hand vast.'

We geven elkaar een hand en sluiten onze ogen. Wat is het lang geleden dat we in het rijk zijn geweest. Ik ben bang dat het me niet zal lukken om de deur van licht op te roepen. Maar al snel voel ik de vertrouwde tinteling op mijn huid, de warmte van het licht. Ik open eerst één oog, dan het andere. Daar is hij dan, in al zijn schitterende pracht: de poort naar de andere wereld.

Het ontzag is Felicity en Ann van het gezicht af te lezen.

'Ik weet niet wat we daar zullen aantreffen,' zeg ik voor we op weg gaan.

'Er is maar één manier om daarachter te komen,' antwoordt Felicity.

Ik open de deur en we betreden het rijk.

Uit de bomen regent het bloemen die onze neus kietelen. Het gras heeft nog steeds de groene kleur van de eeuwige zomer. Rechts van ons ligt de kabbelende rivier. Ik kan het zachte lied horen dat vanuit de diepte omhoog borrelt en zilveren ringen vormt op het oppervlak. En de hemel! Als de prachtigste zonsondergang op de gelukkigste dag die je maar kunt bedenken. O, wat heb ik deze plek gemist! Hoe heb ik ooit kunnen overwegen hem voorgoed de rug toe te keren?

'O!' roept Felicity uit. Lachend tolt ze in de rondte, met haar open handen naar de oranje hemel gericht. 'Wat is het hier mooi!'

Ann loopt naar de rivier. Glimlachend bukt ze om haar spiegelbeeld te bestuderen. 'Wat ben ik hier mooi.' En dat is ook zo. Ze is zoals ze eruit zou zien als ze geen zorgen zou kennen, geen angst, geen bescheidenheid, als ze niet de behoefte zou hebben om de leegte in haar binnenste te vullen met koekjes en taartjes.

Felicity strijkt met haar vingers over een wilg, die als water begint te rimpelen en verandert in een fontein. 'Ongelooflijk. We kunnen hier alles doen wat we willen. Alles!'

'Moet je kijken!' roept Ann. Ze houdt een grasspriet in haar handen en sluit haar ogen. Wanneer ze haar handen opent, ligt daar een ketting met een glinsterende robijn als hanger. 'Help me eens hem om te doen.'

Felicity maakt de sluiting dicht. Het juweel ligt tegen Anns huid te blinken als de schat van een radja.

'Moeder?' roep ik, half in de verwachting dat ze op me af zal komen lopen om me te begroeten. Maar er is niets, behalve het lied van de rivier en het opgetogen gelach van mijn vriendinnen, die bloemen in vlinders en stenen in juwelen veranderen. Eigenlijk wist ik wel dat ze voorgoed weg zou zijn, maar toch had ik nog een beetje hoop.

Achter de bomen ligt de zilveren boog die naar het hart van de tuin leidt. Daar heb ik gevochten tegen Circes huurmoordenaar, een van de duistere geesten uit het Winterland. Daar heb ik het Orakel van de Runen stukgeslagen om mijn moeder te bevrijden, met als gevolg dat de magie vrijkwam. Ja, de magie is bevrijd. Daarom zijn we hier. En toch lijkt alles net zoals voorheen. Er lijkt niets mis te zijn.

'Kom mee,' zeg ik. We lopen onder de glanzende boog door en komen uit in een bekende kring. Waar ooit de hoge, machtige kristallen runen zich verhieven, zijn nu alleen nog verschroeide plekken op de grond, en een merkwaardige verzameling piepkleine paddenstoelen.

'Hemeltje,' zegt Ann. 'Heb jij dat echt gedaan, Gemma?'

'Ja.'

'Maar hoe?' vraagt Felicity. 'Hoe is het je gelukt om iets kapot te maken wat eeuwenlang heeft standgehouden?'

'Dat weet ik niet,' antwoord ik.

'Jakkes,' zegt Ann. Ze is op een van de paddenstoelen gaan staan. Hij splijt doormidden, zwart en nat.

'Kijk uit waar je loopt,' waarschuwt Felicity.

'Waar moeten we die tempel zoeken?' vraagt Ann.

Ik slaak een zucht. 'Ik heb geen idee. Kartik zei dat er geen kaart van is. Ik weet alleen dat hij ergens in het rijk staat.'

'We weten niet eens hoe groot het hier is,' zegt Ann. 'En hoeveel rijken er zijn.'

'Heb je echt niets om op af te gaan?' vraagt Felicity.

'Nee. We weten dat hij niet hier in de tuin kan staan, want dan hadden we hem al gevonden. Ik denk dat we maar gewoon een richting moeten kiezen en... Wat is er?'

Felicity's gezicht is opeens krijtwit. Dat van Ann ook. Wat het ook is, het bevindt zich achter me. Met elke spier in mijn lijf gespannen, draai ik me om naar mijn noodlot.

Ze komt achter een groepje olijfbomen vandaan, met een bloemenslinger in haar donkere haar. Dezelfde violette ogen. Dezelfde bleke huid en oogverblindende schoonheid.

'Hallo,' zegt Pippa. 'Ik hoopte al dat jullie zouden terugkomen.'

HOOFDSTUK
ELF

Felicity rent op haar af.

'Wacht!' roep ik, maar ze is niet te stuiten. Ze rent op Pippa af en omhelst haar stevig. Pippa geeft Felicity een kus op haar wangen.

'Je bent het echt!' zegt Felicity. Ze lacht en huilt tegelijk. 'Pip, Pip, lieve Pip, je bent er!'

'Ja, ik ben er. Ann! Gemma! O, toe, sta niet zo te gapen.'

'Pippa!' roept Ann uit terwijl ze naar haar toe rent. Ik kan mijn ogen nauwelijks geloven. Pip, onze Pip is er, mooi als altijd. Er knapt iets in me. Snikkend laat ik me op het gras vallen. Overal waar mijn tranen vallen, schieten kleine lotusbloemen op uit de grond.

'O, Gemma, lieverd, niet huilen,' zegt Pippa. Rap als een ree staat ze opeens naast me. De koude handen die ik in mijn dromen heb gezien, strijken door mijn haar, en ze zijn zo warm als zomerse regen. 'Niet huilen.'

Ik kijk naar haar op. Ze glimlacht naar me. 'Je zou je gezicht moeten zien, Gemma. Werkelijk, zo serieus!'

Daar moet ik om lachen. En nog een beetje om huilen. Al snel lachen we allemaal door onze tranen heen, met onze armen om elkaar heen geslagen. Het is alsof we thuiskomen na een lange, stoffige reis.

'Laat me jullie eens bekijken,' zegt Pippa. 'O, wat heb ik jullie gemist. Jullie moeten me alles vertellen. Hoe gaat het met Mrs Nightwing? En zijn Cecily en Martha nog steeds zulke onuitstaanbare snobs?'

'Ze zijn werkelijk afschuwelijk,' antwoordt Ann giechelend.

'Pas geleden nog heeft Gemma 's ochtends jam op Cecily's jurk gemorst om haar de mond te snoeren,' zegt Felicity.

Pippa's mond valt open. 'Dat meen je niet!'

'Ik ben bang van wel,' geef ik toe. Ik schaam me een beetje voor mijn gedrag.

'Gemma!' roept ze met een stralende glimlach uit. 'Je bent mijn heldin!'

Lachend laten we ons op het gras vallen. We hebben zoveel te zeggen. We vertellen haar alles: over Spence, de meisjes, haar begrafenis.

'Hebben ze allemaal erg veel gehuild?' vraagt Pippa.

Ann knikt. 'Ontzettend.'

Pippa blaast tegen een paardenbloem. De pluisjes worden meegevoerd door de wind en veranderen in een zwerm vuurvliegjes. 'Ik ben blij dat te horen. Ik zou het vreselijk hebben gevonden als iedereen strak voor zich uit starend om mijn kist heen had gezeten. Waren de bloemen mooi? Er waren toch wel bloemen?'

'Het was een prachtige, kleurrijke waterval van bloemen,' zegt Felicity. 'Ze moeten een fortuin hebben gekost.'

Glimlachend knikt Pippa. 'Wat ben ik blij dat ik zo'n mooie begrafenis heb gehad. Vertel me nog meer verhalen over thuis. Wordt er in de grote salon over me gepraat? Mist iedereen me?'

'Ja, nou en of,' antwoordt Ann bloedserieus. 'Echt iedereen.'

'Maar nu hoef je me helemaal niet meer te missen,' zegt Pip. Ze geeft Ann een kneepje in haar hand.

Ik wil het niet vragen, maar ik moet wel. 'Pippa, ik dacht dat je...' Dood was. Ik kan mezelf er niet toe zetten het hardop te zeggen. 'Ik dacht dat je de rivier was overgestoken. Naar de andere wereld achter het rijk. Toen ik wegging, gingen jij en je ridder...'

Ann gaat rechtop zitten. 'Waar is je ridder eigenlijk?'

'O, die. Die heb ik laten gaan.' Pippa gaapt. 'Hij deed altijd precies wat ik van hem vroeg. Vreselijk saai.'

'Maar hij was wel erg knap,' zegt Ann zwijmelend.

'Ja, best wel, hè?' Pippa giechelt.

'Het spijt me,' zeg ik, bang om ons geluk te verstoren. 'Maar ik begrijp het niet. Waarom ben je niet overgegaan?'

Pippa haalt haar schouders op. 'Mijn heer, de ridder, vertelde me dat ik helemaal niet hoefde over te gaan. Er zijn hier vele stammen, wezens die al een eeuwigheid in het rijk leven. Zij maken deel uit van deze wereld.' Ze leunt op gestrekte armen achterover, trekt haar knieën op en laat ze zachtjes tegen elkaar tikken.

Ik vraag door. 'Dus je bent gewoon teruggekomen?'

'Ja. En toen ben ik wilde bloemen gaan plukken om een kroon te maken. Vinden jullie hem mooi?'

'Nou en of,' zegt Ann.

'Dan maak ik er voor jou ook een.'

'En voor mij,' voegt Felicity eraan toe.

'Natuurlijk,' zegt Pip. 'Een voor ons allemaal.'

Ik ben volledig in de war. Mijn moeder heeft me verteld dat zielen moeten overgaan, omdat ze anders beschadigd raken. Maar hier zit onze Pippa, opgewekt en stralend van geluk, met ogen zo blauw als pas geplukte viooltjes, zoals we haar altijd hebben gekend.

'Hoe lang ben ik hier al?' vraagt Pippa.

'Twee maanden,' zeg ik.

'Echt waar? Soms lijkt het of ik hier gisteren pas ben aangekomen, en soms is het alsof ik hier al mijn hele leven ben. Twee maanden... Dan is het dus bijna Kerstmis. Ik geloof dat ik kerstochtend best zal missen.'

Geen van ons weet wat we daarop moeten zeggen.

Ann gaat rechtop zitten. 'Misschien heeft haar ziel zijn taak nog niet vervuld. Misschien is ze daarom nog hier.'

'Misschien moet ze ons helpen de tempel te vinden!' roept Felicity uit.

'Welke tempel?' vraagt Pippa.

'Toen ik de runen vernietigde, heb ik de kracht van de Orde losgelaten in het rijk,' leg ik uit. 'De tempel is de bron van die magie. Degene die de tempel vindt en de magie daar bindt, heeft er zeggenschap over.'

Pippa's ogen worden groot. 'Wat fantastisch!'

Ann mengt zich in het gesprek. 'Maar iedereen is ernaar op zoek, ook de spionnen van Circe.'

Pippa haakt haar arm door de mijne. 'Dan moeten wij hem als eerste vinden. Ik zal doen wat ik kan om jullie te helpen. We kunnen de wezens om hulp vragen.'

Ik schud mijn hoofd. 'Kartik zei dat we niets uit het rijk mochten vertrouwen, niet nu de magie ongebonden is.' Vertrouw niets. Vertrouw niemand. Maar daarmee kon hij Pippa niet hebben bedoeld.

'Kartik?' vraagt Pippa op een toon alsof ze zich iets probeert te herinneren wat lang geleden is gebeurd. 'Die Indiase jongen? De Rakshana?'

'Ja.'

Ze laat haar stem dalen. 'Je moet voorzichtig zijn met hem. De Rakshana hebben hier ook spionnen. Ze zijn niet te vertrouwen.'

'Hoe bedoel je?'

'Ik heb gehoord dat de Rakshana en de Orde helemaal niet op zulke goede voet met elkaar staan. De Rakshana doen maar alsof ze hun beschermers zijn. In werkelijkheid zijn ze uit op de macht van de Orde: de zeggenschap; over de magie en het rijk.'

'Wie heeft je dat verteld?'

Pippa haalt haar schouders op. 'Dat is hier algemeen bekend. Vraag het maar aan wie je wilt.'

'Daar heb ik nooit iets over gehoord,' zeg ik. 'Mijn moeder zou me toch zeker wel hebben gewaarschuwd als het zo was?'

'Misschien heeft ze de kans niet gekregen,' zegt Pippa. 'Of misschien wist ze niet alles. Dankzij het dagboek weten we dat ze nog maar een novice was toen de brand uitbrak.'

Ik wil protesteren, maar Pippa snijdt me de pas af. 'Arme Gemma. Ben je boos omdat ik er nu meer over weet dan jij?'

'Nee, natuurlijk niet,' zeg ik, al is het wel degelijk zo. 'Ik vind alleen dat we voorzichtig moeten zijn.'

'Stil, Gemma. Ik wil alles weten over de geheimen van het rijk,' zegt Felicity berispend. Ze keert me de rug toe. Pippa verkneukelt zich zichtbaar, en ik moet denken aan wat ze me maanden geleden in de balzaal van Spence vertelde toen ik haar plaats als Felicity's beste vriendin innam: 'Kijk maar uit dat ze jou straks niet zat is. Ze laat je keihard vallen.'

Pippa omhelst ons allemaal tegelijk en kust ons vurig op de wangen. Haar glimlach is volkomen oprecht. 'O, wat heb ik jullie gemist!' Een traan biggelt over de blosjes op haar wangen.

Ik ben de slechtste vriendin ter wereld. Ook ik heb Pippa vreselijk gemist. En nu is ze er, en verpest ik het moment met mijn chagrijn. 'Het spijt me, Pip. Toe, vertel ons wat je weet.'

'Goed, als jullie dat echt willen.' Haar glimlach is oogverblindend, en we lachen alsof we nooit van elkaar gescheiden zijn geweest. Het regent boomblaadjes, die langzaam naar beneden dwarrelen en onze rokken bedekken met een felle kleurenpracht.

'Het rijk is ongelooflijk uitgestrekt. Er lijkt geen eind aan te komen. Ik heb gehoord dat er onvoorstelbare wonderen te vinden zijn. Een woud van bomen gevuld met licht, die altijd en eeuwig hun gloed uitstralen. Goudkleurige mist en gevleugelde wezens die lijken op elfjes. En een schip met het hoofd van een gorgone.'

'Een gorgone!' zegt Ann vol afschuw.

'Ja, echt waar. Ik heb haar 's nachts wel eens in de mist voorbij zien varen. Een reusachtig schip met een angstaanjagend gezicht,' zegt Pippa.

'Hoe angstaanjagend?' vraagt Ann, bijtend op haar lip.

'Als je haar in de ogen zou kijken, zou je wel eens kunnen sterven van angst,' zegt Pippa. Ann kijkt doodsbang, maar Pippa kust haar op de wang. 'Maak je geen zorgen, lieve Ann. Ik zal je beschermen.'

'Ik wil die gorgone helemaal niet zien.'

'Er wordt beweerd dat ze door de Orde is vervloekt. Zonder rust moet ze rondvaren, en altijd moet ze de waarheid vertellen,' zegt Pippa.

'Vervloekt? Waarom?' vraagt Felicity.

'Dat weet ik niet. Het is hier een legende.'

'Als ze de waarheid moet vertellen, kan ze ons misschien zeggen waar we de tempel kunnen vinden,' zeg ik.

'Ik zal haar voor je zoeken,' zegt Pippa snel.

'Moet dat echt?' vraagt Ann.

'Ann, kijk eens.' Pippa plukt een handvol gras en drukt het tussen haar handen samen. Wanneer ze ze weer opent, zit daar een jong zwart katje met zijn ogen te knipperen.

'O!' Ann drukt het katje liefkozend tegen haar wang.

'Wat zullen we een plezier hebben nu we allemaal weer samen zijn!'

Een doorn van bezorgdheid prikt me. Mijn moeder hield bij hoog en bij laag vol dat geesten moesten overgaan. Maar stel dat ze het mis had?

Ik heb haar zien sterven; ik heb haar begraven zien worden. Ik heb haar in mijn dromen gezien.

'Ik heb echt afschuwelijk over je gedroomd,' zeg ik om haar uit te proberen.

Pippa streelt het katje en maakt haar eerst oranje, dan rood. 'O ja? Wat dan?'

'Ik kan me alleen de laatste droom nog goed herinneren. Je kwam naar me toe en zei: "Wees voorzichtig, Gemma. Ze hebben het allemaal op je gemunt."'

Pippa fronst. 'Wie heeft het op je gemunt?'

'Dat weet ik niet. Ik dacht dat je me misschien een boodschap wilde sturen.'

'Ik?' Ze schudt haar hoofd. 'Dat heb ik nooit gedaan. Kom mee, allemaal,' roept ze vrolijk. 'Ik wil een kerstboom maken.'

Voor mijn gevoel blijven we wel uren. En wie weet, misschien zijn het ook wel uren. Niemand wil als eerste afscheid nemen, dus bedenken we telkens weer een nieuwe reden om te blijven: meer versierselen tevoorschijn toveren voor de kerstboom, nog een keer verstoppertje spelen, nog een keer zoeken naar de gorgone, die niet komt opdagen. Maar ten slotte is het tijd. We moeten weg.

'Kunnen jullie morgen terugkomen?' smeekt Pippa pruilend.

'Ik ga naar Londen,' zegt Felicity bedroefd. 'En jullie twee moeten het niet wagen om zonder mij te gaan!'

'Ik vertrek overmorgen,' zeg ik.

Ann blijft stil.

'Ann?' vraagt Pippa.

'Ik blijf op Spence en breng de kerst door met de bedienden, zoals gewoonlijk.'

'Wanneer zijn jullie er alle drie weer?' vraagt Pippa.

'Over veertien dagen,' antwoord ik. Daar heb ik niet over nagedacht. Hoe kunnen we op zoek gaan naar de tempel als we zo lang van elkaar gescheiden zijn?

'Dat kan gewoon niet,' zegt Pip. 'Wat moet ik twee hele weken zonder jullie? Ik zal me rot vervelen!' Pip verandert ook nooit.

'Felicity en ik zullen elkaar nog wel eens zien,' zeg ik. 'Maar Ann...'

Ann kijkt alsof ze elk moment kan gaan huilen.

'Dan moet je maar met mij mee naar huis,' zegt Felicity. 'Morgenochtend zal ik meteen een telegram naar mama sturen, zodat ze weet dat ze ons allebei kan verwachten. Ik heb de hele avond nog om er een heel goede reden voor te verzinnen.'

Ann straalt. 'Dat zou ik leuk vinden. Zowel de vakantie als het verhaal dat je gaat bedenken.'

'Zodra het kan, over een dag of twee, komen we terug,' verzeker ik Pippa.

'Ik zal op jullie wachten.'

'Kijk ondertussen wat je zelf kunt ontdekken,' zeg ik. 'Zoek die gorgone.'

Pippa knikt. 'Moeten jullie echt al weg? Ik geloof niet dat ik het aankan om afscheid van jullie te nemen.'

'Het is maar voor twee daagjes,' zegt Felicity geruststellend.

Pippa loopt met ons mee naar de plek waar de runen ooit stonden.

'Pas op,' roept Felicity uit.

Waar de paddenstoel doormidden is gespleten, is het gras in as veranderd. Een natte, zwarte slang kronkelt heen en weer.

'Jakkes,' zegt Ann, die er met een boogje omheen loopt.

Pippa pakt een scherpe steen en laat die op het diertje vallen. 'Zo, geregeld,' zegt ze terwijl ze de kalkrestjes van haar handen klopt.

'Wat heb ik een hekel aan slangen,' zegt Felicity huiverend.

Het verbaast me dat Felicity ergens bang voor is. Maar er is iets wat nog verrassender is: Pippa staat met een vreemde glimlach te staren naar de steen die ze heeft laten vallen. Ik kan de uitdrukking op haar gezicht niet benoemen, maar ik word er nerveus van.

Na een laatste kus laten we de deur van licht verschijnen en keren we terug naar de grote salon.

'Kijk!' roept Ann.

Om haar hals hangt nog steeds de glanzende, fonkelende robijn.

'Je hebt de magie meegenomen,' zeg ik. Ik raak de steen aan.

'Niet expres,' zegt Ann, alsof ze straf verwacht. 'Het gebeurde gewoon.'

'Er zit geen zegel meer op,' zeg ik. 'Daar zal het wel door komen.'

'Ik zal het eens proberen,' zegt Felicity. Ze sluit haar ogen, en opeens zweeft ze hoog boven ons.

'Felicity! Kom naar beneden!' fluister ik indringend.

'Mooi niet! Kom maar naar boven.'

Met een hoog kreetje stijgt ook Ann op. Zij en Felicity grijpen elkaars handen vast en tollen hoog in de lucht als een stel spoken in de rondte.

'Wacht op mij!' zeg ik, en ik voeg me bij hen. Ik strek mijn armen uit, mijn benen bungelen hoog boven de stoelen en de schoorsteenmantel, en ik word overspoeld door een uitgelaten vreugde, het genot van gewichtloosheid.

'Dit is fantastisch,' zegt Ann giechelend. Ze strekt haar hand uit en zet de engel recht die als piek van de kerstboom fungeert. 'Zo.'

'Wat ben jij van plan?' vraag ik aan Felicity, die haar ogen weer heeft gesloten. Ze wrijft met haar handpalmen tegen elkaar. Wanneer ze haar handen opent, ligt er een fonkelende diamanten ring. Ze schuift hem aan haar middelvinger en laat hem aan ons zien.

'Dit is het mooiste kerstcadeau dat ik ooit heb gekregen,' zegt Felicity, starend naar haar ring. 'Stel je voor hoeveel plezier we in Londen zullen hebben nu we de magie tot onze beschikking hebben.'

'Ik geloof niet dat dat verstandig is,' zeg ik. 'We moeten de magie juist binden. Dat is ons doel.'

Felicity klemt haar lippen op elkaar. 'Ik zal er niets ergs mee doen.'

Hier wil ik nu geen ruzie over maken. 'Laten we weer gaan vliegen,' zeg ik om van onderwerp te veranderen.

Uiteindelijk wordt zelfs Felicity moe. We sluipen naar onze kamer en spreken vol vreugde de naam van het meisje om wie we twee maanden lang hebben gerouwd: Pippa. Misschien zal ik vanavond eindelijk rustig kunnen slapen. Zonder vreselijke dromen waardoor ik 's ochtends doodmoe wakker word.

Pas wanneer er een uur is verstreken en ik veilig in mijn eigen bed lig, kan ik de uitdrukking op Pippa's gezicht benoemen toen ze staarde naar het diertje dat ze had gedood.

Honger.

HOOFDSTUK
TWAALF

Het rijtuig is gearriveerd om Felicity en Ann naar het treinsta-tion te brengen. In de grote, marmeren hal nemen we af-scheid, terwijl de bedienden de koetsiers de juiste koffers aan-wijzen. Felicity ziet er koel en hooghartig uit in haar mauvekleurige jas en mof van bont. Ann is uitgelaten en ver-vuld van hoop, en ze draagt een prachtige korte cape van ko-ningsblauw fluweel die ze van Felicity heeft geleend en die veel te dun is voor de weersomstandigheden. Ze heeft hem vastgespeld met de broche in de vorm van een druiventros.

'Heb jij nog magie over?' vraagt Felicity.

'Nee,' zeg ik. 'Het is weg. En jij?'

'Hetzelfde verhaal.' Met samengeknepen ogen waarschuwt ze me: 'Waag het niet zonder ons terug te gaan.'

'Voor de honderdste keer, dat zal ik niet doen.' De koetsier komt de laatste spullen halen. 'Jullie kunnen maar beter gaan. Straks missen jullie de trein nog.' Het valt niet mee om een ge-sprek te voeren te midden van alle drukte en kabaal. En ik heb een hekel aan afscheid nemen.

Ann straalt. 'Fee heeft me haar cape geleend.'

'Heel mooi,' zeg ik. Ik probeer er geen acht op te slaan dat Ann Felicity met haar bijnaam aanspreekt. Ik heb nog nooit iets van Felicity mogen lenen, en onwillekeurig voel ik een steekje van jaloezie bij de gedachte dat zij de vakantie samen kunnen doorbrengen.

Felicity prutst wat aan Anns kleding en strijkt een paar plooien glad. 'Ik zal mama vragen ons morgen voor de lunch mee te nemen naar haar club. Het is een van de beste vrouwenclubs die er zijn, moet je weten. We moeten Gemma vertellen over ons meesterlijke plan. Zij heeft er immers ook een rol in.'

Wat er ook komt, ik vind het nu al niet leuk.

'Ik heb me voorgenomen om Ann voor de duur van de vakantie een andere identiteit te geven. Ze zal niet langer een grijs muisje zijn, een beursstudentje. Ze zal opgaan in de massa, alsof ze nooit een ander leven heeft gekend, en niemand zal de waarheid vermoeden.'

Als op een teken valt Ann haar bij. 'Ik ga tegen haar moeder zeggen dat ik afstam van de Russische koninklijke familie, en dat mijn oudoom, de hertog van Chesterfield, kort geleden pas heeft ontdekt dat ik hier aan Spence studeer en me op de hoogte heeft gesteld van de erfenis van wijlen mijn ouders.'

Met een vorsende blik op de mollige, ras-Engels ogende Ann vraag ik: 'Lijkt je dat verstandig?'

'Die robijn gisteren bracht me op het idee. Ik dacht: kunnen we niet onze eigen illusie creëren?' zegt Felicity. 'Kunnen we niet een spelletje spelen?'

'Maar stel dat iemand erachter komt?' vraagt Ann bezorgd.

'Dat gebeurt niet,' zegt Felicity. 'Ik zal tegen de dames van de club zeggen dat je voor de dood van je ouders een muzikale opleiding hebt genoten bij een wereldberoemde Russische operazanger. Dan willen ze je dolgraag horen zingen. Als ik ze een beetje ken, zullen ze zich verdringen om je uit te nodigen hun bals en etentjes op te luisteren met je zang. Ze zullen uitgebreid met je pronken, en ze zullen geen moment vermoeden dat je zo arm bent als een kerkrat.'

Felicity's grijns heeft iets roofdierachtigs.

'Waarschijnlijk stel ik ze toch maar teleur,' mompelt Ann.

'Hou daarmee op, nu,' zegt Felicity streng. 'Ik doe niet al die moeite voor je zodat jij het kunt verbruien.'

'Ja, Felicity,' zegt Ann.

Met onze paraplu's opengeklapt tegen de regen lopen we naar buiten, waar we even alleen kunnen zijn. Geen van allen willen we zeggen wat we echt voelen, namelijk dat het een kwelling zal zijn om zo lang te moeten wachten voordat we terug kunnen naar het rijk. Nu ik van de magie heb geproefd, sta ik te popelen om het weer te proberen.

'Doe iedereen versteld staan,' zeg ik tegen Ann. We omhelzen elkaar vluchtig, en dan roept de koetsier boven de kletterende regen uit.

'Twee dagen,' zegt Felicity.

Ik knik. 'Twee dagen.'

Ze snellen naar het rijtuig, zodat de modder alle kanten op spat.

Als ik weer naar binnen ga, zit Mademoiselle LeFarge in de grote salon. Ze heeft haar beste wollen pakje aangetrokken en zit in *Pride and Prejudice* te lezen.

'U ziet er beeldig uit,' zeg ik. 'Eh... *très jolie.*'

'*Merci beaucoup,*' antwoordt ze glimlachend. 'De inspecteur komt me zo halen.'

'Ik zie dat u miss Austen leest,' zeg ik, dankbaar dat ze me geen standje geeft vanwege mijn abominabele Frans.

'Jazeker. Ik geniet erg van haar boeken. Ze zijn zó romantisch. Het is heel slim van haar dat ze ze altijd goed laat aflopen, met een verloving of een bruiloft.'

Een dienster klopt op de deur. 'Mr Kent voor u, miss.'

'Ah, dank je wel.' Mademoiselle LeFarge legt haar boek weg. 'Nou, miss Doyle, dan zie ik je in het nieuwe jaar wel weer. Een fijne kerst toegewenst.'

'U ook, Mademoiselle LeFarge.'

'O, en werk aan je Frans tijdens de vakantie, Mademoiselle Doyle. Dit is de tijd van het jaar dat wonderen geschieden. Misschien worden we er allebei met een verblijd.'

In een paar uur tijd is Spence bijna uitgestorven. Slechts een handjevol van ons blijft nog achter. De hele dag door zijn er meisjes vertrokken. Van achter mijn raam heb ik toegekeken terwijl ze naar buiten kwamen, de gure wind in, voor de rit met het rijtuig naar het station. Ik heb gezien dat ze afscheid namen, elkaar beloofden elkaar te treffen op een bal of bij de opera. Het verwondert me dat er zoveel tranen en 'Ik zal je missen' bij komen kijken, want zo lang zullen ze het nu ook weer niet zonder elkaar hoeven stellen.

Ik heb het gebouw bijna voor mezelf, dus ga ik op onderzoek uit, steile trappen op naar smalle torentjes met ramen die me een weids uitzicht bieden op het land dat Spence omringt. Ik sluip langs afgesloten deuren en donkere, gelambriseerde kamers die meer op museumstukken lijken dan op vertrekken waar geleefd wordt. Ik dwaal rond tot het al lang donker is, ver voorbij mijn bedtijd. Niet dat ik denk dat iemand me zal komen zoeken.

Wanneer ik op mijn eigen verdieping aankom, blijf ik stokstijf staan. Een van de enorme deuren naar de zwartgeblakerde overblijfselen van de oostvleugel is op een kier blijven staan. In het slot steekt een sleutel. In al die tijd dat ik hier nu ben heb ik die deur nog nooit open zien staan, en ik vraag me af waarom dat nu wel het geval is, terwijl de school verlaten is.

Zo goed als verlaten, althans.

Ik probeer geen geluid te maken terwijl ik dichterbij sluip. Binnen klinken stemmen. Het duurt even, maar dan herken ik ze: het zijn Mrs Nightwing en miss McCleethy. Ik kan hen niet duidelijk verstaan. De wind zucht als een blaasbalg door de deuropening en voert af en toe wat woorden mee: 'Moeten beginnen.' 'Londen.' 'Ze helpen ons wel.' 'Ik heb ervoor gezorgd.'

Ik ben te bang om naar binnen te gluren, dus leg ik mijn oor tegen de kier, juist op het moment dat Mrs Nightwing zegt: 'Ik regel het wel. Het is immers mijn verantwoordelijkheid.'

Op dat moment komt miss McCleethy naar buiten en betrapt me.

'Sta je te luistervinken, miss Doyle?' vraagt ze. Haar ogen spuwen vuur.

'Wat is er? Wat gebeurt er?' vraagt Mrs Nightwing geschrokken. 'Miss Doyle! Wel heb ik ooit!'

'Ik... Het spijt me, Mrs Nightwing. Ik hoorde stemmen.'

'Wat heb je opgevangen?' vraagt Mrs Nightwing.

'Niets,' zeg ik.

'Denk je nu echt dat we dat geloven?' vraagt miss McCleethy streng.

'Het is echt waar,' lieg ik. 'Het is zo stil hier en ik kon niet slapen.'

Miss McCleethy en Mrs Nightwing wisselen een blik.

'Naar bed dan, miss Doyle,' zegt Mrs Nightwing. 'En maak in de toekomst je aanwezigheid meteen kenbaar.'

'Ja, Mrs Nightwing,' antwoord ik, en ik ren zowat naar mijn kamer aan het andere eind van de gang.

Waar hadden ze het over? Waar moeten ze mee beginnen?

Met enige moeite trek ik mijn schoenen, jurk, korset en kousen uit, tot ik in mijn hemd sta. Er zitten precies veertien spelden in mijn haar. Ik tel ze terwijl ik ze met bevende vingers een voor een verwijder. Mijn koperkleurige krullen vallen met een zucht van verlichting op mijn rug.

Dit heeft geen zin. Ik ben te nerveus om zelfs maar aan slapen te denken. Ik heb behoefte aan afleiding, iets wat me tot rust kan brengen. Onder haar bed bewaart Ann een stapel tijdschriften van het soort waar advies in staat en waarin de laatste mode wordt getoond. Op het omslag staat een afbeelding van een beeldschone vrouw. Haar haar is versierd met veren. Haar huid is volmaakt roomwit, en haar blik is vriendelijk en bedachtzaam tegelijk, alsof ze dromerig naar de zonsondergang staart, maar tegelijkertijd denkt aan het verbinden van de geschaafde knieën van huilende kinderen. Ik heb geen idee hoe je zo'n gezicht moet trekken. Opeens overvalt me een nieuwe angst: dat ik nooit, maar dan ook nooit zo mooi zal worden.

Ik ga aan de kaptafel zitten en bekijk mezelf in de spiegel. Ik draai mijn hoofd van links naar rechts. Mijn profiel is niet slecht. Ik heb een rechte neus en een krachtige kin. Dan kijk ik weer recht in de spiegel en bestudeer de sproetjes en mijn lichte wenkbrauwen. Hopeloos. Niet dat er iets verschrikkelijk lelijk aan me is, maar er is ook niets wat opvalt. Geen mysterie. Ik ben niet iemand die je op het omslag van een goedkoop tijdschrift liefdevol in de verte zult zien staren. Ik ben niet iemand voor wie bewonderaars wegkwijnen, een meisje dat in een lied wordt vereeuwigd. En ik zou liegen als ik zei dat die wetenschap me niet stak.

Wanneer ik naar een diner of een bal ga – als ik dat al doe – wat zullen anderen dan in me zien? Zullen ze me wel zien staan? Of zullen zuchtende broers, lieve oude ooms en verre neven van andere neven uit beleefdheid met me moeten dansen omdat hun vrouw, moeder of gastvrouw hen daartoe heeft aangezet?

Kan ik ooit een godin worden? Ik borstel mijn haar en drapeer het over mijn schouders, zoals ik wel eens heb gezien op gewaagde posters voor opera's waarin aan tering lijdende vrouwen sterven voor de liefde en er desondanks hartverscheurend mooi blijven uitzien. Als ik mijn ogen een beetje samenknijp en mijn lippen een stukje vaneen laat wijken, kan ik heel misschien voor verlokkelijk doorgaan. Maar er ontbreekt iets aan

109

mijn spiegelbeeld. Aarzelend duw ik de schouderbandjes van mijn hemd van mijn schouders. Ik schud met mijn haar, zodat het een beetje wild valt, alsof ik een bosnimf ben, een ongetemd wezen.

'Pardon,' zeg ik tegen mijn spiegelbeeld. 'Ik geloof dat we elkaar nog niet kennen. Ik ben...' Bleek. Dat ben ik. Ik knijp blosjes in mijn wangen en begin opnieuw, met een lage grauwstem. 'Wie waagt het zo vrijelijk door mijn woud te zwerven? Vertel me je hoe je heet. Nu!'

Achter me wordt een keel geschraapt, en dan klinkt er gefluister. 'Ik ben het, Kartik.'

Een piepklein kreetje ontsnapt aan mijn lippen. Ik spring overeind van achter mijn kaptafel en stoot zo hard tegen de rand dat ik op het tapijt val en de stoel met me mee sleur. Kartik komt achter mijn kleedscherm vandaan, met zijn handen afwerend voor zich uitgestoken.

'Toe. Niet gillen.'

'Hoe durf je!' zeg ik ontzet terwijl ik naar mijn kast ren, en de kamerjas die daar hangt. O hemel, waar is hij gebleven?

Kartik staart naar de grond. 'Ik... Dit was niet mijn bedoeling, dat verzeker ik je. Ik was er al, maar ik ben weggedommeld, en toen... Ben je... toonbaar?'

Ik heb de kamerjas gevonden, maar ik ben zo van slag dat mijn vingers niet naar behoren werken. De kamerjas is helemaal verkeerd dichtgeknoopt. Hij hangt merkwaardig scheef. Ik sla mijn armen over elkaar om de schade te beperken. 'Misschien wist je dit niet, maar het is onvergeeflijk om je in de kamer van een dame schuil te houden. En dat je vervolgens niet je aanwezigheid kenbaar maakt terwijl ze ongekleed is...' Ik sta te zieden van woede. 'Onvergeeflijk.'

'Het spijt me,' zegt hij schaapachtig.

'Onvergeeflijk,' herhaal ik.

'Moet ik weggaan en later weer terugkomen?'

'Nu je er toch bent, kun je net zo goed blijven.' Om eerlijk te zijn ben ik blij met zijn gezelschap, zo vlak na dat ongelukkige voorval met Mrs Nightwing en miss McCleethy. 'Wat is er zo dringend dat je langs een muur omhoog moet klimmen en je achter mijn kleedscherm moet verbergen?'

'Ben je naar het rijk geweest?' vraagt hij.

Ik knik. 'Ja. Maar er leek niets mis. Het was er net zo mooi als voorheen.' Ik zwijg even en denk aan Pippa. Mooie Pippa, naar wie Kartik ooit met zoveel ontzag heeft staan staren. Ik moet denken aan haar waarschuwing over de Rakshana.

'Wat is er?'

'Niets. We hebben iemand daar gevraagd ons te helpen. Een gids, zeg maar.'

Kartik schudt zijn hoofd. 'Dat is niet verstandig. Ik zei toch, niets of niemand uit het rijk is op dit moment te vertrouwen.'

'Dit is iemand op wie we ons wel kunnen verlaten.'

'Hoe weet je dat?'

'Het is Pippa,' zeg ik zachtjes.

Kartiks ogen worden groot. 'Miss Cross? Maar ik dacht...'

'Ja, ik ook. Maar gisteravond heb ik haar gezien. Ze weet niets over de tempel, maar ze wil ons helpen zoeken.'

Kartik staart me ongelovig aan. 'Maar als ze niet overgaat, raakt ze beschadigd.'

'Zij zegt van niet.'

'Je kunt haar niet vertrouwen. Misschien is ze al beschadigd.'

'Maar er is helemaal niets vreemds aan haar,' werp ik tegen. 'Ze is nog net zo...' Ze is nog net zo mooi als voorheen, wilde ik zeggen.

'Ja, nog net zo...?'

'Ze is nog steeds dezelfde Pippa,' antwoord ik zachtjes. 'En op dit moment weet ze meer over het rijk dan wij. Ze kan ons helpen. Dat is meer dan jij me hebt kunnen bieden.'

Als ik Kartiks trots heb gekrenkt, laat hij er niets van merken. Hij ijsbeert door de kamer en loopt zo dicht langs me heen dat ik hem kan ruiken, een mengeling van rook, kaneel, de wind, het verbodene. Ik trek mijn kamerjas strakker om me heen.

'Goed dan,' zegt hij, wrijvend over zijn kin. 'Zolang je maar voorzichtig bent. Maar het staat me niet aan. De Rakshana hebben me uitdrukkelijk gewaarschuwd...'

'De Rakshana zijn er niet geweest, dus hoe kunnen ze in vredesnaam weten waar je wel en niet op kunt vertrouwen?' Opeens klinkt Pippa's waarschuwing me heel plausibel in de oren. 'Ik weet niets over die broederschap van jou. Waarom zou ik hen vertrouwen? Waarom zou ik jou vertrouwen? Werkelijk, je glipt mijn kamer binnen en verstopt je achter mijn kleedscherm. Je volgt me overal. Je blaft me telkens bevelen toe: sluit je af! O nee, neem me niet kwalijk: stel je open! Help ons de tempel te vinden! Bind de magie!'

'Ik heb je verteld wat ik weet,' zegt hij.

'Dan weet je niet veel, of wel soms?' snauw ik.

'Ik weet dat mijn broer een Rakshana was. Ik weet dat hij is gestorven toen hij jouw moeder probeerde te beschermen, en dat zij is gestorven toen ze jou probeerde te beschermen.'

Daar heb je het. Het lelijke verdriet dat ons bindt. Even kan ik geen adem meer krijgen.

'Niet doen,' zeg ik waarschuwend.

'Wat niet?'

'Van onderwerp veranderen. Ik denk dat ik voorlopig maar eens de bevelen uitdeel. Jij wilt dat ik de tempel vind. Dan wil ik er iets voor terug.'

'Probeer je me nou te chanteren?' vraagt hij.

'Je mag het noemen wat je wilt. Maar ik vertel je niets meer voordat je mijn vragen hebt beantwoord.'

Ik ga op Anns bed zitten. Hij neemt plaats op dat van mij, tegenover me. Daar zitten we dan, twee honden die elk moment kunnen uitvallen als ze te zeer worden getergd.

'Vraag maar raak,' zegt hij.

'Als ik zover ben,' zeg ik.

'Ook goed, dan vraag je niets.' Hij staat op en wil weggaan.

'Vertel me over de Rakshana,' flap ik eruit.

Met een zucht staart Kartik naar het plafond. 'De Broederschap van de Rakshana bestaat al zo lang als de Orde. Ze hebben hun oorsprong in het oosten, maar in de loop van de tijd hebben ook anderen zich aangesloten. Karel de Grote was een Rakshana, en veel Tempeliers ook. Zij waren de hoeders van het rijk en de grenzen ervan, en hadden een eed gezworen om de Orde te beschermen. Hun wapen is een zwaard met een schedel.' Dat alles dreunt hij achter elkaar op, alsof hij een geschiedenisles opzegt voor een leraar.

'Daar heb ik wat aan,' zeg ik geërgerd.

Hij steekt zijn vinger op. 'Maar het is wel informatief.'

Ik negeer zijn spottende gezicht.

'Hoe ben jij bij de Rakshana beland?'

Hij haalt zijn schouders op. 'Ik ben altijd al bij hen geweest.'

'Toch niet altijd? Je moet ooit een vader en moeder hebben gehad.'

'Ja. Maar die heb ik nooit echt gekend. Ik ben bij hen weggegaan toen ik zes was.'

'O,' zeg ik geschrokken. Ik heb nooit geweten dat Kartik al zo jong uit de armen van zijn moeder is weggerukt. 'Wat erg voor je.'

Hij wil me niet recht aankijken. 'Je hoeft geen medelijden met me te hebben. We wisten allemaal dat ik zou worden opgeleid tot Rakshana, net als mijn broer Amar vóór mij. Het was een grote eer voor mijn familie. Ik werd in de gemeenschap opgenomen en kreeg les in wiskunde, talen, wapenkennis en vechttechnieken. En cricket.' Hij glimlacht. 'Ik ben erg goed in cricket.'

'En verder?'

'Ik heb geleerd hoe ik in het bos kon overleven. Ik heb leren spoorzoeken. Leren stelen.'

Ik trek mijn wenkbrauwen op.

'Wat er ook voor nodig is om te overleven. Je weet nooit wanneer je door iemands zakken te rollen weer een dag te eten hebt of op precies het juiste moment voor afleiding kunt zorgen.'

Ik moet denken aan mijn moeder, die nu voorgoed uit mijn leven is verdwenen, en hoeveel pijn dat gemis me doet. 'Miste je je familie niet verschrikkelijk?'

Als hij eindelijk verder praat, klinkt zijn stem zacht. 'In het begin keek ik op elke straat, op elke markt uit naar mijn moeder in de hoop haar te zien. Maar in elk geval had ik Amar nog.'

'Wat vreselijk. Je had er niets over te zeggen.'

'Het was mijn lot. Dat accepteer ik. De Rakshana zijn erg goed voor me geweest. Ik ben opgeleid tot lid van een elitegroep. Wat was er in India van me geworden? Zou ik dan koeien moeten hoeden? Honger hebben geleden? In de schaduw van de Engelsen hebben geleefd, gedwongen om te lachen wanneer ik hun hun eten serveerde of hun paarden verzorgde?'

'Ik wilde je niet boos maken...'

'Ik ben niet boos,' zegt hij. 'Ik denk alleen niet dat je begrijpt wat een eer het is om voor de broederschap te worden uitverkoren. Binnenkort ben ik klaar om met het laatste stadium van mijn opleiding te beginnen.'

'Wat houdt dat in?'

'Dat weet ik niet,' zegt hij met een milde glimlach. 'Je moet een levenslange eed van trouw afleggen. Vervolgens krijg je de eeuwige mysteries te zien. Niemand spreekt er ooit over. Maar eerst moet je een proeve afleggen, om jezelf te bewijzen.'

'Wat is jouw proeve?'

Zijn glimlach vervaagt. 'De tempel vinden.'

'Je lot is verbonden met dat van mij.'

'Ja,' zegt hij zachtjes. 'Daar lijkt het wel op.'

Hij kijkt me met zo'n merkwaardige blik aan dat ik me er opnieuw van bewust word hoe ongepast ik gekleed ben in alleen mijn hemd en kamerjas. 'Je kunt nu beter gaan.'

'Ja, inderdaad,' zegt hij. Hij springt overeind. 'Mag ik je iets vragen?'

'Ja,' antwoord ik.

'Praat je vaak tegen je spiegel? Is dat iets wat jongedames gewoonlijk doen?'

'Nee. Natuurlijk niet.' Mijn wangen worden roder dan ooit op deze aardbol is vertoond. 'Ik was aan het oefenen. Voor een toneelstuk. Ik... ik maak deel uit van een koor.'

'Dat zal dan een zeer interessante uitvoering worden,' zegt Kartik hoofdschuddend.

'Ik heb morgen een lange reisdag voor de boeg, dus ik moet je nu goedenavond wensen,' zeg ik op nogal formele toon. Ik wil graag dat Kartik weggaat, zodat ik alleen ben met mijn gêne.

Hij zwaait zijn krachtige benen over de vensterbank en pakt het touw tussen de klimop die de muren van de school bedekt.

'O, hoe kan ik je bereiken, mocht ik de tempel vinden?'

'De Rakshana hebben voor de duur van de vakantie werk voor me gevonden in Londen. Ergens vlakbij. Ik neem wel contact met jou op.'

Met die woorden is hij het raam uit en klimt hij langs het touw naar beneden. Ik kijk toe terwijl hij opgaat in de nacht en wens dat hij terug kon komen. Nauwelijks heb ik de grendel voor het raam geschoven, of er wordt aan de deur geklopt. Het is miss McCleethy.

'Ik meende stemmen te horen,' zegt ze. Ze kijkt om zich heen.

'Ik... ik was hardop aan het lezen,' zeg ik. Ik pak Anns tijdschrift van het bed.

'Aha,' zegt ze met haar vreemde accent. Ze biedt me een glas aan. 'Je zei dat je niet kon slapen, dus ik heb wat warme melk voor je meegebracht.'

Ik neem het glas aan. 'Dank u.' Ik heb een hekel aan warme melk.

'We hebben niet de beste start gemaakt, jij en ik.'

'Het spijt me van die pijl, miss McCleethy. Echt waar. En ik was u niet aan het afluisteren daarstraks. Ik...'

'Rustig maar, rustig maar. Dat is allemaal vergeven en vergeten. Deel je deze kamer met miss Bradshaw?'

'Ja,' antwoord ik.

'En zij en miss Worthington zijn je beste vriendinnen?'

'Ja.' Sterker nog, zij zijn mijn enige vriendinnen.

'Het zijn fijne jongedames, maar niet half zo interessant als jij, zou ik zeggen, miss Doyle.'

Ik ben met stomheid geslagen. 'Ikke? Zo interessant ben ik helemaal niet.'

Ze komt dichterbij. 'Kom, kom. Mrs Nightwing en ik hadden het vanavond nog over je, en we waren het erover eens dat je iets heel bijzonders hebt.'

Daar sta ik dan, in mijn scheef dichtgeknoopte kamerjas. 'U bent veel te vriendelijk. Miss Bradshaw heeft een verbijsterend mooie stem, en miss Worthington is vreselijk slim.'

'Zie je nu hoe loyaal je bent, miss Doyle? Je neemt het meteen op voor je vriendinnen. Dat is een prijzenswaardige eigenschap.'

Ze bedoelt het als een compliment, maar ik voel me slecht op mijn gemak, alsof ik onder de loep word genomen.

'Wat een ongewone hanger.' Stoutmoedig strijkt ze met haar vinger langs de ronding van de halvemaan. 'Hoe kom je eraan?'

'Van mijn moeder,' zeg ik.

Ze schenkt me een indringende blik. 'Ze zal het vast niet gemakkelijk hebben gevonden om zoiets kostbaars uit handen te geven.'

'Ze is dood. De hanger heb ik van haar geërfd.'

'Heeft het een betekenis?' vraagt ze.

'Nee,' lieg ik. 'Niet dat ik weet.'

Miss McCleethy staart me aan tot ik mijn blik moet afwenden. 'Wat was ze voor iemand, je moeder?'

Ik dwing mezelf te gapen. 'Neem me niet kwalijk, kennelijk ben ik toch moe.'

Miss McCleethy lijkt teleurgesteld. 'Drink die melk maar op nu hij nog warm is. Dan slaap je beter. Een goede nachtrust is erg belangrijk.'

'Ja, dank u,' zeg ik met het glas nog in mijn hand.

'Toe dan. Drink maar op.'

Ik kan er niet aan ontkomen. Ik dwing mezelf een paar slokken van het kalkachtige goedje te drinken. Het smaakt merkwaardig zoet.

'Pepermunt,' verkondigt miss McCleethy alsof ze mijn gedachten heeft gelezen. 'Daar slaap je goed op. Ik zal het glas terugbrengen naar Brigid. Volgens mij vindt ze me niet erg aardig, wat denk jij?'

'U hebt het vast mis,' zeg ik, omdat dat nu eenmaal het beleefde antwoord is.

'Ze kijkt me aan alsof ik de duivel zelve ben. Denk jij dat ik de duivel zelve ben, miss Doyle?'

'Nee,' kras ik. 'Natuurlijk niet.'

'Ik ben blij dat we het hebben bijgelegd. Welterusten, miss Doyle. Niet meer hardop lezen vanavond.'

Mijn lichaam voelt warm en zwaar aan. Komt het door de warme melk? Door de pepermunt? Of heeft miss McCleethy me vergiftigd? *Doe niet zo raar, Gemma.*

Ik gooi allebei de ramen open en laat de ijzige kou binnen.

Ik moet wakker blijven. Met grote passen loop ik door de kamer. Ik buig voorover en raak mijn tenen aan. Uiteindelijk ga ik op het bed zitten om kerstliedjes in mezelf te zingen. Het helpt niet. Mijn lied sterft weg, en ik glijd weg in een schemerige droom.

De halvemaan gloeit in mijn hand. Mijn hand verandert in een lotusbloem op een pad. Dikke, groene ranken ontspruiten aan de barsten, en piepkleine knoppen ontvouwen zich tot schitterende rozen. Ik zie mijn eigen gezicht weerspiegeld in een muur van water. Ik duw mijn hand door de muur heen, tot ik er helemaal doorheen val.

Ik val in de diepte en word opgeslokt door de zwarte mantel van een droomloze slaap.

Ik weet niet hoe laat het is wanneer ik ergens van wakker schrik. Ik luister ingespannen, maar hoor niets. De melk heeft een dun laagje op mijn tong achtergelaten. Het lijkt steeds dikker te worden. Ik heb er helemaal geen zin in, maar ik moet naar beneden om iets te drinken te halen.

Met een diepe zucht duw ik de dekens van me af en steek een kaars aan. Met mijn hand beschermend om het vlammetje loop ik door de donkere gang, die kilometers lang lijkt. Ik ben de enige levende ziel op deze verdieping. Die gedachte doet me mijn pas versnellen.

Wanneer ik vlak bij de trap ben, flakkert het kaarsvlammetje en dooft uit. Nee! Nu moet ik terug om de kaars weer aan te steken. Opeens word ik duizelig. Mijn knieën begeven het, en ik slaag er nog net in om me aan de balustrade overeind te houden. In de duisternis klinkt een zacht, scherp geschraap, als een krijtje dat te hard over een lei wordt gehaald.

Ik ben niet langer alleen. Er is iemand bij me.

Zelfs fluisteren kost me moeite. 'Hallo? Brigid? Ben jij het?'

Het schrapende geluid komt dichterbij. Opeens laait de kaarsvlam weer op, en er verschijnt een kleine kring van licht.

Daar zijn ze, flakkerend aan de randen. Niet helemaal echt, maar tastbaarder dan in het visioen dat ik in de sneeuw kreeg. Drie meisjes, helemaal in het wit. Het afschuwelijke gekras is afkomstig van de spitse punten van hun schoenen die over de houten vloer slepen, terwijl ze steeds dichter naar me toe zweven. Ze bewegen hun lippen alsof ze iets willen zeggen. Ik kan ze niet verstaan. Ze hebben een droevige blik in hun ogen, waar donkere kringen onder zitten.

Niet gillen, Gemma. Het is maar een visioen. Ze kunnen je geen kwaad doen. Toch?

Ze zijn zo dichtbij dat ik mijn hoofd moet afwenden en mijn ogen moet sluiten. Door de angst en de stank moet ik bijna overgeven. Wat is het toch? De zee en nog iets. Bederf.

Daar is dat geluid weer, als het gefladder van duizenden insectenvleugeltjes. Ze praten zo zachtjes dat het even duurt voor de boodschap tot me doordringt, en dan verkilt die me tot op het bot.

'Help ons.'

Ik wil mijn ogen niet openen, maar ik doe het toch. Wat zijn ze dichtbij, die flakkerende, stralende wezens. Een van hen steekt haar hand uit. *Toe. Raak me niet aan. Ik ga gillen. Ik ga gillen. Ik ga...*

Haar hand voelt ijskoud aan op mijn schouder, maar ik heb geen tijd om te gillen, want mijn lichaam verstijft wanneer ik mee word gesleurd. Allerlei beelden overspoelen me. Drie meisjes hinkelen langs woeste kliffen. De zee spat er hoog tegen op en laat dunne strengen van schuim achter op hun voeten. Donkere wolken pakken zich samen. Storm. Er is storm op komst. Wacht, er is een vierde meisje. Ze blijft een beetje achter. Iemand roept hen. Er komt een vrouw aan. Ze draagt een groene mantel.

De stroperige stemmen van de meisjes sijpelen in mijn oor. 'Kijk...'

De vrouw pakt het vierde meisje bij de hand. Dan komt de verschrikking uit de zee. De lucht wordt duister. De meisjes gillen.

We zijn terug in de verlichte gang. De meisjes vervagen terwijl ze zich terugtrekken in de duisternis. 'Ze liegt...' fluisteren ze. 'Vertrouw haar niet...' En dan zijn ze weg. De pijn verdwijnt. Ik zit op mijn knieën op de koude, harde vloer, alleen. De kaars sist opeens en er vliegt een vonk vanaf.

Meer is er niet nodig. Ik spring overeind en ga er als een bang muisje vandoor. Pas als ik terug ben in mijn kamer en de deur stevig achter me dicht heb gedaan – al weet ik niet wat ik denk buiten te sluiten – hou ik op met rennen. Ik steek alle lampen in de kamer aan. In die lichte kamer voel ik me iets beter. Wat was dat voor een visioen? Waarom worden ze opeens zo hevig? Komt het doordat de magie vrij is? Wordt die daardoor op de een of andere manier vrijpostiger? Ik kon haar hand op mijn schouder voelen...

Hou op, Gemma. Je maakt jezelf nog doodsbang.

Wie zijn die meisjes en wat willen ze van me? Wat bedoelden ze met: 'Vertrouw haar niet...'? Het feit dat de school zo leeg is en dat ik morgen bij mijn familie in Londen zal zijn maakt het er niet beter op. Wie weet wat voor reële verschrikkingen me daar wachten.

Ik heb nergens een antwoord op. En ik ben bang om te gaan slapen. Tegen de tijd dat het eerste licht zijn neus tegen mijn raam drukt, heb ik me aangekleed en mijn koffer gepakt, en ben ik klaar om Londen te zien, al moet ik eigenhandig de paarden mennen om er te komen.

HOOFDSTUK
DERTIEN

Tom is te laat, zoals gewoonlijk.

Ik ben geheel volgens plan met de trein van twaalf uur vanuit Spence aangekomen op station Victoria, maar mijn broer
is nergens te bekennen. Misschien heeft hij een afschuwelijk
ongeluk gehad en ligt hij stervende op straat, waar hij met
zijn laatste adem een van de huilende omstanders smeekt
naar het treinstation te rennen om zijn onschuldige, deugd-
zame zusje te redden. Dat is de enige aanvaardbare verklaring die ik kan bedenken. Maar waarschijnlijk is hij in de club
met zijn vrienden aan het kaarten en lachen en is hij me helemaal vergeten.

'Lieve kind, weet je zeker dat je broer je komt halen?' Dat is
Beatrice, een van de twee bejaarde ongehuwde zusters die in
de trein naast me hebben gezeten en aan één stuk door hebben gepraat over reumatiek en de geneugten van koolrozen,
tot ik dacht dat ik gek zou worden. In tegenstelling tot mijn
broer maken ze zich druk om mijn welzijn.

'O, ja hoor. Heel zeker, dank u. Maakt u zich om mij alstublieft geen zorgen.'

'O hemeltje, Millicent, ik vind niet dat we haar alleen kunnen achterlaten, jij wel?'

'Nee, je hebt helemaal gelijk, Beatrice. Ze moet met ons mee. We zullen haar familie een bericht sturen.'

Dat is de druppel. Ik ga Tom vermoorden.

'Daar is hij!' zeg ik met een blik in de verte, waar mijn broer er niet aan komt.

'Waar dan?' vragen de zussen.

'Ik zie hem daarginds. Kennelijk heb ik de verkeerde kant op staan kijken. Het was een genoegen om u te leren kennen. Ik hoop dat we elkaar nog eens terugzien,' zeg ik. Gedecideerd geef ik hun een hand. Dan loop ik met doelbewuste passen weg en verstop me achter het kaartjesloket. Zodra de kust veilig is, ga ik een eind verderop op het perron op een bankje zitten.

Waar hangt hij toch uit?

Er raast nog een trein het station binnen, en de passagiers stappen uit. Ze worden omhelsd door glimlachende familieleden. Pakjes en bloemen wisselen van hand. Tom is al een halfuur te laat. Dit ga ik vader vertellen.

Een man in een duur zwart pak komt naast me zitten. Wat moet hij wel niet van me denken, nu ik hier in mijn eentje zit? Een lelijk litteken ontsiert zijn linkerwang. Het begint vlak boven zijn linkeroor en loopt door tot aan zijn mondhoek. Zijn pak is perfect op maat gemaakt. Dan zie ik de speld op zijn revers, en mijn mond wordt droog, want ik herken hem. Het is het zwaard met de schedel, het wapen van de Rakshana. Is het toeval dat hij naast me komt zitten? Of heeft hij een doel? Hij schenkt me een vage glimlach. Stilletjes sta ik op en loop weg. Wanneer ik halverwege het perron ben, kijk ik om. Ook hij is van het bankje opgestaan. Met zijn krant onder zijn arm volgt hij me. Waar is Tom? Ik blijf bij een bloemenkiosk staan en doe alsof ik de bloemen bestudeer. De man komt achter me aan. Hij kiest een rode anjer uit voor in zijn knoopsgat, tikt bij wijze van bedankje tegen zijn hoed en stopt de verkoper een muntstuk in de hand, zonder een woord te zeggen.

De angst maakt mijn benen zo slap als die van een pasgeboren katje.

Stel dat hij probeert me te ontvoeren? Stel dat er iets met Kartik is gebeurd? Stel dat Pippa gelijk heeft en deze mannen niet te vertrouwen zijn?

Ik kan voelen dat de man in het zwarte pak dichterbij komt. Als ik zou gillen, wie zou me dan horen boven het gesis en gebrom van de treinen uit? Wie zou me dan te hulp schieten?

Ik zie een jongeman die in zijn eentje staat te wachten.

'Daar ben je!' zeg ik terwijl ik snel op hem af loop. Hij kijkt om zich heen om te zien tegen wie ik het heb. 'Je bent te laat.'

'Te... laat? Neem me niet kwalijk, maar ken ik...'

Ik buig naar hem toe en fluister dringend: 'Help me alstublieft. Die man achtervolgt me.'

Hij kijkt verward. 'Welke man?'

'Die man.' Ik kijk achterom, maar hij is er niet meer. Er is helemaal niemand. 'Er was een man in een zwart pak. Hij had een afschuwelijk litteken op zijn linkerwang. Hij kwam naast me op het bankje zitten, en toen is hij me gevolgd naar de bloemenkiosk.' Ik ben me ervan bewust dat ik een beetje maf klink.

'Misschien wilde hij gewoon een bloem voor in zijn knoopsgat,' zegt de jongeman.

'Maar hij is me hiernaartoe gevolgd.'

'We zijn vlak bij de uitgang.' Hij wijst naar de deur die uitkomt op de straat.

'O. Inderdaad,' zeg ik. Wat ben ik een dwaas. 'Het spijt me vreselijk. Kennelijk zie ik spoken. Mijn broer zou me van de trein komen afhalen. Maar hij is nogal aan de late kant.'

'Dan blijf ik hier om u gezelschap te houden tot hij er is.'

'O, nee, dat kan ik werkelijk niet...'

'Dan kunt u me meteen ergens mee helpen,' zegt hij.

'Waarmee dan?' vraag ik op mijn hoede.

Uit zijn jaszak haalt hij een prachtig fluwelen kistje zo groot als een crackerblik. 'Ik heb de mening van een dame nodig over een geschenk. Wilt u me helpen?'

'Natuurlijk,' zeg ik opgelucht.

Hij zet het kistje op zijn open hand en tilt de deksel op. Er zit niets in.

'Maar het is leeg,' zeg ik.

'Dat lijkt alleen maar zo. Let op.' Hij trekt aan wat de bodem van het kistje lijkt te zijn. Maar het zit los, en onthult een geheim vakje. In dat geheime vak ligt een prachtige camee.

'Wat mooi,' zeg ik. 'En het kistje is erg vernuftig.'

'Dus u vindt het een goed cadeau?'

'Ik weet zeker dat ze er erg blij mee zal zijn,' zeg ik. Meteen begin ik te blozen.

'Het is voor mijn moeder,' legt de jongeman uit. 'Ik kom haar van de trein halen.'

'O,' zeg ik.

Onzeker blijven we staan. Ik weet niet wat ik moet zeggen of doen. Moet ik als een idioot blijven staan of moet ik redden wat er van mijn trots te redden valt, hem goedendag wensen en op zoek gaan naar een plek waar ik me kan verstoppen tot mijn broer me komt halen?

Ik open mijn mond om hem gedag te zeggen, maar precies op dat moment steekt hij zijn hand naar me uit.

'Ik heet Simon Middleton. O, neem me niet kwalijk. Wat wilde u zeggen?'

'O, ik... ik wilde alleen... Hoe maakt u het?'

We schudden elkaar de hand.

'Heel goed, dank u. Hoe maakt u het, miss...?'

'O, hemeltje. Ja. Ik ben...'

'Gemma!' Mijn naam schalt over het perron. Eindelijk is Tom er. Met zijn hoed in zijn hand rent hij op ons af. Die ergerlijke haarlok bungelt voor zijn ogen. 'Ik dacht dat je station Paddington zei.'

'Nee, Thomas,' zeg ik met een geforceerde glimlach, uit beleefdheid. 'Ik heb duidelijk gezegd: Victoria.'

'Je vergist je. Je zei Paddington.'

'Mr Middleton, mag ik u voorstellen aan mijn broer, Mr Thomas Doyle. Mr Middleton is zo vriendelijk geweest me gezelschap te houden terwijl ik wachtte, Thomas,' zeg ik nadrukkelijk.

Tom verbleekt. Als hij zich schaamt, ben ik daar blij om.

Simon glimlacht breed. Daardoor lijkt het of zijn ogen dansen. 'Goed je te zien, Doyle, ouwe jongen.'

'Master Middleton,' zegt Thomas, die zijn hand uitsteekt. 'Hoe gaat het met de burggraaf en met Lady Denby?'

'Mijn vader en moeder maken het goed, dank je.'

Simon Middleton is de zoon van een burggraaf? Hoe is het mogelijk dat een vriendelijk, charmant iemand van adellijke afkomst als Mr Middleton die vervelende broer van mij kent?

'Dus jullie kennen elkaar?' vraag ik.

'We hebben samen op Eton gezeten,' zegt Simon. Dat zou betekenen dat Simon – de hooggeboren Simon Middleton – net zo oud is als mijn broer, negentien dus. Nu ik over de eerste schrik heen ben, zie ik ook dat Simon knap is, met bruin haar en blauwe ogen. 'Ik had geen idee dat je zo'n charmante zus had.'

'Ik ook niet,' zegt Tom. Ik pak zijn arm vast, maar alleen omdat ik hem dan aan de binnenkant ervan kan knijpen zonder dat Simon het ziet. Als Tom een zacht kreetje slaakt, voel ik me een stuk beter en hou ik op met knijpen. 'Ik hoop dat ze je niet te zeer heeft lastiggevallen.'

'Helemaal niet. Ze meende dat iemand haar achtervolgde. Een man in een donker pak met... Wat was het ook alweer? Een afschuwelijk litteken op zijn linkerwang.'

Daar schaam ik me nu behoorlijk voor.

Er kruipt een blos langs Toms bleke hals omhoog. 'Hm, ja.

De befaamde fantasie van de Doyles. Waarschijnlijk gaat ze later spannende romans schrijven, onze Gemma.'

'Neem me niet kwalijk dat ik u heb lastiggevallen,' zeg ik.

'Geen sprake van. Het was het spannendste wat ik vandaag heb meegemaakt,' zegt hij, met zo'n charmante glimlach dat ik hem nog geloof ook. 'En u hebt me hier erg mee geholpen,' voegt hij eraan toe terwijl hij het fluwelen kistje omhooghoudt. 'Ons rijtuig staat voor de deur. Als jullie bereid zijn even te wachten, kan ik jullie naar huis brengen.'

'Ons eigen rijtuig staat al klaar,' zegt Tom zelfvoldaan.

'Natuurlijk.'

'Het was een gul aanbod,' zeg ik. 'Een goede dag nog.'

Dan doet Simon Middleton iets uitzonderlijks, iets gedurfds. Hij pakt mijn hand vast en drukt er hoffelijk een kus op. 'Ik hoop dat we elkaar tijdens de vakantie nog eens terugzien. U moet een keer bij ons komen eten. Ik zal het regelen. Master Doyle, tot de volgende keer.' Zwierig neemt hij zijn hoed af voor Tom, en Tom imiteert het gebaar alsof ze twee oude vrienden zijn die samen een toneelstukje opvoeren.

Simon Middleton. Dat moet ik Ann en Felicity vertellen.

Op de straat voor het station is het een kabaal van jewelste en wemelt het van de paarden, omnibussen en mensen die voor een dagje winkelen of vermaak naar Londen zijn gekomen. Het is een uitgelaten, vrolijk tafereel, en ik ben blij dat ik deel mag uitmaken van het kloppende hart van de stad. Zodra de mist en de luidende klokken van de kerken me begroeten, voel ik me in één klap verfijnd en mysterieus. Hier kan ik iedereen zijn die ik maar wil: hertogin, heks of berekenende fortuinjaagster. Wie zal het zeggen? Ik heb immers al een heel fijne ontmoeting met de zoon van een burggraaf achter de rug. Ik ben erg optimistisch gestemd. Ja, dit zal een plezierig bezoek worden met bals, geschenken en misschien zelfs een etentje bij de knappe zoon van een burggraaf. Vader is dol op Kerstmis. De kerstsfeer zal hem opvrolijken, en dan zal hij minder behoefte hebben aan laudanum. Samen zullen Ann, Felicity en ik de tempel vinden en de magie binden, en uiteindelijk zal alles goed komen.

In zijn haast om buiten te komen botst een man zonder een woord van verontschuldiging tegen me aan. Maar dat geeft niet. Ik vergeef je, gehaaste man met de scherpe ellebogen die in de stad iets te doen heeft. Gegroet, en het ga u goed! Want ik, Gemma Doyle, ga een fantastische kerst in Londen tegemoet. Er is geen vuiltje aan de lucht. God schenke de vrolijke heren rust. En de dames.

Te midden van de mensenmassa doet Tom verwoede pogingen om een huurrijtuig aan te houden.

'Maar waar is het rijtuig?' vraag ik.

'Dat is er niet.'

'Maar je zei...'

'Ja, nou ja, ik was niet van plan dat tegen Middleton te zeggen en voor aap te staan. Natuurlijk hebben we thuis wel een rijtuig. Maar we hebben geen koetsier. De oude Potts is twee dagen geleden opeens vertrokken. Ik wilde een advertentie plaatsen, maar vader zegt dat hij al iemand heeft gevonden. O, verdorie...'

Het kost enige moeite, maar uiteindelijk weten we een huurrijtuig te vinden en gaan we op weg naar het huis in Londen, dat ik nog nooit heb gezien.

'Niet te geloven dat je uitgerekend tegen Simon Middleton aan moest lopen,' zegt Tom wanneer het rijtuig wegrijdt van het station. 'En nu moeten we bij zijn familie gaan eten.'

Het lijkt me niet nodig Tom erop te wijzen dat de hooggeboren Simon Middleton míj, niet Tom, te eten heeft gevraagd. 'Is hij echt de zoon van een burggraaf?'

'Jazeker. Zijn vader is lid van het House of Lords en een zeer invloedrijk beschermheer van de wetenschap. Met zijn hulp zou ik ver kunnen komen. Jammer dat ze geen dochters hebben om mee te trouwen.'

'Jammer? Ik zat net te denken dat dat een zegen was.'

'Dus mijn eigen zus wil geen goed woordje voor me doen? En nu we het daar toch over hebben, moest jij niet voor mij op zoek gaan naar een mooie toekomstige vrouw met een klein fortuin? Heb je op dat gebied nog successen geboekt?'

'Jazeker. Ik heb ze allemaal gewaarschuwd.'

'En jij ook een gelukkig kerstfeest!' zegt Tom lachend. 'Ik heb begrepen dat we zijn uitgenodigd voor het kerstbal van je vriendin, miss Worthington. Misschien tref ik tussen de aanwezige dames wel een geschikte – oftewel rijke – kandidate aan.'

En misschien vluchten ze allemaal gillend naar het klooster.

'Hoe gaat het met vader?' vraag ik uiteindelijk. Die vraag brandt al een tijdje op mijn lippen.

Tom zucht. 'We boeken vooruitgang. Ik bewaar de fles laudanum achter slot en grendel en heb hem er een gegeven die met water is aangelengd. Hij krijgt dus minder. Ik vrees dat hij daardoor soms erg chagrijnig is en dat hij wordt geplaagd door vreselijke hoofdpijn. Maar ik ben ervan overtuigd dat het werkt.' Hij kijkt me aan. 'Je mag hem geen druppel extra geven, hoor je me? Hij is erg geslepen, en hij zal je onder druk zetten.'

'Dat zou hij nooit doen,' werp ik tegen. 'Niet bij mij. Dat weet ik zeker.'

'Tja, nou ja...'

Tom spreekt zijn gedachten niet uit. Zwijgend rijden we verder. Het enige geluid is het kabaal op straat. Al snel worden mijn zorgen verjaagd door opwinding over de stad. Al die indrukwekkende gebouwen bij elkaar. Wat zijn ze hoog en trots, en de baldakijnen op de begane grond strekken zich boven de stoep uit als dames die verlegen hun rok optillen om de verleiding te onthullen. Daar is een kantoorboekhandel, daar een fotografiestudio, en daar een theater, waar verschillende bezoekers zich bij de kassa hebben verzameld om te kijken wat er die dag aan voorstellingen wordt opgevoerd.

'Verdorie!'

'Wat is er?' vraag ik.

'Ik moest voor grootmoeder een taart ophalen, en we rijden net de winkel voorbij.' Tom roept iets naar de koetsier, die bij de stoeprand stopt. 'Ik ben zo terug,' zegt Tom, al vermoed ik dat hij dat niet zozeer zegt om mij gerust te stellen als wel om de koetsier te overreden hem geen kolossaal bedrag te berekenen voor deze onaangekondigde tussenstop.

Eigenlijk vind ik het wel prettig om even rustig te kunnen genieten van de wereld in al zijn glorie. Een jongetje met een grote gans in wankel evenwicht op zijn schouder zigzagt tussen de mensen door. Omringd door het geschetter van hoorns en hobo's loopt een kerstkoortje opgewekt van de ene winkel naar de andere, hopend op een handvol nootjes of een slokje drinken. Ook wanneer ze verder lopen, bereiken flarden van hun gezang nog mijn oren. In de etalage van de winkel waar Tom naar binnen is gegaan, zijn allerlei heerlijkheden uitgestald: dikke rozijnen en gesuikerde citroenen; bergen peren, appelen en sinaasappelen; kleurige hoopjes specerijen. Het water loopt me in de mond. Dan nadert er een lange vrouw met een chique hoed, gekleed in een tweedpak. Ze komt me bekend voor, maar pas als ze me al voorbij is gelopen, herken ik haar.

Ik vergeet prompt mijn manieren. 'Miss Moore!' roep ik uit het raam.

Miss Moore blijft staan en vraagt zich ongetwijfeld af wie haar midden op straat zo onbeschoft toeschreeuwt. Wanneer ze me ziet, loopt ze naar het rijtuig toe. 'Wel heb ik ooit, miss Doyle! Je ziet er goed uit. Vrolijk kerstfeest.'

'U ook.'

'Blijf je lang in Londen?' vraagt ze.

'Tot na oud en nieuw,' zeg ik.

'Wat een gelukkig toeval! Dan moet je een keer langskomen.'

'Dat zou ik erg leuk vinden,' zeg ik.

Ze glimlacht me stralend toe en geeft me haar visitekaartje. 'Ik verblijf aan Baker Street. Morgen ben ik de hele dag thuis. Beloof me dat je zult langskomen.'

'O, ja, natuurlijk! Dat zou geweldig zijn. O...' Ik zwijg.

'Wat is er?'

'Ik ben bang dat ik morgen al een afspraak heb, met miss Worthington en miss Bradshaw.'

'Aha.' Verder hoeft ze niets te zeggen. We weten allebei dat mijn vriendinnen en ik de reden waren voor haar ontslag.

'Het spijt ons allemaal vreselijk wat er is gebeurd, miss Moore.'

'Wat gebeurd is, is gebeurd. We moeten naar de toekomst blijven kijken.'

'Ja. Natuurlijk hebt u gelijk.'

'Maar als ik de kans kreeg, zou ik miss Worthington graag eens onder handen nemen,' zegt miss Moore met een ondeugende schittering in haar ogen. 'Ze is te brutaal voor woorden.'

'Ze is inderdaad tamelijk vrijpostig,' antwoord ik glimlachend. O, wat heb ik miss Moore gemist.

'En miss Cross? Moet je het tijdens de feestdagen stellen zonder degene die mijn ondergang heeft bewerkstelligd?' Miss Moores glimlach verdwijnt als sneeuw voor de zon wanneer ze mijn geschrokken gezicht ziet. 'O, hemeltje. Nu heb ik je van streek gemaakt. Dat spijt me. Hoe ik ook over miss Cross denk, ze is natuurlijk een vriendin van je. Dat was onbeleefd van me.'

'Nee, dat is het niet. Alleen... Pippa is dood.'

Miss Moore slaat haar hand voor haar mond. 'Dood? Sinds wanneer?'

'Sinds een maand of twee.'

'O, miss Doyle, vergeef me,' zegt miss Moore. Ze legt haar handen op de mijne. 'Ik had geen idee. Ik ben de afgelopen twee maanden weg geweest. Vorige week ben ik pas teruggekomen.'

'Het kwam door de epilepsie,' lieg ik. 'U weet vast nog wel dat ze soms toevallen had.' Iets in me wil miss Moore de waarheid vertellen over die avond, maar nu nog niet.

'Ja, dat weet ik nog,' antwoordt miss Moore. 'Wat erg. Dit is de tijd van het jaar voor vergiffenis, en ik heb me alleen maar onverzoenlijk getoond. Voel je alsjeblieft vrij om miss Bradshaw en miss Worthington ook mee te nemen. Ze zijn van harte welkom.'

'Dat is erg ruimhartig van u, miss Moore. Ik weet zeker dat zij net zo graag als ik willen horen over uw reis,' zeg ik.

'Dan zal ik jullie er alles over vertellen. Zullen we zeggen: morgen om drie uur? Dan zal ik een pot sterke thee zetten, met Turks fruit erbij.'

Verdorie. Er is nog één probleem: ik moet mijn grootmoeder zover krijgen dat ze me zonder haar laat gaan. 'Dat zou ik erg leuk vinden, als mijn grootmoeder ermee instemt.'

'Dat begrijp ik,' zegt ze, terwijl ze een stap achteruit doet. Een jongetje met één been hinkt op haar af en bedelt met een trillend lipje: 'Alstublieft, miss? Een cent voor een kreupele?'

'Onzin,' zegt ze. 'Je hebt je been in je broekspijp weggestopt, hè? Lieg niet tegen me.'

'Nee, mevrouw,' zegt hij, maar nu kan ik de contouren van zijn andere been duidelijk zien.

'Wegwezen, of ik roep de politie erbij.'

In een flits is daar opeens het andere been, en de jongen rent er op twee gezonde voeten vandoor. Daar moet ik om lachen. 'O, miss Moore, wat ben ik blij u te zien.'

'En ik ben blij jou te zien, miss Doyle. 's Middags tussen drie

131

en vijf ben ik meestal thuis. Je mag langskomen wanneer je maar wilt.'

Ze gaat weer op in de massa op Oxford Street. Miss Moore was degene die ons als eerste vertelde over de Orde, en ik vraag me af wat ze ons nog meer zou kunnen vertellen, als we het haar zouden durven vragen. Waarschijnlijk zou ze ons dan wegsturen, en terecht. Maar als we heel omzichtig te werk gaan, kan ze misschien toch een paar dingen voor ons verhelderen. En zo niet, dan kan ik in elk geval even weg uit het huis van mijn grootmoeder. Misschien kan miss Moore voorkomen dat ik knettergek word tijdens deze vakantie.

Tom is terug van de winkel. Hij laat een doos, prachtig ingepakt in bruin papier met een koordje, op mijn schoot vallen. 'Eén foeilelijke vruchtencake. Wie was die vrouw?'

'O,' zeg ik, 'niemand. Een lerares.' Als het rijtuig hortend en stotend wegrijdt, voeg ik eraan toe: 'Een vriendin.'

HOOFDSTUK
VEERTIEN

Grootmoeder heeft een elegant huis gehuurd aan het modieuze Belgrave Square aan de rand van Hyde Park. Meestal verblijft ze in Seep's Meadow, haar huis op het platteland. Naar Londen gaat ze alleen tijdens het seizoen, van mei tot half augustus, en voor Kerstmis. Met andere woorden: ze gaat er alleen naartoe wanneer ze de Londense society wil zien en op haar beurt gezien wil worden.

Het is een merkwaardige gewaarwording om die vreemde hal binnen te lopen en daar de kapstok, het bijzettafeltje met de bijpassende spiegel, het bordeauxrode behang en de fluwelen gordijnen met kwastjes te zien, alsof ik troost hoor te putten uit die spullen die ik niet ken, alsof dit een plaats is waar ik me thuis hoor te voelen, terwijl ik er nog nooit ben geweest. Hoewel overal gecapitonneerde stoelen staan, alsmede een piano en een kerstboom versierd met popcorn en linten, en elke kamer door een knappend haardvuurtje wordt verwarmd, voel ik me hier niet thuis. Mijn thuis is India. Ik denk aan onze huishoudster, Sarita, en zie haar gerimpelde gezicht voor me, en hoe ze haar overgebleven tanden bloot lachte. Ik zie ons huis voor me, met de open veranda en een kom dadels op een tafel met een rood zijden kleed erover. Maar vooral denk ik aan moeders aanwezigheid en vaders bulderende lach, in de tijd dat hij nog lachte.

Omdat grootmoeder nog ergens op bezoek is, word ik begroet door de huishoudster, Mrs Jones. Ze vraagt of ik een plezierige reis heb gehad, en ik zeg ja, zoals van me wordt verwacht. Verder hebben we elkaar niets te vertellen, dus gaat ze me voor, twee trappen op naar mijn slaapkamer. Het is een achterkamer met uitzicht op de koetshuizen en stallen aan het smalle laantje achter ons waar de koetsiers en hun gezinnen wonen. Het is een troosteloos gezicht, en ik vraag me af hoe het is om altijd maar met de paarden in het hooi rond te rollen en op te kijken naar de lichtjes van de torenhoge witte huizen, waar we alles hebben wat ons hartje begeert.

Zodra ik me heb omgekleed voor het diner, ga ik weer naar beneden. Op de overloop van de eerste verdieping blijf ik staan. Achter de gesloten deur van de bibliotheek maken vader en Tom ruzie, en ik ga wat dichterbij staan om te kunnen meeluisteren.

'Maar vader,' zegt Tom. 'Vindt u het nu echt verstandig om een buitenlander als koetsier in te huren? Ik durf te wedden dat er genoeg Engelsen zijn die geschikt zouden zijn voor die taak.'

Ik tuur door het verlichte kiertje bij de deur. Vader en Tom staan tegenover elkaar, allebei gespannen als een veer.

Even vang ik een glimp op van de vader die ik van vroeger ken. 'Mag ik je eraan herinneren, Thomas, dat we in Bombay veel trouwe Indiase bedienden hadden?'

'Ja, vader, maar dat was in India. Nu zijn we hier, te midden van onze gelijken, en zij hebben allemaal Engelse koetsiers.'

'Trek je mijn beslissing in twijfel, Thomas?'

'Nee, vader.

'Dat is je geraden.'

Er valt een ongemakkelijke stilte, en dan zegt Tom voorzichtig: 'Maar u moet toch toegeven dat de Indiërs gewoonten hebben die u al eerder in de problemen hebben gebracht, vader.'

'Zo is het genoeg geweest, Thomas Henry!' blaft vader. 'Deze discussie is gesloten.'

Tom komt naar buiten gestormd en loopt me bijna omver.

'O, hemeltje,' zeg ik. Als hij niets zegt, voeg ik eraan toe: 'Een verontschuldiging zou op zijn plaats zijn.'

'Jij hoort niet aan het sleutelgat te luisteren,' snauwt hij terug. Ik loop achter hem aan naar de trap.

'Jij hoort vader niet te vertellen hoe hij zijn zaken moet regelen,' fluister ik gespannen.

'Jij hebt makkelijk praten,' grauwt hij. 'Jij bent niet degene die al bijna twee weken bezig is hem van de fles te spenen, om vervolgens hulpeloos te moeten toezien dat hij door een of andere koetsier weer op het verkeerde pad wordt gebracht.'

Met boze, afgemeten passen loopt Tom de trap af. Ik moet moeite doen om hem bij te houden.

'Dat weet je toch niet. Waarom zit je hem zo op de huid?'

Tom draait zich met een ruk om. 'Ik zit hém op de huid? Ik doe mijn uiterste best om het hem naar de zin te maken, maar ik kan in zijn ogen niets goed doen.'

'Dat is niet waar,' zeg ik.

Hij kijkt me aan alsof ik hem een klap in het gezicht heb gegeven. 'Hoe weet jij dat nou, Gemma? Jij bent zijn lievelingetje.'

'Tom...' begin ik.

Opeens staat daar een lange butler. 'Het diner is klaar, Mr Thomas, miss Gemma.'

'Goed, dank je, Davis,' antwoordt Tom kortaf. Hij draait zich op zijn hielen om en loopt met ferme pas weg.

Het diner is één doffe ellende. Iedereen doet zijn uiterste best om vrolijk te zijn en te lachen, alsof we poseren voor een advertentie. Allemaal proberen we te vergeten dat we hier niet wonen met z'n allen en dat dit onze eerste Kerstmis zonder moeder is. Niemand wil degene zijn die de waarheid te berde brengt en de avond bederft, met als gevolg dat er vooral beleefd wordt gepraat over vakantieplannen en wat er op school is gebeurd en welke roddels er in Londen de ronde doen.

'Hoe gaat het op Spence, Gemma?' vraagt vader.

Nou, eens zien. Mijn vriendin Pippa is dood, wat eigenlijk mijn schuld is, en ik doe wanhopig mijn best om de tempel te vinden, de bron van alle magie in het rijk, voordat Circe – de boosaardige vrouw die moeder heeft vermoord, die trouwens ook lid was van de Orde, maar dat weet u natuurlijk niet – hem vindt en er iets duivels mee uithaalt, en dan moet ik op de een of andere manier de magie binden, al heb ik geen flauw idee hoe ik dat moet aanpakken. Zo gaat het dus.

'Uitstekend, dank u.'

'Ah, geweldig. Geweldig.'

'Heeft Thomas je verteld dat hij tegenwoordig klinisch assistent is in het Bethlem-ziekenhuis?' vraagt grootmoeder terwijl ze een riante hoeveelheid erwtjes aan haar vork prikt.

'Nee, volgens mij niet.'

Tom grijnst naar me. 'Ik ben tegenwoordig klinisch assistent in het Bethlem-ziekenhuis,' praat hij grootmoeder na.

'Thomas toch,' berispt grootmoeder hem zonder veel overtuiging.

'Bedoel je Bedlam, het gekkenhuis?' vraag ik.

Toms mes schraapt over zijn bord. 'Zo noemen we het niet.'

'Eet je erwten op, Gemma,' zegt grootmoeder. 'We zijn door Lady George Worthington, de vrouw van de admiraal, uitgenodigd voor het bal. Het is de meest gewilde uitnodiging van het kerstseizoen. Wat is miss Worthington voor een meisje?'

Ah, een uitstekende vraag. Eens zien... Ze kust zigeuners in het bos en heeft me een keer in de kapel opgesloten nadat ze me had gevraagd de miswijn te stelen. Ik heb haar in het bleke licht van de maan een hert zien doden en naakt en onder de bloedspatten uit een ravijn zien klimmen. Merkwaardig genoeg is ze tevens een van mijn beste vriendinnen. Vraag me niet waarom.

'Levendig,' antwoord ik.

'Ik had zo gedacht dat we morgen misschien op bezoek konden gaan bij mijn vriendin Mrs Rogers. Zij organiseert 's middags een muziekprogramma.'

Ik adem diep in. 'Ik ben uitgenodigd om morgen iemand te bezoeken.'

Grootmoeders vork blijft halverwege het bord en haar mond zweven. 'Door wie? Waarom is er voor mij geen kaartje gebracht? Absoluut niet. Uitgesloten.'

Een goed begin. Misschien kan ik straks mezelf ophangen met het tafellinnen.

'Het is miss Moore, de tekenlerares van Spence.' Het is niet nodig te vermelden dat ze inmiddels is ontslagen. 'Ze is enorm populair en geliefd, en van al haar leerlingen heeft ze alleen miss Bradshaw, miss Worthington en mij uitgenodigd om haar thuis te komen opzoeken. Het is een grote eer.'

'Miss Bradshaw... Hebben we haar niet op Spence ontmoet? Dat is die beursstudente, nietwaar?' vraagt grootmoeder fronsend. 'Dat weesmeisje?'

'Heb ik u dat niet verteld?' Mijn pas ontdekte aanleg voor liegen begint uit te groeien tot een vaardigheid.

'Wat?'

'Miss Bradshaw blijkt een oudoom te hebben, een hertog die in Kent woont, en ze blijkt af te stammen van de Russische koninklijke familie. Ze is een verre nicht van de tsarina.'

'Dat meen je niet!' roept Tom uit. 'Wat een gelukkig toeval.'

'Ja,' zegt grootmoeder. 'Het lijkt wel een beetje op een verhaal uit zo'n goedkoop tijdschrift.'

Precies. Dus stel verder geen vragen meer, anders zullen de opzienbarende gelijkenissen zich opstapelen.

'Misschien moet ik miss Bradshaw nog maar eens in overweging nemen nu ze opeens over een fortuin beschikt,' grapt Tom, maar ik heb het gevoel dat hij het serieus meent.

'Ze ruikt een fortuinjager van een kilometer afstand,' waarschuw ik hem.

'Denk je echt dat ze me zo onaantrekkelijk zal vinden?' zegt Tom snuivend.

'Aangezien ze zowel oren als ogen heeft: ja,' snauw ik terug.

'Ha! Die kun je in je zak steken, jongen,' zegt vader lachend.

'John, moedig haar nou niet aan. Gemma, het is niet betamelijk om zo onaardig te doen,' zegt grootmoeder berispend. 'Ik ken die miss Moore niet. Ik weet niet of ik dit bezoek wel moet toestaan.'

'Ze geeft uitstekend les in tekenen en schilderen,' draag ik ter verdediging aan.

'En vraagt er ongetwijfeld veel geld voor. Dat doet dat soort lieden altijd,' zegt grootmoeder. Ze neemt een hap aardappelen. 'Je tekenvaardigheid zal de komende weken heus niet achteruit hollen. Je kunt je tijd beter thuis besteden, of door mij te vergezellen, zodat je kunt kennismaken met mensen die er echt toe doen.'

Ik kan haar wel wat dóén vanwege die opmerking. Miss Moore is tien keer meer waard dan die 'mensen die er echt toe doen' van haar. Ik kuch zachtjes. 'Natuurlijk zullen we vanwege de feestdagen kerstversieringen gaan maken om de ziekenhuizen op te fleuren. Miss Moore zegt altijd dat je nooit te veel kunt doen voor de minderbedeelden.'

'Dat is bewonderenswaardig,' zegt grootmoeder, terwijl ze haar varkenslende in piepkleine stukjes snijdt. 'Misschien ga ik wel met je mee, dan kan ik zelf kennismaken met die miss Moore.'

'Nee!' schreeuw ik bijna. 'Ik bedoel...' Ja, wat bedoel ik eigenlijk? 'Miss Moore zou zich vreselijk generen als haar goede werken zo algemeen bekend zouden worden. Discretie vóór alles, zegt ze altijd. Zoals in de Bijbel staat...' Ik zwijg. Ik heb nooit veel in de Bijbel gelezen, dus ik heb geen flauw idee wat er in de Bijbel staat. 'Laat uw versieringen alleen bestemd zijn voor Gods oren... vingers. Voor Gods vingers.'

Haastig neem ik een slokje thee. Grootmoeder kijkt heel verbaasd. 'Staat dat in de Bijbel? Waar dan?'

Ik heb te veel hete thee in mijn mond. Moeizaam slik in het door. 'In Psalmen,' weet ik er hoestend uit te persen.

Vader kijkt me vorsend aan. Hij weet dat ik lieg.

'Psalmen, zeg je? Welke psalm dan?' vraagt grootmoeder.

Met zijn wrange glimlach lijkt vader te willen zeggen: tja, nu zit je in de val, meisje.

Alsof ik ter plekke word gestraft brandt de thee zich een weg naar mijn maag. 'De kerstpsalm.'

Grootmoeder begint weer luidruchtig te kauwen. 'Het lijkt me beter als we bij Mrs Rogers op bezoek gaan.'

'Moeder,' zegt vader, 'onze Gemma is nu een jongedame en heeft zo haar eigen interesses.'

'Haar eigen interesses? Onzin. Ze zit nog op school,' zegt grootmoeder laatdunkend.

'Een beetje meer vrijheid zal haar goeddoen,' zegt vader.

'Vrijheid leidt maar tot ongelukken,' zegt mijn grootmoeder. Ze noemt de naam van mijn moeder niet hardop, maar vader voelt het dreigement wel degelijk.

'Heb ik al verteld dat Gemma vandaag op het treinstation het grote geluk had Simon Middleton tegen het lijf te lopen?' Zodra de woorden over zijn lippen zijn, beseft Tom dat hij een vergissing heeft begaan.

'En hoe heeft dat kunnen gebeuren?' vraagt vader op hoge toon.

Tom trekt wit weg. 'Nou, ik kon geen huurrijtuig vinden, en ziet u, er was een afschuwelijke opstopping ter hoogte van...'

'Beste jongen,' zegt vader dreigend, 'wil je me soms vertellen dat mijn dochter alleen was op Victoria?'

'Heel even maar,' antwoordt Tom.

Vaders vuist komt met een klap op tafel neer. De borden rammelen ervan en grootmoeder wappert nerveus met haar handen. 'Je hebt me teleurgesteld vandaag.' Met die woorden verlaat hij de kamer.

'Ik ben altijd een teleurstelling,' zegt Tom.

'Ik hoop echt dat je weet wat je doet, Thomas,' fluistert grootmoeder. 'Hij wordt met de dag chagrijniger.'

'Ik ben tenminste bereid om iets te ondernemen,' zegt Tom verbitterd.

Mrs Jones komt binnen. 'Is alles in orde, mevrouw?'

'Ja hoor,' zegt grootmoeder. 'Mr Doyle wil zijn stukje taart straks pas,' voegt ze eraan toe alsof er geen vuiltje aan de lucht is.

Na het verschrikkelijk ongezellige diner gaan vader en ik aan de speeltafel zitten voor een potje schaak. Zijn handen beven, maar hij is nog verbazingwekkend goed. In slechts zes zetten heeft hij me schaakmat.

'Wat goed van u. Hoe hebt u dat voor elkaar gekregen?' vraag ik.

Hij tikt met zijn vinger tegen zijn slaap. 'Je moet je tegenstander begrijpen, weten hoe ze denkt.'

'Hoe denk ik dan?'

'Jij ziet de meest voor de hand liggende zet, gaat ervan uit dat het de enige mogelijke zet is en doet hem vervolgens ook, zonder er echt bij na te denken of te kijken of er misschien ook een andere manier is. En daardoor ben je kwetsbaar.'

'Maar dat was ook de enige mogelijke zet,' werp ik tegen.

Vader steekt zijn vinger op om me het zwijgen op te leggen. Dan zet hij de stukken terug zoals ze twee zetten geleden stonden. 'Kijk nu goed.'

Ik zie dezelfde situatie. 'Uw koningin is helemaal vrij.'

'Haastige spoed... Denk een paar zetten vooruit.'

Ik zie alleen de koningin. 'Het spijt me, vader. Ik zie het niet.'

Hij laat me zien hoe het eindigt: de loper die op de loer ligt en me in een hoekje drukt van waaruit geen ontsnapping mogelijk is. 'Het is allemaal een kwestie van goed nadenken,' zegt hij. 'Dat is wat je moeder zou zeggen.'

Moeder. Hij heeft het hardop gezegd, het onuitspreekbare woord.

'Je lijkt ontzettend op haar.' Hij verbergt zijn gezicht in zijn handen en begint te huilen. 'Ik mis haar zo.'

Ik weet niet wat ik moet zeggen. Ik heb vader nog nooit zien huilen. 'Ik mis haar ook.'

Hij haalt een zakdoek tevoorschijn en snuit zijn neus. 'Neem me niet kwalijk, liefje.' Zijn gezicht klaart op. 'Ik heb alvast een kerstcadeautje voor je. Vind je dat ik je te zeer verwen als ik het je nu alvast geef?'

'Ja, nou en of!' antwoord ik in een poging de sfeer te verluchtigen. 'Waar ligt het?'

Vader loopt naar de vitrinekast en laat de deurtjes rammelen. 'Hm. Op slot. Volgens mij liggen de sleutels in de kamer van je grootmoeder. Zou je ze voor me willen halen, lieverd?'

Ik ren naar grootmoeders kamer, pak de sleutels van haar nachtkastje en breng ze naar mijn vader. Zijn handen beven zo erg dat hij de kast nauwelijks open kan krijgen.

'Is het een sieraad?' vraag ik.

'Ik ga het je niet verklappen.' Met enige moeite weet hij de glazen deuren open te krijgen, en hij schuift zoekend het een en ander opzij. 'Waar heb ik het nou gelaten? O, wacht eens even.'

Hij trekt de niet afgesloten la onder in de kast open en haalt er een pakje in rood inpakpapier uit, met een takje hulst onder het lint. 'Het lag gewoon in de la.'

Ik loop ermee naar de bank en scheur het papier eraf. Het is een exemplaar van *Sonnetten uit het Portugees* van Elizabeth Barrett Browning.

'O,' zeg ik. Ik hoop dat ik niet zo teleurgesteld klink als ik me voel. 'Een boek.'

'Het is van je moeder geweest. Dat waren haar lievelingsgedichten. 's Avonds las ze me er vaak uit voor.' Hij zwijgt, niet in staat verder te vertellen.

'Vader?'

Hij trekt me naar zich toe en omhelst me stevig. 'Ik ben blij dat je thuis bent, Gemma.'

Ik vind dat ik iets moet zeggen, maar ik weet niet wat. 'Dank je voor het boek, vader.'

Hij laat me los. 'Geniet ervan. En wil je de sleutels weer terugleggen?'

Mrs Jones komt binnen. 'Pardon, meneer. Dit is net door een koerier voor miss Gemma afgegeven.'

'Ja, ja,' zegt vader een beetje geërgerd.

Mrs Jones geeft me het pakje en het briefje. 'Dank je,' zeg ik. Het briefje is een officiële uitnodiging voor een diner, geadresseerd aan mijn grootmoeder. *Burggraaf en Lady Denby nodigen Mr John Doyle, Mrs William Doyle, Mr Thomas Doyle en miss Gemma Doyle uit voor een diner op dinsdag 17 december om acht uur 's avonds. Wij verzoeken u ons te laten weten of u kunt komen.* Ik twijfel er geen moment aan dat grootmoeder enthousiast ja zal zeggen.

Dan het pakje. Ik scheur het papier eraf. Het is Simon Middletons prachtige fluwelen kistje. Er zit een briefje bij: *Een plek om al je geheimen te bewaren.*

Vreemd genoeg vraagt vader niet eens naar het cadeautje.

'Gemma, liefje,' zegt hij afwezig. 'Ga de sleutel maar terugbrengen, goed? Brave meid.'

'Ja, vader,' zeg ik. Ik geef hem een kus op zijn voorhoofd en loop vrolijk naar grootmoeders kamer om de sleutels terug te leggen. Dan ren ik naar mijn eigen kamer, waar ik op het bed ga liggen staren naar mijn prachtige geschenk. Keer op keer lees ik het briefje om de mooie, krachtige lijnen van zijn handschrift te bestuderen en te bewonderen. Simon Middleton. Gisteren wist ik nog niet eens van zijn bestaan. Nu kan ik nergens anders meer aan denken. Het kan raar lopen in het leven.

Kennelijk ben ik even weggedommeld, want ik schrik wakker van een luide klop op mijn deur. Volgens de klok is het halféén. Tom stormt mijn kamer binnen. Hij is erg boos.

'Heb jij hem dit gegeven?'

'Hè? Wat?' vraag ik terwijl ik de slaap uit mijn ogen wrijf.

'Heb jij dit aan vader gegeven?' Hij heeft een bruin flesje in zijn handen. Laudanum.

Eindelijk kan ik weer een beetje nadenken. 'Nee, natuurlijk niet!' zeg ik.

'Wil je me dan eens uitleggen hoe hij eraan komt?'

Hij heeft het recht niet om mijn kamer binnen te stormen en me lastig te vallen. 'Geen idee, maar ik heb het niet aan hem gegeven,' zeg ik bars.

'Ik had het in de vitrinekast gezet. Alleen grootmoeder en ik hebben er een sleutel van.'

Misselijk en verdoofd laat ik me weer op mijn bed zakken. 'O, nee. Hij vroeg me de kast open te maken zodat hij me alvast een kerstcadeautje kon geven.'

'Ik zei toch dat hij slim is?'

'Ja, dat heb je inderdaad gezegd,' antwoord ik. Ik geloofde het alleen niet. 'Het spijt me, Tom.'

Mijn broer haalt zijn handen door zijn haar. 'En het ging zo goed.'

'Het spijt me,' zeg ik nog een keer, al heeft niemand er eigenlijk iets aan. 'Zal ik het weggooien?'

'Nee,' zegt hij. 'We kunnen het nog niet weggooien. Voorlopig niet.' Hij geeft me het flesje. 'Pak aan. Verstop het ergens waar hij het niet kan vinden.'

'Ja, natuurlijk.' Het flesje brandt in mijn hand. Zoiets kleins. Maar wat heeft het een macht.

Zodra Tom weg is, maak ik het kistje open dat ik van Simon heb gekregen en haal de dubbele bodem eruit.

Een plek om al je geheimen te bewaren...

Ik leg het flesje erin en druk de vernuftige dubbele bodem in de groefjes, waardoor het lijkt of de laudanum er helemaal niet is.

HOOFDSTUK
VIJFTIEN

Grootmoeder laat zich niet vermurwen: ik mag niet op bezoek bij miss Moore. Wel mag ik samen met Felicity en Ann kerstcadeautjes gaan kopen, op voorwaarde dat Felicity's dienstmeisje meegaat als chaperonne. Wanneer ik Felicity's rijtuig zie aankomen, ben ik zo blij mijn vriendinnen te zien – en sta ik zo te popelen om aan mijn overheersende grootmoeder te ontsnappen – dat ik zowat op hen af ren om hen te begroeten.

Ann ziet er heel chic uit in de kleren die ze van Felicity heeft geleend en heeft een nieuwe hoed van groen vilt op haar hoofd. Ze begint nu echt op een debutante te lijken. Sterker nog, ze begint als twee druppels water op Felicity te lijken. 'O, Gemma, het is fantastisch! Niemand beseft dat ik er eigenlijk niet bij hoor. Ik heb niet één keer hoeven afwassen en niemand heeft me nog uitgelachen. Het is alsof ik echt de erfgename van een tsarina ben.'

'Dat is ge...'

Ann babbelt verder. 'We gaan naar de opera. En tijdens het kerstbal mag ik samen met de rest van de familie de gasten begroeten!' Ann grijnst naar Felicity, die haar arm door die van haar haakt. 'En later vandaag...'

'Ann,' zegt Felicity zachtjes, op waarschuwende toon.

Ann glimlacht gegeneerd. 'O, sorry, Fee.'

'Wat gebeurt er dan?' vraag ik, geërgerd omdat ze het me niet willen vertellen.

'Niets,' mompelt Ann. 'Dat mag ik eigenlijk niet zeggen.'

'Het is onbeleefd om dingen geheim te houden,' antwoord ik opvliegend.

'Vandaag gaan we met mijn moeder mee naar de club om thee te drinken. Dat is alles,' zegt Felicity. Mij nodigt ze niet uit. Opeens ben ik niet meer zo blij om hen te zien. Het liefst zou ik willen dat ze ver weg waren. 'O, Gemma, kijk niet zo zuur. Ik wil jou ook wel uitnodigen, maar het is heel moeilijk om meer dan één gast mee te nemen.'

Ik geloof geen moment dat dat het probleem is. 'Het geeft niet,' zeg ik. 'Ik heb al een afspraak.'

'O ja?' vraagt Ann.

'Ja, ik ga op bezoek bij miss Moore,' lieg ik. Met open mond luisteren ze terwijl ik hun vertel over mijn ontmoeting met miss Moore. Ik geniet met volle teugen van hun verbijstering. 'Ik ben van plan haar het een en ander te vragen over de Orde. Dus je begrijpt dat ik met geen mogelijkheid...'

'Maar je gaat toch niet zonder ons?' werpt Felicity tegen.

'Jullie gaan toch ook zonder mij naar de club van je moeder?' pareer ik. Daar weet Felicity niets op te zeggen. 'Zullen we dan naar Regent Street gaan, naar de winkels?'

'Nee,' antwoordt Felicity. 'We gaan met jou mee naar miss Moore.'

Ann trekt een pruillip. 'Ik dacht dat we een nieuw paar handschoenen voor mij gingen uitzoeken. Het is immers nog maar negen dagen tot Kerstmis. En trouwens, miss Moore haat ons vast vanwege wat er is gebeurd.'

'Ze haat jullie helemaal niet,' zeg ik. 'Ze heeft het ons allemaal vergeven. En ze was erg van streek door het nieuws over Pip.'

'Mooi,' zegt Felicity terwijl ze haar andere arm door de mijne haakt. 'Dan gaan we op bezoek bij miss Moore. En daarna gaat Gemma met ons mee theedrinken.'

Ann protesteert: 'Maar Franny dan? Je weet dat ze de kleinste overtreding meteen rondbazuint.'

'Van Franny zullen we helemaal geen last hebben,' zegt Felicity.

De zon staat hoog aan de hemel en het is een heldere, frisse dag wanneer we bij het bescheiden logement aan Baker Street aankomen waar miss Moore verblijft. Franny, de kamenierster van Mrs Worthington, houdt ons scherp in de gaten, gespitst op de kleinste overtreding, zodat ze die plichtsgetrouw kan doorbrieven aan Felicity's moeder en grootmoeder. Franny is niet veel ouder dan wij. Het kan geen pretje zijn om achter ons aan te moeten lopen en er dagelijks aan te worden herinnerd dat er ook een ander leven mogelijk is, alleen niet voor haar. Haar verbittering over haar lot zou ze nooit hardop durven verwoorden. Maar de strakke trek om haar mond en de manier waarop ze zichzelf dwingt dwars door ons heen te kijken terwijl haar ondertussen niets ontgaat, spreken boekdelen.

'Ik zou met u meegaan naar de winkels, miss,' zegt ze.

'De plannen zijn gewijzigd, Franny,' antwoordt Felicity koeltjes. 'Moeder heeft me gevraagd even langs te gaan bij een zieke vriendin. Het is belangrijk om andere mensen te helpen, vind je niet?'

'Tegen mij heeft ze er iets over gezegd, miss.'

'Ach, je weet hoe vaak moeder dingen vergeet. Ze heeft het ook zo druk.'

De koetsier helpt ons uit het rijtuig. Franny wil ons volgen, maar Felicity houdt haar met een kille glimlach tegen. 'Je mag wel in het rijtuig wachten, Franny.'

Even valt het zorgvuldig ingestudeerde, emotieloze masker van Franny's gezicht. Ze knijpt haar ogen samen en haar mond valt een stukje open. Dan kijkt ze Felicity hatelijk maar berustend aan. 'Mrs Worthington heeft me opgedragen u overal te vergezellen, miss.'

'En dat heb je ook keurig gedaan. Maar de uitnodiging was voor drie personen, niet voor drie personen plus een bediende.'

Ik vind het vreselijk wanneer Felicity zo doet. 'Het is nogal koud buiten,' merk ik op, in de hoop dat ze de hint zal begrijpen.

'Franny kent vast haar plaats.' Felicity glimlacht op een manier die voor vriendelijk zou kunnen doorgaan, ware het niet dat ik de wreedheid kan voelen die erachter schuilgaat.

'Ja, miss.' Franny duikt onder de overkapping van het rijtuig weg in het verste hoekje van de bank om te wachten tot we terugkomen.

'Zo, nu kunnen we uitkijken naar een plezierige middag, zonder de spionne van mijn moeder,' zegt Felicity. Dus het was niet eens zozeer haar bedoeling om wreed te zijn tegen Franny. Ze wil gewoon wraak nemen op haar moeder om een reden die me ontgaat.

Ann blijft onzeker staan, haar blik op het rijtuig gericht.

'Ga je nog mee?' vraagt Felicity.

Ann loopt met grote passen terug naar het rijtuig, trekt haar jas uit en geeft die aan de dankbare Franny. Zonder een woord te zeggen loopt ze langs mij en de verbijsterde Felicity heen en luidt de bel om onze aanwezigheid kenbaar te maken.

'Ondankbaar kind,' moppert Felicity terwijl we achter haar aan lopen. 'Ik neem haar mee naar huis en verander haar in een afstammeling van de Russische tsaar, en nu doet ze alsof ze echt van koninklijken bloede is.'

De deur gaat open. Voor ons staat een oude vrouw met een boze trek om haar mond, half dichtgeknepen ogen en haar hand op haar omvangrijke heup. 'Ja, wie is daar? Wat mot je? Ik hep geen tijd om de hele dag naar lui as jij te staan koekeloeren. Ik hep 't druk met me huis.'

'Hoe maakt u het?' begin ik, maar de ongeduldige vrouw valt me in de rede. Ze tuurt ingespannen naar me. Ik vraag me af of ze wel iets ziet.

'As je geld mot voor de armen, kan je meteen ophoepelen.'

Felicity steekt haar hand uit. 'Ik ben Felicity Worthington. We komen op bezoek bij miss Moore. Wij zijn haar leerlingen.'

'Leerlingen, zeg je? Ze hep me niks gezegd over leerlingen die langs zouwen kommen,' zegt ze misprijzend.

'Heb ik u dat niet gezegd, Mrs Porter? Ik dacht dat ik dat gisteren had gedaan.' Het is onze miss Moore, die de trap af komt en ons te hulp schiet.

'Heel raar, miss Moore. As dit vaker gaat gebeuren, mot ik de prijs voor de kamers verhogen. Mooie kamers zijn het. Mensen zat die ze willen huren.'

'Ja, natuurlijk,' zegt miss Moore.

Met haar borst vooruitgestoken draait Mrs Porter zich weer naar ons om. 'Ik wil graag weten wat er in me huis gebeurt. Een vrouw alleen ken tegenwoordig niet voorzichtig genoeg wezen. Bij mij in huis gebeuren d'r geen rare dingen. Vraag 't maar aan wie je wil, iedereen zal je vertellen dat Missus Porter een nette dame is.'

Ik begin te vrezen dat we de hele dag in de kou moeten blijven staan. Maar miss Moore knipoogt naar ons en laat ons binnen. 'Gelijk hebt u, Mrs Porter. In het vervolg zal ik u op de hoogte houden. Wat leuk om jullie allemaal weer te zien. Wat een fijne verrassing.'

'Hoe maakt u het, miss Moore?' Felicity geeft onze voormalige lerares snel een hand, en Ann volgt haar voorbeeld. Allebei hebben ze het fatsoen beschaamd te kijken omdat ze haar zo slecht hebben behandeld. Miss Moore op haar beurt blijft glimlachen.

'Mrs Porter, mag ik u voorstellen aan miss Ann Bradshaw, miss Gemma Doyle en miss Felicity Worthington? Miss Worthington is natuurlijk de dochter van onze eigen Sir George Phineas Worthington, de admiraal.'

Mrs Porter slaakt een kreetje en recht haar rug. 'Dat meent u niet. Krijg nou wat. De dochter van de admiraal in me eigen huis!' De bijziende Mrs Porter ziet mij aan voor Felicity, grijpt met beide handen mijn hand vast en pompt die enthousiast op en neer. 'O, miss, wat is dit een eer, echt waar. Wijlen Mr Porter was zelluf ook zeeman. Dat is 'm, aan die muur.'

Ze wijst naar een abominabel slecht schilderij van een terriër met een ouderwetse plooikraag om zijn nek. Met zijn gekwelde blik lijkt de hond me te smeken de andere kant op te kijken, zodat hij alleen kan zijn met zijn vernedering.

'O, dit vraag om port! Vin u ook niet, miss Moore?' roept Mrs Porter uit.

'Een andere keer misschien, Mrs Porter. We moeten nu met de les beginnen, anders zal de admiraal erg boos op me worden,' liegt miss Moore gladjes.

'Ik hou me mond.' Mrs Porter glimlacht samenzweerderig, waarbij ze grote tanden onthult, zo vergeeld en beschadigd als de toetsen van een oude piano. 'Missus Porter ken een geheim bewaren. Geloof mijn maar.'

'Meteen, Mrs Porter. Dank u wel voor alle moeite.'

Miss Moore leidt ons de trap op naar de tweede verdieping, waar haar bescheiden vertrekken zich bevinden. De fluwelen sofa, tapijten met bloemetjesmotief en zware gordijnen zijn vast een afspiegeling van Mrs Porters smaak. Maar de overvolle boekenkast en het bureau dat schuilgaat onder tekeningen zijn helemaal van miss Moore. In een hoek staat een oude globe in een houten stellage. Een van de muren hangt vol met schilderijen, voornamelijk landschappen. Aan een andere muur hangt een verzameling exotische maskers, gruwelijk maar op een woeste manier ook mooi.

'O hemeltje,' zegt Ann wanneer ze ze ziet.

'Die komen uit het oosten,' zegt miss Moore. 'Wat vind je van mijn maskers, miss Bradshaw?'

Ann huivert. 'Ze zien eruit alsof ze ons levend willen verslinden.'

Miss Moore buigt dicht naar haar toe. 'Vandaag niet, denk ik. Ze zijn al gevoerd.' Het duurt even voor Ann beseft dat miss Moore een grapje maakt. Er valt een ongemakkelijke stilte, en even vrees ik dat het een afschuwelijke vergissing was om mijn vriendinnen mee te brengen. Ik had beter alleen kunnen gaan.

'Dit lijkt Aberdeen wel,' zegt Felicity, die naar een schilderij van heuvels en roze, bijna paarse heide staat te kijken, uiteindelijk.

'Ja, dat klopt. Ben je wel eens in Schotland geweest, miss Worthington?' vraagt miss Moore.

'Op vakantie een keer. Vlak voordat mijn moeder naar Frankrijk ging.'

'Prachtig land,' zegt miss Moore.

'Woont uw familie in Schotland?' vraagt Felicity.

'Nee. Mijn ouders zijn allebei helaas al een tijdje dood. Ik heb alleen nog een paar verre neven en nichten in Schotland, die zo saai zijn dat ik zou wensen dat ik helemaal geen familie meer had.'

Daar moeten we om lachen. Wat is het heerlijk om niet altijd beleefd te hoeven zijn.

'Hebt u veel gereisd, miss Moore?' vraagt Ann.

'Hmm,' zegt miss Moore knikkend. 'En dit zijn mijn aandenkens aan die prachtige reizen.' Ze gebaart naar de vele schilderijen en tekeningen aan de muren: een verlaten strand, een woeste zee, een typisch Engels weiland. 'Reizen verruimt je geest meer dan wat ook. Het is een vorm van hypnose, en ik verkeer voorgoed in de ban ervan.'

Ik herken een van de plaatsen op de schilderijen. 'Zijn dat de grotten achter Spence?'

'Inderdaad,' antwoordt miss Moore. Meteen wordt de sfeer weer gespannen, want we weten allemaal dat ons bezoek aan die grotten een van de redenen is dat miss Moore is ontslagen.

Miss Moore serveert ons thee, zoete broodjes, boterhammen en boter. 'De thee is klaar, hoe bescheiden ook,' zegt ze terwijl ze het dienblad op een tafeltje zet. De klok tikt nerveus de seconden weg terwijl we met ons eten spelen. Keer op keer kucht Felicity. Ze wacht tot ik iets vraag over de Orde, zoals ik heb beloofd. Maar ik weet opeens niet meer of dat wel zo'n goed idee is.

'Is het hier te warm, miss Worthington?' vraagt miss Moore wanneer Felicity voor de vierde keer haar keel schraapt. Felicity schudt haar hoofd. Ze drukt behoorlijk hard met haar hak op mijn voet.

'Au!'

'Miss Doyle? Gaat het wel?' vraagt miss Moore.

'Ja hoor, dank u,' zeg ik. Ik trek mijn voet terug.

Gelukkig vraagt miss Moore dan: 'Vertel eens, dames, hoe staat het leven op Spence?'

'We hebben een nieuwe lerares,' flapt Ann eruit.

'O ja?' vraagt miss Moore terwijl ze boter op een dikke snee brood smeert. Haar gezicht lijkt wel een masker. Kwetst het haar te horen dat haar plaats is ingenomen?

'Ja,' gaat Ann verder. 'Ene miss McCleethy. Hiervoor heeft ze aan de meisjesschool Sint-Victoria in Wales gewerkt.'

Miss Moores botermes glijdt weg en er blijft een dikke klodder boter aan haar duim hangen. 'Hm, dat maakt me nog steeds niet lekker genoeg om op te eten, lijkt me.' Ze glimlacht, en we moeten allemaal lachen om haar grapje. 'Sint-Victoria. Ik kan niet zeggen dat ik daar ooit van heb gehoord. En is die miss McCleethy van je een goede lerares?'

'Ze leert ons boogschieten,' antwoordt Felicity.

Miss Moore trekt een wenkbrauw op. 'Wat bijzonder.'

'Felicity is er erg goed in,' zegt Ann.

'Daar twijfel ik niet aan,' zegt miss Moore. 'Miss Doyle, wat vind jij van die miss McCleethy?'

'Daar kan ik nog niets over zeggen.' Felicity en ik wisselen een blik die niet onopgemerkt blijft.

'Proef ik daar enige onvrede?'

'Gemma is ervan overtuigd dat ze een heks is,' biecht Felicity op.

'Werkelijk? Heb je haar bezemsteel ontdekt, miss Doyle?'

'Ik heb nooit beweerd dat ze een heks was,' werp ik tegen.

Bijna ademloos mengt Ann zich in het gesprek. Ze is dol op duivelsverhalen. 'Gemma heeft ons verteld dat ze in het holst van de nacht op Spence is aangekomen, en dat er een afschuwelijke storm woedde!'

Miss Moore zet grote ogen op. 'Lieve help! Een zware regenbui? In december? In Engeland? Als dat geen hekserij is!' Allemaal lachen ze me uit. 'Maar vertel vooral verder. Ik wil graag weten of miss McCleethy kinderen in haar oven heeft gestopt.'

Opnieuw beginnen Felicity en Ann te giechelen.

'Zij en Mrs Nightwing zijn in de oostvleugel geweest,' zeg ik. 'Ik hoorde ze praten over iets waar ze in Londen voor moeten zorgen. Ze waren samen plannen aan het smeden.'

Felicity knijpt haar ogen samen. 'Dat heb je ons niet verteld.'

'Het is eergisteravond gebeurd. Ik was de enige die er nog was. Ze betrapten me voor de deur en werden boos op me. En toen bracht miss McCleethy me warme melk met pepermunt.'

'Pepermunt?' vraagt miss Moore met een frons op haar voorhoofd.

'Ze zei dat ik daar beter door zou slapen.'

'Het is een kruid met een kalmerende werking. Merkwaardig dat ze dat weet.'

'Ze heeft een vreemde ring, met twee verstrengelde slangen.'

'Slangen, zeg je? Vreemd.'

'En ze stelde me vragen over mijn amulet,' zeg ik. 'En over mijn moeder.'

'Wat heb je tegen haar gezegd?' vraagt miss Moore.

'Niets,' antwoord ik.

Miss Moore neemt een slokje van haar thee. 'Aha.'

'Ze is een oude vriendin van Mrs Nightwing, maar ze ziet er een stuk jonger uit,' mijmert Felicity hardop.

Ann huivert. 'Misschien is ze helemaal niet jonger. Misschien heeft ze wel een pact gesloten met de duivel!'

'Dan kan het nooit veel voorstellen, als ze nog steeds lesgeeft aan een Engelse kostschool,' merkt miss Moore droogjes op.

'Of misschien is ze Circe,' zeg ik uiteindelijk.

Miss Moores theekopje blijft halverwege de tafel en haar lippen zweven. 'Ik volg je niet.'

'Circe. Sarah Rees-Toome? Dat was dat meisje op Spence dat de brand veroorzaakte en de Orde heeft vernietigd. Tenminste, dat hebben we in het dagboek van Mary Dowd gelezen. Weet u nog wel?' vraagt Ann ademloos.

'Of ik dat nog weet? Hoe kan ik het vergeten? Dat boekje was de belangrijkste reden voor mijn ontslag.'

Al weer valt er een ongemakkelijke stilte. Als miss Moore ons niet had betrapt terwijl we in dat dagboek zaten te lezen en ons niet hardop eruit had voorgelezen, zou ze misschien nooit zijn ontslagen. Maar dat had ze wel gedaan, en dat bezegelde haar lot wat Mrs Nightwing betrof.

'Het spijt ons vreselijk, miss Moore,' zegt Ann, starend naar het Perzische tapijt.

Felicity voegt eraan toe: 'Het kwam hoofdzakelijk door Pippa, moet u weten.'

'O ja?' vraagt miss Moore. Schuldbewust nippen we van onze thee. 'Wees voorzichtig met de beschuldigende vinger uitsteken. Uiteindelijk heb je vooral jezelf ermee. Maar goed, wat gebeurd is, is gebeurd. En wat die Sarah Rees-Toome betreft, Circe, als ze al bestond...

'O, zeker wel!' zeg ik stellig. Dat is een feit.

'Is ze niet bij die brand in Spence omgekomen?'

'Nee,' zegt Felicity. 'Ze wilde alleen iedereen laten denken dat ze was omgekomen. Ze loopt nog steeds rond.'

Mijn hart bonkt tegen mijn ribben. 'Miss Moore? We vroegen ons af... nou ja, we hoopten eigenlijk dat u ons nog meer over de Orde zou willen vertellen.'

Haar blik is hard en kil als graniet. 'Zijn we die weg niet al eens eerder ingeslagen?'

'Ja, maar nu kan hij niet meer tot problemen leiden, want u werkt toch al niet meer bij Spence,' zegt Felicity botweg.

Miss Moore lacht halfslachtig. 'Miss Worthington, je brutaliteit is verbijsterend.'

'We dachten dat u misschien bepaalde dingen wist. Over de Orde. Uit de eerste hand,' zeg ik hakkelend.

'Uit de eerste hand,' herhaalt miss Moore.

'Ja,' zeg ik. Ik voel me ongelooflijk dwaas, maar ik kan nu niet meer terug, dus kan ik net zo goed doorgaan. 'We dachten dat u... misschien zelfs ooit lid was geweest.'

Het is eruit. Mijn theekopje beeft in mijn handen. Ik verwacht dat miss Moore ons een veeg uit de pan zal geven, ons de deur uit zal gooien, zal toegeven dat ze alles weet. Ik ben op alles voorbereid. Behalve dat ze zal lachen.

'Dus jullie dachten...? Dat ik...? O, lieve hemel!' Ze moet zo hard lachen dat ze haar zinnen niet kan afmaken.

Ann en Felicity beginnen ook te lachen, alsof ze al die tijd al hebben gedacht dat het een belachelijk idee was. Verraders.

'O, lieve help,' zegt miss Moore terwijl ze de lachtranen uit haar ogen veegt. 'Ja, inderdaad. Ik ben een groot tovenares van de Orde. Dat ik hier in deze drie vertrekken woon en leerlingen aanneem om de huur te kunnen betalen is allemaal een slinkse manier om mijn ware identiteit verborgen te houden.'

Mijn wangen voelen verhit aan. 'Het spijt me. Wij,' zeg ik met nadruk, 'dachten gewoon, omdat u zoveel over de Orde weet...'

'O, hemeltje. Wat moet ik een teleurstelling voor jullie zijn.'

Langzaam kijkt ze de kamer rond. Haar blik gaat van de tekeningen van de zee naar die van de grotten achter Spence, en verder naar de maskers aan de muur ertegenover. Ik ben bang dat we haar echt van streek hebben gemaakt. 'Waar komt die plotselinge interesse in de Orde vandaan?' vraagt ze uiteindelijk.

'Dat waren vrouwen met macht,' zegt Felicity. 'Heel anders dan hier.'

'Er zit wel een vrouw op de troon,' merkt miss Moore op.

'Bij goddelijk recht,' mompelt Ann.

Miss Moore glimlacht verbitterd. 'Ja. Dat is zo.'

'Ik denk dat het dagboek ons daarom zo fascineert,' zeg ik. 'Stel je voor, een wereld – dat rijk – waar vrouwen de scepter zwaaien, waar een meisje alles kan krijgen wat ze hebben wil.'

'Dat zou inderdaad een fantastisch oord zijn.' Miss Moore neemt een slokje van haar thee. 'Ik moet toegeven dat de Orde en de verhalen daarover me al sinds mijn jeugd fascineren. Ook ik vond het idee dat er zo'n magisch oord bestond erg aanlokkelijk toen ik zo oud was als jullie.'

'Maar... maar stel dat het rijk echt bestond?' vraag ik.

Miss Moore neemt ons even onderzoekend op. Ze zet haar theekopje op het bijzettafeltje en leunt achterover in haar stoel, spelend met het zakhorloge dat ze ter hoogte van haar middel aan haar kleding heeft gespeld. 'Goed, ik zal het spelletje meespelen. Stel dat het rijk echt bestond? Hoe zou het er dan uitzien?'

'Mooier dan je je kunt voorstellen,' zegt Ann dromerig.

Miss Moore wijst naar een schets die ze heeft gemaakt. 'Aha. Net als Parijs dus?'

'Nog mooier!' zegt Ann.

'Hoe weet jij dat nou? Je bent nog nooit in Parijs geweest,' zegt Felicity spottend. Zonder verder acht te slaan op Ann gaat ze verder: 'Stel u een wereld voor waar alles wat je wenst kan uitkomen. Bloemen regenen neer uit de bomen. Een dauwdruppel verandert in je handen in een vlinder.'

'Er is een rivier, en wanneer je erin kijkt, ben je mooi,' zegt Ann. 'Zo mooi dat niemand je ooit nog zal negeren.'

'Dat klinkt heerlijk,' zegt miss Moore vriendelijk. 'Is er maar één rijk? Of zijn er nog meer? En hoe zien die er dan uit?'

'Dat weten we niet,' zeg ik.

'In de rest zijn we nog niet... Over de rest hebben we nog niet nagedacht,' zegt Ann.

Miss Moore houdt ons het bord met zoete broodjes voor. 'Wie wonen er in dat rijk?'

'Geesten en andere wezens. Sommige zijn niet erg vriendelijk,' zegt Ann.

'Ze willen de controle hebben over de magie,' leg ik uit.

'Magie?' herhaalt miss Moore.

'Ja, nou en of. Er is magie. Heel veel zelfs!' roept Felicity uit. 'En de wezens zijn tot alles bereid om die te pakken te krijgen.'

'Tot alles bereid?'

'Ja, tot alles,' zegt Ann met veel gevoel voor dramatiek.

'Kunnen ze hem te pakken krijgen?' vraagt miss Moore.

'Nu wel. De magie was tot voor kort veilig opgeslagen in de runen,' gaat Ann tussen twee happen door verder. 'Maar nu zijn de runen er niet meer en is de magie vrij, zodat iedereen hem naar eigen goeddunken kan gebruiken.'

Miss Moore kijkt alsof ze iets wil vragen, maar Felicity snijdt haar de pas af. 'En Pippa is er ook, nog net zo mooi als vroeger,' zegt ze.

'Jullie missen haar vast vreselijk,' zegt miss Moore. Ze draait het zakhorloge om en om. 'Die verhalen zijn een mooie manier om haar herinnering levend te houden.'

'Ja,' zeg ik, hopend dat het schuldgevoel niet van mijn gezicht af te lezen is.

'En nu de magie vrij is, zoals je zei, hoe is het nu? Toveren jullie er samen met de andere leden van de Orde lustig op los?'

'Nee, want die zijn allemaal vermoord of ondergedoken,' zegt Felicity. 'En het is helemaal niet goed dat de magie is vrijgekomen.'

'O nee? Waarom niet?'

'Sommige geesten kunnen hem voor duistere doeleinden gebruiken. Ze kunnen hem gebruiken om uit te breken naar deze wereld of om Circe toe te laten,' legt Felicity uit. 'Daarom moeten we de tempel vinden.'

Miss Moore snapt er niets van. 'Ik moet maar eens aantekeningen gaan maken, anders kan ik jullie niet volgen. Vertel eens, wat is die tempel voor iets?'

'Dat is de geheime bron van alle magie in het rijk,' zeg ik.

'Een geheime bron?' herhaalt miss Moore. 'En waar bevindt die tempel zich?'

'Dat weten we niet. We hebben hem nog niet ontdekt,' zeg ik. 'Maar als het eenmaal zover is, kunnen we de magie weer binden en een nieuwe Orde oprichten.'

'*Bon courage*, dan. Wat een fascinerend verhaal,' zegt miss Moore. De klok op de schoorsteenmantel slaat vier uur. Miss Moore kijkt wat haar horloge aangeeft. 'Ah, betrouwbaar als altijd.'

'Is het al vier uur?' vraagt Felicity. Ze springt overeind. 'We hebben om halfvijf met mijn moeder afgesproken.'

'Wat jammer,' zegt miss Moore. 'Jullie moeten echt nog een keer op bezoek komen. O, ik weet iets: donderdag is er een uitstekende tentoonstelling in een privégalerie in Chelsea. Zullen we daarnaartoe gaan?'

'Ja, graag!' roepen we in koor.

'Goed dan,' zegt ze. Ze staat op en helpt ons met onze jassen.

We trekken onze handschoenen aan en zetten onze hoeden stevig op.

'Dus u kunt ons verder niets over de Orde vertellen?' vraag ik voorzichtig.

'Hebben jullie een hekel aan lezen, dames? Als ik meer wilde weten over een onderwerp, zou ik er een paar goede boeken over lezen,' zegt ze. Ze gaat ons voor de trap af, waar Mrs Porter ons staat op te wachten.

'Waar zijn jullie mooie tekeningen dan?' vraagt de huisbazin terwijl ze kijkt of we papier of krijtjes bij ons hebben. 'Niet verlegen zijn. Laat ze es zien aan die ouwe Porter.'

'We kunnen u helaas niets laten zien,' zegt Ann.

Mrs Porters gezicht betrekt. 'Ho es effe, ik wil geen gedonder in me huis, miss Moore. Jij zei dat de admiraal je had ingehuurd. Wat hebben jullie dan al die tijd uitgespookt?'

Miss Moore buigt zo dicht naar Mrs Porter toe dat de oude vrouw noodgedwongen een stap naar achteren doet. 'Hekserij,' fluistert ze ondeugend. 'Hup, dames. Knoop die jassen goed dicht. Er staat een koude wind en daar moet je mee uitkijken.'

Miss Moore laat ons uit, terwijl Mrs Porter vanuit de vestibule roept: 'Dat staat me niks aan, miss Moore. Dat staat me helemaal niks aan.'

Miss Moore kijkt niet achterom en blijft glimlachen. 'Ik zie jullie donderdag,' zegt ze zwaaiend. De deur valt achter ons dicht.

HOOFDSTUK ZESTIEN

'Dat was een verspilde middag. Miss Moore weet verder niets over de Orde en het rijk. We hadden beter naar de winkel kunnen gaan,' verkondigt Felicity als we bij de vrouwenclub van haar moeder arriveren.

'Ik heb je niet gedwongen om mee te gaan,' zeg ik.

'Misschien is het Pippa gelukt om de tempel te vinden,' zegt Ann opgewekt.

'Er zijn twee dagen verstreken,' zegt Felicity met een blik op mij. 'We hebben beloofd dat we zo snel mogelijk zouden terugkomen.'

'Hoe kunnen we ervoor zorgen dat niemand ons stoort?' vraag ik.

'Laat dat maar aan mij over,' antwoordt Felicity.

De deuren worden voor ons opengehouden door een bediende met witte handschoenen. Felicity geeft hem het kaartje van haar moeder, en de spichtige man bestudeert het.

'We zijn gasten van Lady Worthington, mijn moeder,' zegt Felicity vol minachting.

'Neemt u me niet kwalijk, miss, maar het is bij het Alexandra niet de gewoonte om meer dan één gast toe te laten. Het spijt me, maar zo zijn de regels.' De bediende doet zijn best om meelevend te kijken, maar in zijn glimlach bespeur ik een spoortje zelfvoldaanheid.

Felicity schenkt de man in het onberispelijke uniform een staalharde blik. 'Weet je wie dit is?' vraagt ze op een luide fluistertoon die de aandacht trekt van iedereen binnen gehoorsafstand. Meteen ben ik op mijn hoede, want ik weet dat Felicity iets van plan is. 'Dit is miss Ann Bradshaw, de pas ontdekte achternicht van de hertog van Chesterfield.' Ze knippert met haar wimpers alsof de bediende achterlijk is. 'Ze is verwant aan de tsarina. Daar hebt u vast iets over gelezen.'

'Ik ben bang van niet, miss,' zegt de bediende, die nu iets minder zeker is van zijn zaak.

Felicity slaakt een zucht. 'Als ik denk aan de ontberingen die miss Bradshaw heeft moeten doorstaan toen ze als wees door het leven ging en dood werd gewaand door haar geliefde familie, o, dan breekt het mijn hart dat ze ook nu nog zo slecht wordt behandeld. O, hemeltje, miss Bradshaw. Dit spijt me vreselijk. Mijn moeder zal vast boos worden als ze dit hoort.'

Een oudere, gedistingeerde dame komt op ons af. 'Lieve hemel, miss Worthington, is dit werkelijk de dood gewaande achternicht van de tsarina?'

Dat hebben we nooit gezegd, maar het komt goed uit.

'Jazeker,' zegt Felicity met grote, onschuldige ogen. 'Miss Bradshaw is vandaag gekomen om voor ons te zingen, dus feitelijk is ze helemaal geen gast van mijn moeder, maar van het Alexandra zelf.'

'Felic... miss Worthington!' zegt Ann paniekerig.

'Ze is uitzonderlijk bescheiden,' voegt Felicity eraan toe.

De oudere dames fluisteren met elkaar. Nog even en het loopt uit de hand. De bediende voelt zich slecht op zijn gemak. Als hij ons allemaal toelaat, breekt hij de regels waar iedereen bij is, maar als hij een van ons wegstuurt, roept hij misschien de woede van een van de leden over zich af, wat tot zijn ontslag kan leiden. Felicity heeft het spelletje meesterlijk gespeeld.

De oudere dame doet een stap naar voren. 'Aangezien miss Bradshaw een gast is van het Alexandra, lijkt het me geen enkel probleem.'

'Zoals u wilt, mevrouw,' zegt de man.

'Ik kijk ernaar uit om je vanmiddag te horen zingen,' roept de dame ons na.

'Felicity!' fluistert Ann terwijl de bediende ons naar een met eikenhout afgetimmerde eetkamer leidt waar prachtige tafels met witte damasten tafelkleden staan.

'Wat is er?'

'Dat had je niet moeten zeggen, dat ik vandaag ga zingen.'

'Je kunt toch zingen?'

'Ja, maar...'

'Wil je dit spelletje meespelen of niet, Ann?'

Ann zegt niets meer. De kamer zit bijna helemaal vol met elegant geklede vrouwen die van hun thee nippen en kleine hapjes nemen van sandwiches met waterkers. Wij worden naar een tafeltje in de verste hoek gebracht.

Felicity's gezicht betrekt. 'Mijn moeder is gearriveerd.'

Lady Worthington loopt dwars door de kamer. Alle ogen zijn op haar gericht, want ze is een beeldschone vrouw, smetteloos als een porseleinen kopje en op het oog net zo delicaat. Ze straalt iets breekbaars uit, alsof er haar hele leven voor haar is gezorgd. Haar glimlach is hartelijk, maar niet al te uitnodigend. Al oefende ik er duizend jaar op, dan nog zou ik niet zo kunnen glimlachen. Haar japon van bruine zijde ziet er peperduur uit en is volgens de laatste mode. Om haar slanke hals hangen strengen parels. Een reusachtige hoed met pauwenveren achter de band omlijst haar gezicht.

'*Bonjour*, schat,' zegt ze, terwijl ze Felicity op de wangen kust, zoals Parijsenaren naar verluidt doen.

'Moeder, moet je zo overdreven doen?' vraagt Felicity berispend.

'Ik zal het niet meer doen, schat. Hallo, miss Bradshaw,' zegt Lady Worthington. Dan kijkt ze naar mij, en haar glimlach hapert. 'Volgens mij kennen wij elkaar niet.'

'Moeder, mag ik je voorstellen aan miss Gemma Doyle?'

'Hoe maakt u het, Lady Worthington?' vraag ik.

Mrs Worthington schenkt haar dochter een gespannen glimlach. 'Felicity, schat, ik wou dat je me van tevoren waarschuwde als je een gast meeneemt. Het Alexandra hanteert strenge regels met betrekking tot gasten.'

Het liefst wil ik dood. Ik kan wel door de grond zakken. Waarom doet Felicity toch altijd zulke dingen?

Als een schaduw duikt er naast Mrs Worthington een dienstmeisje op dat thee voor haar inschenkt.

Mrs Worthington legt haar servet op schoot. 'Ach, het doet er niet meer toe. Ik ben blij dat ik Felicity's vriendinnen leer kennen. En wat fijn dat miss Bradshaw de kerst met ons kan doorbrengen nu haar lieve oudoom, de hertog, niet weg kan uit Sint-Petersburg.'

'Ja,' zeg ik terwijl ik mijn best doe niet te stikken in die extravagante leugen. 'We mogen allemaal van geluk spreken.'

Lady Worthington stelt enkele beleefde vragen en ik vertel haar enige saaie, maar redelijk waarheidsgetrouwe feitjes over mezelf, waar Lady Worthington ademloos naar lijkt te luisteren. Ze geeft me het gevoel dat wij de enige twee mensen in de zaal zijn. Het is me meteen duidelijk waarom de admiraal verliefd op haar is geworden. De verhalen die ze vertelt zijn ontzettend amusant. Maar Felicity zit nukkig met haar lepeltje te spelen, tot haar moeder haar hand op de hare legt om haar tegen te houden.

'Schat,' zegt ze, 'moet dat nou?'

Felicity zucht en kijkt om zich heen alsof ze iemand zoekt die haar kan redden.

Lady Worthington schenkt haar een stralende glimlach. 'Schat, ik heb fantastisch nieuws. Ik wilde je eigenlijk verrassen, maar ik kan geen seconde meer wachten.'

'Wat is er dan?' vraagt Felicity.

'Je vader heeft iemand onder zijn hoede genomen. Kleine Polly was de dochter van zijn nichtje Bea. Bea is aan de tering overleden, hebben we ons laten vertellen, al denk ik zelf dat een gebroken hart haar fataal is geworden. De vader is altijd een nietsnut geweest en heeft haar zonder aarzeling aan ons overgedragen. Zijn eigen dochter.'

Felicity is opeens lijkbleek. 'Hoe bedoel je? Komt ze bij ons wonen? Bij jou en papa?'

'Ja. En bij Mrs Smalls, de gouvernante, natuurlijk. Je vader vindt het heerlijk om weer een prinsesje in huis te hebben. Felicity, liefje, doe niet zoveel suiker in je thee. Dat is slecht voor je tanden,' zegt Lady Worthington berispend, maar nog altijd glimlachend.

Alsof ze niets heeft gehoord doet Felicity nog twee klontjes in haar thee en neemt een slok. Haar moeder doet alsof ze het niet heeft gezien.

Een vrouw zo zacht en mollig als een gecapitonneerde sofa waggelt naar onze tafel toe. 'Goedemiddag, Mrs Worthington. Klopt het dat je geëerde gast vandaag voor ons gaat zingen?'

Lady Worthington kijkt geschrokken. 'O. Nou, ik kan niet zeggen dat ik... Ik...'

De vrouw babbelt verder. 'We hadden het er net nog over hoe buitengewoon vriendelijk het van u is om miss Bradshaw onder uw hoede te nemen. Als we u even mogen lenen, wilt u mij en Mrs Treadgill dan komen vertellen hoe het komt dat de verloren gewaande achternicht van de tsarina in ons midden is terechtgekomen?'

'Neem me niet kwalijk,' zegt Lady Worthington, en sierlijk als een zwaan loopt ze met de dame mee.

'Gaat het wel, Fee?' vraag ik. 'Je ziet zo bleek.'

'Ik mankeer niets. Ik vind het alleen maar niets dat er zo'n klein wicht bij ons thuis rondloopt.'

Ze is jaloers. Op een meisje dat kleine Polly wordt genoemd. Soms kan Felicity ongelooflijk bekrompen zijn.

'Het is nog maar een kind,' zeg ik.

'Dat weet ik ook wel,' snauwt Felicity. 'We hoeven het niet over haar te hebben. We hebben belangrijker dingen te doen. Kom mee.'

Ze gaat ons voor langs tafels vol elegante dames met chique hoeden die al roddelend thee zitten te drinken. Ze kijken even op, maar we zijn niet belangrijk, dus praten ze gewoon door over wie wat met wie heeft gedaan. Achter Felicity aan lopen we een brede, beklede trap op, langs dames in stijve, modieuze japonnen die met scherpe, zij het discrete blik de brutale jongedames opnemen die dwars door de barricades om hun exclusieve club heen breken.

'Waar breng je ons naartoe?' vraag ik.

'De club heeft privéslaapkamers voor leden. Er is er vast wel een leeg. O, nee.'

'Wat is er?' vraagt Ann paniekerig.

Felicity tuurt over de balustrade naar de foyer. Daar houdt een stevig ogende vrouw in een paarse jurk en een bontstola audiëntie. Ze is een imposante vrouw, en de andere dames hangen aan haar lippen. 'Dat is een vroegere vriendin van mijn moeder, Lady Denby.'

Lady Denby? Zou het Simons moeder zijn? Ik slik. Ik kan alleen maar hopen dat ik ongemerkt kan wegglippen, zodat Lady Denby geen slechte mening over me kan ontwikkelen.

'Waarom noem je haar een voormalige vriendin?' vraagt Ann bezorgd.

'Ze heeft het mijn moeder nooit vergeven dat ze in Frankrijk is gaan wonen. Ze heeft een hekel aan de Fransen, omdat de familie Middleton in de verte verwant is aan Lord Nelson,' zegt ze, doelend op de grootste zeeheld van Groot-Brittannië. 'Als Lady Denby je graag mag, ben je binnen. Als ze op de een of andere manier teleurgesteld in je raakt, keert ze je de rug toe. Ze blijft vriendelijk, dat wel, maar ze doet heel kil. En mijn dwaas van een moeder is te blind om dat te beseffen. Ze probeert nog steeds bij Lady Denby in het gevlij te komen. Zo zal ik nooit worden.'

Langzaam, uitdagend bijna, loopt Felicity over het balkon, terwijl ze Lady Denby in de gaten houdt. Ik doe mijn best om niet op te vallen.

'Is zij de moeder van Simon Middleton?' vraag ik.

'Ja,' antwoordt Felicity. 'Waar ken jij Simon Middleton van?'

'Wie is Simon Middleton?' vraagt Ann.

'Ik heb hem gisteren op het treinstation ontmoet. Tom kent hem.'

Felicity spert haar ogen open. 'Wanneer was je van plan me dat te vertellen?'

Ann probeert het nog een keer. 'Wie is Simon Middleton?'

'Gemma, je houdt weer dingen geheim!'

'Het is geen geheim,' zeg ik blozend. 'Feitelijk stelt het niets voor. Hij heeft mij en mijn familie te eten gevraagd, dat is alles.'

Felicity kijkt me aan alsof iemand haar midden in de Theems heeft gedumpt. 'Zijn jullie te eten gevraagd? Dat stelt wel degelijk iets voor.'

'Het is onbeleefd om over mensen te praten die ik nooit heb ontmoet,' zegt Ann pruilend.

Felicity verlost haar uit haar lijden. 'Simon Middleton is niet alleen de zoon van een burggraaf, maar erg knap bovendien. En hij lijkt belangstelling te hebben voor Gemma, al wil ze liever niet dat wij dat weten.'

'Het stelt echt niets voor,' werp ik tegen. 'Hij wilde vast gewoon aardig zijn.'

'De Middletons doen nooit zomaar aardig,' zegt ze. Ze kijkt nog steeds naar beneden. 'Je moet heel voorzichtig zijn met zijn moeder. Ze beoordeelt iedereen, gewoon voor de lol.'

'Dat stelt me niet bepaald gerust,' zeg ik.

'Een gewaarschuwd mens telt voor twee, Gemma.'

Onder ons zegt Lady Denby iets grappigs, waardoor haar metgezellen lachen op die beheerste manier die vrouwen zich bijna als vanzelf eigen maken zodra ze meisje-af zijn. Ze lijkt in niets op het monster dat Felicity schetst.

'Wat ga je aantrekken?' vraagt Ann dromerig.

'Hoorns en de huid van een groot dier,' zeg ik. Dat laat Ann even bezinken, alsof ze het meteen gelooft. Wat moet ik toch met haar aan? 'Gewoon, een nette japon. Iets wat de goedkeuring van mijn grootmoeder kan wegdragen.'

'Naderhand moet je ons alles tot in detail vertellen,' zegt Felicity. 'Ik wil er echt alles over horen.'

'Ken je Mr Middleton goed?' vis ik.

'Ik ken hem al een eeuwigheid,' zegt Felicity. Zoals ze daar staat, met die losse lokken goudblond haar die om haar kin heen krullen, is ze een plaatje. Haar merkwaardige schoonheid is nog nooit zo verleidelijk geweest.

'Aha. En heb je bedoelingen met hem?'

Felicity trekt een vies gezicht. 'Met Simon? Welnee, hij is als een broer voor me. Ik kan me niet voorstellen dat ik een romance met hem zou krijgen.'

Ik ben opgelucht. Het is dwaas van me om zo vroeg al mijn hoop op Simon te vestigen, maar hij is charmant en knap en lijkt me erg leuk te vinden. Dankzij zijn aandacht voel ik me mooi. Het is maar een dun draadje van opwinding, maar ik betrap mezelf erop dat ik het niet wil loslaten.

Een van Lady Denby's metgezellen kijkt op en ziet ons staren. Lady Denby volgt haar blik.

'Wegwezen hier,' fluister ik. 'Kom op!'

167

'Moet je me zo duwen?' snauwt Felicity wanneer ik bijna over haar heen val. We duiken een gang in. Felicity trekt ons mee een lege slaapkamer in en sluit de deur.

Nerveus blikt Ann om zich heen. 'Mogen we hier wel komen?'

'Jullie wilden toch ergens naartoe waar niemand ons zou storen?' vraagt ze. 'Nou dan.'

Er hangt een kamerjas over een stoel, en in de hoek staat een aantal hoedendozen. De kamer mag dan leeg zijn – voorlopig althans – maar hij is duidelijk niet ongebruikt.

'We zullen snel te werk moeten gaan,' zeg ik.

'Precies,' zegt Felicity grijnzend.

Ann kijkt alsof ze elk moment kan gaan overgeven. 'Dit wordt onze ondergang. Ik weet het gewoon.'

Maar zodra we elkaars hand vastpakken en ik de deur van licht oproep, is alle angst vergeten, met huid en haar opgeslokt door ons ontzag.

HOOFDSTUK
ZEVENTIEN

We zijn nog maar net de heldere gloed van het rijk binnenge-
stapt, als alles donker wordt en kille vingers tegen mijn ogen
drukken. Ik schud de handen van me af en draai me snel om.
Achter me staat Pippa. Ze heeft nog steeds haar bloemenkrans
om, al ziet hij er een beetje verlept uit. Ze heeft er netels en
een roze narcis ingestoken om hem een beetje op te fleuren.

Ze giechelt als ze me verschrikt naar adem hoort happen. 'O,
arme Gemma! Heb ik je laten schrikken?'

'N-nee. Nou ja, misschien een beetje.'

Met een kreet rennen Felicity en Ann naar Pip toe en slaan
hun armen om haar heen.

'Wat is er?' vraagt Ann aan mij.

'Ik heb onze arme Gemma laten schrikken. Niet boos zijn,'
zegt Pippa, die mijn hand vastpakt. Fluisterend voegt ze eraan
toe: 'Ik heb een verrassing. Kom mee.'

Pip leidt ons tussen de bomen door. 'Ogen dicht,' roept ze.
Na een tijdje blijft ze staan. 'Doe ze maar weer open.'

We staan bij de rivier. Op het water ligt een schip zoals ik nog
nooit heb gezien. Ik weet eigenlijk niet eens zeker of het wel
een schip is, want het lijkt meer op het lichaam van een draak,
zwart met rood, en met grote vleugels die om de flanken zijn

gevouwen. Het is monsterlijk groot. De voor- en achterkant zijn gebogen, met vlak bij de boeg één reusachtige mast en een zeil zo dun als de schil van een ui. Dikke touwen van zeewier hangen over de reling, en fonkelende, zilveren netten drijven op het wateroppervlak. Maar het opvallendste van alles is de grote kop aan de voorkant van het schip. Die is groen en geschubd, en rondom het angstaanjagende, roerloze gezicht kronkelen slangen zo lang als boomtakken.

'Ik heb haar gevonden!' zegt Pippa opgewonden. 'Ik heb de gorgone gevonden!'

Is dát de gorgone? Dat monster?

'Snel! Laten we haar vragen naar de tempel voordat ze weggaat,' zegt Pippa terwijl ze op het intimiderende schip af loopt. 'Ahoi daar!'

De gorgone draait haar gelaat naar ons toe. De slangen om haar hoofd sissen en kronkelen alsof ze ons het liefst willen verslinden omdat we hun rust hebben verstoord. En dat zouden ze ongetwijfeld doen als ze niet aan dat monster vastzaten. Ik ben er helemaal niet op voorbereid als het wezen haar grote gele ogen opent.

'Wat wenst u?' vraagt ze met duistere, slissende stem.

'Ben jij de gorgone?' vraagt Pippa.

'Ja.'

'Klopt het dat je door de magie van de Orde bent gebonden om niemand kwaad te doen en niets dan de waarheid te spreken?' gaat ze verder.

Heel even sluit de gorgone haar ogen. 'Ja.'

'We zoeken de tempel. Ken je die?' vraagt Pip dwingend.

De ogen gaan weer open. 'Iedereen kent hem. Niemand weet waar hij is. Alleen de leden van de Orde, en die zijn hier al jaren niet meer geweest.'

'Is er iemand die misschien weet waar hij te vinden is?' vraagt Pippa. Het ergert haar dat de gorgone ons niet beter kan helpen.

De gorgone richt haar blik weer op de rivier. 'Het Woud van Licht. De stam van Philon. Er wordt beweerd dat zij ooit de bondgenoten van de Orde waren. Misschien weten zij waar de tempel te vinden is.'

'Goed dan,' zegt Pippa. 'Dan willen we graag naar het Woud van Licht.'

'Alleen een lid van de Orde kan mij bevelen,' zegt de gorgone.

'Zij is lid van de Orde,' zegt Pippa, wijzend naar mij.

'We zullen zien,' sist de gorgone.

'Toe dan, Gemma,' dringt Felicity aan. 'Probeer het eens.'

Ik doe een stap naar voren en schraap mijn keel. De slangen spreiden zich als kronkelende manen rond het hoofd van de gorgone uit. Ze sissen naar me en ontbloten hun scherpe giftanden. Het valt niet mee om recht in dat afschuwelijke gezicht te kijken en iets te zeggen.

'We willen graag naar het Woud van het Licht. Wil je ons ernaartoe brengen, gorgone?'

Bij wijze van antwoord wordt een van de grote vleugels van het schip op de oever neergelaten, zodat we aan boord kunnen. Pippa en Felicity kunnen hun vreugde nauwelijks bedwingen. Ze grijnzen als gelukkige dwazen terwijl ze op de vleugel stappen.

'Moeten we echt aan boord?' vraagt Ann, die aarzelt.

'Niet bang zijn, Ann, lieverd. Ik ben bij je,' zegt Pippa. Ze trekt Ann mee.

De vleugel kraakt en wiebelt wanneer we eroverheen lopen. Felicity steekt haar hand uit om een van de netten aan te raken die over de reling van het schip hangen.

'Ze zijn zo licht als spinrag,' zegt ze terwijl ze de fijne strengen bevoelt. 'Wat voor vissen kun je hier in vredesnaam mee vangen?'

'Ze zijn niet voor het vangen van vis,' zegt de gorgone met haar stroperige stem. 'Ze dienen als waarschuwing.'

Onder ons kolkt het water, met roze en paarse tinten die uit de diepte naar het oppervlak lijken op te borrelen.

'Kijk eens wat mooi,' zegt Ann. Ze legt haar hand op het water. 'Wacht eens, hoor je dat?'

'Wat?' vraag ik.

'Daar heb je het weer! O, dat is het mooiste geluid dat ik ooit heb gehoord,' zegt Ann. Ze brengt haar gezicht heel dicht bij het water. 'Het komt uit de rivier. Er is daar iets, vlak onder het oppervlak.'

Anns vingers raken het blikkerende water, en even denk ik dat ik heel dicht bij haar hand iets zie bewegen. Zonder enige waarschuwing wordt de grote, vleugelvormige plank die voor ons is neergelaten snel opgetild, zodat we gedwongen zijn gauw naar het schip te lopen.

'Dat was plotseling,' zegt Ann. 'De muziek is gestopt. Nu zal ik nooit weten waar dat prachtige lied vandaan kwam.' Ze trekt een pruillip.

'Sommige dingen kun je beter niet weten,' zegt de gorgone.

Ann huivert. 'Dit staat me niet aan. We kunnen er niet meer af.'

Pippa geeft Ann een kus op haar wang, als een moeder die de angst van haar kind wil wegnemen. 'We moeten nu dapper zijn. We moeten naar het Woud van Licht als we de tempel willen vinden.'

De gorgone spreekt weer. 'U bent mijn meesteres en moet me opdragen te vertrekken.'

Ik besef dat ze op mij wacht. Ik kijk naar de bochtige, kronkelende rivier, niet wetend waar die naartoe leidt. 'Goed dan,' zeg ik. Ik adem diep in. 'Stroomafwaarts dan, alsjeblieft.'

Langzaam en soepel komt het grote schip in beweging. Achter ons verdwijnt de tuin uit het zicht. We varen een bocht om, en de rivier wordt breder. Immense stenen monsters met lange slagtanden en ingewikkelde hoofdtooien bewaken de oevers. Net als de waterspuwers van Spence zijn ze blind maar dreigend, oeroude hoeders van wat er achter ze ligt. Het water is hier ruw. Golven met schuimkoppen doen de boot deinen en mijn maag omkeren.

'Gemma, je bent lijkbleek,' zegt Pippa.

'Mijn vader zegt dat het helpt als je kunt zien waar je naartoe gaat,' oppert Felicity.

Ja, prima. Ik ben bereid alles te proberen. Ik laat mijn vriendinnen lachend en verhalen vertellend achter en loop naar de voorsteven van het schip. Vlak bij onze vreemde navigator ga ik op het langwerpige, puntige uiteinde zitten.

De gorgone voelt mijn aanwezigheid.

'Gaat het wel, Hoogssste?'

Die slissende, duistere stem verrast me. 'Ik voel me niet zo lekker. Maar dat gaat zo wel weer over.'

'U moet diep in- en uitademen. Dat helpt.'

Ik adem een paar keer diep in en uit. Het lijkt inderdaad te werken, en al snel komen de rivier en mijn maag weer tot rust. 'Gorgone,' vraag ik zodra ik genoeg moed heb verzameld, 'zijn er nog meer wezens zoals jij?'

'Nee,' is het antwoord. 'Ik ben de laatste van mijn soort.'

'Wat is er met de anderen gebeurd?'

'Zij zijn vernietigd of verbannen ten tijde van de opstand.'

'De opstand?'

'Dat was heel, heel lang geleden,' zegt de gorgone op vermoeide toon. 'Nog voor het Orakel van de Runen.'

'Was er dan een tijd vóór de runen?'

'Ja. Dat was de tijd waarin de magie in het rijk ongebonden was en iedereen er gebruik van kon maken. Maar het waren ook duistere tijden. Er vonden vele oorlogen plaats omdat de wezens elkaar bestreden om meer macht te vergaren. En dat was de tijd waarin de sluier tussen jullie wereld en de onze heel dun was. We konden naar believen komen en gaan.'

'Dus jullie konden onze wereld binnen?' vroeg ik.

'Jazeker. Wat een boeiend oord.'

Ik moet denken aan de verhalen die ik heb gelezen, verhalen over elfen, geesten, mythische zeewezens die schepen op de klippen deden lopen. Opeens lijken het geen fabeltjes meer.

'Wat gebeurde er?'

'De Orde kwam,' zegt de gorgone. Ik kan niet besluiten of ze opgelucht of boos klinkt.

'Is de Orde er dan niet altijd geweest?'

'In zekere zin wel. Het was een van de stammen. Priesteressen. Genezers, mystici, zieners. Ze voeren geesten over naar de andere wereld. Ze waren meesters in het creëren van illusies. Hun kracht was altijd al groot, en in de loop van de tijd nam hij alleen maar toe. Het gerucht ging dat ze de bron van alle magie in het rijk hadden ontdekt.'

'De tempel?'

'Ja,' antwoordt de gorgone. 'De tempel. Er werd beweerd dat de Orde van het water dronk en dat de magie toen deel van hen werd. In hen leefde hij voort, en met de generatie werd hij sterker. Nu hadden ze meer kracht dan wie ook. Wat hun niet aanstond, probeerden ze recht te zetten. Ze begonnen de bezoekjes van de wezens aan jullie wereld in te perken. Zonder hun toestemming kon niemand ernaartoe.'

'Hebben ze daarom de runen gebouwd?'

'Nee,' antwoordt de gorgone. 'Dat was hun wraak.'

'Dat begrijp ik niet.'

'Een aantal wezens van verschillende stammen sloeg de handen ineen. Ze verzetten zich tegen de macht die de Orde over hen uitoefende. Ze wilden niet om toestemming hoeven vragen. Op een dag sloegen ze toe. Enkele jonge ingewijden van de Orde speelden in de tuin, toen ze werden overvallen en meegenomen naar het Winterland, waar ze werden afgeslacht. Toen ontdekten de wezens een afschuwelijk geheim.'

Mijn mond is droog geworden van dat spannende verhaal. 'Wat voor geheim?'

'Het offeren van een levend wezen leverde immense kracht op.'

Het water ruist onder ons door, *woesj, woesj,* en voert ons mee.

'In hun woede en verdriet bouwde de Orde de runen om de magie te verzegelen. Ze sloten de grens tussen de werelden, zodat alleen zij nog konden oversteken. Alles wat zich aan de andere kant van de grens bevond, moest daar voorgoed blijven.'

Ik denk aan de marmeren zuilen van Spence, aan de wezens die daar in steen zijn gevangen.

'Zo is het vele jaren gebleven. Tot een van jullie eigen leden de Orde verried.'

'Circe,' zeg ik.

'Ja. Zij bracht een offer en schonk de duistere geesten van het Winterland nieuwe, grote kracht. Hoe meer geesten ze aan hun kant kregen, des te machtiger werden ze en des te zwakker werd het zegel van de runen.'

'Is dat dan de reden dat ik ze kon vernietigen?' vraag ik.

'Misschien.' Het antwoord van de gorgone klinkt als een zucht. 'Misschien, Hoogssste.'

'Waarom noem je me Hoogste?'

'Omdat u dat bent.'

De anderen leunen tegen de zijkant van het schip. Om de beurt pakken ze de lijnen van het zeil vast en leunen ze tegen de krachtige wind in. Pippa's vrolijke lach komt boven het geruis van het water uit. Ik heb een vraag, maar ik ben bang om hem hardop te stellen, bang voor het antwoord.

'Gorgone,' begin ik. 'Is het waar dat de geesten van lieden uit onze wereld altijd moeten overgaan?'

'Zo is het altijd geweest.'

175

'Maar zijn er ook geesten die altijd blijven?'

'Ik ken er niet één die niet beschadigd is geraakt en naar het Winterland is getrokken.'

Pippa's bloemenkrans wordt door de wind meegevoerd. Lachend rent ze erachteraan, en ze weet hem weer te pakken te krijgen.

'Maar alles is nu anders, nietwaar?'

'Ja,' zegt de gorgone, en slissend voegt ze eraan toe: 'Andersss.'

'Dus misschien is er wel een manier om daar verandering in te brengen.'

'Misschien.'

'Gemma!' roept Pippa. 'Hoe voel je je?'

'Veel beter!' roep ik terug.

'Kom dan weer hier!'

Ik verlaat mijn plekje naast de gorgone en voeg me weer bij de anderen.

'Is de rivier niet prachtig?' vraagt Pippa met een brede grijns. Inderdaad, hier is hij schitterend diepblauw. 'O, wat heb ik jullie allemaal gemist. Hebben jullie mij ook zo gemist?'

Felicity rent op haar af en omhelst haar. Ze drukt Pip vurig tegen zich aan. 'Ik dacht dat ik je nooit meer zou terugzien.'

'Je hebt ons twee dagen geleden nog gezien,' help ik haar herinneren.

'Maar ik kan het nauwelijks verdragen. Het is bijna Kerstmis,' antwoordt ze weemoedig. 'Zijn jullie al naar een bal geweest?'

'Nee,' vertelt Ann, 'maar Felicity's vader en moeder organiseren een kerstbal.'

'Het zal wel een prachtig feest worden,' zegt Pippa pruilend.

'Ik zal voor het eerst een japon dragen,' gaat Ann verder. Ze beschrijft de japon tot in het kleinste detail. Pippa stelt ons vragen over het bal. Het is alsof we weer op Spence zijn en in de grote salon in Felicity's tent zitten te roddelen en plannetjes smeden.

Glimlachend draait Pippa Felicity in het rond terwijl het schip krakend en traag de rivier afzakt. 'We zijn weer samen. En we hoeven elkaar nooit meer te missen.'

'Maar we moeten terug,' zeg ik.

De gekwetste blik in Pippa's ogen doet me pijn. 'Maar zodra jullie een nieuwe Orde hebben opgericht, komen jullie me halen. Toch?'

'Natuurlijk,' zegt Felicity. Ze loopt weer in de pas met Pippa, dolblij dat ze weer bij haar kan zijn.

Pippa slaat haar armen om Felicity heen en vlijt haar hoofd tegen haar schouder. 'Jullie zijn mijn beste vriendinnen in de hele wereld. Niets zal daar ooit verandering in brengen.'

Ann slaat haar armen om de twee meisjes heen. Uiteindelijk volg ik haar voorbeeld. We omringen Pippa als bloemblaadjes, en ik probeer er niet aan te denken wat er met ons zal gebeuren als we de tempel vinden.

Na een scherpe bocht waaiert de rivier opeens uit en krijgen we een schitterend uitzicht op de kust en de kliffen vol grotten die hoog boven ons uittorenen. Er zijn godinnenbeelden in de rotsen uitgehakt. Ze zijn misschien wel vijftien meter hoog en dragen rijkversierde, kegelvormige hoofdtooien. Om hun hals hangen vele kettingen. Afgezien daarvan zijn ze naakt en erg sensueel. Ze staan met hun heupen opzij geduwd, een arm achter hun hoofd, een glimlach om hun lippen. Mijn fatsoen vertelt me dat ik mijn blik moet afwenden, maar ik betrap mezelf erop dat ik steelse blikken op ze blijf werpen.

Ann kijkt op en slaat meteen haar blik neer. 'O, lieve help,' zegt ze.

'Wat zijn dat?' vraagt Felicity.

De gorgone antwoordt: 'De Grotten der Zuchten. Tegenwoordig zijn het verlaten ruïnes die alleen worden bewoond door de Hajin, de onaanraakbaren.'

'De onaanraakbaren?' vraag ik.

'Ja. Daar gaat er een.' Het hoofd van de gorgone draait naar rechts. In de struiken langs de oever schiet iets weg. 'Smerig ongedierte.'

'Waarom worden ze de onaanraakbaren genoemd?' vraagt Ann.

'Dat zijn ze altijd al geweest. De Orde heeft hen verbannen naar de Grotten der Zuchten. Niemand gaat daar nu nog naartoe. Het is verboden.'

'Dat is niet eerlijk,' zegt Ann op verhitte toon. 'Helemaal niet eerlijk.' Arme Ann, ze weet hoe het is om een onaanraakbare te zijn.

'Waar werden ze vroeger voor gebruikt?' vraag ik.

'Leden van de Orde gingen ernaartoe met hun minnaars.'

'Hun minnaars?' vraagt Felicity.

'Ja.' De gorgone zwijgt even voor ze eraan toevoegt: 'De Rakshana.'

Ik weet niet wat ik daarop moet zeggen. 'De Rakshana en de Orde waren minnaars?'

De stem van de gorgone klinkt ver weg. 'Ooit.'

Felicity slaakt een kreet. 'Moet je kijken!' Ze wijst naar de horizon, waar een dichte mist als goudblad uit de hemel lijkt te vallen en ons het zicht ontneemt. Er klinkt een gebulder als van een waterval.

'Moeten we daardoorheen?' vraagt Ann bezorgd.

Pippa trekt Ann naar zich toe. 'Maak je niet zo'n zorgen. Het komt vast allemaal wel goed, anders zou de gorgone ons er niet doorheen varen. Of wel soms, Gemma?'

'Natuurlijk niet,' zeg ik. Ik moet mijn best doen om mijn oprechte doodsangst niet te tonen, want ik heb geen idee wat er met ons zal gebeuren. 'Gorgone, het is jou niet toegestaan om ons schade te berokkenen. Klopt dat?'

Maar mijn vraag wordt overstemd door het meedogenloze gebulder van de goudkleurige waterval. We kruipen dicht tegen elkaar aan op de bodem van het schip. Ann knijpt haar ogen stijf dicht. Als we vlakbij zijn, sluit ook ik mijn ogen, bang voor wat er gaat komen. Met het oorverdovende gebulder in onze oren passeren we het vochtige gordijn en komen we aan de andere kant uit, waar de rivier op een oceaan lijkt en er geen land in zicht is, afgezien van een groen eiland in de verte.

'We leven nog,' zegt Ann, zowel verrast als opgelucht.

'Ann,' zegt Pippa, 'moet je kijken. Je bent van goud!'

Inderdaad. Onze huid is bedekt met goudschilfertjes. Felicity beweegt haar handen heen en weer en lacht opgetogen om het geschitter. 'O, we mankeren helemaal niets! Helemaal geen probleem.'

Pippa lacht. 'Ik zei toch dat jullie niet bang hoefden te zijn.'

'De magie is sterk,' zegt de gorgone. Ik weet niet of het een vaststelling of een waarschuwing is.

'Gemma,' vraagt Pippa, 'waarom moeten we de magie binden?'

'Hoe bedoel je? Omdat hij vrij is in het rijk.'

'Is dat dan zo erg? Waarom zou niet iedereen die kracht mogen gebruiken?'

Dit staat me niet aan. 'Omdat hij gebruikt kan worden om in onze wereld door te dringen en daar verwoestingen aan te richten. De orde en de controle zouden ver te zoeken zijn.'

'Maar je weet helemaal niet zeker dat de bewoners van het rijk er onverstandig mee zouden omgaan.'

Ze heeft het verhaal van de gorgone niet meegekregen, anders zou ze er misschien anders over denken. 'O nee? Herinner je je dat wezen nog dat mijn moeder aan zich had onderworpen?'

'Maar dat was met Circe verbonden. Misschien zijn ze niet allemaal zo,' mijmert Pippa.

'En hoe moet ik dan besluiten wie er gebruik van mag maken, wie ik kan vertrouwen?'

Daar heeft niemand een antwoord op.

Ik schud mijn hoofd. 'Het is uitgesloten. Hoe langer de magie vrij is, des te groter het gevaar dat de geesten hier beschadigd raken. We moeten de tempel vinden en de magie weer binden. Daarna richten we een nieuwe Orde op en bewaken we het evenwicht binnen het rijk.'

Pippa pruilt. Ergerlijk genoeg heeft ze het geluk dat ze er zelfs als ze dat doet nog beeldschoon uitziet. 'Goed dan. We zijn er toch bijna.'

HOOFDSTUK ACHTTIEN

De rivier is weer smaller geworden. We bereiken een plaats waar de bomen hoog, breed en groen zijn. Aan de takken hangen duizenden lantaarns. Het doet me denken aan Diwali, het feest van het licht in India, wanneer mijn moeder en ik altijd laat opbleven om de kaarsen en lantaarns als bloemen van licht te zien opbloeien op straat.

Het schip komt tot stilstand in het zachte, natte zand van het eiland. 'Het Woud van Licht,' zegt de gorgone. 'Wees op uw hoede. Vertel alleen Philon, en niemand anders, waar u mee bezig bent.'

De vleugelvormige plank wordt weer neergelaten, en we stappen eraf op een zacht tapijt van gras en zand dat overgaat in een dicht struikgewas vol grote, witte, dubbele lotusbloemen. De bomen zijn zo hoog dat ze in een donkergroen plafond lijken op te gaan. Als ik naar boven kijk, word ik duizelig. De lichtjes wiegen en bewegen. Een ervan schiet vlak voor mijn gezicht langs. Ik slaak een kreetje van schrik.

'Wat was dat?' fluistert Ann met grote ogen.

'Wat gebeurt er?' Dat is Felicity. Een aantal lichtjes is boven op haar hoofd neergestreken. Haar verrukte gezicht wordt verlicht door de lichtgevende kroon.

De lichtjes vormen een bal die voor ons uit zweeft en ons de weg wijst.

'Kennelijk willen ze dat we hen volgen,' zegt Pippa vol verwondering.

De lichtgevende elfjes – als het tenminste elfjes zijn – nemen ons mee het woud in. Het ruikt er naar vruchtbare aarde. Op de enorme bomen groeit mos, als zacht, groen bont. Als ik achteromkijk, kan ik de gorgone niet meer zien. Het lijkt of we door het woud zijn opgeslokt. Ik voel de aandrang om terug te rennen, zeker wanneer ik het zachte, ritmische geluid van naderende paardenhoeven hoor. De bal van licht spat uit elkaar en de piepkleine lichtjes schieten alle kanten op, tussen de bomen.

'Wat is dat?' vraagt Felicity. Ze kijkt wild om zich heen.

'Weet ik niet,' antwoordt Pippa.

Het hoefgetrappel lijkt van alle kanten te komen. Wat het ook is, we zijn omsingeld. Het komt steeds dichterbij en houdt dan opeens op. De ene centaur na de andere komt tussen de bomen vandaan. Onrustig schuifelen ze heen en weer op hun krachtige paardenbenen, met hun gespierde armen voor hun blote, mannelijke borst geslagen. De grootste van de stam komt naar voren. Op zijn kin groeit een dun baardje.

'Wie zijn jullie? Wat hebben jullie hier te zoeken?' vraagt hij bars.

'We komen voor Philon,' verklaart Pippa. Ik vind haar heel dapper, want zelf wil ik het liefst wegrennen.

De centauren wisselen achterdochtige blikken. 'De gorgone heeft ons gebracht,' zeg ik, in de hoop dat dat deuren zal openen.

De grootste komt naar voren, tot zijn hoeven slechts een paar centimeter van mijn voeten verwijderd zijn. 'De gorgone? Wat voor spelletje speelt zij met ons? Goed dan. Ik zal jullie naar Philon brengen en onze leider over jullie lot laten beslissen. Klim erop, tenzij je liever loopt.'

Ik kan de kracht in zijn lijf voelen als hij me met één hand op zijn brede, gladde rug zet.

'O,' zeg ik, want er zijn geen teugels zoals bij een paard. Er is helemaal geen aanvaardbare plek waar ik me aan kan vasthouden, dus ben ik gedwongen mijn armen om zijn brede middel te slaan en mijn hoofd tegen zijn gespierde rug te drukken.

Zonder enige waarschuwing vooraf gaat hij er in galop vandoor. Ik klamp me uit alle macht aan hem vast terwijl we tussen de bomen door schieten, waarvan de takken akelig dichtbij komen. Ik loop enkele schrammen op mijn gezicht en armen op, en ik vermoed dat hij dat met opzet doet. De centauren die Felicity, Pippa en Ann dragen, lopen vlak naast me. Ann heeft haar ogen dicht en haar mond is vertrokken in een grimas. Maar Felicity en Pippa lijken bijna te genieten van de vreemde rit.

Eindelijk bereiken we een open plek vol hutten met rieten daken en huizen van leem. De centaur geeft me een hand en slingert me op de grond, waar ik op mijn achterwerk terechtkom. Met zijn handen op zijn heupen tornt hij grijnzend boven me uit. 'Zal ik je overeind helpen?'

'Nee, dank je.' Ik spring overeind en veeg het gras van mijn rok.

'Jij bent een van hen, of niet?' vraagt hij, wijzend op mijn amulet, die tijdens de wilde rit onder mijn blouse vandaan is gekomen. 'De geruchten kloppen!' roept hij zijn vrienden toe. 'De Orde keert terug naar het rijk. Hier zijn ze dan.'

De stam komt dichterbij en omsingelt ons kleine groepje meisjes.

'Wat doen we daaraan?' vraagt de centaur. Er klinkt razernij door in zijn grauwende stem. Opeens lijkt het niet meer zo belangrijk om Philon te spreken en hem de weg naar de tempel te vragen. Ik wil alleen nog maar ontsnappen.

'Creostus!' klinkt een nieuwe, vreemde stem.

De centauren wijken uiteen en deinzen achteruit. Ze buigen het hoofd. De grootste, Creostus, knikt even maar kijkt dan weer op.

Ann klampt zich aan me vast. 'Wat is dat?' fluistert ze.

Voor ons staat het schitterendste wezen dat ik ooit heb gezien. Ik weet niet of het een man of een vrouw is; het zou allebei kunnen. Het is tenger, met een huid en haar in de matte kleur van een sering en een lange mantel met sleep gemaakt van eikels, doorns en distels. De ogen zijn felgroen en staan een beetje scheef, als die van een kat. De ene hand is een katachtige poot, de andere een vogelklauw.

'Wie is daar?' vraagt het wezen met een stem als een drieklank, met afzonderlijke tonen die desondanks niet van elkaar te scheiden zijn.

'Een heks,' zegt de opstandige centaur. 'Hiernaartoe gebracht door de vervloekte gorgone.'

'Hmm,' zegt het wezen, en het staart me aan tot ik me voel als een ondeugend kind dat met de riem gaat krijgen. Met zijn scherpe klauw tilt het mijn amulet op en bestudeert hem. 'Een priesteres. Het is lang geleden dat we iemand als jij hebben gezien. Ben jij degene die de runen heeft vernietigd en het zegel op de magie heeft gebroken?'

Ik trek mijn ketting uit zijn klauwen en stop hem terug in mijn blouse. 'Dat ben ik.'

'Wat wil je van ons?'

'Het spijt me, maar ik wil alleen met Philon spreken. Weet u waar ik hem kan...'

'Ik ben Philon.'

'O,' zeg ik. 'Ik kom u om hulp vragen.'

Creostus valt me in de rede. 'Help haar niet, Philon. Je bent toch niet vergeten hoe het voor ons al die jaren is geweest?'

Met een scherpe blik legt Philon hem het zwijgen op. 'Waarom zou ik je helpen, priesteres?'

Daar heb ik geen antwoord op klaar. 'Omdat ik het zegel op de magie heb gebroken. De orde moet worden hersteld.'

Onder de centauren barst gelach uit. 'Laat ons dan de magie herstellen en beheersen,' roept er een. De anderen juichen.

'Maar alleen de Orde kan de magie binden en over het rijk heersen,' zegt Felicity.

Philon spreekt. 'Zo is het generaties lang geweest, maar wie zegt dat het altijd zo moet blijven? Macht is vluchtig. Het verschuift als zand.'

Opnieuw wordt er gejuicht. Er heeft zich een menigte verzameld. De centauren staan er nog, en verder zijn de wezens van licht nu ongeveer dertig centimeter groot. Als uit de kluiten gewassen vuurvliegjes zweven ze in de lucht.

'Hebben jullie liever dat Circe hem als eerste vindt?' vraag ik. 'Of de duistere geesten van het Winterland? Als zij er de controle over zouden hebben, denk je dan dat ze jullie erin zouden laten delen?'

Daar denkt Philon over na. 'Daar zegt de priesteres wat. Kom met me mee.'

Creostus roept ons achterna: 'Beloof hun niets, Philon. Je loyaliteit dient in de eerste plaats bij je eigen volk te liggen. Vergeet dat niet!'

Philon neemt ons mee naar een luxe hut, laat ons plaatsnemen en schenkt een bokaal vol met iets roods. Ons biedt hij niets aan, waardoor ik het vreemde wezen iets meer ga vertrouwen. Want als we hier iets zouden eten of drinken, zouden we hier moeten blijven, net als Pippa. Philon laat de vloeistof rondtollen in de bokaal en drinkt ervan. 'Ik ben het met je eens dat de magie moet worden ingeperkt. Op deze manier is hij te sterk. Sommigen zijn nooit aan de volle kracht ervan blootgesteld, en het maakt hen dronken. Ze willen steeds meer. Er heerst onrust. Ik ben bang dat ze ondoordachte bondgenootschappen zullen aangaan en ons tot slavernij zullen veroordelen. Het is een bedreiging voor onze manier van leven.'

'Wilt u me dan helpen de tempel te vinden?' vraag ik.

'Wat beloof je ons als we je helpen?' Als ik niets zeg, lacht Philon meesmuilend. 'Dat dacht ik al. De Orde is er niet in geïnteresseerd om de kracht in het rijk te delen.'

'De gorgone zegt dat jullie en de Orde ooit bondgenoten waren.'

'Ja,' zegt Philon. 'Ooit.' Met katachtige gratie loopt het wezen rondjes door de kamer. 'De centauren waren hun boodschappers; ik was hun wapenmeester. Maar na de opstand onthielden ze ons de magie, net als alle anderen, ook al waren we hun trouw gebleven. Dat was hun dank.'

Ik weet niet wat ik daarop moet zeggen. 'Misschien was er geen andere mogelijkheid.'

Het wezen staart me een hele tijd aan, tot ik me gedwongen voel mijn blik af te wenden.

'Ze zullen ons niet helpen, Gemma. Kom, we gaan,' zegt Felicity.

Philon vult de bokaal nog een keer. 'Ik kan jullie niet vertellen hoe je bij de tempel moet komen, want ik weet zelf niet waar hij is. Maar ik kan jullie wel iets anders bieden. Kom mee.'

We lopen weer naar buiten, de mist in. Creostus houdt de prachtige leider staande en zegt zachtjes iets in een taal die we niet kunnen verstaan. Maar ik begrijp de woede in zijn stem, het wantrouwen in zijn ogen telkens wanneer hij onze kant op kijkt. Philon legt hem met een bruusk 'Njim!' het zwijgen op.

'Je kunt ze niet vertrouwen, Philon,' zegt de centaur verbeten. 'Hun beloften zijn als een illusie: na verloop van tijd gaan ze in rook op.'

Philon neemt ons mee naar een lage hut. De muren lijken licht te geven, zoveel glanzende wapens hangen er. Sommige heb ik nooit eerder gezien. Aan haken hangen zilveren lasso's.

Met edelstenen ingelegde bokalen en schitterend versierde spiegels staan naast elkaar.

'Zolang de magie vrij is, gebruiken we hem om ons oude leven weer op te pakken. Aangezien we niet weten hoe het zal aflopen, moeten we voorbereid zijn. Jullie mogen één wapen meenemen op jullie reis.'

'Zijn dit dan allemaal wapens?' vraag ik.

'Met de juiste spreuk kan alles een wapen worden, priesteres.'

Het zijn er zoveel. Ik weet niet waar ik moet beginnen.

'O,' zegt Felicity verrukt. Ze heeft een vederlichte boog en een koker vol pijlen met zilveren punten gevonden.

'Kennelijk is de keus gemaakt,' zegt Philon terwijl hij ze aan haar overhandigt. De pijlen zijn van goede makelij, maar onopvallend, afgezien van de merkwaardige merktekens op de zilveren punten, een reeks getallen, lijnen en symbolen waar ik niets van kan maken.

'Wat is dat?' vraagt Felicity.

'Dat is de taal van onze oudsten.'

'Toverpijlen?' vraagt Ann, starend naar de punten.

Felicity tilt de boog op en sluit één oog terwijl ze op een denkbeeldig doelwit mikt. 'Het zijn pijlen, Ann. Ze werken net als gewone pijlen.'

'Misschien,' zegt Philon. 'Als je de moed hebt om ze af te vuren.'

Felicity kijkt boos. Ze richt de boog op Philon.

'Felicity!' sis ik haar toe. 'Wat doe je?'

'Ik heb meer dan genoeg moed,' grauwt Felicity.

'Ook wanneer het er echt toe doet?' vraagt Philon koeltjes.

Pippa duwt de boog naar beneden. 'Fee, hou op.'

'Ik heb meer dan genoeg moed,' zegt ze opnieuw.

'Natuurlijk,' zegt Pippa sussend.

Philon neemt hen nieuwsgierig op. 'We zullen zien.' Tegen

mij zegt hij: 'Priesteres, zijn die pijlen dan het wapen dat je kiest?'

'Ja,' antwoord ik. 'Ik denk van wel.'

'We moeten weg,' zegt Felicity. 'Bedankt voor de pijlen.'

Philon buigt het schitterende hoofd. 'Graag gedaan. Maar het is geen geschenk. Het is een schuld die dient te worden afbetaald.'

Ik heb het gevoel dat ik in een gat ben gevallen, en hoe meer ik mijn best doe om me eruit te graven, hoe dieper het wordt. 'Wat verwacht u er dan voor terug?'

'Een aandeel in de magie, dat is wat we van je verlangen, mocht je de tempel als eerste vinden. We zijn niet van plan om weer in het duister te gaan leven.'

'Dat begrijp ik,' zeg ik, en daarmee doe ik een belofte waarvan ik niet weet of ik die kan vervullen.

Philon loopt met ons mee naar de rand van het woud, waar de vreemde lichtjes al wachten om ons naar het schip te brengen.

'Iedereen zal proberen je bij de tempel weg te houden. Dat moet je weten. Hoe willen jullie jezelf beschermen? Hebben jullie bondgenoten?'

'We hebben de gorgone,' zeg ik.

Philon knikt langzaam. 'De gorgone. De laatste van haar soort, tot het einde der tijden gevangen op een schip als straf voor haar zonden.'

'Wat bedoelt u daarmee?' vraag ik.

'Daarmee bedoel ik dat er veel is wat je niet weet,' zegt Philon. 'Wees voorzichtig, priesteres. Hier kun je je niet verstoppen. Je vurigste wensen, je diepste verlangens en je grootste angsten kunnen hier tegen je worden gebruikt. Er zijn er veel die je van je taak zullen willen weerhouden.'

'Waarom vertelt u me dit? Bent u dan toch trouw aan de Orde?'

'Het is oorlog,' zegt Philon. Zijn lange paarse haar wappert om zijn scherpe jukbeenderen. 'Ik ben trouw aan de winnaar.'

De lichtjes cirkelen en dansen om Pippa's hoofd heen. Speels slaat ze naar ze. Ik heb echter nog één vraag voordat we weggaan.

'De gorgone is toch onze bondgenoot? Ze is gedwongen om altijd de waarheid te vertellen.'

'Gedwongen? Waardoor? De magie is niet betrouwbaar meer.' Met die woorden draait het lange, slanke wezen zich om. Zijn mantel van distels sleept als een ketting achter hem aan.

Als we het strand bereiken, staat Creostus ons met zijn armen over elkaar geslagen op te wachten. 'Heb je gevonden wat je zocht, heks?'

Felicity klopt op de koker met pijlen op haar rug.

'Dus Philon heeft jullie een geschenk gegeven. Wat krijgen we ervoor terug? Zul je ons macht gunnen? Of zul je ons verloochenen?'

Ik geef geen antwoord, maar ga via de plank aan boord en luister naar het gekraak wanneer hij wordt opgetild. Het brede, doorzichtige zeil vangt de wind, en we varen weg bij het eilandje tot het nog slechts een groen vlekje ver achter ons is. Maar de rauwe kreet van de centaur bereikt mijn oren op de wind, die me de adem beneemt.

'Wat krijgen we ervoor terug, heks? Wat zul je ons geven?'

Opnieuw zeilen we door het gouden gordijn heen, terug de rivier op. Als we weer bij de standbeelden in de kliffen zijn, bij de Grotten der Zuchten, zie ik hoog boven me kleurige rook – rood, blauw, oranje, paars – opstijgen, en ik ben er vrij zeker van dat ik achter de rook een gestalte zie. Maar dan steekt de wind op, waardoor de rook van richting verandert en ik alleen nog flarden van kleur zie.

Er komt een zilverachtige mist opzetten. Hier en daar piept de oever erdoorheen, maar het zicht is slecht. Ann rent naar de zijkant van het schip.

'Luister, horen jullie dat? Daar is dat prachtige lied weer.'

Het duurt even, maar dan hoor ik het ook. Het lied is vaag, maar prachtig. Het dringt door tot in mijn aderen en verspreidt zich door mijn lichaam, waardoor ik me warm en licht voel.

'Kijk! In het water!' roept Ann.

Een voor een duiken er drie kale hoofden op. Het zijn vrouwen, maar dan heel anders. Hun lichamen glanzen zacht van de paarlemoeren schubben in roze, bruine en perzikkleurige tinten. Wanneer ze hun handen uit het water steken, kan ik de vliezen tussen hun lange vingers zien. Ze zijn betoverend, en ik kan mijn blik niet van hen losrukken. Hun lied maakt me licht in het hoofd. Felicity en Ann lachen en verdringen elkaar aan de reling van het schip in een poging dichterbij te komen. Pippa en ik voegen ons bij hen. De handen met de vliezen strelen de grote schuit alsof het een kinderhoofdje is. De gorgone vertraagt niet. De warrige massa slangen sist wild.

Ann steekt haar hand uit, maar kan er niet bij. 'O, kon ik ze maar aanraken,' zegt ze.

'Waarom niet?' vraagt Pippa. 'Gorgone, zou je de plank willen laten zakken?'

De gorgone antwoordt niet en vaart in hetzelfde tempo door.

Wat zijn de vrouwen mooi en wat klinkt hun lied lieflijk.

'Gorgone,' zeg ik. 'Laat de plank zakken.'

De slangen kronkelen alsof ze ondraaglijke pijn lijden. 'Wenst u dat, Hoogssste?'

'Ja, dat wens ik.'

Het grote schip vertraagt en de plank wordt neergelaten, tot hij vlak boven het water hangt. Met onze rokken opgetild lopen we er haastig overheen en laten ons op onze hurken zakken, op zoek naar een teken van de vrouwen in het water.

'Waar zijn ze?' vraagt Ann.

'Weet ik niet,' antwoord ik.

Felicity zit op handen en voeten, en haar haar hangt in het water. 'Misschien zijn ze weg.'

Ik ga staan en probeer door de mist heen te turen. Iets kouds en nats strijkt langs mijn enkel. Ik slaak een gilletje en wankel, maar de hand van het wezen laat mijn been al los. Er blijven sprankelende schubben op mijn kous achter.

'O, nee! Ik heb haar afgeschrikt,' zeg ik. Het zeemeerminachtige lichaam schiet weg onder de plank en verdwijnt uit het zicht.

Het oppervlak van de rivier is bedekt met een dikke, olieachtige laag. Na een tijdje komen de wezens weer boven. Ze lijken ons net zo fascinerend te vinden als wij hen. Ze dobberen op de minieme stromingen en hun vreemde handen bewegen heen en weer, heen en weer.

Ann laat zich op haar knieën zakken. 'Hallo.'

Een van de wezens komt dichterbij en begint te zingen.

'O, wat prachtig,' zegt Ann.

En inderdaad, hun lied is zo lieflijk dat ik het liefst achter hen aan het water in wil, zodat ik er eeuwig naar kan luisteren. De groep wordt steeds groter. Eerst zijn het er zes, dan zeven, uiteindelijk tien. Met iedere nieuwe toevoeging wordt het lied mooier en krachtiger. Ik verdrink in de prachtige klanken.

Een van de wezens klampt zich vast aan het schip. Ze kijkt me recht in de ogen. Haar ogen zijn reusachtig, als spiegels van de oceaan. Ik kijk erin en zie mezelf snel wegzinken in het diepe water, waar al het licht verdwijnt. Ze steekt haar hand uit om mijn gezicht te strelen. Flarden van haar lied omringen me.

'Gemma! Niet doen!' Ik ben me er vaag van bewust dat Pippa me roept, maar haar woorden vermengen zich met het lied, en samen vormen ze een melodie die me uitnodigt de rivier in te gaan. *Gemma... Gemma... Gemma...*

Pippa sleurt me ruw achteruit, en we vallen over elkaar heen op de plank. Het lied van de nimfen wordt een woeste, hoge kreet die me kippenvel bezorgt.

'H-hè?' zeg ik, alsof ik uit een droom ontwaak.

'Dat monster sleurde je bijna onder water!' zegt Pippa. Haar ogen worden groot. 'Ann!' schreeuwt ze.

Ann zit met haar benen over de rand van de plank. Een glimlach van extase speelt om haar lippen als een van de monsters haar been streelt en zo mooi zingt dat je hart ervan zou breken. Felicity steekt haar hand uit. Haar vingers zijn nog maar een paar centimeter van die van twee van de wezens verwijderd.

'Nee!' roepen Pippa en ik tegelijkertijd.

Ik grijp Ann vast en Pippa slaat haar armen om Felicity geen. Ze stribbelen tegen, maar we sleuren hen achteruit.

De wezens slaken opnieuw een ijzingwekkende kreet. Razend van woede graaien ze naar de plank, alsof ze hem eraf willen trekken of ons het water in willen schudden.

Ann kruipt weg in Pippa's armen terwijl Felicity naar de handen schopt.

'Gorgone!' roep ik. 'Help ons!'

'Omata!' Dat is de stem van de gorgone, diep en bevelend. 'Omata! Laat hen met rust, of we gebruiken de netten!'

De wezens krijsen en deinzen terug. Vol teleurstelling kijken ze ons aan voordat ze zich langzaam onder water laten zakken. Alleen een olieachtig laagje op het wateroppervlak bewijst dat ze er echt zijn geweest. Ik duw de anderen zowat het schip op.

'Gorgone, haal de plank op!' roep ik.

'Zoals u wenst,' antwoordt ze, en ze tilt de zware vleugel op. Dat staat de kale, glanzende vrouwen niet aan. Ze krijsen opnieuw.

'Wat zijn dat voor een monsters?' vraag ik hijgend.

'Waternimfen,' antwoordt de gorgone alsof ze dagelijks bij me op de thee komen. 'Ze zijn gefascineerd door jullie huid.'

'Zijn ze gevaarlijk?' vraagt Ann, die de kleurige schubben van haar kous probeert te wrijven.

'Dat hangt ervan af,' zegt de gorgone.

Felicity staart in het water. 'Waarvan?'

De gorgone praat verder. 'Hoe betoverend ze je vinden. Als ze echt weg van je zijn, zullen ze proberen je mee te lokken naar hun poel. Als ze je daar eenmaal in een hoek hebben gedreven, stropen ze je huid af.'

Als ik besef hoe weinig het had gescheeld of ik was hen gevolgd naar de diepte, begin ik over mijn hele lichaam te beven.

'Ik wil terug,' jammert Ann.

Ik ook. 'Gorgone, breng ons direct terug naar de tuin,' beveel ik.

'Zoals u wenst,' antwoordt ze.

Achter ons zie ik de waternimfen boven het water uitsteken. Hun glanzende hoofden deinen als edelstenen uit een verloren gegane schat op het oppervlak. Een flard van hun prachtige lied bereikt onze oren, ik loop langzaam naar de rand van het schip, in de greep van een hernieuwd verlangen om het water in te duiken. Met een ruk komen we weer in beweging, weg bij de nimfen, en hun lied slaat om in razernij, het gekrijs van vogels die een maaltje aan zich voorbij zien gaan.

'Hou op,' zeg ik binnensmonds. Met heel mijn wezen wil ik dat het stopt. 'Waarom houden ze niet op?'

'Ze verwachten een geschenk, een tegemoetkoming voor de reis,' antwoordt de gorgone.

'Wat voor een geschenk?'

'Een van jullie.'

'Dat is afschuwelijk,' zeg ik.

'Ja,' zegt de gorgone. 'Ik vrees dat jullie hen boos hebben gemaakt. Ze kunnen erg vals zijn wanneer ze kwaad zijn. En ze zijn wraakzuchtig.'

De gedachte aan die koude, natte handen die een van ons onder water trekken bezorgt me de rillingen.

'Zijn er nog meer van die nimfen?' vraagt Pippa. Haar gezicht baadt in de gloed van de oranje hemel.

'Ja,' zegt de gorgone. 'Maar ik zou me niet al te veel zorgen om ze maken. Ze kunnen je alleen te pakken krijgen als je het water in gaat.'

Dat is een schrale troost.

De mist trekt op. Mijn armen en benen beven alsof ik een hele tijd heb gerend. Met z'n vieren gaan we op de bodem liggen kijken naar de felgekleurde hemel.

'Hoe kunnen we de tempel vinden als al die wezens hun magie tegen ons gebruiken?' vraagt Ann.

'Dat weet ik niet,' zeg ik.

Dit is niet de mooie tuin die mijn moeder me heeft laten zien. Het is me nu overduidelijk dat ik in de oorden om die tuin heen nooit mijn voorzichtigheid kan laten varen.

'Gorgone,' vraag ik wanneer de rust is weergekeerd en de tuin in zicht komt, 'is het waar dat je als straf op deze schuit gevangen bent gezet?'

'Ja,' antwoordt ze zachtjes.

'Met wiens magie?'

'Die van de Orde.'

'Maar waarom?'

De grote schuit piept en kraakt in het water. 'Ik was degene die het volk leidde in de opstand tegen de Orde.'

De slangen rond haar hoofd kronkelen en proberen me te bereiken. Een van hen vlijt zijn lichaam tegen de spitse boeg, en zijn tong is maar een paar centimeter bij mijn hand vandaan. Ik trek me voor de zekerheid een eindje terug.

'Ben je nog steeds trouw aan de Orde?' vraag ik.

'Ja,' klinkt het antwoord. Maar het komt niet meteen, als een antwoord dat door magie wordt afgedwongen. Het wordt voorafgegaan door een korte aarzeling. Ze moest even nadenken. Dan besef ik dat Philons waarschuwing terecht was.

'Gorgone, wist je dat de waternimfen in de buurt waren?'

'Ja,' zegt ze.

'Waarom heb je ons dan niet gewaarschuwd?'

'Omdat u er niet naar vroeg.' Op dat moment bereiken we de tuin, waar het grote groene monster haar ogen sluit.

Pippa omhelst ons stevig, alsof ze ons niet wil loslaten. 'Moeten jullie echt alweer zo snel terug? Wanneer komen jullie weer?'

'Zo snel mogelijk,' verzekert Felicity haar. 'Laat je niet te pakken nemen, Pip.'

'Nee,' zegt Pippa. Ze pakt mijn handen beet. 'Gemma, ik heb je vandaag het leven gered.'

'Ja, inderdaad. Dank je.'

'Dat bindt ons, hè? Als een soort belofte?'

'Ja, dat lijkt me wel,' antwoord ik, slecht op mijn gemak.

Pippa geeft me een kus op mijn wang. 'Kom zo snel mogelijk terug!'

De deur van licht duikt stralend op, en we laten haar achter, zwaaiend naar ons, als het laatste, vluchtige beeld van een droom voordat je wakker wordt.

'Voel je het?' vraagt Felicity wanneer we de trap af lopen.

Ik knik. De magie golft door mijn lichaam. Mijn bloed stroomt sneller en mijn zintuigen zijn scherper. Achter de gesloten deuren van de eetkamer hoor ik flarden van gesprekken, en ik kan de verlangens en behoeften, de kleinzielige jaloezietjes en teleurstellinkjes van elk kloppend hart voelen, tot ik ze noodgedwongen verdring.

'Ah, daar zullen we onze miss Bradshaw hebben,' zegt de mollige vrouw wanneer we binnenkomen. 'We hebben begrepen dat je als kind door de beste leraren in Rusland bent geschoold en dat de familie van de tsarina aan je prachtige stem meteen kon horen dat jij hun verloren gewaande familielid was. Wil je ons vereren met een lied?'

Telkens als het wordt doorverteld, wordt het verhaal wilder, als de magie van het rijk.

'Ja, dat móét je gewoon doen,' zegt Felicity, die Ann bij haar arm pakt. 'Gebruik de magie,' fluistert ze.

'Felicity!' fluister ik terug. 'We mogen niet...'

'We moeten wel! We kunnen Ann niet in de steek laten.'

Ann werpt me een smekende blik toe.

'Alleen voor deze ene keer,' zegt Felicity.

'Alleen voor deze ene keer,' herhaal ik.

Glimlachend draait Ann zich om naar haar publiek. 'Het zal me een genoegen zijn om voor u te zingen.'

Ze wacht tot het geruis van rokken is verstomd en alle dames een stoel hebben opgezocht. Dan sluit ze haar ogen. Ik kan voelen hoe ze zich concentreert en de magie oproept. Het is alsof we erdoor worden verbonden, alsof we samenwerken om deze illusie te creëren. Ann opent haar mond en begint te zingen. Van nature heeft ze al een prachtige stem, maar de muziek die nu over haar lippen komt is krachtig en verleidelijk. Het duurt even voor ik de taal herken. Ze zingt in het Russisch, een taal die ze niet eens spreekt. Dat is een mooi detail.

De vrouwen van het Alexandra luisteren ademloos. Als Ann het crescendo van het lied bereikt, dept een enkeling haar ogen droog, zo ontroerd zijn ze. Wanneer Ann met een kleine, respectvolle reverence afsluit, barst er applaus los en verdringen de vrouwen zich om haar te prijzen. Ann koestert zich in hun bewondering.

Lady Denby loopt op Ann af en feliciteert haar.

'Lady Denby, wat ziet u er prachtig uit,' zegt Felicity's moeder. Lady Denby knikt, maar antwoordt niet. Haar kleinerende reactie wordt door iedereen opgemerkt. Er valt een ongemakkelijke stilte.

Lady Denby neemt Ann koeltjes op. 'Je bent verwant aan de hertog van Chesterfield, zeg je?'

'J-ja,' stamelt Ann.

'Merkwaardig. Ik geloof niet dat ik de hertog ooit heb ontmoet.'

Ik voel een rukje, een verandering in de lucht. De magie. Ik kijk naar Felicity en zie dat ze haar ogen geconcentreerd heeft gesloten en dat er een vage glimlach om haar volle lippen speelt. Opeens laat Lady Denby een oorverdovende wind. De schrik en afschuw op haar gezicht wanneer ze beseft wat ze heeft gedaan, zijn overduidelijk. Opnieuw laat ze een wind, en verschillende vrouwen schrapen hun keel en wenden hun blik af, alsof ze het willen doen voorkomen alsof ze er niets van hebben gemerkt. Lady Denby verontschuldigt zich en mompelt dat ze zich niet lekker voelt terwijl ze zich haastig terugtrekt.

'Felicity, wat vreselijk!' fluister ik.

'Hoezo?' vraagt ze onbewogen. 'Ze is toch een ouwe windbuil?'

Nu Lady Denby weg is, gaat iedereen om Ann en Mrs Worthington heen staan, en Felicity's moeder wordt gefeliciteerd omdat ze zo'n geëerde gast in huis heeft. De uitnodigingen voor de thee, het diner en een bezoek zijn niet te tellen. De vernedering is vergeten.

'Ik zal nooit meer machteloos zijn,' zegt Felicity, maar ik weet niet precies wat ze ermee bedoelt en ze legt het ook niet uit.

HOOFDSTUK
NEGENTIEN

Tegen de tijd dat ik thuiskom, ligt de avond als een verzachtende balsem over Londen. Het licht van de gaslampen verzacht de ruwe kantjes van het duister, waardoor alles er vaag en gelijksoortig uitziet. Het is stil in huis. Grootmoeder is bij vrienden aan het kaarten. Vader slaapt onrustig op zijn stoel, met een opengeslagen boek op schoot. Vader, die zelfs in zijn dromen geen rust vindt.

De laatste restjes van de magie stromen door mijn lichaam. Ik sluit de deuren en leg mijn handen op zijn voorhoofd. Alleen voor deze ene keer, zoals Felicity zei. Meer niet. Ik gebruik mijn kracht niet voor een nieuwe baljurk, maar om vader te genezen. Wat kan daar nu verkeerd aan zijn?

Maar waar moet ik beginnen? Mijn moeder zei altijd dat ik me moest concentreren. Ik moet zeker weten wat ik wil, wat ik van plan ben. Ik sluit mijn ogen en laat mijn gedachten uitgaan naar vader, om hem van zijn aandoening af te helpen.

'Ik wil mijn vader genezen,' zeg ik. 'Ik wil dat hij nooit meer naar laudanum verlangt.' Mijn handen tintelen. Er gebeurt iets. Snel als een overstromende rivier raast de magie van mij naar mijn vader, zo hevig dat hij zijn rug welft. Met mijn ogen nog dicht zie ik wolken voor de hemel langs razen, zie ik vader voor me, lachend en gezond. Hij trekt me speels naar zich toe en danst met me, en geeft kerstpakketten aan alle bedienden, zodat hun ogen stralen van dankbaarheid en hartelijkheid. Dat is de vader die ik van vroeger ken. Pas nu besef ik hoezeer ik hem heb gemist. Mijn gezicht wordt nat van de tranen.

Vader houdt op met kreunen. Ik wil mijn hand van hem af trekken, maar dat gaat niet. Er is nog één ding, snel als een goocheltruc. Ik zie het gezicht van een man met zwartomrande ogen. 'Dank je, poppetje,' grauwt hij. Pas dan ben ik vrij.

De kaarsjes in de kerstboom branden fel. Ik sta te beven en te zweten van de inspanning. Vader zit er zo vredig en stilletjes bij dat ik even bang ben dat ik hem heb gedood.

'Vader?' vraag ik zachtjes. Als hij niet wakker wordt, schud ik hem heen en weer. 'Vader!'

Hij knippert met zijn ogen, verbaasd dat ik zo geagiteerd ben. 'Hallo, schat. Was ik weggedommeld?'

'Ja,' zeg ik. Ik hou hem scherp in de gaten.

Hij legt zijn vingers tegen zijn voorhoofd. 'Wat een vreemde dromen waren dat.'

'Wat heb je dan gedroomd, vader?'

'Ik... Dat weet ik niet meer. Nou, nu ben ik wakker. En ik heb opeens reuzenhonger. Heb ik het avondeten gemist? Dan zal ik me aan de genade van onze lieve kokkin moeten overleveren.' Met energieke pas loopt hij de kamer uit. Korte tijd later hoor ik zijn diepe stem en het gelach van de kokkin. Het is zo'n prachtig geluid dat ik ervan moet huilen.

'Dank u,' zeg ik tegen niemand in het bijzonder. 'Dank u dat ik hem beter kon maken.'

Als ik de keuken binnenga, zit vader aan een tafeltje een boterham met geroosterde eend en piccalilly te eten, terwijl hij onze kokkin en een dienstbode vermaakt met zijn avonturen. 'Daar stond ik dan, recht tegenover de grootste cobra die je je kunt voorstellen, zo lang als een jonge boom en met een hals zo dik als de arm van een volwassen man.'

'Lieve hemel,' zegt de kokkin, die aan zijn lippen hangt. 'Wat hebt u toen gedaan, meneer?'

'Ik zei: "Wacht eens even, mijn beste, mij wil je niet opeten. Ik ben een en al kraakbeen. Neem mijn partner Mr Robbins maar."'

'O, dat meent u niet, meneer!'

'Nou en of.' Vader geniet van de reactie van zijn publiek. Hij springt overeind om de rest van het verhaal uit te beelden. 'Meteen dook hij op Robbins af. Ik had maar een fractie van een seconde om te reageren. Stilletjes als een muis haalde ik mijn machete tevoorschijn en hakte de cobra doormidden, juist op het moment dat hij wilde toeslaan en Robbins wilde doodbijten.'

De dienstbode, een meisje van mijn leeftijd, slaakt een kreetje. Ondanks het veegje roet op haar neus is ze beeldschoon.

'Hij smaakte heerlijk.' Met een tevreden glimlach gaat vader zitten. Ik ben zo blij om te zien dat hij weer de oude is, dat ik de hele nacht wel naar zijn verhalen zou kunnen luisteren.

'O, meneer, wat was dat spannend. Wat een avonturen hebt u toch beleefd.' De kokkin geeft een bord aan de dienstbode. 'Hier. Breng dat eens naar Mr Kartik voor me.'

Even ben ik bang dat ik ga flauwvallen. 'Mr Kartik?' vraag ik.

'Ja,' zegt vader terwijl hij de piccalilly van zijn bord dept. 'Kartik. Onze nieuwe koetsier.'

'Ik ga wel, als je het niet erg vindt,' zeg ik terwijl ik het bord van de nogal teleurgesteld kijkende dienstbode aanpak. 'Ik wil die Mr Kartik wel eens ontmoeten.'

Voordat iemand tegenwerpingen kan maken, ga ik naar de koetshuizen. Onderweg kom ik een werkster tegen, en een vermoeide wasvrouw die haar handen tegen haar rug gedrukt houdt. Er wonen hele gezinnen in de kamers boven de stallen. Dat kan ik me maar moeilijk voorstellen. Het stinkt er zo dat ik mijn neus met één hand dichtknijp. Ons koetshuis is het vierde van links. Een stalknecht verzorgt de twee paarden van mijn vader. Zodra hij me ziet, zet de jongen zijn pet af. 'Goedenavond, miss.'

'Ik zoek Mr Kartik,' zeg ik.

'Daar is ie, miss, bij het rijtuig.'

Ik loop eromheen en inderdaad, daar is hij. Hij is het toch al glimmende rijtuig aan het poetsen. Hij heeft een echt uniform gekregen: een broek, schoenen, een gestreept vest, een goed overhemd en een hoed. Zijn krullen zijn getemd met olie. Hij ziet eruit als een echte heer. Adembenemend.

Ik kuch zachtjes. Hij draait zich om en ziet me staan. Een ondeugende grijns verspreidt zich over zijn gezicht.

'Hoe maakt u het?' zeg ik heel formeel, vanwege de stalknecht, die vast staat te spioneren.

Kartik begrijpt het meteen. 'Goedenavond, miss. Willie!' roept hij naar de jongen.

'Ja, Mr Kartik?'

'Wil je Ginger even haar benen laten strekken? Brave jongen.'

De jongen leidt het vospaard de stal uit.

'Wat vind je van mijn nieuwe pak?' vraagt Kartik.

'Vind je het niet een beetje brutaal om een baan aan te nemen als onze nieuwe koetsier?' fluister ik.

'Ik zei toch dat ik dichtbij zou zijn.'

'Inderdaad. Hoe heb je dit voor elkaar gekregen?'

'De Rakshana hebben zo hun methoden.' De Rakshana. Natuurlijk. Het is stil. Ik kan Ginger aan de andere kant van de stal zachtjes horen snuiven.

'Tja,' zeg ik.

'Tja,' herhaalt Kartik.

'Daar staan we dan.'

'Ja. Aardig van je dat je even bij me komt kijken. Je ziet er goed uit.'

Het wordt mijn dood als ik nog langer beleefd moet doen. 'Ik heb je avondeten meegenomen,' zeg ik terwijl ik hem het bord voorhoud.

'Dank je,' zegt hij. Hij trekt een kruk voor me bij en haalt het exemplaar van de *Odyssee* weg dat erop ligt. Zelf gaat hij op het trapje van het rijtuig zitten. 'Dan zal Emily wel niet komen vanavond.'

'Wie is Emily?' vraag ik.

'De dienstbode. Zij zou me mijn eten komen brengen. Ze lijkt me een heel sympathiek meisje.'

Mijn wangen worden rood. 'En dat weet je nu al, ook al ken je haar pas een dag.'

'Ja,' zegt hij terwijl hij de schil van een dure sinaasappel pelt, die er ongetwijfeld is neergelegd door die sympathieke Emily. Ik vraag me af of Kartik me ooit als een gewoon meisje zal kunnen zien, als iemand op wie hij kan hopen, naar wie hij kan verlangen, die hij 'sympathiek' kan vinden.

'Weet je al iets meer over de tempel?' vraagt hij zonder op te kijken.

'We zijn vandaag in het Woud van Licht geweest,' vertel ik hem. 'Daar heb ik een wezen ontmoet dat Philon heette. Hij wist niet waar we de tempel konden vinden, maar heeft ons wel hulp aangeboden.'

'Wat voor hulp?'

'Wapens.'

Kartik knijpt zijn ogen samen. 'Dacht hij dat je die nodig zou hebben?'

'Ja. Philon heeft ons magische pijlen gegeven. Ik kan er helemaal niets mee, maar Feli... Miss Worthington kan erg goed boogschieten. Ze...'

'Wat vroeg hij als tegenprestatie?' Kartik kijkt me indringend aan.

'Een aandeel in de magie wanneer we de tempel vinden.'

'En dat heb je uiteraard geweigerd.' Wanneer ik geen antwoord geef, gooit Kartik geërgerd zijn sinaasappel op zijn bord. 'Heb je een bondgenootschap gevormd met wezens uit het rijk?'

'Dat heb ik helemaal niet gezegd!' snauw ik. Dat is niet de waarheid, maar ook niet helemaal gelogen. 'Als de manier waarop ik het aanpak je niet aanstaat, waarom ga je dan zelf niet?'

'Je weet best dat we het rijk niet kunnen betreden.'

'Dan zul je erop moeten vertrouwen dat ik alles doe wat binnen mijn vermogen ligt.'

'Ik vertrouw je ook,' antwoordt hij zachtjes.

De zachte geluidjes van de nacht omringen ons; kleine diertjes scharrelen rond, op zoek naar voedsel en warmte.

'Wist je dat de Rakshana en leden van de Orde ooit minnaars waren?' vraag ik.

'Nee, dat wist ik niet,' zegt Kartik na een korte aarzeling. 'Wat... interessant.'

'Ja, inderdaad.'

Hij peutert een draadje wit van de sinaasappel en biedt me een partje aan.

'Dank je,' zeg ik. Ik pak het stukje fruit van hem aan en leg het op mijn tong. Het is heerlijk zoet.

'Graag gedaan.' Hij glimlacht even naar me. Genietend van de sinaasappel blijven we een tijdje zo zitten. 'Heb je...'

'Ja?'

'Ik vroeg me af of je Amar ooit in het rijk hebt gezien.'

'Nee,' antwoord ik. 'Ik heb hem nooit gezien.'

Kartik lijkt te worden overspoeld door opluchting. 'Dan zal hij wel al zijn overgegaan, denk je niet?'

'Ja, dat denk ik wel.'

'Hoe ziet het rijk eruit?' vraagt hij.

'Een deel ervan is mooi. Zo mooi dat je er nooit meer weg wilt. In de tuin kun je stenen in vlinders veranderen of een japon maken van zingend zilvergaren of... of wat je maar wilt.'

Daar moet Kartik om glimlachen. 'Ga door.'

'Er is een schuit die lijkt op een Vikingschip, met het hoofd van een gorgone eraan. Ze heeft ons meegenomen door een muur van goudkleurig water dat goudschilfertjes op onze huid achterliet.'

'Net als het goud in je haar?'

'Veel fijner nog,' zeg ik blozend, want het is niets voor Kartik om iets over mijn uiterlijk te zeggen. 'Maar er zijn ook minder leuke kanten aan. Vreemde wezens, afschuwelijke monsters. Daarom zal ik de magie moeten binden, zodat zij er geen gebruik van kunnen maken.

Kartiks glimlach verdwijnt. 'Ja. Dat lijkt mij ook. Miss Doyle?'

'Ja?'

'Denk je... Ik bedoel, stel dat je er zou blijven, in dat rijk, nadat je de tempel had gevonden?'

'Hoe bedoel je?'

Kartik wrijft met zijn vingers langs elkaar, die door het sap van de sinaasappel kalkwit zijn uitgeslagen. 'Het klinkt als een fijne plaats om je te verbergen.'

'Wat is dat voor een vreemde opmerking?'

'Om te leven, bedoel ik. Een fijne plaats om te leven, denk je niet?'

Soms begrijp ik helemaal niets van Kartik.

Een lantaarn werpt zijn licht op het stro en zand aan onze voeten. Uit het niets duikt het mooie keukenmeisje op, met een verbijsterde uitdrukking op haar gezicht. 'Neem me niet kwalijk, miss. Ik was vergeten Mr Kartik zijn koffie te brengen.'

'Ik wilde net weggaan,' zeg ik. Ik spring bijna overeind. Waarschijnlijk is dit de Emily over wie Kartik het had. 'Dank je voor die, eh... zeer nuttige, eh... verhandeling over... over...'

'... veilig omgaan met rijtuigen?' oppert Kartik.

'Ja. Je kunt niet voorzichtig genoeg zijn in dergelijke dingen. Een goede avond nog,' zeg ik.

'Goedenavond,' antwoordt hij. Emily maakt geen aanstalten

om weg te gaan. En als ik met grote passen de paarden voor-bijloop, hoor ik haar zachtjes – meisjesachtig – lachen om iets wat Kartik heeft gezegd.

Ginger snuift naar me.

'Staren is onbeleefd,' zeg ik tegen haar voordat ik naar mijn kamer ren om ongestoord te kunnen mokken.

Simons kistje staat op het tafeltje naast mijn bed. Ik haal de valse bodem eruit en zie het afschuwelijke bruine flesje dat er ligt.

'Jou hebben we niet meer nodig,' zeg ik. Ik schuif het kistje in een hoekje van mijn kledingkast, waar het niet opvalt tus-sen de onderrokken en japonnen. Door het raam kan ik de lan-taarns van het straatje achter ons huis en het koetshuis zien. Ik zie Emily met een lantaarn in haar hand terugkomen uit de stal. Het licht valt op haar gezicht wanneer ze achteromkijkt en naar Kartik glimlacht, die haar uitzwaait. Hij kijkt even naar boven, en ik duik weg en maak snel mijn lamp uit. De kamer wordt door schaduwen opgeslokt.

Waarom zit het me zo dwars dat Kartik een oogje heeft op Emily? Er is niets wat ons bindt, behalve plichtsgevoel. Dat is het juist wat me dwarszit, vermoed ik. Ach, ik moet Kartik ge-woon vergeten. Het is te dwaas voor woorden.

Morgen is er weer een nieuwe dag, 17 december. Dan ga ik dineren bij Simon Middleton. Ik zal mijn best doen om zijn moeder om mijn vinger te winden en me netjes te gedragen. Daarna ga ik op zoek naar de tempel, maar één avond lang, één heerlijke, zorgeloze avond lang zal ik een mooie japon dra-gen en genieten van het gezelschap van de knappe Simon Middleton.

'Hoe maakt u het, Mr Middleton?' zeg ik hardop. 'Nee,' zeg ik zachtjes, en dan: 'Hoe maakt u het, miss Doyle?' 'Erg goed, Mr Middleton, fijn dat u...'

De pijn krijgt me in zijn greep. Ik krijg geen adem. Lieve heer! Ik krijg geen adem! Nee, nee, nee, laat me alsjeblieft met rust, toe! Maar het heeft geen zin. Alsof ik word meegesleurd door het uitgaande tij kom ik midden in een visioen terecht. Ik wil mijn ogen niet opendoen. Ik weet dat ze er zijn. Ik kan ze voelen. Ik kan ze horen.

'Kom met ons mee...' fluisteren ze.

Ik open eerst het ene oog, dan het andere. Daar zijn ze weer, de drie spookachtige meisjes. Wat lijken ze verloren en verdrietig met hun bleke huid en de diepe schaduwen op hun wangen.

'We moeten je iets laten zien...'

Een van hen legt haar hand op mijn schouder. Ik verstijf en voel dat ik het visioen binnenval. Ik weet niet waar we zijn. In een of ander kasteel zo te zien, de ruïne van een groot stenen fort. Donkergroen mos groeit op de muren. Er klinkt opgewekt gelach, en door de hoge, gewelfde ramen vang ik de bewegingen van iets wits op. Het zijn spelende meisjes. Geen willekeurige meisjes, de meisjes in het wit. Maar wat zien ze er prachtig uit, fris, levendig en vrolijk!

'Pak me dan, als je kan!' roept er een, en mijn hart schrijnt, want dat was een spelletje dat mijn moeder vaak met me speelde toen ik nog klein was. De andere twee meisjes springen achter een muur vandaan en maken haar aan het schrikken. Daar moeten ze alle drie om lachen. 'Eleanor!' roepen ze. 'Waar ben je? Het is tijd. Nog even en we hebben de kracht. Dat heeft ze beloofd.'

Ze rennen naar de rand van het klif. In de diepte kolkt de zee. De meisjes lopen over de rotsblokken heen. Met de grijze hemel achter hen zien ze eruit als Griekse standbeelden die tot leven zijn gekomen. Ze lachen, zo vrolijk, zo vrolijk.

'Kom, niet treuzelen!' roepen ze opgewekt naar het vierde meisje. Ik kan haar niet zo goed onderscheiden. Wel zie ik dat de vrouw in de donkergroene mantel snel nadert. Haar lange, wijde mouwen wapperen in de wind. De vrouw neemt het meisje dat achterblijft bij de hand.

'Is het zover?' roepen de anderen.

'Ja,' roept de vrouw met de groene mantel terug. Met de hand van het meisje stevig in de hare sluit ze haar ogen en strekt hun verstrengelde handen uit naar de zee. Ze mompelt iets. Nee, ze roept iets op! Angst borrelt als braaksel in me op en maakt me aan het kokhalzen. Het rijst op uit de zee, en zij heeft het opgeroepen! De meisjes gillen het uit van angst. Maar de vrouw in het groen opent haar ogen niet. Ze houdt niet op.

Waarom laten ze me dit zien? Ik wil weg! Weg van dat monster, van hun angst. Ik ben weer in mijn kamer. Vlakbij zweven de meisjes. Hun spitse schoenen strijken over de grond: *schraap, schraap, schraap.* Nog even en ik word gek.

'Waarom?' pers ik eruit, terwijl ik mijn best doe om niet over te geven. 'Waarom?'

'Ze liegt...' fluisteren ze. *'Vertrouw haar niet... vertrouw haar niet... vertrouw haar niet...'*

'Wie?' hijg ik, maar ze zijn verdwenen, en met hen de druk. Met tranen in mijn ogen en een loopneus hap ik naar adem. Ik kan die afschuwelijke visioenen niet meer verdragen. En ik begrijp ze niet. Wie mag ik niet vertrouwen? En waarom niet?

Maar er was iets anders aan dit visioen, een detail dat ik me nu herinner. Iets over de hand van de vrouw. Ze droeg een of andere ring, iets ongewoons. Ik moet even op de grond blijven zitten om een beetje tot mezelf te komen. Dan denk ik te weten wat het was.

De ring aan de hand van de vrouw had de vorm van twee verstrengelde slangen.

Die ring heb ik al eens eerder gezien: in de kist onder het bed van miss McCleethy.

207

HOOFDSTUK
TWINTIG

'Gemma, speel niet zo met je haar,' zegt grootmoeder berispend naast me in het rijtuig.

'O,' zeg ik. Ik was zo in gedachten verzonken dat ik niet eens merkte dat ik een piepklein lokje om mijn vinger zat te draaien. De hele dag al ben ik afwezig, in beslag genomen door het visioen van gisteravond en wat het te betekenen heeft. Een vrouw die een slangenring draagt. Miss McCleethy heeft een slangenring. Maar wat voor verband is er tussen haar en die vrouw met de groene mantel, of de meisjes? De visioenen slaan nergens op. Wie zijn die meisjes, en waarom hebben ze mijn hulp nodig? Wat proberen ze me duidelijk te maken?

Voorlopig moet ik die gedachten van me afzetten. Ik ga naar een feest, en de gedachte dat ik oog in oog kom te staan met de ontzagwekkende Lady Denby is angstaanjagender dan welk visioen dan ook.

Ik tel nog drie rijtuigen wanneer we bij Simons huis aankomen, een schitterend plaatje van bakstenen en licht. Aan de andere kant van het laantje ligt Hyde Park als een donkere veeg, verdrongen door de mistige gloed van de gaslampen die ons in nevelige stralenkransen hullen, waardoor we lichter lij-

208

ken dan we zijn, alsof we uit de hemel zijn komen vallen. Kartik biedt me zijn hand aan en helpt me bij het uitstappen. Ik trap op de zoom van mijn japon en val tegen hem aan. Snel slaat hij zijn arm om mijn middel, en even omhelzen we elkaar.

'Voorzichtig, miss Doyle,' zegt hij terwijl hij me overeind helpt.

'Ja, dank je, Mr Kartik.'

'Dat zou de oude Potts nooit zijn gelukt, durf ik te wedden,' zegt vader plagerig tegen Tom. Ik kijk om en zie dat Kartik me in mijn blauwe japon en fluwelen jas staat aan te staren alsof ik een heel ander mens ben, alsof hij me niet kent.

Vader neemt me bij de arm en loopt met me naar de deur. Met zijn gladgeschoren kin, avondkleding en handschoenen is hij weer bijna de vader die ik me van vroeger herinner.

'U ziet er erg knap uit vanavond, papa,' zeg ik.

Hij heeft weer die vertrouwde fonkeling in zijn ogen. 'Illusie,' zegt hij met een knipoog. 'Allemaal illusie.'

Daar ben ik ook bang voor. Hoe lang zal de magie blijven werken? Nee, daar ga ik me nu geen zorgen over maken. Het heeft gewerkt, hij is weer de lieve vader die ik me herinnerde, en zo meteen zit ik aan tafel met een knappe jongeman die me om de een of andere reden boeiend vindt.

We worden begroet door een stoet aan lakeien en dienstmeisjes in uniformen met zulke scherpe vouwen dat je je eraan zou kunnen snijden. Het lijkt wel of er voor alles een bediende is. Grootmoeder is buiten zichzelf van opwinding. Als ze nog rechter op ging staan, zou haar ruggengraat doormidden breken. We worden naar een heel grote ontvangstkamer gebracht. Bij de open haard staat Simon ernstig met twee andere heren te praten. Hij schenkt me een wolfachtige grijns. Meteen kijk ik weg, alsof ik nu pas het behang op de muren heb opgemerkt en het ongelooflijk fascinerend vind, maar mijn hart slaat in een nieuw ritme: *hij vindt me leuk, hij vindt me leuk, hij vindt me leuk.* Ik heb weinig tijd om te zwijmelen. Lady Denby marcheert door de kamer om iedereen aan elkaar voor te stellen, en haar stijve rokken ruisen bij iedere stap. Ze begroet een heer warm, maar behandelt zijn vrouw nogal koeltjes.

Als Lady Denby je graag mag, ben je binnen. Als ze op de een of andere manier teleurgesteld in je raakt, keert ze je de rug toe.

Mijn tong blijft aan mijn verhemelte kleven. Ik kan niet slikken. Ze neemt me van top tot teen op wanneer ze op me af komt. Simon voegt zich snel bij haar.

'Moeder, mag ik u voorstellen aan Mr John Doyle, zijn moeder Mrs William Doyle, Mr Thomas Doyle en miss Gemma Doyle? Thomas was op Eton een maat van me. Momenteel is hij klinisch assistent onder Dr. Smith in het Bethlem-ziekenhuis.'

Zijn moeder is meteen weg van Tom. 'Wat een toeval, Dr. Smith is een oude vriend van ons. Vertel eens, is het waar dat jullie een patiënt hebben die ooit in het parlement heeft gezeten?' vraagt ze, hopend op een sappige roddel.

'Mevrouw, als we alle gekken uit het parlement zouden opsluiten, zouden we geen parlement meer overhouden,' grapt vader, die even lijkt te zijn vergeten dat Simons vader zelf ook parlementslid is. Ik kan wel door de grond zakken.

Verrassend genoeg moet Lady Denby hier smakelijk om lachen. 'O, Mr Doyle! Wat bent u gevat.' Ik blaas mijn ingehouden adem uit in een zacht pufje dat hopelijk niet wordt opgemerkt.

De butler verkondigt dat het diner gereed is. Als een doorgewinterde generaal die zijn troepen verzamelt voor de strijd roept Lady Denby haar gasten bij elkaar. Ik probeer me alles te herinneren wat Mrs Nightwing me over goede manieren heeft bijgebracht. Ik ben doodsbang dat ik een afschuwelijke faux pas zal begaan en mijn familie te schande zal maken.

'Zullen we?' Simon biedt me zijn arm aan, en ik haak de

mijne erdoorheen. Ik heb nog nooit de arm vastgepakt van een man die geen familie van me was. We blijven op respectvolle afstand van elkaar, maar desondanks voel ik een merkwaardige spanning die door mijn lichaam trekt.

Na de soep krijgen we geroosterd varkensvlees. De aanblik van een varken op een schaal met een appel in zijn bek wekt niet bepaald mijn eetlust op. Terwijl de anderen babbelen over landgoederen, vossenjacht en hoe moeilijk het is om aan goed personeel te komen, fluistert Simon: 'Ik heb me laten vertellen dat het een heel vervelend varken was. Nooit had hij een goed woord voor een ander over. Eén keer heeft hij zelfs uit wrevel een eend gebeten. Ik zou me er niet schuldig over voelen om hem op te eten, als ik jou was.'

Ik moet glimlachen. Lady Denby's stem kapt het moment ruw af. 'Miss Doyle, je komt me bekend voor.'

'Ik... ik was gisteren als gast van Mrs Worthington in het Alexandra om miss Bradshaw te horen zingen.'

'Heeft miss Bradshaw gezongen?' Tom is dolblij te horen dat Ann zo hoog is geklommen op de sociale ladder. 'Wat fantastisch.'

Mijn blik is gericht op Lady Denby, die zegt: 'Ja, een merkwaardig verhaal is dat. Mr Middleton,' vraagt ze aan haar echtgenoot, 'heb je de hertog van Chesterfield wel eens ontmoet?'

'Volgens mij niet, tenzij hij graag jaagt.'

Lady Denby tuit haar lippen alsof ze ergens diep over nadenkt. Dan zegt ze: 'Ik heb begrepen dat je aan Spence studeert.'

'Dat klopt, Lady Denby,' antwoord ik zenuwachtig.

'Hoe bevalt het je daar?' vraagt ze terwijl ze wat geroosterde aardappels op haar bord schept. Ik voel me net een insect dat onder de microscoop grondig wordt bestudeerd.

'Het is een erg prettige school,' zeg ik met afgewende blik.

'Natuurlijk had ze in India een goede gouvernante,' mengt

211

mijn grootmoeder, die altijd bang is een slechte indruk te maken, zich in het gesprek. 'Ik vond het een moeilijke beslissing om haar weg te sturen, maar iedereen verzekerde me dat Spence een uitstekende school was.'

'Wat vind je, miss Doyle? Zouden jongedames tegenwoordig ook Latijn en Grieks moeten leren?' vraagt Lady Denby.

Dat is geen onschuldige vraag. Ze stelt me op de proef, dat weet ik zeker. Ik haal diep adem. 'Ik denk dat leren voor dochters net zo belangrijk is als voor zoons. Hoe kunnen we anders uitgroeien tot goede echtgenotes en moeders?' Dat is het veiligste antwoord dat ik kan bedenken.

Lady Denby schenkt me een warme glimlach. 'Ik ben het helemaal met je eens, miss Doyle. Wat ben je een verstandig meisje.'

Opgelucht haal ik adem.

'Ik kan begrijpen waarom mijn zoon zo van je gecharmeerd is,' verkondigt Lord Denby.

Mijn wangen worden rood, en ik durf niemand aan te kijken. Ik moet mijn best doen om niet als een dwaas te gaan zitten grijnzen. Slechts één duizelingwekkende gedachte speelt door mijn hoofd: Simon Middleton, de volmaakte man, vindt mij, de vreemde, ergerlijke Gemma Doyle, leuk.

Hier en daar wordt er zachtjes gegrinnikt. 'Nu heb je het voor elkaar,' grapt een man met een snor. 'Ze komt nooit meer terug.'

'O, werkelijk, Mr Conrad,' berispt Lady Denby hem speels. Ik begrijp niet waarom Felicity zo'n hekel heeft aan Lady Denby. Tegen mij doet ze heel aardig, en ik mag haar wel.

De avond verstrijkt als een fijne droom. Sinds voor de dood van mijn moeder heb ik me niet meer zo blij en tevreden gevoeld. Het is hemels om vader weer te zien opleven, en eindelijk ben ik blij met die vreemde, prachtige magie. Tijdens het diner is hij helemaal zijn oude, charmante zelf en vergast hij

Lady Denby en Simon op verhalen over India. Grootmoeders gezicht, dat normaal gesproken zo zorgelijk staat, is vanavond sereen, en Tom is zowaar sympathiek, voor zover dat mogelijk is. Natuurlijk denkt hij dat hij vader heeft genezen, maar in dit geval komt het niet bij me op om hem tegen te spreken. Het betekent heel veel voor me om mijn familie zo te zien genieten. Het liefst wil ik dit gelukkige moment eeuwig vasthouden, dit gevoel dat ik ergens thuishoor. Dat ik gewenst ben. Ik wil dat deze avond nooit voorbijgaat.

Aan tafel komt het gesprek op het Bethlem. Tom vermaakt een aandachtig publiek met verhalen over zijn werk. 'Hij hield bij hoog en bij laag vol dat hij de keizer van West Sussex was en dat hij daarom recht had op een extra portie vlees. Toen ik nee zei, dreigde hij me te laten onthoofden.'

'Lieve hemel,' zegt Lady Denby lachend.

'Ik zou maar oppassen, jongeman. Het zou niet best zijn als je op een dag zonder hoofd wakker werd,' zegt Simons vader. Hij heeft dezelfde vriendelijke blauwe ogen als zijn zoon.

'Of zou dat in jouw geval een verbetering zijn, mijn beste?' zegt Simon plagerig tegen Tom, die doet alsof hij beledigd is.

'O, ho! Touché.'

'Nee nee, mijn zoon kan zijn hoofd niet missen,' zegt vader met een serieus gezicht. 'Ik heb heel wat geld moeten neertellen voor zijn nieuwe hoed, en die kan ik niet meer terugbrengen.' Iedereen barst in lachen uit.

Grootmoeder mengt zich in het gesprek. 'Is het waar dat er in het Bethlem elke twee weken een openbaar bal wordt gehouden, Lady Denby?'

'Jazeker. Het is ontzettend verkwikkend voor de patiënten om weer eens onder de mensen te komen en te worden herinnerd aan de geneugten van de society. Mijn man en ik zijn er al een paar keer geweest. Over een week wordt er weer een bal georganiseerd. Ga toch mee, als onze gasten.'

'Met genoegen,' zegt grootmoeder uit naam van ons allen, zoals zo vaak.

Mijn gezicht doet pijn omdat ik de hele tijd vriendelijk probeer te kijken. Is het alweer tijd om mijn handschoenen aan te trekken? Moet ik mijn dessert tot de laatste hap opeten, zoals ik dolgraag wil, of moet ik de helft laten staan ten teken dat ik geen veelvraat ben? Ik wil geen enkele misstap begaan vanavond.

'Ach, vertelt u ons nog eens een verhaal,' smeekt Lady Denby Tom.

'Ja, graag,' zegt Simon. 'Anders zal ik gedwongen zijn jullie te vertellen over die keer dat ik op het platteland een ongelukkige fazant recht in de ogen keek en zullen jullie je allemaal dood vervelen.' Weer kijkt hij mij aan. Ik vind het prettig dat hij wil weten hoe ik reageer. Het is heerlijk om zo het hof te worden gemaakt. Het geeft me een gevoel van macht.

'Nou, eens kijken...' zegt Tom nadenkend. 'We hadden Mr Waltham, die beweerde dat hij alles kon horen wat zich afspeelde in de huizen die hij passeerde, dat de stenen hem toespraken. Gelukkig kan ik u melden dat hij is genezen en vorige maand uit het ziekenhuis is ontslagen.'

'Bravo!' roept Simons vader uit. 'Uiteindelijk overwinnen de wetenschap en de mens alles.'

'Precies,' zegt Tom, blij om in zulke hoge kringen een medestander te vinden.

'En verder?' vraagt een vrouw in een perzikkleurige zijden japon.

'We hebben Mrs Sommers, die denkt dat het leven één grote droom is en die 's nachts in haar kamer geesten ziet.'

'Arm kind,' zegt grootmoeder uit macht der gewoonte.

Deze verhalen werken mijn geluksgevoel tegen. Wat zouden mijn tafelgenoten denken als ze wisten dat ik visioenen heb en andere werelden bezoek?

Tom gaat verder. 'Dan hebben we nog Nell Hawkins, negentien jaar oud. Is op de kostschool ten prooi gevallen aan een acute manie.'

'Zie je nou?' zegt de man met de snor, die belerend met zijn vinger schudt. 'Vrouwen kunnen de druk van formele scholing niet aan. Dat kan nooit goed gaan.'

'Ach, Mr Conrad,' berispt zijn vrouw hem speels. 'Ga toch verder, Mr Doyle.'

'Nell Hawkins lijdt aan waandenkbeelden,' zegt Tom, gevleid door alle aandacht.

Vader mengt zich in het gesprek. 'Wat, denkt ze dat ze Jeanne d'Arc is?'

'Nee, dat is Mr Jernigan op afdeling MIB. Miss Hawkins is uniek. Ze verkeert in de waan dat ze deel uitmaakt van een of andere mystieke sekte van tovenaressen, de Orde.'

De kamer lijkt samen te krimpen. Mijn hart slaat op hol. Heel in de verte hoor ik mezelf vragen: 'De Orde?'

'Ja. Ze beweert op de hoogte te zijn van de geheimen van iets wat ze het rijk noemt, en dat een vrouw, Circe genaamd, alle macht voor zichzelf wil. Ze beweert dat ze zichzelf krankzinnig heeft gemaakt in een poging haar geest te vertroebelen, zodat Circe er geen greep op kan krijgen.' Tom schudt zijn hoofd. 'Een erg moeilijke casus.'

'Ik ben het met u eens, Mr Conrad, formele scholing is niet goed voor onze dochters. Dit komt er nou van. Ik ben blij dat Spence de nadruk legt op de essentiële dingen die een dame hoort te weten en kunnen.' Grootmoeder schuift een nogal grote hap chocoladecrème in haar mond.

Ik moet de aandrang onderdrukken om rennend de tafel te verlaten, want ik beef van top tot teen. Ergens in Bethlem zit een meisje dat me misschien wel alles kan vertellen wat ik moet weten, en ik moet een manier bedenken om haar te spreken te krijgen.

'Wat kun je voor een dergelijke patiënt doen?' vraagt Mr Conrad.

'Ze vindt enige troost in gedichten. De verpleegsters lezen haar zo vaak als ze kunnen voor.'

'Misschien kan ik haar een keer gaan voorlezen,' bied ik aan, hopend dat ik niet zo wanhopig klink als ik me voel. Ik ben tot alles bereid om dat meisje te spreken te krijgen. 'Misschien zou ze het fijn vinden om met een meisje van haar eigen leeftijd te praten.'

Simons vader heft het glas op me. 'Onze miss Doyle is de goedheid zelve.'

'Ze is een engel,' zegt vader.

Nee, dat ben ik niet. Ik ben een ellendig wicht dat ik hen zo voor de gek hou, maar ik moet Nell Hawkins spreken.

'Goed dan,' zegt Tom met enige tegenzin. 'Ik zal je morgenmiddag naar haar toe brengen.'

HOOFDSTUK
EENENTWINTIG

Nadat het dessert is afgeruimd, trekken de mannen zich in de studeerkamer terug voor brandy en een sigaar, terwijl de vrouwen naar de ontvangstkamer gaan om een kopje thee te drinken en te praten.

'Moeder, ik denk dat miss Doyle graag het portret van grootvader wil bekijken,' zegt Simon, die ons vlak voordat we naar binnen gaan opvangt. Ik wist niet eens dat dat schilderij bestond.

'O, natuurlijk. Kom, dan gaan we er met z'n allen naar kijken,' zegt Lady Denby.

Simons zelfvoldane glimlach vervaagt. 'Ik wil u de warmte van het vuur niet ontzeggen, moeder. Het is nogal tochtig in de bibliotheek, weet u.'

'Onzin. We nemen gewoon onze shawls mee, dan is er niets aan de hand. Je moet het portret van die lieve George echt zien. Hij is vereeuwigd door een zeer beroemde kunstenaar uit de Cotswolds.'

Ik weet niet precies wat zich heeft afgespeeld, maar ik begrijp dat Simon het onderspit heeft gedolven.

'Daar zijn we dan.' Lady Denby gaat ons voor naar een ruim vertrek dat wordt gedomineerd door een schilderij zo groot als een deur. Het is een afschuwelijk opgedirkt portret van een kloeke man te paard. Hij draagt een rood jasje en is het toonbeeld van een heer van het platteland, die op het punt staat te gaan jagen. Aan zijn voeten zitten twee gehoorzame honden.

Simon knikt ernaar. 'Miss Doyle, mag ik u voorstellen aan mijn grootvader, Cornelius George Basil Middleton, burggraaf van Denby?'

Grootmoeder is zo vol lof over het schilderij dat het haast gênant is, al weet ze bijna niets over kunst. Maar goed, Lady Denby zwelt van trots. Ze loopt door naar een kunstvoorwerp op de schoorsteenmantel, waardoor het dienstmeisje dat het haardrooster aan het schoonmaken was, gedwongen is om met de borstel in haar beroete hand te wachten.

'Wat een prachtig schilderij,' zeg ik diplomatiek.

Simon trekt zijn wenkbrauw op. 'Als je daarmee bedoelt dat het dwaas, overdreven en grotesk is, dan aanvaard ik het compliment.'

Ik onderdruk een lach. 'De honden zien er erg voornaam uit.'

Simon komt vlak naast me staan, en weer voel ik die vreemde spanning tussen ons. Hij houdt zijn hoofd scheef en denkt na over mijn opmerking terwijl hij het schilderij bestudeert. 'Ja. Misschien kan ik voortaan beter zeggen dat ik aan die honden verwant ben.' Wat zijn zijn ogen blauw. En wat is zijn glimlach warm. We staan slechts een paar centimeter bij elkaar vandaan. Uit mijn ooghoek zie ik dat grootmoeder en de anderen de rest van het vertrek bezichtigen.

'Hoeveel van die boeken heb je gelezen?' vraag ik terwijl ik met geveinsde belangstelling naar de boekenkast loop.

'Niet veel,' antwoordt Simon, die naast me komt lopen. 'Ik heb erg veel hobby's, die veel tijd opslokken. En verder zijn er mijn verplichtingen jegens Denby, het landgoed en alles wat ermee te maken heeft.'

'Ja, natuurlijk,' zeg ik. Langzaam loop ik door.

'Ben je toevallig uitgenodigd voor het kerstbal van admiraal en Lady Worthington?'

'Ja,' antwoord ik. Ik loop naar de ramen die uitzicht bieden op de straat.

'Ik ook.' Hij haalt me in. En weer staan we zij aan zij.

'O,' zeg ik. 'Wat leuk.'

'Wil je misschien een dans voor me reserveren?' vraagt hij verlegen.

'Ja,' zeg ik glimlachend. 'Misschien wel.'

'Ik zie dat je vanavond je ketting niet omhebt.'

Mijn hand vliegt naar mijn blote hals. 'Was die je opgevallen?'

Als hij ziet dat zijn moeder niet kijkt, fluistert hij in mijn oor: 'Je hals was me opgevallen. De ketting hing daar toevallig. Een zeer ongewoon sieraad.'

'Het is van mijn moeder geweest,' zeg ik, blozend om zijn brutale complimentje. 'Ze heeft het gekregen van een vrouw in een dorpje in India. Een beschermende talisman. Helaas werkte hij voor haar niet.'

'Misschien is hij niet als bescherming bedoeld,' zegt Simon.

Daar heb ik nooit bij stilgestaan. 'Ik kan me niet voorstellen waar hij anders voor zou kunnen dienen.'

'Wat is je lievelingskleur?' vraagt Simon.

'Paars,' antwoord ik. 'Waarom wil je dat weten?'

'Zomaar,' zegt hij glimlachend. 'Misschien moet ik je broer maar eens bij de club uitnodigen. Hij lijkt me een fijne kerel.'

Ha! 'Dat zou hij vast erg leuk vinden.' Tom zou door brandende hoepels springen om te worden toegelaten tot Simons club. Het is de beste van heel Londen.

Simon kijkt me even onderzoekend aan. 'Je bent anders dan de jongedames met wie mijn moeder gewoonlijk voor de dag komt voor mij.'

'O?' zeg ik voorzichtig. Ik wil dolgraag weten in welk opzicht ik anders ben.

'Je hebt iets avontuurlijks. Ik heb het gevoel dat je allerlei geheimen hebt die ik graag zou willen kennen.'

Lady Denby ziet ons samen heel dicht bij elkaar bij het raam staan. Ik doe alsof ik aandachtig een in leer gebonden exemplaar van *Moby Dick* bestudeer dat op tafel ligt. De rug kraakt wanneer ik het boek opensla, alsof het nog nooit is gelezen. 'Misschien wil je ze helemaal niet kennen,' zeg ik.

'Hoe weet je dat?' vraagt Simon, die een beeldje van twee cupido's rechtzet. 'Probeer me maar eens uit.'

Wat kan ik zeggen? Dat ik aan dezelfde waandenkbeelden lijd als die arme Nell Hawkins, maar dat het helemaal geen waandenkbeelden zijn? Dat ik bang ben dat ik zelf maar één stap verwijderd ben van het gekkenhuis? Het zou fijn zijn om Simon in vertrouwen te nemen en hem te horen zeggen: zie je nou, dat viel toch best mee? Je bent niet gek. Ik geloof je. Ik begrijp je.

Ik laat de kans voorbijgaan. 'Ik heb het derde oog,' zeg ik luchtig. 'Ik stam af van Atalante. En mijn tafelmanieren zijn afschuwelijk.'

Simon knikt. 'Ik vermoedde al zoiets. Daarom gaan we je vragen om voortaan in de stallen te eten, uit voorzorg. Daar heb je toch geen bezwaar tegen?'

'Nee, helemaal niet.' Ik sla het boek dicht en wend me af. 'Wat voor vreselijke geheimen koester jij, Mr Middleton?'

'Afgezien van het gokken, het drinken en het plunderen?' Hij komt achter me lopen. 'De waarheid?'

Mijn hart slaat een slag over. 'Ja,' zeg ik. Eindelijk draai ik me naar hem om. 'De waarheid.'

Hij kijkt me recht in de ogen. 'Ik ben ontzettend saai.'

'Dat is niet waar,' zeg ik. Ik loop weer weg, starend naar de torenhoge boekenkasten.

'Ik vrees van wel. Ik moet een geschikte vrouw vinden met een geschikt fortuin en voor erfgenamen zorgen. Dat wordt van me verwacht. Mijn wensen tellen niet. Het spijt me. Dat was veel te brutaal van me. Je bent vast niet in mijn problemen geïnteresseerd.'

'Jawel, hoor. Ik wil ze graag aanhoren.' En merkwaardig genoeg is dat waar.

'Zullen we naar de ontvangstkamer gaan?' vraagt Lady Denby. Met een zucht gaat het dienstmeisje door met schrobben, zodra de dames weg zijn. Simon en ik lopen langzaam achter hen aan.

'Je bloem glijdt weg, miss Doyle.' De roos die ik in mijn haar heb gespeld schuift in mijn nek. Ik reik ernaar, op hetzelfde moment als hij. Onze vingers strijken even langs elkaar heen voordat ik me afwend.

'Dank je,' zeg ik, volkomen in de war.

'Mag ik?' Heel zorgvuldig stopt Simon de bloem achter mijn oor. Eigenlijk moet ik hem tegenhouden, anders denkt hij misschien dat ik te veel toesta. Maar ik weet niet wat ik moet zeggen. Simon is immers negentien, drie jaar ouder dan ik. Hij weet dingen die ik niet weet.

Er tikt iets tegen het raam, en nog een keer, veel harder deze keer, en ik schrik. 'Wie staat daar met stenen te gooien?' Simon tuurt in de mistige duisternis. Hij maakt het raam open. De kou stroomt naar binnen, waardoor ik kippenvel op mijn armen krijg. Voor zover we kunnen zien, staat er beneden niemand.

'Ik moet me maar eens bij de dames voegen. Straks maakt grootmoeder zich nog zorgen om me.'

Ik maak me zo snel uit de voeten dat ik bijna over het dienstmeisje struikel, dat geen moment opkijkt en gewoon doorgaat met schrobben.

Het is al ver na middernacht wanneer we eindelijk afscheid nemen en een nacht vol sterren en hoop betreden. De avond is een onontwarbare kluwen voor me. Er waren goede dingen: Simon, zijn familie, het warme onthaal dat ik heb gekregen, mijn vader die weer de oude is. Maar er is ook het ontnuchterende vooruitzicht dat ik Nell Hawkins ga bezoeken in Bedlam om te zien of zij weet hoe ik de tempel en Circe kan vinden. En er is iets merkwaardigs: de stenen die tegen de ruit werden gegooid.

Kartik, die bij het rijtuig staat, lijkt geïrriteerd. 'Fijne avond gehad, miss?'

'Ja, heel fijn, dank je,' antwoord ik.

'Die indruk had ik al,' mompelt hij als hij me het rijtuig in helpt en iets te enthousiast wegrijdt. Wat heeft hij nou weer?

Zodra de rest van mijn familie veilig in bed ligt, trek ik mijn jas aan en ren over het koude, harde terrein naar de stallen. Kartik zit voor te lezen uit de *Odyssee* en een kop hete thee te drinken. Hij is niet alleen. Emily zit naast hem naar het verhaal te luisteren.

'Goedenavond,' zeg ik als ik vastberaden naar binnen loop.

Hij staat op. 'Goedenavond,' antwoordt hij.

Emily kijkt verschrikt. 'O, miss, ik was alleen even... even...'

'Emily, ik heb iets te bespreken met Mr Kartik, dus als je het niet erg vindt...'

Als een pijl uit een boog schiet Emily terug naar het huis.

'Wat bedoelde je met die opmerking daarstraks?'

'Ik vroeg gewoon of je een fijne avond had gehad. Met Mr Muddleton.'

'Middleton,' verbeter ik hem. 'Hij is een echte heer.'

'Hij ziet er anders uit als een dandy.'

'Ik zou het op prijs stellen als je hem niet zo beledigde. Je weet helemaal niets over hem.'

'De manier waarop hij naar je kijkt staat me niet aan. Alsof je een rijpe vrucht bent.'

'Zo kijkt hij helemaal niet. Wacht eens even. Hoe weet jij hoe hij naar me kijkt? Heb je me bespioneerd?'

Chagrijnig begraaft Kartik zijn neus in zijn boek. 'Hij keek wel degelijk zo. In de bibliotheek.'

'Heb jij die stenen tegen de ruit gegooid?'

Kartik springt overeind. Het boek is vergeten. 'Je liet hem aan je haar zitten!'

Dat is waar. Dat was veel te ondamesachtig van me. Ik schaam me, maar ben niet van plan dat aan Kartik te laten merken. 'Ik heb je iets te vertellen, als je je zelfmedelijden even van je af kunt zetten en naar me wilt luisteren.'

Kartik maakt een minachtend geluidje. 'Ik heb helemaal geen last van zelfmedelijden.'

'Nou, welterusten dan.'

'Wacht!' Kartik loopt achter me aan. Hier schep ik een boosaardig genoegen in. Niet erg charmant van me, maar goed. 'Het spijt me. Ik beloof dat ik me zal gedragen,' zegt hij. Met veel gevoel voor dramatiek laat hij zich op zijn knieën zakken, raapt een eikel op van de grond en zet die tegen zijn keel. 'Ik smeek het je, miss Doyle. Vertel het me of ik zal gedwongen zijn me met dit machtige wapen van het leven te beroven.'

'Ach, sta toch op,' zeg ik, maar onwillekeurig moet ik lachen. 'Tom heeft in het Bethlem een patiënte, Nell Hawkins. Hij zegt dat ze waandenkbeelden heeft.'

'Dat zou verklaren waarom ze in het Bethlem zit.' Hij schenkt me een zelfvoldane glimlach. Wanneer ik die niet beantwoord, zegt hij berouwvol: 'Neem me niet kwalijk. Ga door.'

'Ze beweert dat ze lid is van de Orde, en dat een vrouw die Circe heet haar probeert te vinden. Ze zegt dat ze zichzelf gek heeft gemaakt om te voorkomen dat Circe haar te pakken krijgt.'

De grijns verdwijnt van zijn gezicht. 'Je moet meteen met Nell Hawkins gaan praten.'

223

'Ja, ik heb het al geregeld. Morgen rond het middaguur ga ik Nell Hawkins enkele gedichten voorlezen en vragen wat ze weet over de tempel. Keek hij echt zo naar me?'

'Hè?'

'Alsof ik een rijpe vrucht was?'

'Ik zou op mijn hoede zijn voor hem, als ik jou was,' zegt Kartik.

Hij is jaloers! Kartik is jaloers en Simon vindt me... verrukkelijk? Ik ben een beetje licht in mijn hoofd. En in de war. Maar voornamelijk licht in mijn hoofd.

'Ik kan best op mezelf passen,' zeg ik. Ik draai me op mijn hakken om en loop recht tegen de muur op. Op mijn voorhoofd verschijnt een bult die vast nooit meer zal weggaan.

HOOFDSTUK
TWEEËNTWINTIG

De volgende middag voeg ik me, gekleed in mijn pakje van grijs flanel en een vilten hoed, bij Tom in het Bethlem-ziekenhuis. Het gebouw is indrukwekkend. Aan de voorkant is een portiek, gestut door zes witte zuilen. Erbovenop rust een glazen koepel, als de helm van een politieagent. Ik kan alleen maar hopen dat Tom het bonzen van mijn hart niet hoort. Met een beetje geluk zal miss Hawkins het mysterie van de tempel voor me ontrafelen.

'Je ziet er erg netjes uit, Gemma, afgezien van die blauwe plek op je voorhoofd,' zegt Tom. Hij tuurt ernaar. 'Hoe kom je daaraan?'

'Het stelt niets voor,' zeg ik. Ik duw mijn hoed wat verder naar beneden.

'Het maakt niet uit. Je zult nog altijd het mooiste meisje in heel het Bethlem zijn,' zegt Tom.

Ah, fijn om te weten dat ik mooier ben dan al die gekken. Dat is in elk geval een voordeel. Arme Tom. Hij bedoelt het goed. Hij is veel aardiger tegen me sinds Simon zo duidelijk belangstelling voor me toont. Het is bijna alsof ik in zijn ogen menselijk ben geworden. De gedachte alleen al.

Ik besluit hem te sparen en geef serieus antwoord. 'Dank

je. Ik kijk er erg naar uit om miss Hawkins te leren kennen.'

'Verwacht er niet te veel van, Gemma. Ze is een gekweld mens. Soms zegt en doet ze schandelijke dingen. Aan dat soort dingen ben je niet gewend. Je moet overal op voorbereid zijn.'

Ik heb dingen gezien die jij niet voor mogelijk zou houden, mijn beste broer.

'Ja, dank je. Ik zal je advies opvolgen.'

We lopen door een lange gang met rechts ramen en links deuren. In manden aan het plafond hangen varens, die de gang opfleuren. Ik weet niet wat ik van een gekkenhuis verwachtte, maar niet dat het er zo zou uitzien. Als ik niet beter wist, zou ik denken dat ik me in een van de exclusieve clubs in Londen bevond. De verpleegsters passeren ons met een zwijgend knikje. Hun stijve witte mutsjes staan als uitgedroogde schuimgebakjes op hun hoofd.

Tom brengt me naar een met hout betimmerde zitkamer, waar een aantal vrouwen zit te borduren. Een oudere, ietwat verfomfaaid ogende vrouw zit geconcentreerd op de piano een kinderlijk wijsje te spelen, en ze zingt mee met haar zachte, onvaste vibrato. In de hoek staat een kooi met daarin een schitterende papegaai. De vogel krast: 'Hoe voelen we ons vandaag? Hoe voelen we ons vandaag?'

'Hebben ze een papegaai?' fluister ik. Ik probeer kalm te blijven, alsof ik elke dag een gekkenhuis bezoek.

'Ja. Ze heet Cassandra. Ze is erg spraakzaam. Zo nu en dan pikt ze iets van een patiënt op. Plantenkunde, navigatie, onzinnig gebabbel. Nog even en we moeten haar ook gaan behandelen.'

Alsof ze op dat teken heeft gewacht, krast Cassandra: 'Ik ben een groot dichter. Ik ben een groot dichter.'

Tom knikt. 'Een van onze patiënten, Mr Osborne, denkt dat hij een dichter is met een klein fortuin op zijn naam. Hij is erg beledigd omdat we hem hier vasthouden en schrijft elke dag wel een brief naar zijn uitgever en de hertog van Wales.'

Opeens houdt de oudere vrouw achter de piano op met spelen. Zeer geagiteerd en handenwringend loopt ze op Tom af. 'Is dit allemaal een droom? Weet u dat?' vraagt ze bezorgd.

'Ik kan u verzekeren dat het allemaal echt is, Mrs Sommers.'

'Gaan ze me pijn doen? Ben ik stout geweest?' Ze plukt aan haar wenkbrauwen. Er raken een paar haartjes los.

Een verpleegster met een wit gesteven schort voor schiet op haar af en houdt haar tegen. 'Mrs Sommers, u was toch zo mooi aan het spelen? Kom, dan gaan we terug naar de piano.'

De hand waarmee ze aan haar wenkbrauwen plukte, fladdert als een gewond vogeltje terwijl ze hem laat zakken. 'Een droom, een droom. Allemaal een droom.'

'Dat was Mrs Sommers.'

'Dat had ik al begrepen.'

Een lange, magere man met een keurig geknipt baardje en een snor komt op ons af. Zijn kleren zijn een beetje gekreukt en zijn haar wil niet in model blijven, maar verder ziet hij er redelijk normaal uit.

'Aha, Mr Snow. Hoe gaat het ermee vandaag?' vraagt Tom.

'Goed, goed,' antwoordt de man. 'Ik heb een brief geschreven aan Dr. Smith. Binnenkort zal hij mijn zaak behandelen, jazeker, jazeker. Ik zal bij het bal aanwezig zijn. Jazeker. Ik zal erbij zijn.'

'We zullen zien, Mr Snow. Maar eerst moeten we het hebben over uw gedrag tijdens het vorige bal. U hebt zich enkele vrijheden veroorloofd bij de dames. Dat stelden ze niet op prijs.'

'Leugens, leugens, allemaal leugens. Mijn advocaat zal het allemaal regelen, meneer, begrijpt u wel? Leugens, zeg ik u.'

'We zullen het erover hebben. Goedendag.'

'Dr. Smith heeft mijn brief ontvangen, meneer! Hij zal de smet op mijn reputatie uitwissen!'

'Mr Snow,' legt Tom uit terwijl we verder de zitkamer in lopen. Onder het lopen begroet hij iedereen die we tegenkomen beleefd. Als je nagaat hoe vervelend hij thuis kan zijn, is het een verrassing om hem hier zo vriendelijk en beheerst mee te maken. Ik ben trots op hem. Ik kan het zelf nauwelijks geloven, maar het is echt zo.

Bij het raam zit een klein, tenger meisje. Wat is ze mager. Haar gezicht is ingevallen, maar ik kan zien dat ze ooit aantrekkelijk is geweest. Er zitten donkere kringen onder haar bruine ogen. Ze haalt haar dunne vingers door haar haar, dat in een knotje boven op haar hoofd is gedraaid. Overal steken plukken uit, waardoor ze een beetje op Cassandra de papegaai lijkt.

'Goedemorgen, miss Hawkins,' zegt Tom opgewekt.

Het meisje antwoordt niet.

'Miss Hawkins, mag ik je voorstellen aan mijn zusje, miss Gemma Doyle? Ze wil je erg graag leren kennen. En ze heeft een gedichtenbundel meegenomen. Praat maar eens gezellig met haar.'

Nog steeds stilte. Nell strijkt met haar tong over haar gebarsten lippen. Tom kijkt me aan alsof hij wil vragen: weet je het zeker? Ik knik.

'Goed, dan laat ik jullie alleen, zodat jullie kennis kunnen maken terwijl ik mijn rondes afleg, goed?'

'Hoe maak je het?' zeg ik terwijl ik recht tegenover Nell Hawkins op een stoel ga zitten. Ze blijft haar handen door haar haar halen. 'Ik heb begrepen dat je op een kostschool hebt gezeten.' Stilte. 'Ik zit ook op een kostschool. Spence. Misschien heb je er wel eens van gehoord.' Elders in de kamer ramt Mrs Sommers weer op de piano. 'Zal ik iets voorlezen van Mr Browning? Ik vind zijn gedichten erg rustgevend.'

De papegaai krast: 'Blijf op het pad. Blijf op het pad.'

Met veel omhaal lees ik voor uit de bundel van Mr Browning. Tom verlaat de kamer en ik sla mijn boek dicht. 'Ik geloof niet dat je gek bent, miss Hawkins. Ik weet dat de Orde en Circe bestaan. Ik geloof je.'

Haar hand verstilt even. Dan begint hij te beven.

'Je hoeft niet bang voor me te zijn. Ik wil Circe tegenhouden. Maar daar heb ik je hulp bij nodig.'

Voor het eerst lijkt Nell Hawkins me echt te zien. Haar stem is hoog en krassend als een boomtak die door de wind tegen een ruit wordt geduwd. 'Ik weet wie je bent.'

De vogel krast: 'Ik weet wie je bent. Ik weet wie je bent.' Er loopt een rilling over mijn rug.

'O ja?'

'Ze zoeken je. Ik kan ze horen, in mijn hoofd. Vreselijke dingen zeggen ze.' Ze begint weer aan haar haren te trekken en zingt er zachtjes bij.

'Wie zoekt me?'

'Ze is een peperkoeken huisje dat afwacht tot ze je kan verslinden. Ze heeft overal spionnen,' fluistert ze op een toon die me het bloed in de aderen doet stollen.

Ik weet niet wat ik hiervan moet maken. 'Miss Hawkins, je kunt openlijk met me praten. Echt, je kunt me vertrouwen. Ik moet weten waar ik de tempel kan vinden. Als je weet waar hij is, is het heel belangrijk...'

Met grote ogen kijkt Nell me aan. 'Volg het pad. Blijf op het pad.'

'Het pad? Welk pad?'

Razendsnel rukt Nell de amulet van mijn hals, zo hard dat mijn huid ervan schrijnt. Voordat ik er iets van kan zeggen, draait ze hem om en houdt hem met beide handen vast. Ze beweegt hem heen en weer alsof ze iets probeert te lezen wat achterop staat. 'Het ware pad.'

'Volg het ware pad. Volg het ware pad,' krast Cassandra.

'Over welk pad heb je het? Ligt het in de tuin? Of bedoel je de rivier?' vraag ik.

'Nee. Nee. Nee,' prevelt Nell. Ze wiegt verwoed heen en weer. Met een snelheid die ik niet verwacht ramt ze de amulet hard tegen mijn stoel, waardoor het oog verbogen raakt.

'Hou op,' zeg ik. Ik gris mijn ketting uit haar handen. Het oog is helemaal scheef.

'Blijf op het pad,' zegt Nell opnieuw. 'Ze zullen proberen je af te leiden. Ze zullen je dingen laten zien waarop je niet kunt vertrouwen. Vertrouw niemand. Pas op voor de Papaverkrijgers.'

Mijn hoofd tolt van Nells vreemde uitbarsting. 'Miss Hawkins, toe, hoe kan ik dat pad vinden? Zal het me naar de tempel leiden?' vraag ik, maar miss Hawkins is op een plek die ik niet kan bereiken. Ze neuriet zachtjes en geeft het ritme aan door met haar fragiele hoofd wanhopig tegen de muur te slaan, tot er opeens een kordate verpleegster naast haar staat.

'Nee, nee, miss Hawkins. Wat zou de dokter ervan zeggen als hij zag hoe je je gedraagt? Zullen we gaan borduren? Ik heb prachtige, nieuwe borduurzijde.'

De verpleegster neemt miss Hawkins mee. De plukken haar die aan haar knotje zijn ontsnapt deinen en wiegen mee met haar bewegingen. 'De tempel verbergt zich in het zicht,' zegt ze. 'Volg het pad.'

De verpleegster zet Nell Hawkins in een stoel en stuurt haar hand bij het maken van piepkleine steekjes. Nu snap ik er helemaal niets meer van. Ik tuur naar Cassandra's kooi. 'Begrijp jij het?'

De vogel knippert keer op keer, waardoor het piepkleine zwarte puntje van haar pupil telkens verdwijnt achter een dik wit verendek, om vervolgens weer tevoorschijn te komen. Het is alsof ik naar een groot goochelaar zit te kijken. Nu is het er nog, dan is het opeens weg. Centimeter voor centimeter draait ze zich op haar stok om, tot ik tegen haar kleurige rug aan kijk.

'Nee, daar was ik al bang voor.' Ik slaak een zucht.

Ik vraag aan een van de verpleegsters waar ik Tom kan vinden, en ze vertelt me dat ik het maar eens op de mannenafdeling moet proberen. Ze biedt aan me te begeleiden, en ik weet dat ik eigenlijk ja hoor te zeggen, maar ik verzeker haar dat ik op Tom zal wachten. Dan glip ik naar buiten en loop ik in de richting van de mannenafdeling. Artsen passeren me, diep in gesprek verwikkeld. Ze knikken me toe bij wijze van begroeting, en ik reageer met een vriendelijk glimlachje. Hun blikken blijven even op me rusten, en ik kijk snel weg. Het is een vreemd gevoel om zo te worden gadegeslagen. Er ligt macht besloten in die vluchtige blikken, maar ik weet niet wat zich aan de andere kant bevindt, en dat maakt me een beetje bang. Hoe is het mogelijk dat ik me aan de ene kant helemaal klaar voel voor die nieuwe wereld vol mannen, en aan de andere kant helemaal niet?

De handtastelijke Mr Snow komt op me af. Ik schiet een gang in om te wachten tot hij weg is. Daar zit een man recht voor zich uit te staren en in zijn handen te wrijven. *Toe, Mr Snow. Loop door, zodat ik ongehinderd de gang door kan lopen.*

'Ik heb een boodschap voor je,' zegt de man.

Er is verder niemand, alleen wij twee. 'Pardon?'

Langzaam draait hij zich naar me om. 'De geesten slaan de handen ineen, miss. Ze hebben het op jou gemunt.'

Ik krijg het warm en word licht in mijn hoofd. 'Wat zegt u?'

Hij grijnst en laat zijn hoofd zakken, zodat hij me van onder zijn half geloken oogleden moet aankijken. Het effect is ijzingwekkend, alsof hij opeens een heel ander mens is. 'We hebben het op je voorzien, miss. We hebben het allemaal op je voorzien.' Fel en razendsnel hapt hij naar me, en hij gromt als een hondsdolle hond.

Wegwezen, Gemma. Happend naar adem ren ik bij hem weg. Als ik de hoek om kom, bots ik pardoes tegen mijn verbijsterde broer op.

'Gemma! Wat doe jij hier in vredesnaam zonder begeleiding?'

'Ik... ik... ik... zocht jou! Die man...' zeg ik, terwijl ik achter me wijs.

Tom loopt de hoek om, en ik volg hem. De oude man zit weer recht voor zich uit te staren. 'Mr Carey. Arme kerel. Hopeloos geval. Ik ben bang dat we hem binnenkort naar een staatsgesticht moeten sturen.'

'Hij... hij zei iets tegen me,' stamel ik.

Tom kijkt verward. 'Heeft Mr Carey iets tegen je gezegd? Dat kan niet. Mr Carey zegt geen woord, nooit. Hij is stom. Wat dacht je dat hij tegen je zei?'

'We hebben het op je gemunt,' herhaal ik. Maar op het moment dat ik het zeg, besef ik dat het Mr Carey helemaal niet was die tot me sprak, maar iemand anders.

Iemand uit het rijk.

'Wat is er met Nell Hawkins gebeurd?' vraag ik als we per huurrijtuig op weg zijn naar Regent Street, waar ik met Ann en Felicity heb afgesproken.

'Die informatie is vertrouwelijk,' antwoordt Tom hooghartig.

'Kom op, Tom. Aan wie moet ik het doorvertellen?' lieg ik.

Tom schudt zijn hoofd. 'Absoluut niet. Het is een afschuwelijk, onsmakelijk verhaal, niet geschikt voor de oren van een jongedame. En trouwens, je fantasie is al levendig genoeg. Ik wil je nachtmerries niet nog erger maken.'

'Goed dan,' mopper ik. 'Wordt ze ooit weer beter?'

'Moeilijk te zeggen. Ik doe er alles aan, maar ik denk niet dat ze ooit terug zal kunnen naar het Sint-Victoria. Dat zou ik in elk geval afraden.'

Mijn hele lichaam begint te tintelen en ik ga met een schok rechtop zitten. 'Wat zei je daar?'

'Ik zei dat ik het zou afraden.'

'Nee, daarvoor.'

'Meisjesschool Sint-Victoria. Die staat in Swansea, meen ik.

Er wordt gezegd dat het een erg goede school is, maar ik weet het nog zo net niet. Waarom vraag je dat?'

Er tintelt iets in mijn buik, een slecht voorgevoel. Een slangenring. Een vrouw in het groen. *Vertrouw haar niet...* 'Ik geloof dat een van onze leraressen bij het Sint-Victoria heeft gewerkt.'

'Nou, ik hoop dat de leerlingen op Spence beter in de gaten worden gehouden dan op het Sint-Victoria. Dat is het enige wat ik erover kan zeggen,' verklaart Tom grimmig.

Dit verontrust me enorm. Werkte miss McCleethy aan het Sint-Victoria toen Nell Hawkins daar op school zat? Wat is er gebeurd dat zo 'onsmakelijk' is dat Tom er niets over kwijt wil? Wat is er met Nell Hawkins gebeurd dat haar gek heeft gemaakt?

Wat het ook was, ik bid dat mij niet hetzelfde lot wacht.

'Heb je het adres van het Sint-Victoria?' vraag ik.

'Ja. Hoezo?' Tom vertrouwt het niet.

Ik kijk naar buiten, naar de winkels met etalages vol kerstartikelen. 'Onze directrice heeft me – ons – opgedragen om tijdens de vakantie iets voor onze medemens te doen. Ik dacht dat ik hun misschien een brief kon schrijven om hun te laten weten dat een ander schoolmeisje tijd doorbrengt met miss Hawkins en haar aan betere tijden herinnert.'

'Erg prijzenswaardig. In dat geval zal ik je het adres geven. Aha, we zijn er.'

HOOFDSTUK
DRIEËNTWINTIG

Het rijtuig stopt voor een kantoorboekhandel aan Regent Street. Felicity en Ann haasten zich naar buiten om ons te begroeten, op de voet gevolgd door de altijd alerte Franny. Ik wil mijn vriendinnen dolgraag vertellen wat ik over Nell Hawkins te weten ben gekomen, maar vraag me af hoe ik dat nu voor elkaar moet krijgen.

Tom tikt zijn hoed aan. Er worden beleefdheden uitgewisseld. 'Hoe bevalt Londen je, miss Bradshaw?' vraagt hij.

'Ik vind het hier heerlijk,' zegt Ann met een belachelijk zedig glimlachje.

'Dat is een erg mooie hoed. Hij staat je goed.'

'Dank je,' mompelt Ann met haar blik verlegen op de grond gericht. Nog even en ik werp me voor een aanstormend rijtuig.

'Mag ik jullie vergezellen naar de kantoorboekhandel?'

Felicity glimlacht ongeduldig. 'Dat zouden we natuurlijk erg op prijs stellen, maar doe geen moeite. Een goede dag nog.'

'Dat was niet erg gastvrij van je,' zegt Ann berispend – voor zover Ann ooit berispend kan klinken – zodra we in de winkel staan.

'Ik had ook tegen hem kunnen zeggen dat die "erg mooie hoed" van mij is,' snauwt Felicity.

'Ik heb nieuws,' zeg ik voordat Ann kan antwoorden. Nu heb ik hun volledige aandacht.

'Wat dan?' vraagt Ann.

Franny blijft dicht bij ons in de buurt, haar blik op een punt ergens voor ons gericht, en haar oren vangen alles wat we zeggen woord voor woord op.

'Zolang zij erbij is, wordt het nooit leuk,' fluistert Felicity verbitterd terwijl we quasigeïnteresseerd de pakken dik, ivoorwit papier met gekleurde linten eromheen bestuderen. 'Ze loopt ons overal achterna. Ze lijkt Mrs Nightwing wel. Ik kan bijna niet geloven dat ik dit zeg, maar op Spence hebben we nog meer vrijheid dan hier.'

We verlaten de kantoorboekhandel en lopen langs een hoedenmaker, een stoffenzaak, een speelgoedwinkel en een tabakszaak, waar enkele heren dikke sigaren zitten te roken. Op straat wemelt het van de mensen die op zoek zijn naar een mooi paar handschoenen voor tante Prudence of het volmaakte speelgoedtrommeltje voor de kleine Johnny. Franny blijft echter dicht in de buurt, en nog even en Felicity raakt helemaal over haar toeren.

'Mama denkt maar dat ze na een hele tijd in Frankrijk gewoon kan terugkomen en van me kan verwachten dat ik als een braaf schoothondje al haar bevelen opvolg. Mooi niet dus. Ik heb zin om Franny af te schudden,' klaagt Felicity pruilend.

'O, toe, niet doen,' smeekt Ann. 'Ik wil geen schandaal veroorzaken.'

'Ja, straks worden we de rest van de vakantie op onze kamer opgesloten,' val ik haar bij.

We komen bij een banketbakker, waar heerlijke gebakjes en vruchten in gelei van achter het glas naar ons lonken. Een jongeman is de stoep aan het vegen. Opeens roept hij brutaal: 'Franny! Kom me eens een kus geven!'

Franny verbleekt en wendt haar blik af. 'U vergist zich, meneer,' zegt ze.

Felicity ziet meteen haar kans schoon. 'Meneer, kent u mijn dienstmeisje goed?'

De jongeman weet niet wat hij moet zeggen of doen. Het is wel duidelijk dat hij Franny kent, en goed ook, maar nu heeft hij haar misschien wel in de problemen gebracht. De minste verdenking van onfatsoenlijk gedrag kan voor een dienstmeisje al reden zijn voor ontslag.

'Mijn moeder zal het vast interessant vinden te horen dat haar eigen kamenierster openlijk een man heeft gekust waar de drie beïnvloedbare jongedames bij waren die ze onder haar hoede had,' zegt Felicity.

'Maar dat heb ik helemaal niet gedaan!' werpt Franny tegen.

'Het is jouw woord tegen dat van ons,' zegt Felicity, waarmee ze ons erin betrekt, of we het leuk vinden of niet.

Franny balt stevig haar vuisten. 'God ziet uw zonden, miss. Dit levert u vast een slechte aantekening in Zijn boek op.'

'Ik denk dat we er wel uit komen.' Felicity haalt een shilling uit haar tasje. 'Hier. Pak aan. Ga er een gebakje van kopen. Deze jongeman hier wil je vast wel helpen. Zullen we elkaar hier om een uur of vijf weer treffen?'

De shilling glanst tussen Felicity's geschoeide vingers. Als Franny hem aanneemt, kan ze genieten van een gebakje en een middag met haar vriend. Maar dan heeft Felicity haar ook voorgoed in haar zak.

Franny schudt haar hoofd. 'O, nee, miss. Vraag alstublieft niet van me om tegen Mrs Worthington te liegen. Liegen is een zonde. Dat kan ik echt niet doen, miss. Wilt u echt dat ik mijn baan en mijn onsterfelijke ziel op het spel zet voor één miezerige shilling, miss?'

Dat Franny dit fraaie staaltje afpersing met een uitgestreken gezicht weet te brengen is een hele prestatie. Ik krijg opeens respect voor haar.

'Misschien vertel ik het mijn moeder alsnog,' snauwt Felicity.

Het is een loos dreigement, dat weten we allemaal. Nog even en Felicity heeft de vrijheid waar ze zo naar hunkert. Ze geeft Franny een pond om haar haar mond te laten houden. Franny grist het muntstuk snel uit haar handen en omklemt het stevig. Felicity neemt geen enkel risico. 'Als je ook maar overweegt om alles aan mijn moeder op te biechten, vertellen we haar dat jij ons in de steek hebt gelaten om tijd te kunnen doorbrengen met je vriend. Drie arme meisjes, alleen en verdwaald in de wrede straten van Londen, en nog een pond lichter ook. Erg raadselachtig.'

Franny, die kort geleden nog zo triomfantelijk keek, wordt vuurrood en klemt haar lippen grimmig op elkaar. 'Ja, miss. Vijf uur.'

Terwijl we haastig achter Felicity aan lopen, draai ik me om naar Franny, al weet ik niet goed wat ik moet zeggen. 'Dank je, Franny. Je, eh... hebt bewezen een fijn meisje te zijn.' En zomaar opeens zijn we onder ons.

Vrijheid smaakt naar een slagroomsoesje dat we in Regent Street kopen. Het laagje zoet deeg smelt op mijn tong terwijl de huurrijtuigen en omnibussen op straat heen en weer rijden en met hun wielen modder vermengen met vieze sneeuw. Mensen lopen af en aan, doelgericht en doelbewust. Te midden van dat alles lopen wij ongehinderd rond, gewoon drie gezichten in de naamloze massa die wordt gestuurd door de hand van het lot, het fortuin.

We lopen naar Piccadilly en gaan de grote overdekte markt van Burlington binnen. Met grote stappen passeren we de ordehandhavers, die streng om zich heen kijken met hun knuppels in hun handen. Hier staan kraampjes waar van alles wordt verkocht: bladmuziek, handschoenen, sokken en kousen, glazen beeldjes en dergelijke. Opeens verlang ik weer naar India, met zijn bazaars en drukke markten.

'Het is hier bijna net zo fijn als in het rijk,' zegt Ann, die tevreden haar gebakje opeet.

'Wat voor nieuws heb je?' vraagt Felicity.

'Mijn broer heeft in het Bethlem een patiënte die Nell Hawkins heet. Een zeer interessante casus...'

'Het is zó nobel van Tom dat hij zich over die ongelukkige mensen ontfermt,' zegt Ann terwijl ze een klodder room van haar bovenlip likt. 'Zijn verloofde moet wel dol op hem zijn.'

'Verloofd? Tom?' zeg ik, geërgerd over de onderbreking. Te laat herinner ik me mijn leugentje. 'O ja. Eh... je bedoelt miss Richardson. Natuurlijk. Wat dom van me.'

'Je zei dat ze Dalton heette. En dat ze mooi was.'

'Ik...' Ik weet niet wat ik moet zeggen. Wat een flater. 'Die verloving is verbroken.'

'O?' vraagt Ann met een hoopvol gezicht.

'Laat haar haar verhaal nou afmaken,' zegt Felicity berispend.

'Nell Hawkins denkt niet dat ze Jeanne d'Arc of de koningin van Sheba is. In haar waan gelooft ze dat ze lid is van de Orde en dat een vrouw genaamd Circe het op haar heeft gemunt.'

Felicity hapt naar adem. 'Ik krijg kippenvel.'

Ann begrijpt het niet. 'Maar ik dacht dat je zei dat ze in het Bethlem zit.'

'Ja, dat klopt,' zeg ik. Ik besef hoe belachelijk het allemaal klinkt. Twee krantenjongens proberen ons in het voorbijgaan een krant aan te smeren. We besteden geen aandacht aan hen.

'Maar jij denkt niet dat ze gek is. Denk je dat ze alleen maar doet alsof om zichzelf te beschermen?' gist Felicity.

We staan voor een kraampje waar prachtige snuifdoosjes worden verkocht. Ik bekijk er een dat is ingelegd met ivoor. Het is duur, maar ik heb nog niets voor mijn vader, dus draag ik het meisje op het voor me in te pakken. 'Ik ben vandaag bij haar op bezoek geweest. Ze is wel degelijk gek. Dit heeft zij gedaan,' zeg ik terwijl ik hun mijn gehavende amulet laat zien.

'O jeetje,' zegt Felicity.

'Dan snap ik niet wat we aan haar hebben,' moppert Ann.

'Ze heeft Circe gezien. Dat weet ik zeker. Ze had het steeds over een pad. "Blijf op het pad." Dat heeft ze meer dan eens gezegd.'

'Wat bedoelt ze daarmee, denk je?' vraagt Felicity. We verlaten de overdekte markt aan de kant van Bond Street, waar we voor een brandschone etalage blijven staan. Wijnrode zijde is om een wassen paspop in de vorm van een vrouw gedrapeerd. Elke plooi glanst als wijn in het maanlicht. Onwillekeurig staren we er verlangend naar.

'Ik weet niet wat ze ermee bedoelt. Maar ik weet wel dat Nell Hawkins leerling was aan het Sint-Victoria in Wales.'

'Heeft miss McCleethy daar niet lesgegeven voordat ze naar Spence kwam?' vraagt Ann.

'Ja. Maar ik heb geen idee of Nell ook les van haar heeft gehad. Ik ga een brief schrijven naar de directrice om haar te vragen wanneer miss McCleethy is weggegaan. Ik geloof dat er een afschuwelijk verband bestaat tussen miss McCleethy en wat er met Nell Hawkins is gebeurd, en dat het iets met het rijk te maken heeft. Als we dat raadsel kunnen oplossen, leidt het ons misschien wel naar de tempel.'

'Ik zou niet weten hoe,' mort Ann.

Ik slaak een zucht. 'Ik ook niet, maar op dit moment is dat mijn enige hoop.'

De zijde lonkt naar ons vanaf zijn voetstuk achter het glas. Ann zucht diep. 'Zou het niet zalig zijn om een japon van zulke stof te hebben? Niemand zou zijn ogen van je af kunnen houden.'

'Mama laat een jurk bezorgen vanuit Parijs,' zegt Felicity alsof ze het over het weer heeft.

Ann legt haar hand tegen het glas. 'Ik zou willen...' Ze kan de zin niet afmaken. Ze durft er niet eens van te dromen.

Een winkelmeisje loopt naar de etalage. De tekst die in een

halve cirkel op het glas staat, CASTLE EN ZONEN, KLEERMAKERS, lijkt haar precies in tweeën te verdelen. Ze haalt de schitterende stof van de paspop. Ontdaan van haar opsmuk wankelt de pop en blijft dan staan, een leeg, vleeskleurig omhulsel.

We lopen door, een klein zijstraatje in, waar ik met stomheid word geslagen. Half weggestopt onder een luifel zit een piepklein winkeltje: de Gouden Dageraad.

'Wat is er?' vraagt Felicity.

'Die winkel. Miss McCleethy had er een advertentie van in haar kist. Het was een van de weinige dingen die erin zaten, dus het moet wel belangrijk voor haar zijn,' zeg ik.

'Een boekwinkel?' vraagt Ann. Ze trekt haar neus op.

'Laten we er even gaan kijken,' zegt Felicity.

We gaan de winkel binnen, die lijkt op een donkere grot. In het zwakke licht dwarrelt het stof op. Het is geen erg nette winkel, en ik vraag me af waarom miss McCleethy er zo op gesteld is.

In de duisternis klinkt een stem. 'Kan ik u van dienst zijn?' De stem krijgt vorm in de persoon van een gebogen man van een jaar of zeventig. Geleund op een stok hinkt hij op ons af. Zijn knieën kraken van inspanning. 'Hoe maakt u het? Ik ben Mr Theodore Day, eigenaar van de Gouden Dageraad, boekverkoper sinds het jaar des heren achttienhonderdeenenzestig.'

'Hoe maakt u het?' prevelen we in koor.

'Wat zoekt u precies? Nee, wacht, niet zeggen! Ik weet het al.' Met behulp van zijn stok hinkt Mr Day razendsnel naar een hoge kast vol boeken. 'Iets over prinsessen, wellicht? Of nee... spookkastelen en meisjes die in groot gevaar verkeren?' Zijn wenkbrauwen, twee dikke, witte rupsen die boven op zijn bril lijken te zitten, wiebelen olijk op en neer.

'Neem me niet kwalijk...' begin ik.

Mr Day zwaait met zijn vinger. 'Nee, nee, nee, bederf het nu niet. Ik zal precies vinden wat u zoekt.' We lopen achter Mr

240

Day aan terwijl hij de schappen inspecteert, zijn knokige vinger over leren banden laat glijden en binnensmonds titels opnoemt. 'Woeste hoogten... Jane Eyre... Kasteel van Otronto... O, maar dat is een schitterend boek.'

'Neem me niet kwalijk, meneer,' zeg ik met enige stemverheffing. 'We hoopten eigenlijk een boek te vinden over de Orde. Hebt u er zo een?'

Mr Day staat perplex. De rupsvormige wenkbrauwen komen boven zijn neus samen. 'Hemeltje... Ik kan niet zeggen dat ik ooit heb gehoord van... Wat was de titel ook alweer?'

'Het is geen titel,' zegt Felicity zo ongeduldig dat ik het onuitgesproken *seniele oude dwaas* dat erachteraan komt bijna kan horen.

Ann helpt ons uit de brand. 'Het is een onderwerp,' zegt ze vriendelijk. 'De Orde. Dat was een groep vrouwen die met behulp van magie over het rijk heerste...'

'Geen echte vrouwen, natuurlijk,' val ik haar in de rede. 'Het is immers maar een verhaal.'

'Dus het gaat om fictie?' vraagt Mr Day, die aan de kale plekken tussen zijn ongetemde plukken wit haar krabt.

Zo komen we nergens. 'Mythen,' zeg ik na enig nadenken.

Mr Days gezicht klaart op. 'Aha! Ik heb enkele prachtige boeken vol mythen. Deze kant op, alstublieft.'

Hij leidt ons naar een boekenkast achterin. 'Grieks, Romeins, Keltisch, Noors... O, ik ben dol op Noorse mythen. Hier staan ze.'

Felicity werpt me een wanhopige blik toe. Dit is niet wat we zoeken, maar wat kunnen we doen, behalve hem bedanken en in elk geval doen alsof we de boeken bekijken voordat we weggaan? De bel boven de deur kondigt de komst van een nieuwe klant aan, en Mr Day laat ons achter. Met zijn vrolijke stem vraagt hij of hij de klant van dienst kan zijn. De klant, een vrouw, geeft antwoord. Ik ken dat vreemde accent. Het is miss McCleethy.

Ik tuur om de boekenkast heen en zie haar voor in de winkel staan.

'Kijk daar,' fluister ik dringend.

'Waar?' Stom genoeg stapt Ann achter de boekenkast vandaan. Ik trek haar ruw terug.

'Kijk hier maar tussendoor,' zeg ik terwijl ik twee boeken van het schap haal, zodat we door het gat kunnen turen.

'Het is miss McCleethy!' zegt Ann.

'Wat doet zij hier?' fluistert Felicity.

'Dat weet ik niet,' fluister ik terug. 'Ik kan haar niet verstaan.'

'O, ja. Het is pas afgeleverd,' zegt Mr Day als antwoord op een onverstaanbare vraag van miss McCleethy.

'Wat is er pas afgeleverd?' vraagt Ann. Felicity en ik slaan allebei een hand voor haar mond om haar het zwijgen op te leggen.

'Ik ben zo terug. Kijkt u ondertussen gerust even rond als u wilt.' Mr Day verdwijnt achter een fluwelen gordijn. Daglicht stroomt door de beroete ramen naar binnen en baadt miss McCleethy in een nevel van stof. Ze trekt haar rechterhandschoen uit, zodat ze gemakkelijker door enkele romans kan bladeren die opgestapeld op een tafel liggen. De slangenring vangt het licht en verblindt me met zijn felle weerkaatsing. Miss McCleethy loopt bij de tafel weg en komt steeds dichter bij onze schuilplaats.

In paniek hurken we op de vloer, terwijl boven ons boeken van hun plek worden gehaald. Als ze in de lagere schappen gaat zoeken...

'Zo,' zegt Mr Day, die weer achter het fluwelen gordijn vandaan komt. Het mysterieuze boek wordt ingepakt, er gaat een lint omheen en miss McCleethy pakt het aan. Kort daarna kondigt het gerinkel van het belletje haar vertrek aan. We turen door het gat dat we hebben gemaakt om te controleren of ze echt weg is en lopen dan snel op Mr Day af.

'Mr Day, volgens mij was dat een goede vriendin van mijn moeder die hier zojuist was. Zou u zo vriendelijk willen zijn me te vertellen welk boek ze heeft gekocht? Ze heeft een fantastische smaak op dat gebied,' zeg ik met mijn liefste stemmetje.

Uit mijn ooghoek zie ik dat Felicity's mond openvalt van verbazing en bewondering. Zij is niet de enige die kan liegen alsof het gedrukt staat.

'Ja, het was *Een geschiedenis van geheime genootschappen* van miss Wilhelmina Wyatt. Zelf heb ik het niet gelezen.'

'Hebt u nog een exemplaar?' vraag ik.

'Jazeker.' Mr Day hinkt weer naar achteren en komt met het boek in zijn handen terug. 'Zo, ik heb het. Is dat nou niet vreemd? Nooit heeft iemand belangstelling getoond in dit boek, en nu verkoop ik er opeens twee op dezelfde dag. Jammer van de schrijfster.'

'Wat bedoelt u daarmee?' vraagt Felicity.

'Er wordt gezegd dat ze vlak na het uitkomen van het boek om het leven is gekomen.' Hij buigt naar voren en fluistert: 'Er wordt beweerd dat ze bij occulte zaken was betrokken. Slechte zaken. Goed, we zullen er een mooi lintje omheen doen en...'

'Nee, dank u, Mr Day,' zeg ik, en ik pak het boek aan voordat hij het kan inpakken. 'We hebben helaas vreselijke haast.'

'Goed, dan wordt het vier shilling, alstublieft.'

'Felicity?' zeg ik nadrukkelijk.

'Ik?' fluistert Felicity. 'Waarom moet ik ervoor betalen?'

'Omdat jij het geld hebt,' zeg ik, terwijl ik gespannen blijf glimlachen.

'Kijk niet naar mij,' zegt Ann afwerend. 'Ik heb geen cent.'

'Dat wordt dan vier shilling,' herhaalt Mr Day vastberaden.

Uiteindelijk moeten we ons geld bij elkaar leggen om miss Wyatts sinister klinkende boek aan te schaffen.

'Laat mij eerst kijken. Ik heb er immers drie shilling voor

neergeteld en jij maar één,' zeurt Felicity wanneer we snel weer naar buiten lopen.

'We lezen het samen,' zeg ik terwijl ik het boek van haar probeer terug te pakken.

'Daar is ze!' zegt Ann verschrikt. Miss McCleethy loopt vlak voor ons. 'Wat moeten we doen?'

'Ik vind dat we haar moeten volgen,' zegt Felicity. Meteen loopt ze weg.

'Wacht even,' zeg ik terwijl ik haar inhaal en tegelijkertijd met een half oog miss McCleethy in de gaten hou, die de hoek nadert. 'Ik weet niet of dat wel zo verstandig is.'

Ann kiest natuurlijk partij voor Felicity. 'Jij wilt het weten. Dit is je kans om erachter te komen.'

Tegen hen tweeën kan ik niet op. Miss McCleethy blijft staan en draait zich om. Met een collectief kreetje van schrik draaien we ons om naar de kraam van een scharensliep. Even later loopt ze verder.

'Nou?' vraagt Felicity, al is het niet zozeer een vraag als wel een uitdaging.

De kreten van de scharensliep – 'Messen! Vlijmscherpe messen!' – komen boven het kabaal op straat uit. Miss McCleethy is bijna uit het zicht verdwenen.

'We doen het,' zeg ik.

HOOFDSTUK
VIERENTWINTIG

We volgen miss McCleethy enige tijd, langs winkeliers in hemdsmouwen die zich met pakjes naar wachtende rijtuigen haasten en een vrouw in een strenge zwarte jurk die ons smeekt de minderbedeelden niet te vergeten tijdens de feestdagen. We besteden geen aandacht aan hen; alleen onze prooi doet ertoe.

Bij Charing Cross verrast miss McCleethy ons door het metrostation binnen te gaan.

'Wat doen we nu?' vraagt Felicity.

Ik adem diep in. 'De metro nemen, denk ik.'

'Ik ben nog nooit in de metro geweest,' zegt Ann onzeker.

'Ik ook niet,' zegt Felicity.

'Eens moet de eerste keer zijn,' zeg ik, al stokt de adem me in de keel bij de gedachte alleen. De ondergrondse spoorlijn. Hm. Het is gewoon een trein die onder de grond rijdt, Gemma. Het is een avontuur, en ik ben een avontuurlijk meisje. Dat heeft Simon zelf gezegd.

'Kom, Ann, niet bang zijn. Geef me je hand,' zeg ik.

'Ik ben niet bang,' verklaart ze. Ze dringt langs me heen en gaat alsof het niets voorstelt de trap af naar de tunnels die onder de drukke straten van Londen door lopen. Ik kan niets anders doen dan haar voorbeeld volgen. Ik haal diep adem en loop achter haar aan. Halverwege de trap draai ik me om, en ik zie Felicity aarzelend boven aan de trap staan. Ze staart me aan alsof ik Eurydice ben die wordt teruggesleurd naar de onderwereld.

'Gemma, wacht!' roept ze, en ze voegt zich haastig bij me.

Onder aan de trap bevindt zich een ruimte. We staan op een met gaslampen verlicht perron. Boven ons welft zich het uitgestrekte houten plafond van de tunnel. Verderop op het perron staat miss McCleethy te wachten. We blijven uit het zicht tot de trein suizend het station binnenrijdt. Miss McCleethy stapt in, waarop we snel naar de aangrenzende coupé lopen. Ik weet niet wat opwindender is: de mogelijkheid dat miss McCleethy ons betrapt of het feit dat we voor het eerst met de metro reizen. Om de beurt kijken we op zeer ondamesachtige wijze het gangpad in, zodat we miss McCleethy in de volgende coupé in de gaten kunnen houden. Ze zit tevreden te lezen in miss Wyatts boek over geheime genootschappen. Ik wil dolgraag weten wat ze heeft ontdekt, maar ik durf niet in ons eigen exemplaar te bladeren uit angst dat we onze lerares uit het oog zullen verliezen.

De conducteur kondigt ons vertrek aan. Met een scherpe ruk rijdt de trein de tunnel in. Felicity grijpt mijn hand vast. Het is een merkwaardige ervaring om door die donkere tunnel te rijden, waar de zachte lichtkringen van de gaslampen als vallende sterren over ons verbijsterde gezicht strijken.

Vlak bij ons staat de conducteur, die telkens de volgende halte aankondigt. Miss McCleethy kijkt niet op uit haar boek. Pas wanneer de conducteur Westminster Bridge aankondigt, slaat ze haar boek dicht en stapt uit. Op veilige afstand volgen we haar. We komen uit op straat, knipperend met onze ogen tegen het plotselinge licht.

'Ze neemt die paardentram!' zegt Felicity.

'Dan is het afgelopen,' zeg ik. 'We kunnen moeilijk meerijden. Dan ziet ze ons meteen.'

Ann pakt mijn hand vast. 'Het kan wel. Kijk, het is hartstikke druk. We mengen ons er gewoon tussen. En als ze ons ziet, zeggen we dat we de stad aan het bezichtigen zijn.'

Het is een gewaagd plan. Miss McCleethy loopt naar het achterste deel van de overvolle tram. Wij blijven voorin, zodat er zoveel mogelijk mensen tussen ons in staan. Bij Westminster Bridge Road stapt miss McCleethy uit, en we struikelen bijna over elkaar in onze haast om haar te volgen. Ik weet waar we zijn. Ik ben hier pas nog geweest. We zijn in Lambeth, heel dicht bij het Bethlem. Miss McCleethy loopt kordaat in de richting van het ziekenhuis. Een paar minuten later zien we haar door de ijzeren poort en over het gebogen pad naar de indrukwekkende portiek bij de ingang lopen. We verstoppen ons op onze hurken tussen de struiken naast het pad.

'Wat heeft ze in Bedlam te zoeken?' vraagt Felicity op onheilspellende toon.

Een rilling loopt over mijn rug. 'Daar zit Nell Hawkins.'

'Je denkt toch niet dat miss McCleethy haar iets zou aandoen?' vraagt Ann op die ongepast opgewonden toon die suggereert dat dat idee haar niet echt tegenstaat, zolang het maar tot een spannende middag leidt.

'Dat weet ik niet,' zeg ik. 'Maar het versterkt wel mijn indruk dat ze elkaar kennen, waarschijnlijk van het Sint-Victoria.'

We blijven een tijdje buiten in de kou staan, maar miss McCleethy komt niet meer naar buiten, en we lopen het risico te laat te komen voor onze afspraak met Franny. Met tegenzin gaan we weg, en ik heb meer vragen dan ooit tevoren. Wat heeft miss McCleethy in Bedlam te zoeken? Waar is ze op uit? Ik ben ervan overtuigd dat ze iets met Nell Hawkins te maken heeft. Ik weet alleen niet hoe of waarom.

HOOFDSTUK VIJFENTWNTIG

Felicity nodigt ons bij haar thuis uit voor een heel laat middagmaal. Hongerig na ons avontuur verorberen we schaamteloos een groot aantal kleine sandwiches.

'En, wat denken jullie ervan dat miss McCleethy naar Bedlam ging?' vraagt Felicity tussen twee happen door.

'Misschien heeft ze een gestoord familielid,' oppert Ann. 'Iemand die een grote schande is voor de familie.'

'Of misschien ging ze Nell Hawkins opzoeken,' zeg ik.

'Daar kunnen we op dit moment niets met zekerheid over zeggen. Laten we eens kijken wat miss Wyatt te melden heeft dat miss McCleethy zo interessant vindt,' zegt Felicity, die het boek in beslag neemt, zoals ik al had verwacht. 'Tempelridders, Vrijmetselaars, Hellevuurclub, Hassassins... de inhoudsopgave is al een verhaal op zich. Aha, daar hebben we het. Bladzijde 255. De Orde.' Ze bladert naar de juiste bladzijde en leest hardop voor.

'*Generaties lang werden jonge meisjes zorgvuldig opgeleid om hun plaats in te nemen in de hoogste rangen van de Orde. Tijdens hun zestiende levensjaar werden ze nauwlettend geobserveerd in een poging vast te stellen wie er door het rijk werd uitverkoren en grote kracht verkreeg, en bij wie die kracht slechts een flakkerend kaarsvlammetje was dat uiteindelijk doofde. Degenen die niet werden uitverkoren, werden weggestuurd en eindigden als doorsnee vrouwen die nooit meer terugdachten aan hun tijd te midden van die machtige tovenaressen. Anderen leidden een dienstbaar leven en werden van tijd tot tijd door de Orde opgeroepen wanneer dat nodig was.*

Sommigen beweren dat de Orde nooit heeft bestaan, maar een legende is, net als de verhalen over elfen, kobolden, heksen, prinsessen en de onsterfelijke goden van de berg Olympus, het onderwerp van literatuur die populair is onder beïnvloedbare meisjes die graag in dergelijke hersenspinsels willen geloven. Anderen beweren dat deze vrouwen Keltische heidenen waren die net als Merlijn, Arthur en zijn ridders in de mist der tijd zijn verdwenen. Maar sommigen vertellen fluisterend een duisterder verhaal: dat de Orde van binnenuit werd verraden met een mensenoffer...'

Felicity's ogen verslinden de bladzijde. Ze leest nu in zichzelf.

'Je moet hardop voorlezen!' zeg ik verontwaardigd.

'Dit weten we allemaal al,' zegt ze.

'Geef hier, dan lees ik wel verder,' zeg ik terwijl ik haar het boek afpak.

'De krankzinnigen, de verslaafden, de dronkenlappen, de armen en de hongerigen, al die ongelukkige zielen hadden de bescherming van de Orde nodig, want hun geest was te verward en zwak om weerstand te bieden aan de stemmen van de duistere geesten, die hen te allen tijde konden aanspreken...'

De dronkenlappen. De verslaafden. Ik denk aan mijn vader. Maar nee, ik heb hem gered. Hij is veilig.

'Als geesten kunnen doordringen tot de geest van de krankzinnigen, hoe kunnen we Nell Hawkins dan vertrouwen?' vraagt Ann. 'Stel dat ze haar al voor hun eigen boosaardige doeleinden gebruiken?'

Felicity is het met haar eens. 'Dat is een verontrustende gedachte.'

Mr Carey heeft me vandaag wel bang gemaakt met zijn ijzingwekkende waarschuwing, maar Nell was niet griezelig. Ze was vooral bang. Ik schud mijn hoofd. 'Ik geloof dat Nell haar uiterste best doet om te voorkomen dat de geesten haar gaan gebruiken. Ik ben ervan overtuigd dat ze daarom zo moeilijk te bereiken is.'

'Hoe lang kan ze dat volhouden?' vraagt Ann. Daar kan ik geen antwoord op geven.

'Laat mij nog eens,' zegt Felicity. Ze neemt het boek weer van me over.

'Het is een feit,' leest ze hardop voor, *'hoewel het door sommigen als onzin wordt afgedaan, dat de Orde ook vandaag de dag nog bestaat, al zijn de leden ondergedoken. Ze herkennen elkaar aan een verscheidenheid van symbolen waarvan alleen zij de betekenis kennen. Voorbeelden zijn het alziend oog, de dubbele lotusbloem, de roos, twee verstrengelde slangen...'*

'Net als die ring van miss McCleethy! Miss Moore zei al dat het een symbool was,' zeg ik. 'En ik heb zo'n ring ook gezien in mijn visioen over die drie meisjes.'

Anns ogen worden groot. 'Echt waar?'

'Maar dat is niet alles,' leest Felicity op luide toon verder. Ze vindt het niet prettig om te worden onderbroken, om wat voor reden dan ook. *'De priesteressen van de Orde maken ook gebruik van het anagram. Dat was vooral een nuttige manier om hun identiteit verborgen te houden voor lieden die het op hen gemunt hadden. Jane Snow kon zich Jean Wons noemen, en dan wisten alleen haar zusters nog wie ze in werkelijkheid was.'*

Felicity pakt een vel papier. 'Laten we zelf ook anagrammen maken. Ik wil wel weten wat mijn geheime naam zou zijn.' Ze is opgetogen. Nu er verder niemand bij is, is ze geen snob. Nu is ze niet bang dwaas over te komen in haar enthousiasme.

'Goed dan,' zeg ik.

Felicity schrijft haar naam boven aan het vel: FELICITY WORTH-INGTON. We staren naar de letters en wachten tot ze een nieuwe, mysterieuze naam onthullen.

Ann schrijft er verwoed op los. 'Felicity Worthington wordt "Gelyncht rif wint ooit".'

Felicity trekt een gezicht. 'Wat is dat nou weer voor een naam?'

'Een belachelijke,' zeg ik.

'Doe nog eens een poging, Ann,' beveelt Felicity.

Ann zet haar pen op het papier en concentreert zich als een chirurg die met een patiënt bezig is. '"Richtte tyfoon lig win"?' oppert ze.

'Dat slaat nergens op,' klaagt Felicity.

'Ik doe mijn best.'

Mij vergaat het niet veel beter. Ik heb de letters in GEMMA DOYLE telkens weer door elkaar gehusseld, en ik kan maar één ding bedenken.

'Lukt het jou een beetje, Gemma?' vraagt Felicity.

'Het is het vermelden niet waard,' zeg ik terwijl ik het papiertje verkreuk.

Felicity grist het uit mijn handen en strijkt het glad. 'Yam de Golem!' Daar moeten de meisjes verschrikkelijk om lachen, en meteen ben ik boos omdat ze het hebben gezien.

'O, dat is gewoon perfect,' zegt Felicity vol leedvermaak. 'Vanaf dit moment zullen we je aanspreken met je geheime Orde-anagram: Yam de Golem.'

Fantastisch. 'Ik ga het nog een keer proberen,' zeg ik.

'Ga je gang, als je dat graag wilt,' zegt ze, grijnzend als een kat die haar prooi in een hoek heeft gedreven. 'Maar zelf zal ik je alleen nog maar Yam de Golem noemen.'

Ann lacht gnuivend, zo scherp dat ze er een loopneus van krijgt. Ze dept haar neus met een zakdoekje en mompelt binnensmonds: 'Yam de Golem,' waardoor Felicity weer begint te giechelen. Ik vind het maar niks om het ongelukkige onderwerp van hun spot te zijn. 'En wat is jouw geheime naam dan wel, Ann?' vraag ik plagend.

Anns nette, compacte handschrift strekt zich uit over de witte pagina. 'Nan Washbrad.'

'Dat is helemaal niet eerlijk!' zeg ik. 'Dat klinkt als een bestaande naam.'

Ann haalt haar schouders op. 'Het hoeft toch ook geen opvallende naam te zijn?' Ze glimlacht triomfantelijk, en in de stilte hoor ik wat ze niet hardop zegt: *Yam de Golem*.

Intussen zit Felicity geconcentreerd met de punt van haar pen op het papier te tikken. Ze grauwt van frustratie. 'Ik kan helemaal niets van mijn naam maken. Er komt niets bij me op.'

'Heb je nog een doopnaam?' vraagt Ann. 'Dat helpt misschien. Dan heb je meer letters.'

'Nee, dat helpt niet,' zegt Felicity iets te vlug.

'Waarom niet?' vraagt Ann.

'Gewoon.' Felicity bloost. Het is niets voor Felicity om ergens over te blozen.

'Goed dan. Dan noemen we je vanaf nu "Gelyncht rif wint ooit",' zeg ik, genietend van haar ongemak.

'Als jullie het dan echt willen weten: mijn doopnaam is Mildrade.' Felicity richt haar aandacht weer op haar velletje papier, alsof ze niet is opgezadeld met misschien wel de lelijkste doopnaam in de geschiedenis van de mensheid.

Ann trekt haar neus op. 'Mildrade? Wat is dat nou weer voor een naam?'

'Het is een naam die al eeuwen in de familie is,' antwoordt Fee hooghartig. 'In de tijd van de Saksen werd hij al gebruikt.'

'O,' zegt Ann.

'Prachtig,' zeg ik, terwijl ik wanhopig mijn best doe om te voorkomen dat mijn mondhoeken gaan trillen.

Felicity verbergt haar gezicht in haar handen. 'O, is hij niet afschuwelijk? Ik heb er zo'n hekel aan.'

Daar is geen beleefd antwoord op te bedenken. 'Ach, het valt toch best mee?' Ik kan de verleiding niet weerstaan om het hardop te zeggen. 'Mildrade.'

Felicity knijpt haar ogen samen. 'Yam de Golem.'

Hier kunnen we de hele avond wel mee doorgaan. 'Staan we nu quitte?'

Ze knikt. 'We staan quitte.'

Ann is de letters van Felicity's naam aan het uitknippen, zodat er allemaal kleine vierkantjes ontstaan waar we op het bureau mee kunnen schuiven, totdat er iets ontstaat wat op een geloofwaardige naam lijkt. Het is een saai klusje, en binnen een minuut zit ik al met niets ziende ogen naar de letters te staren en te bedenken wat ik vanavond wil eten. Felicity verklaart dat het een onmogelijke opgave is en gaat languit op de chaise longue liggen om nog wat over geheime genootschappen te lezen in het boek van miss Wyatt. Alleen Ann is vastbesloten om de code van Felicity's naam te ontcijferen. Geconcentreerd schuift ze de letters heen en weer.

'Aha!' roept ze uiteindelijk uit.

'Laat eens zien!' Felicity legt het boek weg en haast zich naar het bureau. Ik voeg me bij hen. Trots gebaart Ann naar het bureaublad, waar de ongelijke vierkantjes een nieuwe naam vormen, die Felicity hardop voorleest.

'Maleficent Oddity Ralingworth. O, wat mooi.'

'Nou,' zeg ik. '"Maleficent" betekent boosaardig en "oddity" betekent rariteit. Dus nu heet je "boosaardige rare Ralingworth".'

'Yam de Golem,' snauwt Fee terug.

Ik moet echt nog wat aan mijn naam schaven. Op een hoekje van het vel papier heeft Ann een paar keer Mrs THOMAS DOYLE gekrabbeld, om de handtekening te oefenen die ze nooit zal kunnen gebruiken, en ik schaam me ervoor dat ik haar van

Toms lijstje heb geschrapt zonder haar zelfs maar een kans te geven. Daar ga ik iets aan doen. Intussen zit Ann naar een andere naam te staren.

'Wat is er?' vraag ik.

'Ik probeer het met miss McCleethy's naam,' zegt ze.

Felicity en ik gaan dichter bij haar zitten. 'Wat heb je tot nu toe?'

Ann laat ons zien wat ze heeft opgeschreven.

CLAIRE MCCLEETHY CHARME CYCLI TEEL ACRYL CLICHE MET MECCA TIC HEL LYRE HET MAL CIRÉ LECCY

Felicity lacht. 'Dat slaat helemaal nergens op. Charme cycli teel? Mal ciré?'

'Ciré is een stof. En *Mal* betekent slecht,' antwoordt Ann trots.

Ik zit nog steeds naar het vel papier te staren. Het heeft iets bekends, iets vreemds dat me de haren te berge doet rijzen.

Ann voegt nog een c in. Nu staat er CIRCE.

'Probeer haar volledige naam eens,' zeg ik.

Opnieuw schrijft Ann de hele naam op en knipt de letters uit, zodat ze met de vierkantjes kan schuiven. Ze probeert verschillende combinaties uit: CIRCE LAMCLEETHY, CIRCE THE LAMCLEY, CIRCE THE MAL CLEY, CIRCE THE YE CALL M.

'Leg de y eens achter THE,' draag ik haar op.

CIRCE THEY E CALL M.

Ann verplaats nog wat letters, en dan staat er opeens: THEY CALL ME CIRCE. Engels voor 'Ze noemen me Circe.'

We staren er verbijsterd naar.

'Claire McCleethy is een anagram,' fluistert Ann.

Felicity huivert. 'Circe is teruggekeerd naar Spence.'

'We moeten de tempel vinden,' zeg ik. 'En snel.'

Pippa zit bij de gorgone wanneer we in het rijk aankomen. 'Kijk, ik heb voor jullie allemaal een kroon gemaakt. Als kerstcadeautje.' Om haar armen hangen guirlandes, die ze op onze hoofden rangschikt. 'Beeldig!'

'O, ze zijn prachtig, Pip,' kirt Felicity.

'En ik heb je betoverde pijlen veilig bewaard,' zegt Pip terwijl ze Felicity de pijlenkoker omhangt. 'Zullen we weer de rivier op gaan?'

'Nee, liever niet,' antwoord ik.

De gorgone keert haar groene gezicht naar me toe. 'Wilt u niet reizen vandaag, Hoogsssste?' slist ze.

'Nee, dank je,' zeg ik. Ik moet denken aan onze laatste reis, aan die korte aarzeling voor ze antwoordde. Ik weet niet of ik het machtige wezen dat ooit de opstand tegen de Orde heeft geleid wel kan vertrouwen. Ze moeten immers een goede reden hebben gehad om haar gevangen te zetten.

Ik gebaar naar de anderen dat ze met me mee moeten lopen naar de tuin. De paddenstoelen zijn groter geworden. Enkele kunnen zo te zien elk moment openbarsten.

'We hebben ontdekt dat de naam van onze lerares een anagram is van *"They call me Circe"*, zegt Felicity tegen Pippa nadat ze haar alles heeft verteld wat we die dag hebben meegemaakt.

'Wat opwindend!' zegt Pip. 'Ik wou dat ik erbij was geweest toen jullie haar achtervolgden. Dat was erg dapper van jullie.'

'Denken jullie dat Mrs Nightwing ook verdacht is?' vraagt Felicity. 'Ze zijn immers vriendinnen.'

'Daar had ik niet bij stilgestaan,' zeg ik bezorgd.

'Ze wilde niet dat we iets over de Orde te weten zouden komen! Daarom heeft ze miss Moore ontslagen,' zegt Pippa. 'Misschien heeft Mrs Nightwing wel iets te verbergen.'

'Maar misschien weet ze er helemaal niets over,' zegt Ann. Mrs Nightwing is de enige moeder die ze ooit heeft gekend. Ik weet hoe het is als die zekerheid over iemand van wie je houdt je wordt afgenomen.

'Mrs Nightwing was lerares aan Spence toen Sarah en Mary er zaten. Stel dat ze Sarah al die tijd heeft geholpen en heeft gewacht op het juiste moment om haar terug te halen?' vraagt Felicity.

'D-dit staat me niet aan,' stamelt Ann.

'Stel dat...'

'Fee,' val ik haar met een snelle zijdelingse blik op Ann in de rede. 'Ik denk dat we ons nu beter kunnen concentreren op het vinden van de tempel. Nell Hawkins zei dat we naar een pad moesten zoeken. Heb jij hier in de buurt wel eens een pad gezien, Pip?' vraag ik.

Pip kijkt me vragend aan. 'Wie is Nell Hawkins?'

'Een gekke vrouw in Bedlam,' antwoordt Ann. 'Gemma denkt dat ze weet waar we de tempel kunnen vinden.'

Pippa moet lachen. 'Je maakt een grapje!'

'Nee,' zeg ik met een rood gezicht. 'Heb je wel eens een pad gezien?'

'Honderden. Wat voor soort pad zoeken we?'

'Dat weet ik niet. Het ware pad. Dat was het enige wat ze zei.'

'Daar hebben we niet veel aan,' verzucht Pippa. 'Er is er wel een dat de tuin uit leidt, maar dat heb ik nog nooit gevolgd.'

Het pad waar Pippa het over heeft is een smal laantje dat lijkt te verdwijnen in een muur van begroeiing. We komen slechts langzaam en moeizaam vooruit. Bij elke stap moeten we grote bladeren en dikke beige stengels opzij duwen die dunne strepen sap op onze handen achterlaten, zo kleverig als karamel.

'Wat een klus,' moppert Pippa. 'Ik hoop dat dit de goede weg is. Ik zou het vreselijk vinden als al die moeite voor niets zou blijken te zijn.'

Een stengel raakt me recht in het gezicht.

'Wat zeg je?' vraagt Felicity.

'Ik? Niets,' antwoord ik.

'Ik hoorde stemmen.'

We blijven staan. Nu hoor ik het ook. In de dichte begroeiing beweegt iets. Opeens lijkt het heel onverstandig dat we dit pad hebben genomen zonder ook maar het flauwste idee te hebben waar het naartoe leidt. Ik steek mijn hand op om mijn vriendinnen tegen te houden. Felicity pakt een pijl. We zijn zo gespannen als de snaren van een piano.

Twee ogen verschijnen tussen de gevederde bladeren van een palmboom.

'Hallo? Wie is daar?' vraag ik.

'Komen jullie ons helpen?' vraagt een zachte stem.

Een jonge vrouw stapt achter de boom vandaan en doet ons naar adem happen. De rechterhelft van haar lichaam is afschuwelijk verbrand. Haar hand is tot op het bot verteerd. Ze ziet de schrik op onze gezichten en probeert zich te bedekken met de resten van haar shawl. 'Er was een brand in de fabriek, miss. De boel brandde als een fakkel, en we konden niet op tijd buiten komen,' legt ze uit.

'We?' vraag ik als ik mijn stem terug heb.

Achter haar in de oerwoudachtige begroeiing staan misschien een stuk of twaalf jonge meisjes, van wie er velen afschuwelijke brandwonden hebben. Allemaal zijn ze dood.

'Iedereen die niet kon wegkomen. Sommigen zijn verbrand, anderen zijn naar buiten gesprongen en doodgevallen,' antwoordt ze nuchter.

'Hoe lang zijn jullie hier al?' vraag ik.

'Weet ik niet zo goed,' antwoordt ze. 'Een eeuwigheid, lijkt het wel.'

'Wanneer was de brand?' vraagt Pippa.

'3 december 1895, miss. Er stond veel wind die dag, dat weet ik nog.' Ze zijn hier nu een week of twee, korter dan Pippa. 'U heb ik al eens eerder gezien, miss,' zegt ze met een knikje naar Pippa. 'U en uw gezel.'

Pippa's mond valt open. 'Ik heb je nog nooit van mijn leven gezien. Ik weet niet waar je het over hebt.'

'Het spijt me als ik u heb beledigd, miss. Dat was echt niet de bedoeling.'

Ik begrijp niet waarom Pip zo chagrijnig is. Ze maakt het er niet makkelijker op.

Het meisje trekt aan mijn mouw, en ik moet een gil onderdrukken als ik die hand op mijn lichaam zie liggen. 'Is dit de hemel of de hel, miss?'

'Geen van beide,' zeg ik terwijl ik een stap naar achteren doe. 'Hoe heet je?'

'Mae. Mae Sutter.'

'Mae,' fluister ik. 'Is er in jullie groep iemand die zich de laatste tijd vreemd is gaan gedragen?'

Ze denkt even na. 'Bessie Timmons,' zegt ze, wijzend naar een ander verbrand meisje met een lelijk gebroken arm. 'Maar om eerlijk te zijn, miss, is ze altijd een beetje vreemd geweest. Ze gaat wel eens weg om met iemand te praten, en dan zegt ze dat we met haar mee moeten gaan naar iets wat het Winterland heet, dat ze ons daar kunnen helpen.'

'Luister goed naar me, Mae. Je moet niet naar het Winterland gaan. Binnenkort is alles weer zoals het hoort, en dan kunnen jij en je vriendinnen de rivier oversteken naar wat daarachter ligt.'

Mae kijkt me angstig aan. 'En wat is dat dan?'

'Ik... Dat weet ik niet precies,' zeg ik. Dat stelt haar niet gerust. 'Maar tot die tijd moet je niemand vertrouwen die je hier tegenkomt. Begrijp je me?'

Ze kijkt me indringend aan. 'Waarom zou ik u dan wel vertrouwen, miss?' Ze loopt terug naar haar vriendinnen, en ik hoor haar zeggen: 'Ze kunnen ons niet helpen. We moeten het zelf oplossen.'

'Al die geesten die wachten tot ze over kunnen gaan...' zegt Felicity.

'Die elk moment beschadigd kunnen raken,' zegt Ann.

'Dat weet je niet,' zegt Pippa.

We zwijgen.

'Laten we doorlopen,' zeg ik. 'Misschien is de tempel vlakbij.'

'Ik wil niet verder,' zegt Pippa. 'Ik wil geen ellende meer zien. Wie gaat er mee terug naar de tuin?'

Ik kijk naar al het groen dat voor ons ligt. Het pad lijkt dood te lopen onder een dicht bladerdek. Maar ik meen ook iets met een spookachtige witte gloed door de struiken te zien bewegen.

Bessie Timmons gaat midden op het pad staan. Er ligt een harde blik in haar ogen. 'Waarom rotten jullie dan niet op, als jullie ons toch niet kunnen helpen? Hup, wegwezen. Want anders...'

Ze zegt er niet bij wat er anders gaat gebeuren. Enkele van de andere meisjes komen achter haar staan en sluiten de gelederen. Ze willen ons hier niet hebben. Het heeft geen zin om tegen hen in te gaan, niet nu.

'Kom mee,' zeg ik. 'Dan gaan we terug.'

We draaien ons om. Bessie Timmons roept ons iets na.

'Doe maar niet zo hooghartig. Nog even en jullie zijn allemaal net als wij. Mijn vrienden komen ons halen. Ze zullen ons genezen! Ze maken koninginnen van ons! En van jullie blijft niets over dan wat stof.'

In stilte lopen we terug naar de tuin. We zijn moe, bezweet en chagrijnig, met name Pippa.

'Kunnen we dan nu alsjeblieft wat plezier maken?' vraagt ze verongelijkt als we weer op de plek zijn waar de runen hebben gestaan. 'Al dat gezoek naar die tempel is vreselijk saai.'

'Ik weet een leuke plek om spelletjes te spelen, vrouwe.'

De ridder stapt achter een boom vandaan en maakt ons allemaal aan het schrikken. In zijn hand heeft hij een in doek gewikkeld bundeltje. We happen naar adem, en hij laat zich op één knie zakken. 'Heb ik u laten schrikken?' vraagt hij met zijn hoofd een beetje schuin, zodat het gordijn van korenblond haar op aanlokkelijke wijze voor zijn gezicht valt.

Pippa werpt hem een duistere blik toe. 'Je bent niet ontboden.'

'Het spijt me,' zegt hij. Maar zo klinkt hij niet. Hij klinkt alsof hij zich ten koste van ons amuseert. 'Hoe zal ik boeten voor mijn misstap, vrouwe? Wat wilt u dat ik doe?' Hij zet zijn dolk tegen zijn keel. 'Eist u bloed, vrouwe?'

Pippa doet merkwaardig koel tegen hem. 'Als je dat wilt.'

'Maar wat wilt ú, vrouwe?'

Pippa wendt zich af, zodat haar lange zwarte krullen dansen op haar rug. 'Ik wil dat je me met rust laat.'

'Goed dan, vrouwe,' zegt de ridder. 'Maar ik zal u een geschenk geven.'

Hij werpt het bundeltje op de grond en verdwijnt in het struikgewas.

'Ik dacht dat je hem had weggestuurd,' zegt Felicity.

'Ja, dat dacht ik ook,' zegt Pippa.

'Wat heeft hij voor je meegenomen?' vraagt Ann. Ze wikkelt het doek open en valt met een schelle kreet achterover in het gras.

'Wat is er?' vragen Felicity en ik tegelijkertijd, terwijl we op haar af rennen.

Het is een geitenkop, bedekt met vliegen en bloed.

'Wat afschuwelijk!' zegt Ann met haar hand voor haar mond.

'Als de man terugkomt, heb ik een appeltje met hem te schillen,' zegt Felicity met een blos op haar wangen.

Het is afgrijselijk, en ik vraag me af hoe het mogelijk is dat de ridder, die ooit ontstaan is uit Pippa's dromen en verlangens – een wezen dat door de magie aan haar is gebonden – zo wreed is geworden. Pippa staat ingespannen naar de geitenkop te staren. Ze heeft haar handen tegen haar buik gedrukt, en aanvankelijk denk ik dat ze gaat overgeven of huilen. Maar dan likt ze bijna onmerkbaar haar lippen en verschijnt er een hunkerende blik in haar ogen.

Ze ziet dat ik naar haar kijk. 'Ik zal hem straks wel begraven,' zegt ze terwijl ze me een arm geeft.

'Ja, dat zou fijn zijn,' zeg ik. Ik loop weg.

'Komen jullie morgen terug?' roept ze ons na. 'Dan proberen we een ander pad. Ik weet zeker dat we het morgen vinden!'

De rijkversierde koekoeksklok op Felicity's schoorsteenmantel kondigt de tijd aan. Voor ons gevoel zijn we uren weg geweest, maar in Londen is er nog geen tel verstreken. Ik ben erg in de war van alles wat er die dag is gebeurd: miss McCleethy die naar Bedlam ging, het anagram, Mae Sutter en haar vriendinnen. En van Pippa. Ja, vooral van Pippa.

'Zullen we iets leuks gaan doen?' vraagt Felicity, die al snel naar de voordeur loopt, met ons in haar kielzog.

Shames, de butler, komt ons achterna. 'Miss Worthington! Wat is er aan de hand?'

Felicity sluit haar ogen en steekt haar hand uit. 'Je ziet me niet, Shames. We zitten in de salon van onze thee te genieten.'

Zonder een woord te zeggen schudt Shames zijn hoofd, alsof hij niet begrijpt waarom de deur openstaat. Hij doet hem achter ons dicht, en we zijn vrij.

De Londense mist onttrekt de sterren aan het zicht. Hier en daar glinstert er een, maar ze kunnen niet helemaal door de nevelige deken heen prikken.

'Wat gaan we nu doen?' vraagt Ann.

Felicity grijnst breed. 'Alles.'

Tijdens een koude avond met behulp van de magie over Londen heen vliegen is een buitengewone ervaring. We zien heren hun clubs verlaten, opgewacht door een hele rij koetsen. We zien straatkinderen, arme, groezelige wezens, die de met rommel bezaaide oevers van de Theems afspeuren op zoek naar muntstukken of een andere meevaller. Als we een klein stukje dalen, kunnen we de daken van de theaters van het West End aanraken, of de indrukwekkende gotische spitsen van het parlementsgebouw, en dat doen we dan ook. Ann gaat op het dak zitten naast de enorme klok van de Big Ben.

'Kijk,' zegt ze lachend. 'Ik zit in het parlement!'

'We kunnen alles doen wat we willen! Inbreken in Buckingham Palace en de kroonjuwelen omdoen,' zegt Felicity, die op haar tenen van de ene smalle toren naar de andere springt.

'D-dat z-zou je t-toch niet echt d-doen?' vraagt Ann vol afschuw.

'Nee, dat doet ze niet,' zeg ik streng.

Het is opwindend om zoveel vrijheid te hebben. Loom vliegen we over de rivier, en onder Waterloo Bridge rusten we even uit. Onder ons vaart een roeiboot voorbij, met een lantaarn die de strijd aanbindt met de mist maar er niet van kan winnen. Het is merkwaardig, maar ik kan de gedachten van de oude man in de boot horen, net als die van de gevallen vrouwen op Haymarket en de chique lieden in hun mooie privérijtuigen die door Hyde Park reden toen we daaroverheen vlogen. Het is heel vaag, als een gesprek in een andere kamer waar ik iets van opvang, maar desondanks weet ik wat ze voelen.

De oude man stopt stenen in zijn zakken, en opeens besef ik wat hij van plan is.

'We moeten die man in de boot tegenhouden,' zeg ik.

'Hoezo?' vraagt Ann, die door de lucht wervelt.

'Kunnen jullie hem dan niet horen?'

'Nee,' zegt Ann. Felicity schudt haar hoofd terwijl ze als een zwemmer op haar rug drijft.

'Hij wil zelfmoord plegen.'

'Hoe weet je dat?' vraagt Felicity.

'Ik kan zijn gedachten horen.'

Ze geloven me niet helemaal, maar ze komen toch achter me aan als ik de dichte mist in vlieg. De man zingt een droevig liedje over een meisje dat voorgoed verloren is, terwijl hij de laatste paar stenen in zijn zak stopt en naar de rand van de wiebelende boot loopt.

'Je hebt gelijk!' zegt Ann verschrikt.

'Wie is daar?' roept de man.

'Ik heb een idee,' fluister ik tegen mijn vriendinnen. 'Kom mee.'

We dringen door de mist heen, en de man slaat bijna achterover van schrik bij de aanblik van drie meisjes die op hem af zweven.

'Neem niet je toevlucht tot deze wanhopige daad,' zeg ik met een hoog, onvast stemmetje waarvan ik hoop dat het bovennatuurlijk klinkt.

Met grote ogen laat de man zich op zijn knieën vallen. 'W-wie zijn jullie?'

'Wij zijn de geesten van Kerstmis, en wee degene die onze waarschuwing niet ter harte neemt,' jammer ik.

Felicity kreunt en maakt een salto in de lucht. Ann staart haar met open mond aan, maar zelf ben ik onder de indruk van haar improvisatietalent en acrobatische toeren.

'Wat voor waarschuwing?' piept de man.

'Als u dit doorzet, zult u ten prooi vallen aan een vreselijke vloek,' zeg ik.

'En uw familie ook,' zegt Felicity plechtig.

'En hun familie,' voegt Ann eraan toe, wat ik een beetje overdreven vind, maar we kunnen het niet meer terugdraaien.

Het werkt. De man haalt zo snel de stenen uit zijn zakken dat ik bang ben dat hij overboord zal vallen. 'Dank u!' zegt hij. 'Ja, heel erg bedankt!'

Tevreden vliegen we naar huis, lachend om onze vindingrijkheid en erg met onszelf ingenomen omdat we een man het leven hebben gered. Als we weer terug zijn bij de elegante huizen van Mayfair, word ik aangetrokken door Simons huis. Het zou heel gemakkelijk zijn om ernaartoe te vliegen en misschien zijn gedachten op te vangen. Even zweef ik besluiteloos steeds dichter naar zijn huis toe, maar op het laatste moment verander ik van koers en volg Felicity en Ann terug naar de salon, waar de thee inmiddels koud is geworden.

'Dat was opwindend!' zegt Felicity terwijl ze gaat zitten.

'Ja,' zegt Ann. 'Ik vraag me af waarom Fee en ik zijn gedachten niet konden horen.'

'Dat weet ik ook niet,' zeg ik.

Een klein meisje in een smetteloos jurkje en een schortje komt stilletjes binnen. Ze kan niet ouder zijn dan een jaar of acht. Haar blonde haar is boven op haar hoofd met een breed wit lint in een paardenstaart gebonden. Haar ogen hebben dezelfde grijsblauwe kleur als die van Felicity. Ze lijken sowieso sprekend op elkaar.

'Wat moet je?' snauwt Felicity.

Er komt een gouvernante binnen. 'Neemt u me niet kwalijk, miss Worthington. Miss Polly is haar pop kwijt. Ik heb al zo vaak tegen haar gezegd dat ze beter op haar spullen moet passen.'

Dus dat is de kleine Polly. Ik heb medelijden met haar omdat ze in hetzelfde huis moet wonen als Felicity.

'Hier ligt ze,' zegt Felicity, die de pop onder het Perzische tapijt terugvindt. 'Wacht, dan kijk ik even of alles goed is met haar.'

Met veel omhaal onderzoekt Felicity de pop, zodat Polly begint te giechelen, maar wanneer ze haar ogen sluit en haar handen op de pop legt, voel ik iets trekken aan de magie die we hebben meegenomen.

'Felicity!' zeg ik. Daarmee verbreek ik haar concentratie.

Ze geeft de pop aan Polly. 'Alsjeblieft, Polly. Ze is weer helemaal beter. Nu heb je iemand die op je kan letten.'

'Wat deed je nou?' vraag ik zodra Polly met haar gouvernante terug is gegaan naar de kinderkamer.

'O, kijk niet zo naar me! De arm van de pop was kapot en ik heb hem gewoon even gemaakt,' zegt Felicity verontwaardigd.

'Je zou haar toch niets aandoen, hè?'

'Nee,' zegt Felicity koeltjes, 'nooit.'

HOOFDSTUK
ZESENTWINTIG

Zodra ik wakker ben, schrijf ik snel een brief naar de directrice van Meisjesschool Sint-Victoria om te vragen tot wanneer miss McCleethy daar heeft gewerkt. Nog voordat de inkt helemaal droog is, laat ik hem door Emily posten.

Aangezien het donderdag is, neemt miss Moore ons zoals beloofd mee naar de galerie. Per omnibus reizen we door de straten van Londen. Het is fantastisch om bovenin te zitten, met de stevige wind in ons gezicht, en om ons heen te kijken naar de mensen die over straat krioelen en de paarden die karren vol waren voorttrekken. Over minder dan een week is het Kerstmis, en het is een stuk kouder geworden. Boven ons hangen dreigende wolken die sneeuw beloven. Hun witte onderbuiken drukken op de schoorstenen en lijken ze volledig op te slokken voordat ze doorgaan naar de volgende en weer de volgende, en bij elke schoorsteen rusten ze even, alsof ze een lange reis voor de boeg hebben.

'We zijn er bijna, dames,' roept miss Moore boven het straatkabaal uit. De wind is aangetrokken, en ze moet met één hand haar hoed stevig vasthouden. Met voorzichtige stappen dalen we de trap af die naar het onderste deel van de omnibus leidt, waar een conducteur in een strak uniform ons bij de hand neemt en helpt bij het uitstappen.

'Lieve hemel,' zegt miss Moore terwijl ze haar haar onder haar hoed in model brengt. 'Ik dacht dat ik zou wegwaaien.'

De galerie is gehuisvest in een voormalige herenclub. Er zijn vandaag veel mensen op afgekomen. In de massa lopen we van de ene naar de andere verdieping en bewonderen de schitterende schilderijen. Miss Moore leidt ons door een gang die is gewijd aan het werk van minder bekende kunstenaars. Er hangen rustige portretten van nadenkend kijkende meisjes, vurige afbeeldingen van zeegevechten en prachtige landschappen waarvan ik zin krijg om er op blote voeten doorheen te rennen. In het bijzonder word ik aangetrokken door een groot schilderij in de hoek. Daarop is een leger van engelen in gevecht verwikkeld. Onder hen ligt een weelderige tuin met één boom, met eromheen een heleboel mensen die zich kreunend afwenden. Daaronder ligt een uitgestrekte woestenij van zwarte rotsen die baadt in een oranje gloed. Boven in de wolken zweeft een gouden stad. In het midden bestrijden twee engelen elkaar met hun armen verstrengeld, zodat ik niet kan zien waar de ene ophoudt en de andere begint. Waarschijnlijk zouden ze beiden in de diepte storten als ze niet in dit gevecht verwikkeld waren om in de lucht te blijven.

'Heb je iets gevonden wat je aanstaat?' vraagt miss Moore, die opeens naast me staat.

'Ik weet het niet precies,' antwoord ik. 'Het is... verontrustend.'

'Dat geldt voor veel goede kunst. Wat vind je zo verontrustend aan dit schilderij?'

Ik kijk naar de felle kleuren van de olieverf, het rood en het oranje van het vuur, het wit en lichtgrijs in de vleugels van de engelen, de variatie aan vleeskleuren die de spieren, aangespannen in de strijd om de overwinning, leven lijkt in te blazen.

'Het maakt een nogal wanhopige indruk, alsof er te veel op het spel staat.'

Miss Moore leunt naar voren om te lezen wat er op het koperen schildje onder het schilderij staat. 'Kunstenaar onbekend. Circa 1801. *De opstand van de engelen.*' Ze citeert iets, poëzie zo te horen. '"Mijn keus acht heerschen eerzucht waard al zij 't in Hel. Liever ben 'k vorst in Hel dan slaaf in Hemel." John Milton, *Het paradijs verloren*, boek één. Heb je dat ooit gelezen?'

'Nee,' zeg ik blozend.

'Miss Worthington? Miss Bradshaw?' vraagt miss Moore. Ze schudden hun hoofd. 'Lieve hemel, waar moet het naartoe met dit keizerrijk als we de werken van onze beste Engelse dichters niet eens lezen? John Milton, geboren in 1608, overleden in 1674. In zijn epische gedicht *Het paradijs verloren* vertelt hij het verhaal van Lucifer.' Ze wijst naar de donkerharige engel in het midden. 'De slimste en meest geliefde engel in de hemel, die werd verbannen omdat hij de aanzet gaf tot een opstand tegen God. Zodra de hemel voor hen verloren was, zwoeren Lucifer en zijn opstandige engelen dat ze hier op aarde het gevecht zouden voortzetten.'

Delicaat snuit Ann haar neus in haar zakdoek. 'Ik begrijp niet waarom hij moest vechten. Hij was immers al in de hemel.'

'Dat klopt. Maar hij was er niet tevreden mee om enkel te dienen. Hij wilde meer.'

'Hij had toch alles wat hij zich kon wensen?' vroeg Ann.

'Dat was het 'm nou juist,' legt miss Moore uit. 'Hij moest het wel eerst vragen. Hij was afhankelijk van de grillen van een ander. Het is vreselijk om zelf geen macht te hebben. Als alle macht je wordt onthouden.'

Felicity en Ann werpen me een snelle blik toe, en meteen voel ik me schuldig. Ik heb de kracht. Zij niet. Haten ze me erom?

'Arme Lucifer,' mompelt Felicity.

Miss Moore moet lachen. 'Dat is een zeer ongebruikelijk sentiment, miss Worthington. Maar je bevindt je in goed gezelschap. Milton zelf leek ook sympathie voor hem te koesteren. En deze schilder ook. Zie je hoe mooi hij de donkere engel heeft gemaakt?'

Alle drie staren we door de penseelstreken heen naar de sterke, volmaakte ruggen van de engelen. Ze lijken bijna minnaars die geen oog hebben voor wat er om hen heen gebeurt. Het is een strijd die ertoe doet.

'Ik vraag me af...' mijmert miss Moore.

'Ja, miss Moore?' spoort Ann haar aan.

'Stel dat het kwaad eigenlijk helemaal niet bestaat? Stel dat het kwaad gewoon iets is wat de mens heeft bedacht, en dat we nergens tegen hoeven te vechten, behalve tegen onze eigen beperkingen? De constante strijd tussen onze wil, onze verlangens en onze keuzes?'

'Maar er is wel degelijk echt kwaad,' zeg ik, denkend aan Circe.

Miss Moore kijkt me nieuwsgierig aan. 'Hoe weet je dat?'

'We hebben het zelf gezien,' flapt Ann eruit. Felicity kucht en geeft Ann een weinig damesachtige stoot in de ribben.

Miss Moore buigt dicht naar ons toe. 'Jullie hebben natuurlijk gelijk. Het kwaad bestaat wel degelijk.' Mijn hart slaat een slag over. Is het moment eindelijk aangebroken? Gaat ze hier ter plekke iets aan ons opbiechten? 'En het heet de kostschool.' Ze huivert theatraal, en we giechelen. Op dat moment passeert een streng, grijs echtpaar ons met een scherpe blik van afkeuring.

Felicity staart naar het schilderij alsof ze het wil aanraken. 'Denkt u dat het mogelijk is... dat er iets mis is met sommige mensen? Dat er een kwaad in hen huist waardoor anderen...'

'Waardoor anderen wat?' vraagt Ann.

'Hun dingen aandoen.'

Ik begrijp niet wat ze bedoelt.

Miss Moore houdt haar blik op het schilderij gevestigd. 'We moeten allemaal verantwoording afleggen voor onze eigen daden, miss Worthington, als je dat soms bedoelt.'

Als dat inderdaad is wat Felicity bedoelt, laat ze er niets van blijken. Ik weet niet of haar vraag beantwoord is.

'Zullen we verder lopen, dames? We hebben de romantiek nog niet gehad.' Doelbewust loopt miss Moore door. Ann gaat achter haar aan, maar Felicity verroert zich niet. Het schilderij fascineert haar.

'Je zou me er toch niet buiten laten?' vraagt ze.

'Waarbuiten?' vraag ik.

'Het rijk. De Orde. Alles.'

'Natuurlijk niet.'

Ze houdt haar hoofd een beetje scheef. 'Denk je dat ze hem erg misten nadat hij was gevallen? Ik vraag me af of God om Zijn verloren engel heeft gehuild.'

'Dat weet ik niet,' zeg ik.

Felicity geeft me een arm, en we wandelen achter de anderen aan, de engelen en hun eeuwige worsteling achter ons latend.

'Wel heb ik ooit, ben jij dat, Ann? Het is onze Annie!'

Een vrouw komt op ons af gelopen. Ze loopt er veel te chic bij met haar parelkettingen en diamanten oorknoppen, die meer voor de avond geschikt zijn. Het is wel duidelijk dat ze veel geld heeft en dat ze wil dat iedereen dat weet. Ik krijg last van plaatsvervangende schaamte. Haar echtgenoot, een man met een keurig verzorgd zwart snorretje, neemt zijn zwarte hoge hoed voor ons af. Hij heeft een rijkversierde wandelstok bij zich, puur voor het effect.

De vrouw omhelst Ann voorzichtig. 'Wat een verrassing om je hier te zien. Maar waarom ben je niet op school?'

'Ik... ik... ik...' stamelt Ann. 'M-mag ik jullie voorstellen aan mijn nicht, Mrs Wharton?'

We worden aan elkaar voorgesteld, en we krijgen te horen dat Mrs Wharton een verre nicht van Ann is, degene die betaalt voor haar opleiding zodat ze over een jaar gouvernante van haar kinderen kan worden.

'Ik hoop dat het een smaakvolle expositie is,' zegt Mrs Wharton met een vies gezicht. 'In Parijs hebben we een expositie bezichtigd die gewoon obsceen was, moet ik tot mijn spijt melden. Overal schilderijen van wilden die geen draad aan hun lijf hadden.'

'En het was nog peperduur ook,' zegt Mr Wharton lachend, ook al getuigt het van zeer slechte smaak om over geld te beginnen.

Naast me verstijft miss Moore. 'Aha. Echte kunstliefhebbers, begrijp ik. Dan moet u echt het schilderij van Moretti gaan bezichtigen,' zegt ze, verwijzend naar een gewaagd schilderij van een naakte Venus, godin van de liefde, dat mij aan het blozen maakte, zo expliciet was het. De Whartons zullen er diep door geschokt zijn, en ik vermoed dat miss Moore daaropuit is.

'Dat zullen we doen. Dank u,' kirt Mrs Wharton. 'Het is een geluk dat onze wegen elkaar kruisen, Annie. Het lijkt erop dat onze gouvernante Elsa eerder weggaat dan verwacht. In mei vertrekt ze al, en dan willen we graag dat jij meteen begint. Ik weet zeker dat Charlotte en Caroline het heerlijk zullen vinden om hun nicht als gouvernante te hebben, al vermoed ik dat Charlotte er vooral naar uitkijkt dat iemand haar miss Charlotte gaat noemen nu ze acht is. Je moet je door haar niet te veel op je kop laten zitten.' Ze moet om zichzelf lachen en is zich er geen moment van bewust wat een kwelling dit voor Ann is.

'We moeten weer eens verder, Mrs Wharton,' zegt Mr Wharton terwijl hij haar zijn arm aanbiedt. Hij heeft nu al genoeg van ons.

'Ja, Mr Wharton. Ik zal een brief schrijven aan Mrs Nightingale,' zegt zijn vrouw, die de naam verbastert. 'Een genoegen om met jullie te hebben kennisgemaakt,' voegt ze eraan toe terwijl ze zich door haar echtgenoot als een kind laat wegleiden.

Voor de thee gaan we naar een donkere, gezellige tearoom. Hij is heel anders dan de clubs en salons die we gewoonlijk bezoeken, vol met bloemen en stijve gesprekken. Dit is een gelegenheid voor werkende vrouwen, en het gonst er van de activiteit. Felicity en ik zijn aangestoken door de zeggingskracht van de kunst. We bespreken onze favoriete schilderijen, en miss Moore vertelt ons wat ze weet over de kunstenaars, waardoor we ons erg chic voelen, alsof we te gast zijn in een beroemde salon in Parijs. Alleen Ann is stilletjes. Ze drinkt haar thee en eet twee grote stukken taart achter elkaar op.

'Als je zo blijft dooreten, pas je met kerst niet meer in je baljurk,' zegt Felicity berispend.

'Wat maakt het uit?' vraagt Ann. 'Je hebt gehoord wat mijn nicht zei. In mei ga ik al weg.'

'Kom, kom, miss Bradshaw. Er zijn altijd andere mogelijkheden,' zegt miss Moore kordaat. 'Je toekomst ligt heus nog niet vast.'

'Jawel. Ze hebben mijn opleiding aan Spence voor me betaald. Ik sta bij hen in het krijt.'

'Stel dat je nee tegen hen zegt maar aanbiedt de schuld af te betalen zodra je elders een baan hebt gevonden?' vraagt miss Moore.

'Die schuld kan ik nooit afbetalen.'

'Jawel, al zal het een tijdje duren. Het zal niet meevallen, maar het is niet onmogelijk.'

'Maar dan zouden ze verschrikkelijk boos op me zijn,' zegt Ann.

'Ja, waarschijnlijk wel. Maar daar gaan ze niet dood van, en jij ook niet.'

'Ik zou de gedachte niet kunnen verdragen dat iemand zo slecht over me dacht.'

'Ben je dan liever de rest van je leven overgeleverd aan de genade van Mrs Wharton en de misses Charlotte en Caroline?'

Ann staart naar de kruimeltjes op haar bordje. Het verdrietige is dat ik weet hoe Ann in elkaar zit. Het antwoord is ja. Ze glimlacht zwakjes. 'Misschien ben ik net als de heldin in zo'n schoolmeisjesverhaal en komt iemand me inderdaad redden. Een rijke oom. Of misschien trek ik de aandacht van een lieve man die met me wil trouwen.' Dat laatste zegt ze met een nerveuze blik op mij, en ik weet dat ze aan Tom denkt.

'Dat is nogal wat om op te hopen,' zegt miss Moore. Ann begint te snikken. Dikke tranen vallen in haar thee.

'Kom, kom,' zegt miss Moore met een klopje op haar hand. 'Er is nog tijd genoeg. Wat kunnen we doen om je op te vrolijken? Willen jullie me misschien nog iets meer vertellen over de fijne dingen die jullie in het rijk doen?'

'Daar ben ik mooi,' zegt Ann met een stem waarin de schrijnende pijn van ingehouden tranen doorklinkt.

'Beeldschoon,' zeg ik. 'Vertel haar maar eens hoe we de waternimfen hebben verjaagd!'

Even speelt er een glimlach om Anns lippen. 'Ja, die hadden we goed te pakken, hè?'

Miss Moore doet alsof ze zich ergert. 'Nou, hou me dan niet langer in spanning. Vertel me over de waternimfen.'

Terwijl we haar het verhaal in geuren en kleuren vertellen, luistert miss Moore aandachtig. 'Aha, ik hoor dat jullie toch wel eens iets hebben gelezen. Dit strookt met de oude Griekse vertellingen over nimfen en sirenen, die schepen op de klippen lieten lopen met hun gezang. En hebben jullie die tempel die jullie zochten al gevonden?'

'Nee. Maar we hebben een bezoek gebracht aan de Gouden

273

Dageraad, een boekwinkel in de buurt van Bond Street, en daar hebben we een boek gevonden van miss Wilhelmina Wyatt over geheime genootschappen,' zegt Ann.

'De Gouden Dageraad...' zegt miss Moore. Ze neemt een hapje taart. 'Ik geloof niet dat ik die ken.'

'Miss McCleethy had er een advertentie van in haar koffer,' flapt Ann eruit. 'Gemma heeft hem zien liggen.'

Miss Moore trekt haar wenkbrauw op.

'Hij stond open,' zeg ik blozend. 'Ik zag het per ongeluk.'

'We hebben miss McCleethy in de winkel gezien. Ze vroeg om het boek, dus deden wij dat ook. Er staat van alles in over de Orde,' zegt Felicity.

'Wist u dat de leden van de Orde in geval van nood anagrammen gebruikten om hun ware identiteit te verbergen?' vraag ik.

Miss Moore schenkt nog wat thee voor ons in. 'Is dat zo?'

Ann valt me bij. 'Ja, en we hebben een anagram proberen te ontdekken in de naam van miss McCleethy, en daar kwam uit: "They call me Circe". Dat bewijst het.'

'Wat bewijst het precies?' vraagt miss Moore. Ze morst wat thee, die ze met haar servet moet opdeppen.

'Dat miss McCleethy Circe is, natuurlijk. En dat ze met duivelse bedoelingen naar Spence is gekomen,' legt Felicity uit.

'En wat zijn die duivelse bedoelingen dan precies? Dat ze jullie tekenen of Latijn wil bijbrengen?' vraagt miss Moore met een wrange glimlach.

'Dit is een ernstige zaak, miss Moore,' zegt Felicity koppig.

Met een serieus gezicht leunt miss Moore naar voren. 'Het is ook een ernstige zaak als je iemand van hekserij beschuldigt, alleen omdat ze een bezoek heeft gebracht aan een boekwinkel.'

Schuldbewust drinken we onze thee op.

'We zijn haar gevolgd,' zegt Ann zachtjes. 'Ze ging naar Bedlam, waar Nell Hawkins woont.'

Halverwege een slok thee verstijft miss Moore. 'Nell Hawkins. Wie is dat?'

'Een meisje dat in de Orde gelooft. Ze zegt dat Circe achter haar aan zit. Daarom is ze gek geworden,' antwoordt Ann genietend. Ze heeft echt iets met alles wat macaber is.

'Mijn broer Tom is klinisch assistent in het Bethlem. Nell Hawkins is daar patiënte,' leg ik uit.

'Interessant. En heb je wel eens met dat meisje gepraat?'

'Ja,' antwoord ik.

'Zei ze dat ze miss McCleethy kende?'

'Nee,' zeg ik, een beetje gegeneerd. 'Ze is gek, en het valt niet mee om haar geraaskal te begrijpen. Maar ze was leerling aan Meisjesschool Sint-Victoria toen haar iets verschrikkelijks overkwam, en we hebben aanwijzingen dat miss McCleethy daar in diezelfde periode lesgaf.'

'Dat is merkwaardig,' zegt miss Moore. Ze schenkt melk bij haar thee tot die wolkachtig beige is. 'Weten jullie dat zeker?'

'Nee,' geef ik toe. 'Maar ik heb een brief geschreven aan de directrice. Ik verwacht binnenkort antwoord.'

'Maar dan weet je eigenlijk nog niets,' zegt miss Moore, terwijl ze haar servet op haar schoot gladstrijkt. 'Tot je het echt zeker weet, raad ik je aan om voorzichtig te zijn met je beschuldigingen. Ze kunnen vervelende gevolgen hebben.'

Schuldbewust kijken we elkaar aan. 'Ja, miss Moore.'

'Ann, wat ben je aan het doen?' vraagt ze.

Ann zit wat op een blaadje te krabbelen. Ze probeert het met haar hand te bedekken. 'N-niets.'

Meer is er niet voor nodig. Felicity grist het blaadje weg.

'Geef terug!' jammert Ann, die zonder veel succes probeert het terug te pakken.

Felicity leest hardop voor wat er staat. 'Hester Moore. Heere om rots.'

'Het is een anagram van uw naam. Maar geen goede,' zegt Ann op verhitte toon. 'Fee, toe nou!'

Onverstoorbaar leest Felicity verder. 'Oh tors ermee. Heer met roos.' Er flakkert iets op in Felicity's ogen. Ze grijnst woest. 'Heer Tom Eros.'

Het doet er niet toe dat het nergens op slaat. Alleen al het feit dat Tom en Eros in dezelfde zin voorkomen is een afschuwelijke vernedering voor Ann. Ze grist het blaadje terug. Anderen in de tearoom hebben ons kinderachtige gedrag opgemerkt, en ik schaam me er diep voor dat ons bezoekje zo vervelend eindigt. Miss Moore zal ons waarschijnlijk nooit meer ergens mee naartoe nemen.

Ze kijkt inderdaad al op haar zakhorloge. 'Het wordt tijd dat ik jullie naar huis breng.'

In de koets zegt miss Moore: 'Ik hoop dat jullie niet meer met die waternimfen te maken krijgen. Ze klinken afgrijselijk.'

'Dat ben ik helemaal met u eens,' zegt Ann huiverend.

'Misschien kunnen jullie mij in het verhaal verwerken. Ik denk dat ik het leuk zou vinden om het tegen de waternimfen op te nemen.' Miss Moore trekt een quasiheldhaftig gezicht. Daar moeten we om lachen. Ik voel me opgelucht. Ik heb genoten van deze dag en ik zou het vreselijk vinden als we er nooit meer zo een zouden beleven.

Zodra Ann en Felicity veilig thuis zijn, leggen we de korte afstand naar Belgrave Square af. Miss Moore bekijkt het prachtige huis belangstellend.

'Wilt u misschien even binnenkomen om kennis te maken met mijn grootmoeder?' vraag ik.

'Een andere keer misschien.' Ze kijkt een beetje bezorgd. 'Gemma, wantrouw je die miss McCleethy echt zo?'

'Er is iets verontrustends aan haar,' antwoord ik. 'Maar ik weet niet waar het precies aan ligt.'

Miss Moore knikt. 'Goed dan. Dan zal ik zelf ook eens na-vraag doen. Misschien komt er helemaal niets uit en kunnen we later lachen om onze eigen dwaasheid. Maar ondertussen kun je maar beter voor haar op je hoede zijn.'

'Dank u, miss Moore,' zeg ik. 'Bedankt voor alles.'

HOOFDSTUK
ZEVENENTWINTIG

Wanneer ik binnenkom, is Mrs Jones buiten zichzelf. 'Uw grootmoeder verwacht u in de salon, miss. Ze zei dat u moest komen zodra u thuiskwam.'

Mrs Jones klinkt zo geagiteerd dat ik bang ben dat er iets vreselijks is gebeurd met vader of Tom, maar als ik de salon binnenstorm, zie ik daar mijn grootmoeder zitten samen met Lady Denby en Simon. Ik kom net binnen uit de kou. Mijn neus begint te lopen in de plotselinge warmte in de kamer. Ik hoop vurig dat het ophoudt.

'Lady Denby en Mr Middleton zijn ons komen opzoeken, Gemma,' zegt grootmoeder met een paniekerig glimlachje terwijl ze mijn verwilderde verschijning opneemt. 'We wachten wel tot je je hebt omgekleed, zodat je hen kunt ontvangen.'

Het is geen verzoek.

Zodra ik toonbaar ben, gaan we wandelen in Hyde Park. Lady Denby en grootmoeder lopen een eindje achter mij en Simon, zodat we ongestoord kunnen praten, maar tegelijkertijd in de gaten kunnen worden gehouden.

'Wat een mooie dag voor een wandeling,' zeg ik. Op hetzelfde moment komen er een paar verdwaalde sneeuwvlokjes op de mouw van mijn jas terecht.

'Ja,' zegt Simon, die besluit me te sparen, instemmend. 'Een beetje fris. Maar mooi.'

De stilte strekt zich tussen ons uit als een kousenband die op knappen staat.

'Hebt u...'

'Was...'

'Neem me niet kwalijk,' zeg ik.

'Het was mijn schuld. Zeg het eens,' zegt Simon. Mijn hart slaat een slag over.

'Ik vroeg me gewoon af...' Ja, wat eigenlijk? Ik weet eigenlijk niets te zeggen. Ik wil alleen dolgraag het gesprek op gang houden en bewijzen dat ik een gevat, vermakelijk en bedachtzaam meisje ben, zo een zonder wie je je het leven niet kunt voorstellen. Het probleem is natuurlijk dat ik op het moment over geen van die kwaliteiten beschik. Het mag een wonder heten als ik op dat moment een zinnige opmerking kan maken over de toestand van het plaveisel. 'Of... Wat ik bedoel te zeggen is... Ik... Zijn de bomen niet prachtig in deze tijd van het jaar?'

De bomen, die helemaal kaal zijn en zo lelijk als aardmannetjes, lijken ter antwoord te grimassen.

'Ze hebben wel een zekere elegantie over zich,' antwoordt hij.

Dit gaat helemaal niet goed.

'Neem me niet kwalijk dat ik u lastigval, Mr Middleton,' zegt grootmoeder. 'Maar ik denk dat de vochtigheid op mijn botten slaat.' Theatraal trekt ze met haar been.

Simon hapt toe en biedt haar zijn arm aan. 'Geen enkel probleem, Mrs Doyle.'

Ik ben nog nooit in mijn leven zo blij geweest met een onderbreking. Grootmoeder is in de zevende hemel nu ze arm in arm met de zoon van een burggraaf door Hyde Park loopt, waar iedereen haar van achter zijn raam kan zien en haar kan benijden. Terwijl grootmoeder kwebbelt over haar gezondheid, de problemen met die bedienden van tegenwoordig en andere zaken die me het gevoel geven dat ik elk moment gek kan worden, schenkt Simon me een plagerige, steelse blik. Ik glimlach van oor tot oor. Met hem wordt zelfs een wandeling met mijn grootmoeder een avontuur.

'Houdt u van opera, Mrs Doyle?' vraagt Lady Denby.

'Niet van de Italianen. Maar onze eigen Gilbert en Sullivan vind ik wel goed. Prachtig.'

Ik geneer me voor haar slechte smaak.

'Wat een gelukkig toeval. Zaterdagavond is er in het Royal Opera House een uitvoering van *The Mikado*. We hebben daar een loge. Hebt u zin om mee te gaan?'

Grootmoeder doet er het zwijgen toe, en aanvankelijk ben ik bang dat ze op het randje van catatonie balanceert. Maar dan besef ik dat ze buiten zinnen is van opwinding. Dolgelukkig. Dat komt zo zelden voor dat ze even met haar mond vol tanden staat.

'Dat zouden we heerlijk vinden,' antwoordt ze uiteindelijk.

De opera! Daar ben ik nog nooit naartoe geweest. Hallo, schitterende lelijke bomen! Horen jullie dat? Ik ga naar de opera met Simon Middleton. De wind ruist tussen de kale takken door, waardoor het lijkt of er in de verte een groot applaus klinkt. Uitgedroogde blaadjes dwarrelen over het pad en blijven kleven aan het natte plaveisel, waar ze worden platgetrapt.

Een glanzende zwarte koets, voortgetrokken door twee sterke rossen die glanzen alsof ze met olie zijn geboend, komt langzaam dichterbij. De koetsier draagt een hoge hoed die tot vlak boven zijn wenkbrauwen naar beneden is getrokken. Op het moment dat het rijtuig op gelijke hoogte met ons komt, tuurt de inzittende vanuit de schaduw naar buiten en schenkt me een wrede glimlach. Een litteken ontsiert zijn linkerwang. Het is de man die ik op mijn eerste dag in Londen op het station heb gezien, de man die me volgde. Er is geen twijfel mogelijk. Met een boosaardige glimlach neemt hij zijn hoed voor me af. Het rijtuig raakt een hobbel in de weg en schommelt heen en weer op zijn reusachtige wielen. De geschoeide hand van een dame grijpt de stijl van de deur vast. Haar gezicht kan ik niet zien. De mouw van haar mantel wappert in de wind, als een waarschuwend vaandel. Hij is heel donkergroen.

'Miss Doyle?' Het is Simon.

'Ja?' zeg ik zodra ik weer een woord kan uitbrengen.

'Gaat het wel? Het leek even of u zich niet lekker voelde.'

'Ik vrees dat miss Doyle kou heeft gevat. Ze moet naar huis, zodat ze bij het vuur kan zitten,' zegt Simons moeder stellig.

Het is nu stil op de weg. Zelfs de wind is gaan liggen. Maar in mijn borst bonkt mijn hart zo luid dat het een wonder mag heten dat de anderen het niet horen. Want die groene mantel leek sprekend op die in mijn visioenen. Ik weet zeker dat hij aan Circe toebehoort, en hij wapperde uit het raam van een koets waar een lid van de Rakshana in zat.

Zodra Simon en Lady Denby weg zijn, draagt grootmoeder Emily op om een bad voor me te vullen met warm water. Als ik me in de diepe tobbe laat zakken, komt het water langs de zijkanten omhoog en kabbelt het in piepkleine golfjes tegen mijn kin. Heerlijk. Ik sluit mijn ogen en laat mijn armen op het wateroppervlak drijven.

De scherpe pijn komt snel, en bijna verdwijn ik onder water. Mijn lichaam verstijft, ik heb er geen controle meer over. Water stroomt mijn mond binnen en maakt me aan het hoesten en proesten. In paniek klamp ik me vast aan de randen van de badkuip in een wanhopige poging eruit te klimmen. Dan hoor ik het gevreesde gefluister, als een zwerm insecten.

'Kom met ons mee...'

De pijn trekt weg, en nu is mijn lichaam zo licht als een sneeuwvlokje, alsof ik me midden in een droom bevind. Ik wil mijn ogen niet opendoen. Ik wil hen niet zien. Maar misschien kunnen ze mijn vragen beantwoorden, dus langzaam draai ik mijn hoofd. Daar zijn ze, spookachtig en angstaanjagend in hun gerafelde witte jurken en met die donkere kringen onder hun zielloze ogen.

'Wat willen jullie van me?' vraag ik. Ik hoest nog steeds water op.

'Volg ons,' zeggen ze, en ze verdwijnen door de gesloten deur alsof die er helemaal niet is.

Snel pak ik mijn kamerjas en open de deur. Zoekend kijk ik om me heen. Ze zweven voor de deur van mijn slaapkamer en hullen het uiteinde van de donkere gang in een vals licht. Ze gebaren dat ik hen moet volgen en glippen mijn kamer binnen.

Ik ben drijfnat en loop te rillen, maar ik loop met hen mee terwijl ik de moed bijeenraap om hen aan te spreken. 'Wie zijn jullie? Kunnen jullie me iets vertellen over de tempel?'

Ze geven geen antwoord. In plaats daarvan zweven ze naar mijn kast en blijven daar wachten.

'Mijn kast? Daar is niets. Alleen mijn kleren en schoenen.'

Ze schudden het bleke hoofd. 'De antwoorden die je zoekt bevinden zich daar.'

In mijn kast? Ze zijn net zo gek als Nell Hawkins. Zo voorzichtig mogelijk loop ik om hen heen en ga op zoek tussen de jurken en jassen, hoedendozen en schoenen, op zoek naar wat het ook is wat ik word geacht te vinden, al heb ik geen idee wat het kan zijn. Uiteindelijk barst ik gefrustreerd uit: 'Ik zei toch dat hier niets was!'

Het is het afschuwelijke geschraap van die spitse schoenen over de vloer dat me haastig achteruit doet deinzen. O hemel, nu heb ik het voor elkaar, nu heb ik hen kwaad gemaakt. Met uitgestrekte armen komen ze op me af. Ik kan niet verder achteruit, want daar staat mijn bed.

'Nee, toe,' fluister ik. Ik maak me zo klein mogelijk en knijp mijn ogen dicht.

Die ijzige vingers beroeren mijn schouders, en daar komt het, een visioen dat zo overweldigend is dat ik nauwelijks kan ademhalen, laat staan om hulp roepen. Een groen grasveld leidt van de oude stenen ruïne naar de kliffen aan de zee. In hun witte jurken rennen de meisjes lachend rond. Een van hen pakt een ander haar haarlint af.

'Geeft ze ons vandaag de kracht?' vraagt het meisje met het lint. 'En zullen we dan eindelijk het rijk zien dat zo mooi moet zijn?'

'Ik hoop het, want ik zou het heerlijk vinden om met magie te spelen,' zegt een ander.

Het meisje wier haar los om haar schouders hangt nu ze haar lint kwijt is, roept: 'Eleanor, heeft ze beloofd dat ze het vandaag zou doen?'

'Ja,' antwoordt het meisje met hoge, gespannen stem. 'Ze komt zo dadelijk. Dan betreden we het rijk en zullen we alles krijgen waar we ooit van hebben kunnen dromen.'

'En denkt ze dat je ons deze keer naar binnen kunt brengen?'

'Ze zegt van wel.'

'O, Nell, dat is fantastisch!'

Eleanor. Nell. Die naam drijft alle lucht uit mijn longen. Voor het eerst zie ik haar duidelijk, als ze op de anderen af loopt. Ze is wat molliger, haar krullen glanzen en haar gezicht staat zorgeloos, maar ik herken haar meteen: het is Nell Hawkins, voordat ze gek werd.

Ik hoor het gezoem van insectenvleugeltjes bij mijn oor. 'Kijk goed...'

Het is alsof ik word voortgesleurd door een snelle trein, zo rap trekken de beelden voor mijn ogen langs. De meisjes op de rotsen. De vrouw in het groen met het verborgen gezicht. De hand die die van Nell vastpakt. De zee die rijst als de doodsangst in hun ogen.

Dan is het voorbij. Ik lig hijgend op de vloer van mijn kamer. Ze wijzen naar de kast. Waar doelen ze in vredesnaam op? Ik heb hem van boven tot onder doorzocht, en er ligt niets... Een hoekje van het rode dagboek van mijn moeder steekt uit de zak van een jas. Ik haal het eruit.

'Dit?' vraag ik, maar ze lossen al op in een mist die helemaal wegtrekt. De kamer is weer zoals ik hem ken. Het visioen is voorbij. Ik heb geen idee wat ze me duidelijk willen maken. Ik heb dat dagboek keer op keer doorgelezen op zoek naar aanwijzingen, maar die zijn er niet. Ik sla de bladzijden om tot ik op de plaats kom waar ik de gekreukte krantenknipsels van mijn moeder bewaar. Als ik deze keer de eerste regel lees, vind ik het opeens geen slecht verteld, melodramatisch verhaaltje meer. Nee, deze keer word ik er tot op het bot koud van.

Drie meisjes uit Wales zijn uit wandelen gegaan en nooit meer gevonden...

Ik lees verder. Het bloed raast steeds sneller door mijn lijf.

Jongedames, de engelen van Meisjesschool Sint-Victoria... schone, stralende dochters van het keizerrijk... alom geliefd... liepen vrolijk naar de kliffen bij de zee, zich niet bewust van het tragische lot dat hun wachtte... één overlevende... werd zo gek als een deur... overeenkomsten met het verhaal van een meisje aan de MacKenzie School voor Meisjes... Schotland... de tragische dolk van zelfmoord... beweerde visioenen te zien, joeg de andere meisjes de stuipen op het lijf... viel te pletter... andere verontrustende verhalen... Miss Farrows Meisjesacademie... Koninklijk College van Bath...

De namen van die scholen komen me bekend voor. Ik ken ze ergens van. Waar heb ik ze eerder gehoord? Er loopt een koude rilling over mijn rug als het me opeens te binnen schiet: miss McCleethy. Ik heb die namen zien staan op het lijstje dat ze in de kist onder het bed bewaarde. Ze had ze allemaal doorgestreept. Alleen Spence was nog over.

HOOFDSTUK
ACHTENTWINTIG

Nell Hawkins en ik wandelen over het vreugdeloze terrein van het Bethlem. Het is koud, maar als Nell graag wil wandelen, dan gaan we wandelen. Ik ben tot alles bereid om dit mysterie te ontrafelen, want ik ben ervan overtuigd dat ergens in Nells gekwelde brein de antwoorden besloten liggen die ik nodig heb.

Alleen de dapperste zielen zijn vandaag naar buiten gegaan. Nell weigert haar handschoenen aan te trekken. Er zitten paarse vlekken van de kou op haar kleine handen, maar dat lijkt ze niet erg te vinden. Zodra we op veilige afstand van de ingang van het Bethlem zijn, geef ik Nell het krantenknipsel.

Nell houdt het met bevende handen vast. 'Sint-Victoria...'

'Daar heb jij op gezeten, toch?'

Als een leeglopende ballon die langzaam naar beneden zakt gaat ze op een bankje zitten. 'Ja,' zegt ze alsof ze zich iets herinnert. 'Daar heb ik op gezeten.'

'Wat is er die dag aan zee gebeurd?'

Nells gepijnigde blik glijdt over mijn gezicht alsof daar alle antwoorden te vinden zijn. Ze knijpt haar ogen stijf dicht. "k Moet dwalen, 'k moet dwalen, langs bergen en langs dalen,' zegt ze. 'Daar kwam een kleine springer in het veld, hij zwaaide met zijn hoed, hij stampte met zijn voet. Kom...' Gefrustreerd stopt ze. "'k Moet dwalen, 'k moet dwalen, langs bergen en langs dalen. Daar kwam een kleine springer in het veld, hij zwaaide met zijn hoed, hij stampte met zijn voet. Kom...'

Ze zegt het sneller. 'Kmoetdwalenkmoetdwalenlangsbergenenlangsdalendaarkwameenkleinespringerinhetveldhijzwaaide metzijnhoedhijstamptemetzijnvoetkom... kom...'

Ik kan er niet meer tegen. 'Kom laten wij nu dansen gaan, dansen gaan, en de and'ren moeten blijven staan,' maak ik het voor haar af.

Ze opent haar ogen weer. Ze tranen van de kou. 'Ja. Ja. Maar de anderen bleven niet staan.'

'Wat bedoel je? Ik begrijp het niet.'

'We gingen dwalen... langs bergen...' Ze wiegt heen en weer. 'Een springer in het veld. Uit het water. Hij kwam uit het water. Zij riep hem op.'

'Circe?' fluister ik.

'Ze is een peperkoeken huisje dat wacht tot ze ons kan verslinden.'

De vreemde Mrs Sommers loopt al een tijdje vlakbij rond en trekt aan haar wenkbrauwen als niemand kijkt. Ze komt steeds dichterbij om te kunnen horen wat we zeggen.

'Wat wilde Circe van jullie? Waar zocht ze naar?'

'Een weg naar binnen.' Nell giechelt op een manier die me de haren te berge doet rijzen. Ze kijkt van links naar rechts, als een ondeugend kind dat een geheim koestert. 'Ze wilde naar binnen. Dat wilde ze. Dat wilde ze. Ze zei dat ze van ons haar nieuwe Orde zou maken. Koninginnen. Dansende koninginnen. Kom laten wij nu dansen gaan...'

'Miss Hawkins, toe, kijk me aan. Kun je me vertellen wat er is gebeurd?'

Ze lijkt heel verdrietig, heel ver weg. 'Ik kon haar toch niet mee naar binnen nemen. Ik kon niet naar binnen. Niet helemaal. Alleen hier.' Ze wijst naar haar hoofd. 'Ik kon dingen zien. Haar dingen vertellen. Maar het was niet genoeg. Ze wilde naar binnen. Ze werd ons beu. Ze...' Mrs Sommers komt nog dichterbij. Opeens draait Nell zich naar haar om en begint te krijsen tot de vrouw ontzet wegrent. Mijn hart bonkt tegen mijn ribben, zo erg schrik ik van haar uitbarsting.

'Ze zoekt naar degene die de magie in zijn volle glorie kan herstellen. Degene met de kracht om haar mee naar binnen te nemen, haar naar de tempel te brengen. Dat heeft ze altijd gewild,' fluistert ze. 'Nee, nee, nee!' schreeuwt ze opeens in het luchtledige.

'Miss Hawkins,' zeg ik in een poging haar bij het onderwerp te houden. 'Was het miss McCleethy? Was zij daar? Is zij Circe? Je kunt het me wel vertellen.'

Nell trekt me met een verrassend sterke hand in mijn nek naar zich toe tot onze voorhoofden elkaar raken. De huid op haar handen is zo ruw als jute. 'Laat haar niet binnen, Vrouwe Hoop.' Is dat een antwoord? Op gedempte toon praat Nell verder. 'De wezens zullen er alles aan doen om je te beïnvloeden. Ze zullen je dingen laten zien, dingen laten horen. Je moet ze buitensluiten.'

Ik wil me bevrijden van die kleine hand die me angst aanjaagt met zijn verborgen kracht. Maar ik durf me niet te verroeren. 'Miss Hawkins, alsjeblieft, weet je waar ik de tempel kan vinden?'

'Je moet het ware pad volgen.'

Daar gaan we weer. 'Er zijn honderden paden. Ik weet niet welk pad je bedoelt.'

'Het is daar waar je het het minst verwacht. Hij verbergt zich in het zicht. Als je goed kijkt zul je hem zien, zien, zien, zee, het kwam uit de zee, uit de zee.' Haar ogen worden groot. 'Ik heb je gezien! Het spijt me, spijt me, spijt me!'

Ze ontglipt me weer. 'Wat is er met de andere meisjes gebeurd, Nell?'

Ze begint te jammeren als een gewond diertje. 'Het was niet mijn schuld. Het was niet mijn schuld!'

'Miss Hawkins... Nell, rustig maar. Ik heb ze gezien, in mijn visioenen. Ik heb je vriendinnen gezien...'

Dan grauwt ze opeens tegen me, zo woest dat ik even bang ben dat ze me gaat vermoorden. 'Ze zijn mijn vriendinnen niet! Helemaal niet!'

'Maar ze willen alleen maar helpen.'

Gillend deinst ze achteruit. 'Wat heb je gedaan? Wat heb je gedaan?'

Geschrokken verlaat een verpleegster haar plaats bij de ingang en loopt recht op ons af.

'Miss Hawkins, toe... Het was niet mijn bedoeling om...'

'Sst! Ze luisteren aan de deur mee! Ze zullen ons horen!' zegt Nell. Ze rent heen en weer, met haar armen beschermend gekruist voor haar borst.

'Er is verder niemand, Miss Hawkins. Alleen jij en ik...'

Ze komt terug en laat zich als een wild dier op haar hurken aan mijn voeten op de grond zakken. 'Ze zullen mijn gedachten lezen!'

'M-Miss Hawkins... N-Nell,' stamel ik, maar ik ben haar kwijt.

'Blijf zitten waar je zit en verroer je niet!' schreeuwt ze, om zich heen kijkend alsof ze een onzichtbaar publiek toespreekt. 'Hou je adem in en stik niet!'

Met die woorden springt ze overeind en rent naar de wachtende verpleegster toe, die haar naar binnen brengt. Ik blijf alleen achter in de kou, met meer vragen dan ooit tevoren. Nells gedrag, de plotselinge dreiging, heeft me van mijn stuk gebracht. Ik begrijp niet wat ze bedoelt en wat haar zo van streek heeft gemaakt. Ik had gehoopt dat ze me meer zou kunnen vertellen over Circe en de tempel. Maar ik moet niet vergeten dat Nell Hawkins niet voor niets in Bedlam woont. Het is een meisje dat gek is geworden van schuldgevoel na een traumatische gebeurtenis. Ik weet niet meer wie of wat ik moet geloven.

Mrs Sommers komt terug en gaat naast me op het bankje zitten, glimlachend op die gespannen manier van haar. Op de kale plekken in haar wenkbrauwen is de huid rood.

'Is dit allemaal een droom?' vraagt ze.

'Nee, Mrs Sommers,' antwoord ik terwijl ik mijn spullen bij elkaar zoek.

'Ze liegt, weet je.'

'Hoe bedoelt u?' vraag ik.

Door die half uitgeplukte wenkbrauwen ziet ze er griezelig uit, als een demon die uit een middeleeuws schilderij is ontsnapt. 'Ik hoor ze. Ze praten tegen me, vertellen me dingen.'

'Mrs Sommers, wie praten tegen u en vertellen u dingen?'

'Zíj,' zegt ze alsof ik dat zou moeten begrijpen. 'Ze hebben het me verteld. Ze is niet wat ze lijkt. Vreselijke dingen heeft ze gedaan. Ze werkt samen met de slechteriken, miss. Ik hoor haar 's nachts in haar kamer. Vreselijke, vreselijke dingen. Pas op, miss. Ze hebben het op je gemunt. Ze hebben het allemaal op je gemunt.'

Mrs Sommers grijnst haar tanden bloot, die veel te klein lijken voor haar mond.

Ik stop de krantenknipsels in mijn handtas, loop achteruit weg en ren naar binnen. Met ferme tred loop ik door de gangen, langs de naaigroepjes en de ongestemde piano en het gekras van Cassandra. Steeds sneller loop ik, tot ik bijna ren. Tegen de tijd dat ik bij het rijtuig en Kartik ben, ben ik volledig buiten adem.

'Miss Doyle, wat is er? Waar is je broer?' vraagt hij, terwijl hij nerveus om zich heen kijkt.

'Hij zegt... dat je hem straks... moet komen halen,' zeg ik hortend.

'Wat is er? Je bent helemaal buiten adem. Ik breng je naar huis.'

'Nee. Niet daar. Ik moet je spreken. Alleen.'

Kartik neemt me op zoals ik daar sta, happend naar adem en duidelijk van streek. 'Ik weet wel iets. Ik ben er nog nooit met een jongedame naartoe geweest, maar het is het beste wat ik op dit moment kan bedenken. Vertrouw je me?'

'Ja,' zeg ik. Hij steekt zijn hand uit en helpt me het rijtuig in. Ik laat Kartik de teugels en mijn lot in zijn handen nemen.

Over Blackfriars Bridge reizen we naar het smoezelige, donkere hart van Oost-Londen, en opeens begin ik te twijfelen of ik Kartik wel het voortouw moest laten nemen. De straten zijn hier smal en oneffen. Groenteverkopers en slagers prijzen schreeuwend van achter hun kar hun waren aan.

'Aardappelen, wortelen, erwten!' 'Heerlijke lamslapjes, keurig uitgebeend!'

Kinderen verdringen zich om ons heen, smekend om van alles en nog wat: geld, eten, restjes, werk. Ze strijden om mijn aandacht. 'Miss, miss!' roepen ze, en ze bieden op allerlei manieren hun 'hulp' aan in ruil voor een paar muntstukjes. In een steegje achter een slagerij zet Kartik het rijtuig stil. Meteen storten de kinderen zich op me en trekken aan mijn jas.

'Hé!' roept Kartik, en opeens begint hij plat te praten, wat ik hem nog nooit heb horen doen. 'Wie hep hier wel es van de schedel en 't zwaard gehoord? Nou?'

De kinderen zetten grote ogen op bij die verwijzing naar de Rakshana.

'P'sies,' gaat Kartik verder. 'Dus ik zou maar maken da' je wegkomp, as je begrijp wat ik bedoel.'

Meteen rennen de kinderen weg. Eén jongetje blijft staan, en Kartik werpt hem een shilling toe.

'Let op de koets, knul,' zegt hij.

'Doe ik!' antwoordt het jongetje. Hij stopt snel het muntje in zijn zak.

'Dat was indrukwekkend,' zeg ik terwijl we over de smerige straat weglopen.

Kartik staat zichzelf een vaag, triomfantelijk glimlachje toe. 'Alles om te overleven.'

Kartik blijft me een stap voor. Hij loopt als een jager, met zijn schouders opgetrokken en behoedzame passen. We nemen een kronkelweggetje met aan weerszijden vervallen huizen, en dan nog een. Uiteindelijk komen we uit in een kort laantje en blijven we staan voor een herbergje dat ingeklemd staat tussen andere gebouwen, die eropuit lijken te zijn het samen te persen tot er niets van over is. We lopen naar de zware houten deur toe. Kartik klopt aan met een reeks korte tikjes. Van binnenuit wordt een grof kijkgaatje opengeschoven en er verschijnt een oog voor. Het kijkgaatje gaat dicht en we worden binnengelaten. Het is er donker en het ruikt er naar heerlijke curry en wierook. Grote mannen zitten aan de tafels, over borden vol dampend eten gebogen, met hun besmeurde handen om een groot glas bier heen, alsof dat het enige is wat ze bezitten wat de moeite van het bewaken waard is. Nu begrijp ik waarom Kartik hier nog nooit een dame mee naartoe heeft genomen. Zo te zien ben ik de enige.

'Ben ik in gevaar?' fluister ik met mijn tanden op elkaar geklemd.

'Niet meer dan ik. Gewoon doen alsof er niets aan de hand is, niemand aankijken en het komt allemaal goed.'

Waarom doet dit me denken aan gouvernantes die kinderen vlak voor het slapengaan griezelverhalen vertellen en vervolgens van ze verwachten dat ze de hele nacht rustig zullen sluimeren?

Hij gaat me voor naar een tafeltje achterin, onder een laag balkenplafond. Het is net of de herberg zich onder de grond bevindt, als een konijnenhol.

'Waar ga je naartoe?' vraag ik geschrokken als Kartik wil weglopen.

'Sst!' zegt hij met zijn vinger tegen zijn lippen. 'Ik ga je verrassen.'

Ja, daar ben ik nu juist bang voor. Ik leg mijn gevouwen handen op de ruwe houten tafel en probeer me onzichtbaar te maken. Al snel komt Kartik terug met een schaal vol eten, die hij met een glimlach voor me neerzet. *Dosa!* Die dunne, pittige pannenkoeken heb ik al niet meer gehad sinds ik ben weggegaan uit Bombay, weg uit Sarita's keuken. Al na één hap verlang ik terug naar haar vriendelijkheid en naar het land dat ik zo graag wilde verlaten, een land waarvan ik niet weet of ik het ooit nog zal terugzien.

'Dit is zalig,' zeg ik. Ik neem nog een hap. 'Hoe wist je dat deze herberg er was?'

'Dat heeft Amar me verteld. De eigenaar komt uit Calcutta. Zie je dat gordijn daar?' Hij wijst naar een wandtapijt aan de muur. 'Daarachter is een deur. Het is een geheime kamer. Als je me ooit nodig hebt...'

Ik besef dat hij een geheim met me deelt. Het is een fijn gevoel dat hij me dit durft toe te vertrouwen.

'Dank je,' zeg ik. 'Mis je India wel eens?'

Hij haalt zijn schouders op. 'De Rakshana zijn mijn familie. Ze hebben trouw aan een land of gewoonten altijd ontmoedigd.'

'Maar weet je nog hoe mooi de *ghats* er bij zonsondergang uitzagen, en hoe de offerbloemen op het water dreven?'

'Je lijkt Amar wel,' zegt hij. Ook hij neemt een hap van een dampende pannenkoek.

'Hoe bedoel je?'

'Hij verlangde soms naar India. Dan maakte hij grapjes tegen me. "Broertje," zei hij dan, "ik ga in Benares wonen met een dikke vrouw en twaalf lastige kinderen. En als ik doodga, kun je mijn as in de Ganges uitstrooien, zodat ik nooit meer terugkom."'

Zoveel heeft Kartik me nog nooit over zijn broer verteld. Ik weet dat we dringende zaken te bespreken hebben, maar ik wil graag meer over hem weten. 'En is hij ooit... getrouwd?'

'Nee. De Rakshana mogen niet trouwen. Dat leidt ons maar af van ons doel.'

'O. Op die manier.'

Kartik neemt nog een dosa en snijdt hem keurig in even grote stukken. 'Zodra je trouw zweert aan de Rakshana, leg je je voor de rest van je leven vast. Je kunt niet weg. Dat wist Amar best. Hij eerde zijn plichten.'

'Stond hij hoog in de rangorde?'

Kartiks gezicht verstrakt en betrekt. 'Nee, maar waarschijnlijk was dat wel gebeurd, als...'

Als hij was blijven leven. Als hij niet was gestorven bij zijn poging mijn moeder te beschermen, mij te beschermen.

Kartik schuift zijn bord van zich af. Opeens wordt hij weer zakelijk. 'Wat wilde je me vertellen?'

'Ik denk dat miss McCleethy Circe is,' zeg ik. Ik vertel hem over het anagram en dat we haar naar Bedlam zijn gevolgd, over de krantenknipsels van mijn moeder en mijn vreemde bezoek aan Nell. 'Miss Hawkins zei dat Circe heeft geprobeerd via haar het rijk binnen te komen, maar dat het niet lukte. Nell kon het alleen in gedachten zien. En toen het niet lukte...'

'Ja, en toen?'

'Dat weet ik niet. Ik heb het een en ander gezien in mijn visioenen,' antwoord ik. Kartik kijkt me waarschuwend aan, zoals ik al had verwacht. 'Ik weet wat je wilt zeggen, maar ik zie steeds drie meisjes in het wit die met miss Hawkins bevriend waren. Het is telkens hetzelfde visioen, en het wordt steeds iets duidelijker. De meisjes, de zee en de vrouw met de groene mantel. Circe. En dan... Ik weet het niet. Dan gebeurt er iets afschuwelijks. Maar dat deel heb ik nooit helemaal gezien.'

Kartik tikt zachtjes met zijn duim op de tafel. 'Heeft ze je verteld waar je de tempel kunt vinden?'

'Nee,' zeg ik. 'Ze heeft het steeds over het zien van het ware pad.'

'Ik weet dat je op miss Hawkins gesteld bent, maar je moet niet vergeten dat ze onbetrouwbaar is.'

'Een beetje zoals de magie en het rijk op dit moment,' zeg ik, prutsend aan mijn handschoenen. 'Ik weet niet waar ik moet beginnen. Het voelt als een onmogelijke taak. Ik moet iets vinden wat niet eens lijkt te bestaan, en de weinige informatie die ik heb, heb ik gekregen van een krankzinnige in Bedlam die maar blijft raaskallen: "Blijf op het pad, volg het pad." Ik zou verdomme dolgraag dat pad volgen, als ik maar wist waar ik het kon vinden.'

Kartiks mond valt open. Te laat besef ik dat ik heb gevloekt.

'O, het spijt me vreselijk,' zeg ik ontzet.

'Dat mag ik verdomme wel hopen,' zegt Kartik. Hij barst in bulderend lachen uit. Ik gebaar dat hij stil moet zijn, en al snel zitten we als een stel hyena's te grijnzen. Een oude man aan een andere tafel schudt zijn hoofd om ons, ervan overtuigd dat we niet goed bij ons hoofd zijn.

'Het spijt me echt,' zeg ik. 'Ik word er alleen zo gefrustreerd van.'

Kartik wijst naar mijn beschadigde amulet. 'Dat zie ik. Wat is daarmee gebeurd?'

'O,' zeg ik terwijl ik hem afdoe. 'Dat heb ik niet gedaan. Het was miss Hawkins. De eerste keer dat ik haar bezocht, rukte ze het van mijn hals. Ik dacht dat ze me een kopje kleiner wilde maken. Maar ze hield het voor zich, zo,' zeg ik. Ik doe het voor.

Kartik fronst. 'Als een wapen?' Hij pakt de amulet van me aan en laat hem een scherpe boog beschrijven, alsof het een dolk is. In het oranje licht van de lantaarns in de herberg krijgt het metaal een warme, gouden gloed.

'Nee. Ze hield het met beide handen vast, zo.' Ik pak de amulet terug en beweeg hem heen en weer, zoals Nell deed. 'Ze tuurde telkens naar de achterkant alsof ze iets zocht.'

Kartik gaat rechtop zitten. 'Doe dat nog eens.'

Ik beweeg de amulet nog een keer heen en weer. 'Wat? Waar denk je aan?'

Kartik zakt onderuit in zijn stoel. 'Ik weet het ook niet. Maar de beweging die je maakt, doet me denken aan wat je met een kompas zou doen.'

Een kompas! Ik trek de lantaarn dichterbij en houd de amulet in het flakkerende licht.

'Zie je iets?' vraagt Kartik. Hij schuift zijn stoel zo dicht naast de mijne dat ik zijn warmte kan voelen en de geur van zijn haar – een mengeling van schoorsteenroet en kruiden – kan ruiken. Het is een fijne geur, een geur waar ik me aan kan vasthouden.

'Niets,' zeg ik. Ik zie geen tekens of zo. Geen windrichtingen.

Kartik leunt achterover. 'Nou ja, het was een interessant idee.'

'Wacht eens even,' zeg ik met mijn blik nog op de amulet gericht. 'Stel dat we het alleen in het rijk kunnen zien?'

'Ga je het proberen?'

'Zodra ik kan,' zeg ik.

'Goed gedaan, miss Doyle,' zegt Kartik met een brede grijns. 'Ik zal je naar huis brengen voordat ik straks geen werk meer heb.'

We verlaten de herberg en lopen over de twee kronkelweggetjes terug naar de plek waar we het rijtuig hebben achtergelaten. Maar als we die straat bereiken, is het jongetje weg. In plaats daarvan staan er drie mannen in een zwart pak met dezelfde snit. Twee van hen hebben een stok in hun handen waarmee ze ons flink pijn zouden kunnen doen. De derde zit in het rijtuig met een opengeslagen krant voor zijn gezicht. De straat, waar het nog maar een halfuur geleden wemelde van de mensen, is verlaten.

Kartik steekt zijn hand uit om me tegen te houden. De mannen zien hem en fluiten. De man in het rijtuig vouwt zijn krant netjes op. Het is de man met het litteken, die me al achtervolgt sinds ik in Londen ben aangekomen.

'De Ster van het Oosten is moeilijk te vinden,' zegt de man met het litteken. 'Heel moeilijk te vinden.' Ik zie de speld met het zwaard en de schedel op zijn revers. De anderen hebben er geen.

'Ha, vriend,' zegt een van de potige mannen terwijl hij dichterbij komt. Hij laat zijn stok met een klap op zijn handpalm neerkomen. 'Kejje me nog?'

Kartik wrijft afwezig over zijn hoofd, en ik vraag me af waar ze het in vredesnaam over hebben.

'Mr Fowlson hier wil effe met je vergadere bij 't rijtuig van de dame.' Hij trekt Kartik ruw met zich mee. De andere man begeleidt mij.

'Fowlson,' zeg ik. 'Dus u hebt een naam.'

De man kijkt de grote bruut boos aan.

'Laten we eerlijk tegen elkaar zijn. Ik weet dat u een Rakshana bent. En ik zou het op prijs stellen als u ophield me te achtervolgen.'

De man spreekt met zachte, beheerste stem, alsof hij een ondeugend kind een vriendelijk standje geeft. 'En jij weet dat je een brutaal meisje bent dat geen idee heeft hoe ernstig de taak is die je hebt gekregen, anders zou je nu in het rijk op zoek zijn naar de tempel in plaats van rond te zwerven door de slechte wijken van Londen. Hier is de tempel vast niet. Of wel soms? Vertel eens, waar heeft die jongen je naartoe gebracht?'

Hij is niet op de hoogte van Kartiks schuilplaats. Ik kan voelen dat Kartik naast me zijn adem inhoudt.

'Hij gaf me een rondleiding,' zeg ik, op nog geen steenworp

afstand van een slachthuis. 'Ik wilde de sloppenwijk met eigen ogen zien.'

De grote man met de knuppel kijkt me spottend aan.

'Ik kan u verzekeren, meneer, dat ik mijn taak serieus neem,' zeg ik tegen Fowlson.

'O ja, meisje? Het is heel eenvoudig: vind de tempel en bind de magie.'

'Als het zo simpel is, waarom doet u het dan zelf niet?' antwoord ik verhit. 'O nee, dat kunt u niet. Dan zult u op mij moeten vertrouwen, al ben ik dan maar "een brutaal meisje", nietwaar?'

Fowlson kijkt me aan alsof hij me het liefst heel hard zou willen slaan. 'Daar lijkt het voorlopig inderdaad op.' Hij schenkt Kartik een kille glimlach. 'En jij moet je taak ook niet vergeten, novice.'

Hij stopt zijn krant onder zijn arm en gebaart naar zijn mannen. Met z'n drieën lopen ze langzaam achteruit, om uiteindelijk om de hoek uit het zicht te verdwijnen. Meteen komt Kartik in actie. Hij tilt me zowat het rijtuig in.

'Wat bedoelde hij daarmee, dat je jouw taak niet moest vergeten?'

'Dat heb ik je al verteld,' zegt hij terwijl hij Ginger de straat op leidt. 'Mijn taak is jou te helpen de tempel te vinden. Dat is alles. Wat bedoelde jij toen je zei dat Fowlson moest ophouden je te achtervolgen?'

'Dat hij me de hele tijd achtervolgt, natuurlijk. Hij was op het treinstation op de dag dat ik in Londen aankwam. En toen ik in Hyde Park met grootmoeder aan het wandelen was,' zeg ik, waarbij ik Simons naam met opzet vermijd, 'kwam hij in een rijtuig voorbij. En ik zag dat er een vrouw in een groene mantel bij hem was, Kartik. Een groene mantel!'

'Er zijn heel veel groene mantels in Londen, miss Doyle,' zegt Kartik. 'Ze zijn niet allemaal van Circe.'

'Nee. Maar een ervan wel. Ik vraag je alleen of je zeker weet dat Mr Fowlson te vertrouwen is.'

'Hij is een van de Rakshana, lid van mijn broederschap,' zegt hij. 'Ja, ik weet het zeker.'

Hij kijkt me niet aan wanneer hij dat zegt, en ik ben bang dat het beetje vertrouwen dat er tussen ons is ontstaan nu door mijn vragen beschadigd is. Kartik neemt zijn plek aan de teugels in. Hij laat ze knallen en weg zijn we. De oogkleppen houden het paard mak, maar haar hoeven doen het stof op het plaveisel opstuiven.

's Avonds gaan grootmoeder en ik bij het vuur zitten borduren. Telkens wanneer er een rijtuig voorbijkomt, gaat ze rechtop zitten. Uiteindelijk besef ik dat ze wacht op ons rijtuig, waarmee vader terug moet komen van de club. De laatste tijd brengt vader daar veel tijd door, met name 's avonds. Soms hoor ik hem 's ochtends kort voor zonsopgang pas thuiskomen.

Vanavond heeft grootmoeder het er extra moeilijk mee. Vader was in een heel slecht humeur toen hij wegging. Hij beschuldigde Mrs Jones ervan dat ze zijn handschoenen was kwijtgeraakt en keerde zowat de hele bibliotheek ondersteboven, tot grootmoeder ontdekte dat ze al die tijd al in zijn jaszak hadden gezeten. Zonder zelfs maar zijn verontschuldigingen aan te bieden was hij vertrokken.

'Hij komt vast snel thuis,' zeg ik wanneer het zoveelste rijtuig ons huis passeert.

'Ja. Ja, vast wel,' zegt ze afwezig. 'Hij is vast gewoon de tijd vergeten. Hij geniet er ontzettend van om mensen om zich heen te hebben, nietwaar?'

'Ja,' zeg ik, verbaasd dat ze zoveel om haar zoon geeft. Nu ik dat weet, wordt het moeilijker voor me om een hekel aan haar te hebben.

'Hij houdt meer van jou dan van Tom, weet je.'

Daar schrik ik zo van dat ik in mijn vinger prik. Een piepklein druppeltje bloedt perst zich door de huid van mijn vingertop.

'Het is echt zo. O, hij is erg op Tom gesteld, natuurlijk. Maar zoons zijn anders voor een man, eerder een verplichting dan verwennerij. Jij bent zijn engel. Pas op dat je nooit zijn hart breekt, Gemma. Hij heeft al te veel moeten doorstaan. Dat zou de genadeklap voor hem zijn.'

Ik doe mijn best om niet te huilen, om de speldenprik en die onwelkome wetenschap. 'Ik zal oppassen,' beloof ik.

'Je borduurwerk wordt erg mooi, kindje. Maar iets kleinere steekjes langs de randen zouden mooier zijn, denk ik,' zegt grootmoeder op een toon alsof we het nergens anders over hebben gehad.

Mrs Jones komt binnen. 'Neem me niet kwalijk, Mrs Doyle. Dit is vanmiddag afgegeven voor miss Doyle. Emily heeft het aangenomen en is vergeten het me te vertellen.' Hoewel het duidelijk voor mij is bedoeld, geeft ze het doosje, dat prachtig is ingepakt met een roze strik eromheen, aan grootmoeder.

Grootmoeder leest het kaartje. 'Het is van Simon Middleton.'

Een geschenk van Simon? Intrigerend. In het doosje ligt een prachtige, elegante halsketting met kleine amethisten die uit-waaieren. Paars, mijn lievelingskleur. Op het kaartje staat: PRACHTIGE EDELSTENEN VOOR ONZE PRACHTIGE GEMMA.

'Wat mooi,' zegt grootmoeder, die de ketting tegen het licht houdt. 'Ik geloof dat Simon Middleton werkelijk erg van je ge-charmeerd is!'

Het is prachtig, misschien wel het mooiste wat iemand me ooit heeft gegeven. 'Wilt u me helpen hem om te doen?' vraag ik.

Ik doe de amulet van mijn moeder af, en grootmoeder hangt de nieuwe ketting om mijn hals. Snel loop ik naar de spiegel om mezelf te bewonderen. De edelstenen schitteren op mijn huid.

'Die moet je morgen omdoen naar de opera,' raadt grootmoeder me aan.

'Ja, dat zal ik doen,' zeg ik terwijl ik kijk naar de fonkeling van de edelstenen in het licht. Ze schitteren en stralen zo dat ik mezelf nauwelijks herken.

Er ligt een briefje van Kartik op mijn kussen: IK MOET JE IETS VERTELLEN. IK BEN IN DE STALLEN. Het staat me niet aan dat Kartik schijnt te denken dat hij zomaar mijn kamer in en uit kan lopen. Dat zal ik tegen hem zeggen. En ik vind het maar niets dat hij dingen voor me geheimhoudt. Ook dat zal ik tegen hem zeggen. Maar niet nu. Nu heb ik een nieuwe ketting om die ik van Simon Middleton heb gekregen. De knappe Simon, die me niet ziet als iemand die hem kan helpen stijgen in de hiërarchie van de Rakshana, maar als een meisje dat juwelen verdient.

Voorzichtig pak ik het briefje van mijn kussen, en ik dans de kamer rond met het papiertje in mijn beide handen. De ketting drukt als een geruststellende hand tegen mijn huid. *Prachtige edelstenen voor onze prachtige Gemma.*

Ik werp Kartiks briefje in het vuur. De uiteinden ervan krullen om en worden zwart, en een tel later is er alleen nog as van over.

HOOFDSTUK
NEGENENTWINTIG

Ik ben al nerveus over ons uitstapje naar de opera vanavond, maar grootmoeder is buiten zichzelf.

'Ik hoop zo dat deze handschoenen chic genoeg zijn,' zegt ze bezorgd terwijl een naaister nog een paar laatste dingetjes aan mijn japon aanpast. Hij is van witte duchesse satijn, de kleur die alle jongedames dragen wanneer ze naar de opera gaan. Grootmoeder heeft mijn allereerste paar operahandschoenen laten bezorgen door het warenhuis Whiteley. De naaister drukt de paarlen knoopjes door de knoopsgaten bij mijn pols, zodat mijn blote armen door duur hertenleer aan het zicht worden onttrokken. Mijn haar is prachtig opgestoken in een wrong met bloemen erin. En natuurlijk heb ik de prachtige ketting om die Simon me heeft gegeven. Als ik mezelf in de spiegel zie, moet ik toegeven dat ik er beeldig uitzie, als een echte dame.

Zelfs Tom staat op wanneer ik de salon binnenloop, verbijsterd over mijn gedaanteverwisseling. Vader pakt mijn hand en drukt er een kus op. Zijn hand beeft een beetje. Ik weet dat hij tot zonsondergang is weggebleven en dat hij de hele dag heeft geslapen, en ik hoop dat hij niet ziek wordt. Hij dept zijn bezwete voorhoofd met een zakdoek, maar zijn stem klinkt vrolijk.

'Je ziet eruit als een koningin, liefje. Vind je niet, Thomas?'

'We hoeven ons niet voor haar te schamen, dat is zeker,' antwoordt Tom. Voor een imbeciel ziet hij er elegant uit in zijn rokkostuum.

'Is dat het beste wat je kunt verzinnen?' zegt vader berispend.

Tom zucht. 'Je ziet er keurig uit, Gemma. Denk erom dat je niet gaat zitten snurken tijdens de opera. Dat wordt niet op prijs gesteld.'

'Het is me ook gelukt om wakker te blijven terwijl jij tegen me praatte, Tom, dus dat zal vast wel lukken.'

'Het rijtuig staat voor, meneer,' kondigt Davis, de butler, aan. Gelukkig, het gesprek is ten einde.

Terwijl ik naar het rijtuig loop, zie ik Kartiks gezicht. Hij staart me verbijsterd aan, alsof ik een geestverschijning ben, iemand die hij niet kent. Merkwaardig genoeg vind ik dat erg bevredigend. Ja. Misschien snapt hij nu dat ik niet zomaar 'een brutaal meisje' ben, zoals die Rakshana het verwoordde.

'De deur, Mr Kartik,' zegt Tom kortaf. Alsof hij uit een droom ontwaakt maakt Kartik snel de deur van het rijtuig open. 'Werkelijk, vader,' zegt Tom zodra we zijn weggereden. 'Wilt u er echt niet nog eens over nadenken? Sims raadde gisteren een koetsier aan...'

'De zaak is afgehandeld. Mr Kartik brengt me overal waar ik zijn moet,' zegt vader stijfjes.

'Ja, dat is nu juist het probleem,' mompelt Tom binnensmonds, zodat alleen ik hem kan verstaan.

'Kom, kom,' zegt grootmoeder. Ze geeft vader een klopje op zijn knie. 'Laten we het gezellig houden, goed? Het is immers bijna Kerstmis.'

Op het moment dat de deur van het operahuis opengaat, word ik overvallen door paniek. Stel dat ik er niet elegant, maar belachelijk uitzie? Stel dat er iets mis is met mijn haar, mijn japon of mijn houding? Ik ben wel erg lang. Was ik maar iets kleiner. Fijner gebouwd. Een brunette. Zonder sproeten. Een Oostenrijkse gravin. Is het te laat om naar huis te rennen en me daar te verstoppen?

'Aha, daar zijn ze,' verkondigt grootmoeder. Ik zie Simon. Wat ziet hij er knap uit in zijn rokkostuum met witte strik.

'Goedenavond,' zeg ik met een reverence.

'Goedenavond,' antwoordt hij. Hij glimlacht kort naar me, en daardoor voel ik me zo opgelucht en gelukkig dat ik wel tien opera's zou kunnen uitzitten.

We nemen onze programmaboekjes aan en voegen ons bij de massa. Vader, Tom en Simon worden aangesproken door een gezette, kalende kerel met een monocle aan een ketting, terwijl grootmoeder, Lady Denby en ik langzaam rondwandelen en verschillende dames uit de society toeknikken en begroeten. Dat rondlopen is noodzakelijk, want zo kunnen we met onze mooie kleren pronken. Dan hoor ik iemand mijn naam roepen. Het is Felicity, met Ann. Ze zien er prachtig uit in hun witte japonnen. Felicity's oorknoppen met granaatjes steken schitterend af bij haar lichtblonde haar. In het holletje van Anns keel rust een roze camee.

'O lieve help,' zegt Lady Denby. 'Daar heb je dat vreselijke mens van Worthington.'

Door die opmerking raakt grootmoeder helemaal opgewonden. 'Mrs Worthington? De vrouw van de admiraal? Is er dan sprake van een schandaal?'

'Weet je dat niet? Drie jaar geleden is ze naar Parijs gegaan – voor haar gezondheid, zo werd beweerd – en heeft ze de jonge miss Worthington naar kostschool gestuurd. Maar ik heb uit betrouwbare bron vernomen dat ze een minnaar had, een Fransman, maar die heeft haar inmiddels verlaten en nu is ze terug bij de admiraal, alsof er niets is gebeurd. In de betere kringen wordt ze natuurlijk niet ontvangen. Maar iedereen woont haar diners en bals bij uit genegenheid voor de admiraal, die het toonbeeld van fatsoen is. Sst, daar komen ze.'

Mrs Worthington schrijdt op ons af, met de meisjes in haar kielzog. Ik hoop dat de blos op mijn wangen me niet verraadt, want ik heb grote moeite met de snobistische uitspraken van Lady Denby.

'Goedenavond, Lady Denby,' zegt Mrs Worthington met een stralende glimlach.

Lady Denby steekt haar hand niet uit, maar vouwt haar waaier open. 'Goedenavond, Mrs Worthington.'

Felicity glimlacht oogverblindend. Als ik haar niet zo goed kende, zou ik de kilte die erin besloten ligt niet eens opmerken. 'O lieve help, Ann, volgens mij ben je je armband kwijt!'

'Welke armband?' vraagt Ann.

'Die ene die de hertog je vanuit Sint-Petersburg heeft gestuurd. Misschien ben je hem in de garderobe kwijtgeraakt. We moeten hem gaan zoeken. Gemma, zou je het heel erg vinden?'

'Nee, natuurlijk niet,' antwoord ik.

'Schiet wel een beetje op. De opera kan elk moment beginnen,' zegt grootmoeder waarschuwend.

We ontsnappen naar de garderobe. Voor de spiegels staan enkele dames hun shawls en sieraden recht te trekken.

'Ann, als ik zeg dat je je armband kwijt bent, speel je het spelletje mee,' zegt Felicity berispend.

'Neem me niet kwalijk,' zegt Ann.

'Wat heb ik een hekel aan Lady Denby. Wat een afschuwelijk mens,' mompelt Felicity.

'Zo erg is ze helemaal niet,' werp ik tegen.

'Dat zou je nooit zeggen als je niet zo hoteldebotel was op haar zoon.'

'Ik ben helemaal niet hoteldebotel. Hij heeft gewoon mijn familie uitgenodigd voor de opera.'

Felicity's opgetrokken wenkbrauw geeft aan dat ze er geen woord van gelooft.

'Je wilt vast wel weten dat ik iets heb ontdekt over mijn amulet,' zeg ik om van onderwerp te veranderen.

'Wat dan?' vraagt Ann, die haar handschoenen uittrekt om haar haar te fatsoeneren.

'Het alziend oog is een soort kompas. Dat probeerde Nell Hawkins me duidelijk te maken. Ik denk dat het ons naar de tempel kan leiden.'

Felicity's ogen glanzen. 'Een kompas! Dat moeten we vanavond uitproberen.'

'Vanavond?' piep ik. 'Hier? Met al die mensen om ons heen?' Met Simon erbij, flap ik er bijna uit. 'Dat lukt nooit.'

'Natuurlijk wel,' fluistert Felicity. 'Vlak voor de pauze zeg je tegen je moeder dat je je excuseert omdat je even je neus moet poederen. Ann en ik doen hetzelfde. Dan treffen we elkaar in de gang en gaan we op zoek naar een plek van waaruit we het rijk kunnen betreden.'

'Zo simpel is het niet,' zeg ik. 'Ze laat me nooit gaan, niet in mijn eentje.'

'Bedenk maar iets,' zegt Felicity koppig.

'Maar dat is niet netjes!'

'Maak je je zorgen om wat Simon van je zal denken? Je bent niet met hem verloofd, hoor.' Felicity maakt een afkeurend geluidje.

Die opmerking komt hard aan. 'Dat heb ik nooit gezegd.'

Felicity glimlacht. Ze weet dat ze heeft gewonnen. 'Dus we zijn het eens. Vlak voor de pauze. Niet treuzelen.'

Nu we een plan hebben, richten we onze aandacht op de spiegels om de kammetjes in ons haar recht te zetten en onze japonnen glad te strijken.

'Heeft hij geprobeerd je te kussen?' vraagt Felicity nonchalant.

'Nee, natuurlijk niet,' zeg ik gegeneerd. Ik hoop dat niemand haar heeft gehoord.

'Ik zou maar voorzichtig zijn,' zegt Felicity. 'Simon heeft de reputatie nogal een rokkenjager te zijn.'

'Tegenover mij heeft hij zich anders als een heer gedragen,' zeg ik verontwaardigd.

'Hmm,' zegt Felicity met haar blik gericht op haar spiegelbeeld, dat zoals gewoonlijk betoverend is.

Tevergeefs knijpt Ann in haar wangen in een poging er wat meer kleur op te krijgen. 'Ik hoop dat ik vanavond iemand tegenkom. Iemand die vriendelijk en nobel is. Zo iemand die anderen helpt. Iemand als Tom.'

Vlak bij haar pols kruisen twee felrode lijntjes elkaar. De krassen zijn nieuw, misschien pas een paar uur oud. Ze heeft zichzelf weer verwond. Ann ziet me kijken, en haar wangen worden nog bleker. Snel trekt ze haar handschoenen aan om de wondjes te bedekken.

Felicity loopt voor ons uit naar buiten en begroet vlak bij de deur een vriendin van haar moeder. Ik grijp Anns pols vast, en ze krimpt ineen.

'Je hebt me beloofd dat je dat niet meer zou doen,' zeg ik.

'Hoe bedoel je?'

'Je weet donders goed wat ik bedoel,' zeg ik waarschuwend.

Haar blik kruist de mijne. Ze heeft een verdrietig glimlachje om haar lippen. 'Ik kan beter mezelf pijn doen dan me door anderen pijn te laten doen. Zo is het draaglijker.'

'Dat begrijp ik niet.'

'Voor jou en Fee is het anders,' zegt Ann. Ze is bijna in tranen. 'Begrijp je het dan niet? Ik heb geen toekomst. Niets om naar uit te kijken. Ik zal nooit een belangrijke dame worden of trouwen met iemand als Tom. Ik kan alleen maar doen alsof. Dat is afschuwelijk, Gemma.'

'Je weet niet wat er gaat gebeuren,' zeg ik in een poging haar te troosten. 'Dat weet niemand.'

Felicity heeft gemerkt dat we niet met haar mee zijn gelopen en komt terug. 'Wat is er?'

'Niets,' zeg ik opgewekt. 'We komen eraan.' Ik pak Anns hand vast. 'Er kan van alles veranderen. Zeg me na.'

'Er kan van alles veranderen,' zegt ze zachtjes.

'Geloof je het?'

Ze schudt haar hoofd. Stille tranen biggelen over haar ronde wangen.

'We bedenken wel iets, dat beloof ik. Maar eerst moet je mij beloven dat je ermee ophoudt. Alsjeblieft?'

'Ik zal het proberen,' zegt ze. Ze veegt met haar geschoeide hand over haar natte wangen en glimlacht geforceerd.

'O, o, problemen,' zegt Felicity wanneer we ons weer in de menigte in de foyer mengen. Ik begrijp wat ze bedoelt. Daar staat Cecily Temple. Ze staat naast haar moeder en kijkt verlangend om zich heen in de hoop interessante mensen te zien.

Ann raakt meteen in paniek. 'Straks val ik door de mand! Word ik geruïneerd! Dan is het afgelopen met me.'

'Hou op,' snauwt Felicity. Maar Ann heeft natuurlijk gelijk. Cecily kan Anns verhaal over haar verwantschap aan de Russische koninklijke familie en een Engelse edelman als een kaartenhuis in elkaar laten storten.

'We mijden haar gewoon,' zegt Felicity. 'Kom mee. We nemen de andere trap. Gemma, vlak voor de pauze. Niet vergeten.'

'Voor de derde keer: ik zal eraan denken,' zeg ik geërgerd.

De lampen in de foyer flakkeren even, ten teken dat de opera op het punt van beginnen staat.

'Daar ben je!' zegt Simon. Hij heeft op me gewacht. Ik krijg vlinders in mijn buik. 'Hebben jullie de armband van miss Bradshaw teruggevonden?'

'Nee. Ze wist opeens weer dat ze hem in haar sieradenkistje had laten liggen,' lieg ik.

Simons familie heeft een privéloge, zo hoog dat ik het gevoel heb dat ik de koningin zelf ben, die neerkijkt op al haar on-derdanen. We nemen onze plaatsen in en doen alsof we het programmaboekje lezen, maar in werkelijkheid besteedt niemand enige aandacht aan *The Mikado*. Toneelkijkers worden gebruikt om stiekem vrienden en geliefden te bespioneren, om te kijken wie wat aanheeft en wie met wie is gekomen. Het publiek verbergt meer potentiële schandalen en drama's dan er ooit op het podium zouden passen. Eindelijk worden de lichten gedimd en het doek gaat open. Het decor is dat van een Japans dorpje. Drie sopranen in oosterse kleding en glanzend zwarte pruiken zingen dat ze drie kleine schoolmeisjes zijn. Het is mijn eerste opera, en ik vind het prachtig. Op een gegeven moment zie ik dat Simon naar me kijkt. In plaats van zijn blik af te wenden, glimlacht hij stralend naar me, en ik weet niet hoe ik me hiervan moet losrukken om het rijk te betreden, want ook dit is magisch en ik ben ondanks alles een beetje boos omdat mijn plicht roept.

Vlak voor de pauze richt ik mijn toneelkijker op Felicity, en ik zie dat ze ongeduldig naar me zit te kijken. Ik fluister in grootmoeders oor dat ik mijn neus moet poederen. Voordat ze me kan tegenhouden, glip ik tussen de gordijnen door de gang op, waar ik Felicity en Ann begroet.

'Boven is een loge die niet wordt gebruikt,' zegt Felicity. Ze pakt mijn hand vast. Een weemoedige aria zweeft door het operahuis wanneer we stilletjes naar boven lopen. Gebukt duwen we de zware gordijnen opzij en gaan in de loge op de grond zitten. Ik pak hun handen vast. Met onze ogen dicht concentreren we ons, en de deur van licht verschijnt.

HOOFDSTUK
DERTIG

In de tuin worden we verwelkomd door de zoete geur van seringen, maar alles ziet er anders uit. De bomen en het gras zijn een beetje verwilderd, alsof ze worden verwaarloosd. Er zijn meer paddenstoelen uit de grond geschoten. Ze werpen lange schaduwen over onze gezichten.

'Nee maar, wat zien jullie er beeldig uit!' roept Pippa ons toe vanaf haar plekje bij de rivier. Ze rent op ons af, en de gerafelde zoom van haar jurk wappert in het briesje. De bloemen in haar kroontje zijn bruin en verdroogd. 'Wat mooi! Waar zijn jullie geweest dat jullie er zo chic uitzien?'

'Naar de opera,' zegt Ann, die een pirouette maakt in haar chique japon. '*The Mikado* is nog bezig. We zijn weggeglipt.'

'De opera,' zegt Pippa met een zucht. 'Is het vreselijk elegant? Jullie moeten me echt alles vertellen!'

'Het is oogverblindend, Pip. De vrouwen zijn behangen met sieraden. En een man heeft naar me geknipoogd.'

'Wanneer dan?' vraagt Felicity ongelovig.

'Echt waar! Toen we de trap op liepen. O, en Gemma is samen met Simon Middleton en zijn familie gekomen. Ze zit in hun loge,' vertelt Ann ademloos.

'O, Gemma! Wat ben ik blij voor je!' zegt Pippa. Ze geeft me een kus. De twijfels die ik zojuist nog over haar had, zijn als sneeuw voor de zon verdwenen.

'Dank je,' zeg ik, en ik kus haar terug.

'O, wat klinkt het allemaal hemels. Vertel nog eens iets.' Pippa leunt tegen een boom.

'Vind je mijn jurk mooi?' vraagt Ann, die nog een pirouette draait zodat Pippa haar goed kan bekijken.

Pippa pakt haar beide handen vast en danst met haar in het rond. 'Hij is prachtig! En jij ook.'

Pippa houdt op met dansen. Ze kijkt alsof ze elk moment in tranen kan uitbarsten. 'Ik ben nog nooit naar de opera geweest, en dat zal nu ook wel niet meer gebeuren. Kon ik maar met jullie mee.'

'Je zou de mooiste zijn van allemaal als je meeging,' zegt Felicity, waarop Pippa weer moet lachen.

Ann rent op me af. 'Gemma, probeer de amulet eens.'

'Hoezo?' vraagt Pippa.

'Gemma denkt dat haar amulet een soort kompas is,' zegt Felicity.

'Denk je dat hij ons de weg kan wijzen naar de tempel?' vraagt Pippa.

'Dat gaan we nu uitzoeken,' zeg ik. Ik haal de amulet uit mijn handtas en draai hem om. Aanvankelijk zie ik niets, alleen het koude, harde oppervlak met daarin een verwrongen weerspiegeling van mijn gezicht. Maar dan verandert er iets. Het oppervlak wordt troebel. Langzaam draai ik in een kringetje rond. Wanneer ik tegen twee rechte rijen olijfbomen aan kijk, gloeit het alziend oog fel op en verlicht het een vaag, maar onmiskenbaar pad.

'Blijf op het pad,' mompel ik, denkend aan wat Nell heeft gezegd. 'Ik geloof dat we de weg naar de tempel hebben gevonden.'

'O, laat mij eens kijken.' Pippa neemt de amulet in haar handen en ziet ook dat hij opgloeit wanneer hij in de richting van de olijfbomen wordt gehouden. 'Wat fantastisch!'

'Ben je wel eens die kant op geweest?' vraag ik.

Pippa schudt haar hoofd. Een briesje fluit tussen de olijfbomen door over het pad en voert een handvol blaadjes en de geur van seringen met zich mee. Met de glans van de amulet als leidraad lopen we tussen de bomen door, zeker een kilometer, langs vreemde totems met de koppen van olifanten, slangen en vogels. Dan bereiken we een opening in een aarden wal. De amulet licht op.

'Hierin?' vraagt Ann hijgend.

'Ik ben bang van wel,' antwoord ik.

Het is krap en niet erg hoog. Zelfs Ann, de kleinste van ons vieren, moet bukken om erdoor te kunnen. Het zachte pad gaat over in rotsachtige grond. Aan de andere kant van de opening wordt het pad geflankeerd door velden vol hoge, oranjerode bloemen die in een hypnotiserend ritme heen en weer wiegen. Als we er voorbijlopen, buigen ze in het briesje naar voren, zodat ze zachtjes langs onze gezichten en schouders strijken. Pippa plukt een bloem en steekt die in haar verlepte kroon.

Rechts van me schiet iets voorbij.

'Wat was dat?' vraagt Ann. Ze gaat wat dichter bij me staan.

'Dat weet ik niet,' antwoord ik. Ik zie niets, behalve de bloemen die golven in de wind.

'Laten we doorlopen,' oppert Pippa.

We volgen de heldere gloed van de amulet tot het pad opeens doodloopt bij een enorme rotswand. Hij is huizenhoog en lijkt zich eindeloos naar beide kanten uit te strekken, zodat we er ook niet omheen kunnen.

'Wat nu?' vraagt Felicity.

'We moeten er op de een of andere manier door kunnen,' zeg ik, al heb ik geen flauw idee hoe. 'We moeten op zoek naar een doorgang.'

We drukken tegen de rotsen tot we uitgeput zijn van de inspanning.

'Het heeft geen zin,' zegt Pippa hijgend. 'Het is massief steen.'

Het kan niet dat we voor niets helemaal hiernaartoe zijn gekomen. Er moet een ingang zijn. Ik loop langs de muur en beweeg de amulet heen en weer. Heel even licht hij op.

'Wat is dat?' vraag ik.

Ik beweeg hem nog eens zachtjes heen en weer, en daar is die gloed weer. Als ik naar de rotswand kijk, zie ik vaag de contouren van een deur.

'Zien jullie dat?' vraag ik, hopend dat ik het me niet heb ingebeeld.

'Ja!' roept Felicity. 'Het is een deur!'

Ik steek mijn hand uit en voel het koude staal van een klink in de rots. Ik adem diep in en trek eraan. Het is alsof er een groot, donker gat in de aarde is ontstaan. De glans van de amulet is krachtig.

'Zo te zien moeten we hierdoorheen,' verkondig ik, hoewel ik eigenlijk geen zin heb om in dat diepe, zwarte gat te stappen.

Felicity likt nerveus aan haar lippen. 'Loop maar. Wij komen wel achter je aan.'

'Daar heb ik wat aan,' zeg ik. Met bonzend hart, half in de verwachting dat ik door de rots zal worden opgeslokt, stap ik naar binnen en wacht tot mijn ogen zich aan het donker hebben aangepast. Het is vochtig binnen en het ruikt er naar een pas gewiede tuin. Papieren lantaarns, goud met roze, hangen aan de stenen wanden en werpen een zwak licht op de aarden vloer. Ik kan niet veel meer dan een meter voor me uit kijken, maar ik voel dat we omhooglopen, in een bocht. Al snel lopen we te hijgen. Mijn benen trillen van inspanning. Eindelijk bereiken we een tweede deur. Ik draai de klink om en we staan buiten, midden in paarse en rode rook die ons als een wolken-

dek omringt. We bevinden ons hoog boven de rivier. In de diepte doorklieft het schip van de gorgone geluidloos het water.

'Hoe zijn we zo hoog gekomen?' vraagt Felicity, die nog even
op adem moet komen.

'Dat weet ik niet,' zeg ik.

Ann kijkt halsreikend om zich heen. 'Lieve help!' Met open
mond staart ze naar de sensuele godinnen die in de wanden
van het klif zijn uitgebeiteld, naar de rondingen van hun heupen en lippen, de kuiltjes in hun knieën en de sensuele zachtheid van hun ronde kinnen. De stenen vrouwen kijken van
grote hoogte op ons neer, alsof ze ons zien, maar geen belangstelling voor ons hebben.

'Dit herken ik,' zeg ik. 'We zijn bij de Grotten der Zuchten,
nietwaar?'

Pippa verstijft. 'We mogen hier helemaal niet komen. Hier
wonen de onaanraakbaren. Dit is verboden gebied.'

'Laten we teruggaan,' zegt Ann.

Maar wanneer we ons omkeren, verandert de deur in steen
en versmelt naadloos met de rots. Langs die weg kunnen we
niet terug.

'Wat nu?' vraagt Ann.

'Had ik mijn pijlen maar meegenomen,' prevelt Felicity.

Er komt iemand op ons af. Uit de dikke rook duikt een gestalte op, een kleine vrouw met een verweerde huid die de
kleur heeft van een wijnvat. Haar handen en gezicht zijn in
een ingewikkeld patroon beschilderd. Maar haar armen en
benen! Die zitten onder de afschuwelijke zweren. Een van
haar benen is zo gezwollen dat het zo dik is als een boomstam.
Vol afschuw wenden we ons af, niet in staat haar aan te kijken.

'Welkom,' zegt ze. 'Ik ben Asha. Volg me.'

'We wilden net weggaan,' zegt Felicity.

Asha lacht. 'En waar willen jullie dan naartoe? Dit is de enige uitweg. Kom mee.'

Aangezien we niet langs dezelfde weg terug kunnen, lopen we achter haar aan. Op het pad staan nog vele anderen. Ook zij zijn misvormd, gebocheld en zitten onder de littekens.

'Niet staren,' berisp ik Ann zachtjes. 'Kijk gewoon naar je voeten.'

Asha leidt ons om het klif heen, door gewelfde tunnels die door zuilen omhoog worden gehouden. Op de muren staan afbeeldingen van fantastische veldslagen: de onthoofding van een gorgone, het verdrijven van slangen, ridders in tunieken met papavers erop geschilderd. Ik zie het Woud van Licht, een centaur die op een panfluit speelt, de waternimfen, het Orakel van de Runen. Het lijkt wel een wandtapijt, met zoveel taferelen dat ik ze niet kan tellen.

De tunnel komt uit op een plek met alweer een panoramisch uitzicht. We staan vrij hoog op de berg. Aan weerszijden van het smalle pad staan potten met wierook. Magenta, turquoise en gele rookpluimen prikken in mijn neus en ogen.

Bij de opening van een grot blijft Asha staan. Om de ingang heen is een primitieve keten van slangen uitgebeiteld. Het ziet er niet echt uit als een kunstwerk, eerder als iets wat uit de krochten van de aarde zelf naar boven is gekomen. De Grotten der Zuchten.

'Ik dacht dat je zei dat dit de uitweg was,' zeg ik.

'Dat is ook zo.' Asha loopt de grot binnen en wordt opgeslokt door de duisternis. Achter ons op de weg hebben de anderen een groep van vijf rijen diep en tien rijen breed gevormd. We kunnen niet terug.

'Dit staat me niet aan,' zegt Pippa.

'Mij ook niet, maar hebben we een andere keus?' vraag ik, waarop ik de grot in loop.

Zodra ik binnen ben, begrijp ik waar deze grotten hun naam aan ontlenen. Het is alsof de muren zelf zuchten van het geluk van honderdduizend kussen.

'Wat mooi.' Dat is Ann. Ze staat voor een bas-reliëf van een gezicht met een lange, platte neus en brede, volle lippen. Haar handen strijken langs de contouren van de bovenlip, en ik moet meteen aan Kartik denken. Pippa volgt haar voorbeeld, genietend van het gevoel van het steen.

'Neem me niet kwalijk, maar we volgden een pad en dat lijkt nu te zijn verdwenen. Kun je ons alsjeblieft vertellen hoe we terugkomen? We hebben vreselijke haast,' zegt Felicity poeslief.

'Zoekt u de tempel?' vraagt Asha.

Nu heeft ze onze aandacht. 'Ja,' zeg ik. 'Weet je waar hij is?'

'Wat biedt u ons?' vraagt Asha met haar handen uitgestrekt.

Moet ik haar een geschenk aanbieden? Ik heb niets. Simons ketting en de amulet kan ik met geen mogelijkheid afstaan.

'Het spijt me,' zeg ik. 'Ik heb niets meegenomen.'

De blik in Asha's ogen verraadt haar teleurstelling. Maar toch glimlacht ze. 'Soms zoeken we iets waar we nog niet klaar voor zijn. Het ware pad is moeilijk. Om het te kunnen zien, moet je bereid zijn als een slang je huid af te stropen.' Ze werpt een vluchtige blik op Pippa op het moment dat ze dat zegt.

'We kunnen beter gaan,' zegt Pippa.

Volgens mij heeft ze gelijk. 'Dank je voor alle moeite, maar we moeten nu terug.'

Asha maakt een buiging. 'Zoals u wenst. Ik kan u terugbrengen naar het pad. Maar u hebt onze hulp nodig.'

Een vrouw met een gezicht dat felrood is geschilderd met donkergroene strepen giet een kleimengsel in een lange buis met een gaatje aan het eind.

'Waar is dat voor?' vraagt Felicity.

'Om u te beschilderen,' zegt Asha.

'Om ons te beschilderen?' gilt Ann bijna.

'Het is ter bescherming,' legt Asha uit.

'Bescherming waartegen?' vraag ik op mijn hoede.

'Bescherming tegen alles wat het in dit rijk op u heeft gemunt. Het verbergt wat verborgen moet blijven en onthult wat moet worden gezien.' Weer werpt ze Pippa zo'n vreemde blik toe.

'Dit staat me echt helemaal niet aan,' zegt Pippa.

'Mij ook niet,' zegt Ann instemmend.

'Stel dat het een valstrik is?' fluistert Felicity. 'Stel dat die verf giftig is?'

De vrouw met het rode gezicht vraagt ons te gaan zitten en onze handen op een groot rotsblok te leggen.

'Waarom zouden we je vertrouwen?' vraag ik.

'U moet vele keuzes maken. Het staat u vrij te weigeren,' antwoordt Asha.

De vrouw met de verf wacht geduldig af. Moet ik Asha, een onaanraakbare, vertrouwen, of moet ik het erop wagen en onbeschermd door het rijk reizen?

Ik bied de vrouw met het beschilderde gezicht mijn handen aan.

'U bent dapper, zie ik,' zegt Asha. Ze knikt naar de vrouw, die het mengsel op mijn handen knijpt. Het voelt koud aan op mijn huid. Is dat het gif dat zich een weg baant naar mijn bloed? Ik kan alleen maar mijn ogen dichtdoen en er het beste van hopen.

'O, kijk nou!' zegt Ann, happend naar adem.

Ik vrees het ergste als ik mijn ogen open. Mijn handen. Waar het kleimengsel is opgedroogd, is het schitterend steenrood gekleurd, en het vormt een patroon dat ingewikkelder is dan een spinnenweb. Het doet me denken aan de bruidjes in India die hun handen met henna laten beschilderen ter ere van hun echtgenoot.

'Ik ga hierna,' zegt Felicity, die snel haar handschoenen uittrekt. Ze is niet meer bang om te worden vergiftigd, wel om te worden buitengesloten.

316

Ver achter in de grot is een meertje met een spiegelglad oppervlak, dat desondanks lijkt te rijzen en dalen. Die beweging maakt me slaperig. Het is het laatste wat ik zie voor ik in slaap val.

Ik sta voor een grote bron. Op het oppervlak beweegt van alles. Het laat me dingen zien. Rozen die snel opbloeien aan dikke, groene ranken. Een kathedraal op een drijvend eiland. Zwarte rotsen, in mist gehuld. Een krijger met een gehoornde helm op een fel paard. Een verwrongen boom met op de achtergrond een bloedrode hemel. Asha's beschilderde handen. Nell Hawkins. De groene mantel. In de schaduw beweegt iets wat me aan het schrikken maakt en dichterbij komt. Een gezicht.

Met een schok word ik wakker. Felicity lacht vrolijk en pronkt met haar handen, die met schitterende krullen zijn beschilderd. Ze vergelijkt ze met de ingewikkelde patronen op de handen van Ann en Pippa. Asha zit met haar dikke, schilferige benen over elkaar tegenover me.

'Wat hebt u in uw dromen gezien?' vraagt ze.

Wat ik heb gezien? Van alles, maar het betekende niets voor me. 'Niets,' antwoord ik.

Weer zie ik teleurstelling in haar ogen. 'Het is tijd dat u weggaat.'

Ze leidt ons naar de ingang van de grot. De hemel is niet meer blauw, maar inktzwart – het is donker geworden. Zijn we hier zo lang geweest? De wierookpotten braken nog steeds een regenboog van kleuren uit. Aan weerszijden van het pad staan toortsen. De Hajin staan ernaast en buigen voor ons terwijl we eroverheen lopen.

Als we de rots weer bereiken, verschijnt de deur. 'Ik dacht dat we hier alleen maar uit konden als we verder gingen,' zeg ik.

'Ja. Dat is waar.'

'Maar langs deze weg zijn we ook gekomen.'

'O ja?' vraagt ze. 'Wees voorzichtig op het pad. Loop snel en zachtjes. De verf zal u aan het zicht onttrekken.' Met haar handen tegen elkaar maakt Asha een buiging. 'Ga nu.'

Ik begrijp er helemaal niets van, maar we hebben al te veel tijd verspild om nu nog vragen te stellen. We moeten terug naar het pad. In de gloed van de amulet kan ik de fijne lijntjes op mijn handen zien. Het lijkt nauwelijks toereikend als bescherming tegen wat het ook is dat ons zoekt, maar ik hoop dat Asha gelijk heeft.

HOOFDSTUK
EENENDERTIG

De gloed van het alziend oog leidt ons bij de berg vandaan, en we komen uit op onbekend terrein. Hier is de hemel niet zo donker. Hij is doorspekt met de gloed van een donkerrode maan. Aan alle kanten worden we omringd door de knoestige stammen van reusachtige bomen. De takken hangen ver boven ons hoofd, kale, verwrongen vingers, bedekt met boombast, die met elkaar verstrengeld zijn alsof ze elkaar omhelzen. Dat heeft een nogal griezelig effect, alsof we door een lange kooi lopen.

'Zijn we hier op de heenweg ook langs gekomen?' vraagt Felicity.

'Waar zijn we?' vraagt Pippa.

'Dat weet ik niet,' zeg ik.

'Wat een spookachtige plek,' zegt Ann.

'Ik wist dat we ze niet hadden moeten vertrouwen. Smerig ongedierte!' zegt Pippa.

'Sst!' zeg ik. In mijn hand is de gloed van de amulet verzacht tot een vage glans, en nu dooft ook die als een kaars die wordt uitgeblazen. 'Hij is uit.'

'Nou, mooi is dat! Hoe komen we nu terug?' mompelt Ann.

Het rode licht van de maan sijpelt tussen de stakerige, kale takken door en veroorzaakt lange schaduwen.

'We gebruiken het maanlicht wel. Gewoon doorlopen,' zeg ik. Waarom werkt de amulet niet meer?

'Lieve help, wat is dat voor een stank?' vraagt Felicity.

De wind keert naar ons toe, en dan ruik ik het ook. De stank van ziekte en vuil. De stank van de dood. Achter ons steekt een briesje op dat door de bomengang heen strijkt en het satijn en de zijde van onze japonnen doet ruisen. Het is niet zomaar een windvlaagje. Het is een aankondiging. Er komt iets aan.

Ann slaat haar hand voor haar neus en mond. 'O, wat afschuwelijk.'

'Sst!' zeg ik.

'Wat is er?' vraagt Pippa.

'Horen jullie dat?'

Ruiters. Ze naderen snel. Er doemt een stofwolk op. Nog even en ze halen ons in. Vóór ons lijkt de gang zich nog mijlenver uit te strekken. Kunnen we ons tussen de boomstammen door persen? De openingen zijn slechts kiertjes van licht, te smal voor ons.

Pippa kijkt om zich heen. 'Waar zijn jullie gebleven?' vraagt ze.

'Hoe bedoel je? We zijn er nog gewoon,' zegt Felicity.

'Maar ik kan jullie niet meer zien!'

De verf! Die verbergt ons op de een of andere manier. 'De verf beschermt ons. Ze kunnen ons niet zien.'

'En ik dan?' vraagt Pippa. Ze bestudeert haar handen, die nog erg zichtbaar zijn. 'O lieve hemel!' Ze klinkt wanhopig, en ik weet niet wat ik moet doen om haar te helpen. De ruiters komen in het zicht: uitgemergelde, spookachtige wezens die in niets meer lijken op de mensen die ze ooit zijn geweest. En achter hen doemt een afgrijselijke gestalte op, een afzichtelijk monster met enorme, gerafelde vleugels en een muil vol lange, scherpe tanden. Hier en daar zijn er stukken vlees aan blijven hangen. Het heeft geen ogen. Maar het snuift de lucht op, op zoek naar ons. Ik weet wat het is, want ik ben er al eens eerder een tegengekomen. Het is een spoorzoeker, een wezen van het soort dat Circe gebruikt.

Snuivend keert hij zich naar ons toe. Hij stinkt zo erg dat ik bijna moet kokhalzen. Ik onderdruk de reflex.

'Jij daar,' brult de duistere geest, en even denk ik dat hij ons heeft gevonden. 'Ben je niet overgegaan, geest?'

'I-ik?' vraagt Pippa. 'I-ik...'

Dik, glanzend kwijl druipt uit de muil van het monster. O, Pip! Ik wil haar redden, maar ik ben bang, niet in staat de veiligheid van mijn onzichtbaarheid op te geven. Het afschuwelijke wezen snuift weer.

'Aha, ik kan ze ruiken. Levende wezens. De priesteres is hier geweest. Heb je haar gezien?'

Pippa beeft. 'N-nee,' fluistert ze.

Het monster gaat vlak bij haar staan. Zijn stem is een grauw waarin de wanhoop van duizenden zielen doorklinkt. 'Je liegt toch niet tegen ons, hè?'

Pippa opent haar mond, maar er komt geen geluid uit.

'Maakt niet uit. Uiteindelijk vinden we haar wel. Daar zorgt mijn meesteres wel voor. En zodra ze de tempel in handen heeft, zal het machtsevenwicht eindelijk in het voordeel van het Winterland doorslaan.' Met een angstaanjagende grijns gaat hij nog dichter bij Pippa staan. 'Rijd met ons mee. Dan kun je delen in onze overwinning. Alles wat je wilt, kun je krijgen. Wat een mooi ding ben je. Rijd met ons mee.'

Het gezicht bevindt zich heel dicht bij Pippa's mooie wang. Onder mijn schoen ligt een steen. Heel voorzichtig raap ik hem op en gooi hem naar de andere kant van de laan. De enorme kop van de spoorzoeker beweegt met een ruk in de richting van het geluid. De geesten jammeren en krijsen.

'Ze zijn nog vlakbij. Er is magie voor hen aan het werk. Dat kan ik voelen. We zullen elkaar vast wel weer tegenkomen, liefje. Rijden!' Met die woorden galopperen ze schreeuwend de gang in. Zonder ons te verroeren of iets te zeggen blijven we staan tot de grond niet meer trilt en de wind is gaan liggen.

'Gaat het wel, Pip?' roept Felicity uit.

'J-ja. Ik denk het wel,' antwoordt ze. 'Maar ik kan jullie nog steeds niet zien. Ik vraag me af waarom het bij mij niet werkt.'

Ja, dat vraag ik me ook af. *Het verbergt wat verborgen moet blijven en onthult wat moet worden gezien.* Waarom zou Pippa niet verborgen hoeven worden, tenzij ze al bescherming heeft gevonden in het rijk? Nee, Pippa lijkt in niets op dat monster. Dat vertelt mijn verstand me. Maar in mijn hart schuilt een andere, afschuwelijke gedachte: binnenkort misschien wel.

'Ik wil hier zo snel mogelijk weg,' zegt Ann.

We lopen snel en geruisloos, zoals Asha ons heeft aangeraden. Als we het eind van de gang bereiken, komt de amulet in mijn handen flakkerend weer tot leven.

'Hij doet het weer!' zeg ik. Ik beweeg hem heen en weer. Als ik hem naar links beweeg, gloeit hij het felst. 'Deze kant op.'

Al snel zien we de rafelige gloed van de gouden zonsondergang die aangeeft dat we het rijk van de tuin hebben bereikt. Tegen de tijd dat we de zilveren boog en de rivier hebben bereikt, zijn we weer zichtbaar.

Pippa beeft over haar hele lichaam. 'Dat monster... afschuwelijk.'

'Weet je zeker dat het wel gaat?' vraag ik.

Ze knikt. 'Gemma,' zegt ze, bijtend op haar lip, 'wat gebeurt er als je de tempel vindt?'

'Dat weet je best. Dan moet ik de magie binden.'

'En wat gebeurt er dan met mij? Moet ik dan gaan?' Haar stem is zo dun als een fluistering.

Dat is de vraag die ik telkens onderdruk. Maar vanavond ben ik gaan beseffen – gaan zien, zoals Asha zei – dat dit misschien niet eeuwig zo zal blijven. Dat Pippa misschien ook in een duistere geest zal veranderen als ze niet overgaat. Ik kan het echter niet opbrengen om het hardop te zeggen. Ik raap enkele dauwdruppels op van de grond. Op mijn handpalm vormen ze een zilverglanzend web dat ze onderling verbindt.

'Gemma...' zegt Pippa smekend.

'Natuurlijk hoef je niet weg,' zegt Felicity. Ze rent langs me heen. 'We bedenken wel een manier om het met de magie op te lossen. De Orde zal ons helpen.'

'Dat weten we niet,' zeg ik voorzichtig.

'Maar het is mogelijk, of niet soms?' vraagt Pippa. De hoop doet haar ogen weer schitteren. 'Stel je voor! Dan zou ik kunnen blijven. Dan kunnen we voorgoed samen zijn.'

'Ja, natuurlijk. We bedenken wel iets, dat beloof ik,' zegt Felicity.

Ik werp Felicity een waarschuwende blik toe, maar Pippa vergiet tranen van geluk en slaat haar armen om Felicity heen. 'Fee, dank je. Ik hou zoveel van je.'

De verf op onze handen is verbleekt tot niet meer dan een schaduw van lijntjes en krullen, die onder de dunne witte stof van onze handschoenen niet opvalt.

'Jullie moeten nog niet weggaan,' zegt Pippa smekend. 'Ik wil doen alsof ik ook bij de opera ben. En dat er daarna een bal wordt gehouden! Kom, dans met me.'

Ze rent het gras op, zwaait met haar rokken van links naar rechts en tilt een voor een haar voeten op. Giechelend rent Ann achter haar aan. Ik neem Felicity terzijde.

'Je moet Pippa niet zulke dingen beloven.'

Felicity's ogen vonken. 'Waarom niet? Gemma, we waren haar kwijt en nu hebben we haar terug. Daar moet toch een reden voor zijn, denk je niet?'

Ik denk aan het overgaan van mijn moeder, hoe scherp het verdriet om haar dood nog is, als een wond waarvan je denkt dat die genezen is, tot je met de wegtrekkende blauwe plek ergens tegenaan stoot en het weer helemaal opnieuw pijn gaat doen. Het is afschuwelijk. Aan de andere kant... Asha's magie werkte niet voor Pip. Die duistere geesten konden haar zien. Ze probeerden haar te verleiden en joegen op ons.

'Ik weet niet wat we hebben, maar het is niet Pippa. Niet onze Pippa, althans.'

Felicity rukt zich los. 'Ik wil haar niet voor de tweede keer kwijtraken. Je kunt met eigen ogen zien dat ze niet is veranderd. Ze is nog steeds onze Pippa, mooi als altijd.'

'Maar ze heeft de bessen gegeten. Ze is gestorven. Je was bij haar begrafenis.'

Felicity wil er niets over horen. 'De magie. Die zal alles veranderen.'

'Dat is niet het doel van de magie,' zeg ik zachtjes. 'Pip hoort nu thuis in het rijk, en ze moet overgaan voordat ze beschadigd raakt.'

Felicity kijkt naar Pippa en Ann, die als ballerina's uitgelaten over het verse gras dansen. 'Dat kun je niet weten.'

'Fee...'

'Dat kun je niet weten!' Ze zet het op een rennen.

'Dans met me, Fee,' roept Pippa met haar stralende lach. Ze pakt Felicity's handen vast. Ze delen iets waar ik geen naam aan kan verbinden. Een zekere tederheid. Een zekere verbondenheid. Alsof we allemaal in de grote balzaal van Spence staan, legt Felicity haar handen om Pippa's middel en begint met haar te walsen. Ze tollen in het rond, en Pippa's krullen wapperen wild en vrij in de wind.

'O, Fee. Wat mis ik je.' Ze slaat haar arm om Felicity's middel en Felicity doet hetzelfde met Pippa. Ze lijken wel een Siamese tweeling. Pippa fluistert Felicity iets in het oor waar ze om moet lachen. 'Laat me niet alleen,' zegt Pippa. 'Beloof me dat je terugkomt. Beloof het me.'

Felicity legt haar handen op die van haar. 'Dat beloof ik.'

Ik heb wat tijd nodig om mijn gedachten op een rijtje te krijgen, dus loop ik naar de oever van de rivier en ga even zitten nadenken. Geruisloos glijdt de gorgone op me af.

'Zit u iets dwars, Hoogssste?' zegt ze met haar slissende stem.

'Nee,' brom ik.

'U vertrouwt me niet,' zegt ze.

'Dat heb ik niet gezegd.'

Ze draait haar enorme groene hoofd in de richting van de tuin, waar mijn vriendinnen op het geurige gras dansen. 'Dingen veranderen. Dat kunt u niet tegenhouden.'

'Wat bedoel je daarmee?'

'U zult een keuze moeten maken, en snel ook, vrees ik.'

Ik sta op en veeg het gras van mijn rok. 'Ik weet dat je de hand hebt gehad in de slachting onder de leden van de Orde. Je hebt ons niet gewaarschuwd voor de waternimfen. Misschien hoor je wel bij het Winterland, weet ik veel. Waarom zou ik luisteren naar wat jij te zeggen hebt?'

'De magie verplicht me de waarheid te spreken en lieden zoals u geen kwaad te doen.'

Vroeger, ja.

Ik draai me om. 'Zoals je zelf al zei: dingen veranderen.'

We keren terug in de lege loge in het Royal Opera House op het moment dat het gordijn dichtvalt voor de pauze. We dragen magie met ons mee. Die kleeft aan mijn lichaam, waardoor ik me van alles bewust word. Het zachte gesis van de gaslamp op de rand van de privéloge buldert in mijn hoofd. Het licht van de lampen die aanfloepen doet pijn aan mijn ogen. En de gedachten van mensen razen zo woest door me heen dat ik bang ben dat ik gek word.

'Gemma? Gaat het wel?' vraagt Ann.

'Voelen jullie dat niet?' vraag ik, happend naar adem.

'Wat?' vraagt Felicity geërgerd.

'De magie. Het wordt me te veel.' Ik druk mijn handen tegen mijn oren alsof ik het zo kan laten ophouden. Ann en Felicity lijken nergens last van te hebben. 'Probeer eens iets magisch te doen. Maak een sprinkhaan of een robijn.'

Felicity sluit haar ogen en steekt haar handen uit. Er flakkert even iets op, maar dan is het weer verdwenen. 'Waarom lukt het niet?'

'Weet ik niet,' zeg ik. Ik kan nauwelijks ademhalen. 'Probeer jij het eens, Ann.'

Ann maakt een kommetje met haar handen en concentreert zich. Ze vraagt om een diamanten kroon. Haar wens golft door me heen. Al snel geeft ze haar poging op. 'Ik begrijp het niet,' zegt ze.

'Het is alsof jullie magie allemaal in mij zit,' zeg ik rillend. 'Alsof ik het in drievoud heb.'

Felicity tuurt over de rand van de loge. 'Ze zijn opgestaan. Nu gaan ze vast naar ons op zoek. We moeten naar ze toe. Gemma, kun je staan?'

Mijn benen zijn zo wankel als die van een pasgeboren veulen. Felicity en Ann flankeren me en houden mijn handen vast. We gaan achter een man en zijn vrouw aan. Hij heeft een verhouding met haar zus. Vanavond na de opera gaat hij naar haar toe. Zijn geheimen razen door mijn lichaam als gif.

'O!' zeg ik moeizaam, en ik schud mijn hoofd om die gedachten te verjagen. 'Dit is afschuwelijk. Ik kan alles horen en voelen. Ik kan het niet tegenhouden. Hoe moet ik deze avond doorkomen?'

Felicity helpt me de trap af. 'We brengen je naar de garderobe en zeggen tegen je grootmoeder dat je je niet lekker voelt. Dan brengt zij je wel naar huis.'

'Maar dan loop ik mijn avond met Simon mis!' jammer ik.

'Wil je soms dat Simon je zo ziet?' fluistert Felicity.

'N-nee,' zeg ik. De tranen biggelen me over de wangen.

'Kom mee dan.'

Ann loopt zachtjes te neuriën. Dat doet ze wel vaker als ze zenuwachtig is, maar het heeft een kalmerende werking op me, en zolang ik me op haar stem concentreer, kan ik lopen en doen alsof ik me redelijk voel.

Als we onder aan de trap in de grote foyer staan, blijkt Tom daar op me te staan wachten. Ann houdt op met neuriën, en meteen word ik overvallen door het helse kabaal van ieders geheimen. *Concentreer je, Gemma. Sluit je af. Kies er één.*

Ann. Ik voel haar hart kloppen in hetzelfde ritme als het mijne. Ze stelt zich voor dat ze in Toms armen ronddanst en dat hij haar vol aanbidding aankijkt. Ze verlangt er wanhopig naar, en ik vind het vreselijk dat ik het nu weet.

Daar komt hij aan, samen met Lady Denby. En Simon. Ik raak Ann, de draad waar ik me aan vastklamp, kwijt. Alles overspoelt me weer. Ik ben in paniek. Het enige waar ik aan kan denken is Simon, knappe Simon in zijn zwarte rokkostuum met witte strik, en dat ik verlamd ben door de magie. Met grote passen komt hij op ons af. Even dringen zijn gedachten tot me door. Vluchtige beelden. Zijn lippen op mijn hals. Zijn hand die mijn handschoen uittrekt.

Mijn knieën begeven het. Felicity trekt me ruw omhoog.

'Miss Doyle?' vraagt Simon niet-begrijpend.

'Miss Doyle voelt zich niet zo lekker,' zegt Felicity tot mijn grote schaamte.

'Het spijt me dat te horen,' zegt Lady Denby. 'Ik zal meteen het rijtuig laten komen.'

'Als u dat het beste vindt, Lady Denby,' zegt grootmoeder, die teleurgesteld is omdat haar avond voortijdig ten einde komt.

'Lady Denby, wat fijn om u te zien!' Het is de moeder van Cecily Temple, die met Cecily naast zich op ons afkomt. Cecily's ogen worden groot als ze Ann ziet staan.

'Goedenavond,' zegt ze. 'Nee maar, miss Bradshaw, wat een verrassing om jou hier te zien. Waarom ben je niet op Spence met Brigid en de bedienden?'

'Wij hebben de eer miss Bradshaw deze vakantie te gast te hebben, aangezien haar oudoom, de hertog van Chesterfield, niet weg kon uit Rusland,' legt Felicity's moeder uit.

'De hertog van Chesterfield?' herhaalt Cecily alsof ze niet zeker weet of ze het goed heeft verstaan.

Mrs Worthington vertelt Cecily en haar moeder het hele verhaal van Anns nobele afkomst. Cecily's mond valt open van verbijstering, maar dan verschijnt er een wrede trek om haar lippen en grijnst ze vals. Iets kouds en hards stroomt door me heen. Het is Cecily's plan. Ze gaat het doen. Ze gaat het zeggen. Nu slaat Anns angst over me heen, en vermengd met Cecily's boosaardigheid maakt het me duizelig. *Krijg geen adem. Moet nadenken.*

Ik hoor Cecily's stem. 'Ann Bradshaw...'

Mijn ogen trillen. *Toe, hou op.*

'... is...'

Hou op. Toe.

'... het meest...'

Niet in staat het nog langer te verdragen schreeuw ik: 'Hou op!'

Een zalige opluchting overspoelt me. Er heerst een absolute stilte. Geen gedachten die over elkaar buitelen. Geen geroezemoes. Geen instrumenten die worden gestemd. Sterker nog, helemaal niets. Als ik mijn ogen open, zie ik waarom. Ik heb alles tot stilstand gebracht: de vrouwen die kletsend hun rokken optillen. De heren die op hun zakhorloges kijken. Ze lijken wel wassen poppen in de grote etalage van een warenhuis. Dit was niet de bedoeling, maar het is gebeurd, dus moet ik er mijn voordeel mee doen. Ik moet Ann redden.

'Cecily,' zeg ik plechtig, met mijn hand op haar verstijfde

arm. 'Je zegt niets naars over Ann. Je gelooft alles wat we zeggen, en je zult Ann behandelen alsof ze de koningin in hoogsteigen persoon is.

Ann,' zeg ik terwijl ik het haar uit haar bezorgde gezicht strijk. 'Je hebt geen reden om je zorgen te maken. Je verdient het om hier te zijn. Je bent geliefd.'

De man die een verhouding heeft met de zus van zijn vrouw staat vlakbij. Ik kan de verleiding niet weerstaan. Ik geef hem een harde klap in zijn gezicht. Dat is erg bevredigend. 'En u, meneer, bent een schoft. U gaat meteen uw leven beteren en de rest van uw leven uw uiterste best doen om uw vrouw gelukkig te maken.'

Simon. Wat vreemd om hem zo aandachtig te zien staan, met zijn blauwe ogen open zonder dat ze iets zien. Heel voorzichtig trek ik mijn handschoen uit en streel zijn kaak. Zijn huid is glad, pas geschoren. Mijn hand ruikt naar de balsem die zijn barbier gebruikt. Dit blijft mijn geheim.

Ik trek mijn handschoen aan, sluit mijn ogen en concentreer me. 'Ga door,' zeg ik.

De wereld komt weer in beweging alsof er niets is gebeurd. De echtgenoot voelt de pijn van mijn klap. Simon legt zijn vinger tegen zijn kaak alsof hij zich een droom herinnert. Aan Cecily's zelfvoldane gezicht is niets veranderd, en ik hou mijn adem in, hopend dat de magie doel heeft getroffen, als ze verder praat. *Miss Bradshaw is het meest...*

'... vrijgevige, lieve meisje van heel Spence,' verkondigt Cecily. 'Het komt vast door haar bescheidenheid dat ze nooit iets heeft gezegd over haar blauwe bloed. Ze is het aardigste meisje dat je je kunt voorstellen.'

Ik weet niet wie er het meest verbijsterd kijkt, Ann of Felicity.

'Miss Bradshaw, ik hoop dat ik een keer bij je op bezoek mag komen terwijl je in Londen bent,' zegt Cecily met een oprechtheid die nieuw voor haar is.

Tom mengt zich in het gesprek. 'Miss Bradshaw, ik zou het een eer vinden als u naar het kerstbal in het Bethlem-ziekenhuis komt.'

Heeft de betovering iedereen beroerd? Nee, besef ik snel. Alleen al de suggestie van roem en rijkdom heeft een betoverende werking. Het is schrikbarend hoe snel mensen bereid zijn de wilde verhalen van een ander als waar aan te nemen om hun eigen onrealistische ideeën over zichzelf in stand te houden. Maar als ik Anns opgetogen gezicht zie en denk aan haar diepste wensen, dan ben ik ondanks alles blij met de illusie.

'Heel graag,' zegt Ann tegen iedereen. Ze had van de gelegenheid gebruik kunnen maken om zich te verkneukelen. Ik zou dat wel hebben gedaan. In plaats daarvan heeft ze bewezen dat ze blauw bloed waard is.

'We moeten het rijtuig maar laten halen voor miss Doyle,' zegt Lady Denby.

Ik hou haar tegen. 'Nee, dank u, maar dat hoeft niet. Ik wil graag de rest van de opera zien.'

'Ik dacht dat je ziek was,' zegt grootmoeder.

'Ik voel me weer prima.' En dat is ook zo. Het gebruik van de magie heeft me een beetje gekalmeerd. Ik kan nog steeds de gedachten van sommige mensen opvangen, maar ze overweldigen me niet meer zo.

Felicity fluistert: 'Wat is er gebeurd?'

'Dat vertel ik je straks. Het is een geweldig verhaal.'

Tegen de tijd dat ik in bed stap, is de magie bijna verdwenen. Ik ben uitgeput en ik beef. Mijn voorhoofd voelt warm aan als ik mijn hand ertegenaan druk. Misschien komt het door de magie, misschien word ik echt ziek. Ik weet alleen dat ik wanhopig behoefte heb aan slaap.

De dromen die komen verstoren mijn rust. Het is een wilde, krankzinnige caleidoscoop. Felicity, Ann en ik in tunnels verlicht met toortsen; we rennen voor ons leven en de angst is van onze gezichten af te lezen. De Grotten der Zuchten. De amulet die ronddraait. Dan doemt Nell Hawkins' gezicht voor me op: 'Volg de ster uit het oosten niet, Vrouwe Hoop. Ze willen je doden. Dat is zijn taak.'

'Over wie heb je het?' prevel ik, maar ze is alweer weg, en dan droom ik van Pippa, een silhouet tegen de rode hemel. Haar ogen zijn weer niet zoals ze horen, afschuwelijk blauwwit met zwarte speldenpuntjes in het midden. Haar haren klitten samen en de wilde bloemen zijn verdord. Er liggen diepe schaduwen om haar ogen. Als ze glimlacht, onthult ze een mond vol scherpe, spitse tanden, en ik wil gillen, o lieve heer in de hemel, ik wil gillen. Ze biedt me met beide handen iets aan, iets bloederigs en smerigs. De kop van een geit, losgerukt van het lichaam.

Donder rolt door de steeds roder wordende hemel. 'Ik heb je het leven gered, Gemma. Vergeet dat niet...' Ze werpt me een handkus toe. Dan brengt ze bliksemsnel de kop van de geit naar haar mond en laat haar tanden in zijn nek zinken.

HOOFDSTUK
TWEEËNDERTIG

Door onze arts, Dr. Lewis, wordt vastgesteld dat ik een zware neusverkoudheid heb, meer niet, en na een paar keer flink te hebben geniest ben ik het met zijn diagnose eens. Ik moet in bed blijven. Mrs Jones brengt me hete thee en bouillon op een zilveren dienblad. En 's middags vertelt vader me een uur lang verhalen over India.

'Nou, daar waren we dan, Gupta en ik, op weg naar Kashmir met een ezel die voor alle juwelen van India niet vooruit te branden was. Hij zag die smalle bergpas, ontblootte zijn tanden tegen ons en ging gewoon liggen. Hij vertikte het om verder te gaan. Dus wij trekken aan dat touw, en hoe harder we trokken, hoe meer hij zich schrap zette. Ik dacht dat het met ons gedaan was. Maar uiteindelijk kreeg Gupta een idee dat onze redding betekende.'

'Wat deed hij dan?' vraag ik terwijl ik mijn neus snuit.

'Hij nam zijn hoed af, maakte een buiging voor de ezel en zei: "Na u." Toen liep de ezel verder, en wij erachteraan.'

Ik kijk hem met samengeknepen ogen aan. 'Dat verhaal hebt u verzonnen.'

In een theatraal gebaar drukt vader zijn hand tegen zijn borst. 'Twijfel je aan het woord van je vader? Naar het schavot met jou, ondankbaar kind!'

Daar moet ik van lachen – en niezen. Vader schenkt nog wat thee voor me in.

'Drink maar lekker op, schat. Ik wil niet dat je vanavond Toms bal met de gekken moet missen.'

'Ik heb gehoord dat Mr Snow niet altijd met zijn handen van zijn danspartners kan afblijven,' zeg ik.

'Gek of niet, als hij het waagt, vil ik hem levend,' zegt vader. Hij zet een hoge borst en een streng gezicht op, alsof hij een gepensioneerd marineofficier is. 'Tenzij hij groter is dan ik. Dan zul je mij moeten beschermen, lieve kind.'

Ik moet weer lachen. Hij is in een opperbeste stemming vandaag, al vind ik hem erg mager en beven zijn handen soms nog steeds.

'Je moeder zou het prachtig hebben gevonden, een bal in Bedlam, dat kan ik je wel vertellen. Ze was dol op alles wat ongewoon was.'

Er valt een stilte. Vader speelt met de trouwring die hij nog steeds draagt, draait hem eindeloos om zijn vinger heen. Ik twijfel of ik eerlijk moet antwoorden of moet proberen hem hier te houden. De eerlijkheid wint het. 'Ik mis haar,' zeg ik.

'Ik ook, liefje.' Het is weer even stil. Geen van beiden weten we wat we moeten zeggen om de afstand tussen ons te overbruggen. 'Ik weet dat ze blij zou zijn dat je op Spence zit.'

'O ja?'

'Nou en of. Het was haar idee. Ze zei dat ik jou daarnaartoe moest sturen als haar iets mocht overkomen. Vreemd dat ze dat zei, nu ik erover nadenk. Bijna alsof ze het wist...' Hij zwijgt en kijkt door het raam naar buiten.

Het is voor het eerst dat ik hoor dat mijn moeder wilde dat ik naar Spence zou gaan, de school waar ze bijna de dood had gevonden, de school waar ze kennismaakte met haar beste vriendin, later haar aartsvijand, Sarah Rees-Toome.

Circe. Voordat ik vader er nog iets over kan vragen, staat hij al op en zegt hij me gedag. De levendigheid is verdrongen door de kille waarheid, en hij kan niet blijven en er vrede mee sluiten.

'Dan ga ik maar weer eens, mijn engel.'

'Kunt u niet nog wat langer blijven?' zeur ik, al weet ik dat hij daar een hekel aan heeft.

'Ik moet mijn vrienden in de club niet laten wachten.'

Waarom heb ik telkens het gevoel dat dit nog maar een schim van mijn vader is? Ik lijk wel een kind dat telkens naar de slippen van zijn jas grijpt en mist.

'O nee,' zeg ik. Ik glimlach naar hem, doe alsof ik zijn mooie, vrolijke meisje ben. *Pas op dat je nooit zijn hart breekt, Gemma.*

'Ik zie je bij het avondeten, liefje.'

Hij kust mijn voorhoofd, en dan is hij weg. De kamer lijkt hem niet te missen. Hij laat niet eens een afdruk achter op de rand van het bed, waar hij heeft gezeten.

Mrs Jones komt binnen met nog meer thee en de middagpost. 'Brief voor u, miss.'

Ik kan geen levende ziel bedenken die me een kerstkaartje zou sturen, dus ben ik verrast, tot ik zie dat de brief uit Wales afkomstig is. Mrs Jones is een eeuwigheid bezig met het opruimen van de kamer en het opentrekken van gordijnen. De brief op mijn schoot is een kwelling voor me.

'Kan ik nog iets voor u doen, miss?' vraagt onze huishoudster zonder veel enthousiasme.

'Nee, dank je,' zeg ik met een glimlach. Die wordt niet beantwoord.

Eindelijk gaat Mrs Jones weg, en ik scheur de envelop open. De brief is van de directrice van het Sint-Victoria, ene Mrs Morrissey.

Beste miss Doyle,

Dank je voor je brief. Het is een grote troost te weten dat onze Nell zo'n lieve vriendin heeft gevonden. Bij het Sint-Victoria hebben we inderdaad een lerares in dienst gehad die Claire McCleethy heette. Miss McCleethy heeft van de herfst van 1894 tot de lente van 1895 bij ons gewerkt. Ze was een uitstekend lerares op het gebied van kunst en poëzie en was erg populair bij enkele van onze meisjes, onder wie Nell Hawkins. Helaas heb ik nergens een foto van miss McCleethy voor miss Hawkins, zoals u vroeg, en ik heb ook haar nieuwe adres niet. Toen ze wegging bij het Sint-Victoria, zou ze gaan werken bij een school in de buurt van Londen, waar haar zus de directrice is. Ik hoop dat u iets aan deze brief hebt en ik wens u een zalig kerstfeest.

Met vriendelijke groeten,
Mrs Beatrice Morrissey

Dus ze heeft er inderdaad gewerkt! Ik wist het.

... zou ze gaan werken bij een school in de buurt van Londen, waar haar zus de directrice is...

Een school in de buurt van Londen. Spence? Betekent dat dat Mrs Nightwing de zus is van miss McCleethy?

Beneden hoor ik luide stemmen.

Kort daarna komt Felicity mijn kamer binnenstormen, met een schaapachtig kijkende Ann en een woedende Mrs Jones in haar kielzog.

'Hallo Gemma, lieverd. Hoe voel je je? Ann en ik vonden dat we maar eens op bezoek moesten komen.'

'De dokter zei dat u moest rusten, miss.' Mrs Jones snoeit haar woorden af als een boze tuinman.

'Het geeft niet, Mrs Jones, maar bedankt. Ik geloof dat bezoek me goed zal doen.'

Felicity glimlacht triomfantelijk.

'Zoals u wenst, miss. Een kort bezoekje,' benadrukt ze voordat ze de deur met een klap dichtdoet.

'Nu heb je het voor elkaar. Je hebt Jonesy boos gemaakt,' zeg ik plagend.

'O, wat ben ik bang,' zegt Felicity. Ze slaat haar ogen ten hemel.

Ann bekijkt de jurk die aan de deur van mijn kast hangt. 'Je voelt je toch wel goed genoeg om vanavond naar het bal in het ziekenhuis te gaan, hè?'

'Ja,' zeg ik. 'Ik zal er zijn. En maak je geen zorgen, Tom zal er ook zijn. Ik heb hem niet aangestoken.'

'Ik ben blij te horen dat hij in goede gezondheid verkeert,' zegt ze, alsof ze niet al die tijd op dat nieuws heeft gewacht.

Felicity neemt me onderzoekend op. 'Je hebt een ondeugende blik in je ogen.'

'Ik heb interessant nieuws.' Ik geef hun de brief.

Felicity en Ann gaan op mijn bed zitten en lezen zwijgend. Hun ogen worden steeds groter.

'Ze is het, hè?' vraagt Ann. 'Miss McCleethy is echt Circe.'

'We hebben haar te pakken,' zeg ik.

'Toen ze wegging bij het Sint-Victoria, zou ze gaan werken bij een school in de buurt van Londen, waar haar zus de directrice is...' leest Felicity hardop voor.

'Als dat waar is,' zeg ik, 'dan is Mrs Nightwing ook verdacht. We kunnen haar niet meer vertrouwen.'

Na een halfuur onrustig heen en weer lopen besluiten we een briefje te sturen naar de enige die ons misschien kan helpen, miss Moore. Ongeduldig wacht ik op de terugkeer van de boodschapper, en net voordat ik de deur uit moet naar het bal in het Bethlem, wordt haar antwoord afgegeven.

Beste Gemma,

Ook mij zitten al die toevalligheden niet lekker. Misschien is er een logische verklaring voor, maar voorlopig raad ik je aan op je hoede te zijn. Als ze zichzelf in het Bethlem vertoont, doe dan wat je moet doen om haar bij Nell Hawkins uit de buurt te houden.

Je vriendin,
Hester Asa Moore

Vader is niet thuisgekomen voor het avondeten, zoals hij had beloofd. Hij heeft ook geen bericht gestuurd. En hij heeft Kartik en het rijtuig bij zich, dus moeten Tom en ik een koets huren om ons naar het Bethlem te brengen. Het ziekenhuis is prachtig versierd met hulst en klimop, en de patiënten, die hun mooiste kleren aanhebben, zijn vervuld van vrolijkheid en ondeugd.

Ik heb bloemen voor Nell meegenomen. Een van de verpleegsters brengt me naar de vrouwenafdeling, zodat ik ze aan haar kan overhandigen.

'Wat een mooie corsage,' zegt de verpleegster.

'Dank u,' mompel ik.

'Miss Hawkins boft maar vandaag. Dat is al de tweede keer dat ze bloemen krijgt.'

'Hoe bedoelt u?'

'Ze heeft vandaag een bezoekster gehad die mooie rozen voor haar heeft meegenomen.'

Een patiënte walst voorbij met een denkbeeldige partner.

'Een bezoekster? Hoe heette ze?' vraag ik.

De verpleegster tuit nadenkend haar lippen. 'Dat weet ik niet meer, het spijt me. We hebben het ontzettend druk gehad. Mr Snow is al de hele dag erg geagiteerd. Dr. Smith zei dat hij moest kalmeren, omdat hij anders niet naar het bal mocht. We zijn er,' zegt ze als we een kleine zitkamer binnenstappen.

Nell ziet er net zo verfomfaaid uit als altijd. Haar dunne, beschadigde haar hangt in lelijke plukken om haar schouders. Ze zit in haar eentje, met Cassandra's kooi op schoot. De vogel krast tegen Nell, die antwoordt met vriendelijk gemompel. Naast haar op tafel staat een vaas vol felrode rozen.

'Miss Hawkins,' zegt de verpleegster, 'miss Doyle komt je opzoeken, en ze heeft een prachtige corsage voor je meegenomen. Wil je haar niet even goedenavond zeggen?'

'Goedenavond! Goedenavond!' tjilpt Cassandra.

'Dan laat ik je alleen met je bezoek,' zegt de verpleegster. 'Je moet je zo wel gaan omkleden, miss Hawkins.'

'Nell,' zeg ik zodra we alleen zijn, 'je hebt vandaag bezoek gehad. Was het miss McCleethy?'

Nell krimpt ineen bij het horen van die naam en houdt de

kooi zo dicht tegen zich aan dat Cassandra angstig heen en weer begint te huppen. 'Ze leidde ons naar de rotsen. Ze beloofde ons de kracht, en toen verraadde ze ons. Het kwam uit de zee. 'k Moet dwalen, 'k moet dwalen, langs bergen en langs dalen...'

'Ze was een lerares van je aan het Sint-Victoria, hè? Wat heeft ze je aangedaan? Wat is er gebeurd?'

Nell steekt haar kleine vingers tussen de tralies van de kooi door en probeert Cassandra aan te raken, die krassend heen en weer hupt en haar aanraking vermijdt.

'Nell!' Ik grijp haar handen vast.

'O, Vrouwe Hoop,' zegt ze fel fluisterend. Haar ogen staan vol tranen. 'Ze heeft me gevonden. Ze heeft me gevonden en ik ben zo bang. Ik vrees dat ik ze niet buiten kan houden. Ze zullen me nooit vergeven.'

'Wie zullen je nooit vergeven?' vraag ik.

'Zij!' schreeuwt ze bijna. 'Degenen met wie je praat. Het zijn mijn vriendinnen niet, mijn vriendinnen niet, geen vriendinnen.'

'Sst, rustig maar, Nell,' prevel ik. In de verte kan ik horen dat er violen worden gestemd. Het kamerorkest is gearriveerd. Nog even en het bal begint.

Nell wiegt met kleine, gespannen bewegingen heen en weer. 'Nog even en ik moet vluchten. 'k Moet dwalen, 'k moet dwalen, langs bergen en langs dalen. Vanavond. Ik zal je vertellen waar je de tempel kunt vinden.'

Met een verbazingwekkend behendige en felle beweging grijpt Nell Cassandra bij haar poot. De vogel krijst het uit. Maar Nell is vastbesloten, en er speelt een vreemd glimlachje om haar lippen.

'Nell! Nell! Laat dat beest los,' zeg ik. Ik trek aan haar vingers, en ze bijt me hard in mijn hand. Een dun, oneffen halvemaantje van bloed welt dwars door mijn handschoen op.

'Zeg, wat is dat voor een kabaal?' Een verpleegster komt met grote passen op ons af, een en al zakelijkheid. Als ze de beet ziet, mag Nell vanavond niet naar het bal, en dan zal ik nooit weten waar de tempel zich bevindt.

'De vogel heeft me gepikt,' zeg ik. 'Daar schrok ik van.'

'Cassandra, je bent een stoute meid,' zegt de verpleegster afkeurend terwijl ze de kooi uit Nells handen wrikt.

'Stoute meid, stoute meid!' krast Cassandra.

'Vanavond,' zegt Nell schor. 'Je moet luisteren. Je moet kijken. Het is onze laatste kans.'

Mijn hand doet vreselijk pijn. En het ergste is dat Mr Snow op de gang staat te wachten, met een vuige grijns om zijn lippen. Hij hoort helemaal niet op de vrouwenafdeling te zijn, en ik vraag me af hoe hij hier binnen is gekomen. Ik heb geen keus. Ik zal langs hem heen moeten als ik naar het bal wil. Ik raap al mijn moed bij elkaar, recht mijn schouders en loop langs hem heen alsof Bethlem Royal mijn eigendom is. Mr Snow komt naast me lopen.

'Jij bent een mooi grietje, zeg.'

Ik loop door en weiger antwoord te geven. Mr Snow springt voor me en loopt achteruit met me mee. Ik kijk om me heen, op zoek naar iemand die me kan helpen, maar iedereen is in de balzaal.

'Wilt u me alstublieft voorbij laten, meneer?'

'Als je me een kusje geeft. Een kusje zodat ik je niet vergeet.'

'Mr Snow, u gaat te ver,' zeg ik. Ik probeer streng te klinken, maar mijn stem beeft.

'Ik heb een boodschap voor je, van hen,' fluistert hij.

'Van wie?'

'Van de meisjes in het wit.' Zijn gezicht is zo dichtbij dat ik zijn zure adem kan ruiken. 'Ze werkt samen met de duistere lieden. Met degene die zal komen. Ze zal je de verkeerde kant op sturen. Vertrouw haar niet,' fluistert hij, nog steeds met die wellustige grijns.

'Wilt u me soms bang maken?' vraag ik.

Mr Snow zet aan weerszijden van mijn hoofd zijn handen tegen de muur. 'Nee, miss. We willen je juist waarschuwen.'

'Mr Snow! Zo is het wel genoeg.' Eindelijk duikt een van de verpleegsters op, en Mr Snow maakt zich snel uit de voeten, maar eerst roept hij me dringend toe: 'Wees voorzichtig, miss! Zo'n mooi gezichtje.'

Pas als ik veilig bij hem uit de buurt ben, trek ik mijn handschoen uit en bestudeer de wond in mijn hand. Die valt mee. Het is eigenlijk alleen maar een diepe kras. Maar voor het eerst heb ik mijn twijfels over Nell Hawkins.

Voor het eerst ben ik bang voor haar.

HOOFDSTUK
VIERENDERTIG

Het bal van het Bethlem trekt veel belangstelling. In het ziekenhuis krioelt het van de mensen, die allemaal zijn uitgenodigd of een toegangskaartje hebben gekocht. Sommigen komen voor de muziek en het dansen of omdat ze vinden dat ze iets goeds moeten doen voor de medemens; anderen komen uit nieuwsgierigheid omdat ze de gekken van Bedlam buigingen en reverences willen zien maken en hopen dat er iets vreemds of schandaligs zal gebeuren, iets waar ze later tijdens een bal of een diner over kunnen vertellen. Zo kijken twee dames discreet toe terwijl een verpleegster een gerafelde pop uit de felle greep van een patiënte probeert los te maken en de oude vrouw geruststelt door tegen haar te zeggen dat het voor haar 'kleine meisje' het beste is als ze lekker gaat slapen in de 'kinderkamer'. 'Arm mensje,' prevelen de dames, en 'Hartverscheurend,' maar aan de schittering in hun ogen kan ik zien dat ze precies hebben gekregen waar ze voor zijn gekomen: een blik achter het gordijn, waar wanhoop, verschrikkingen en hopeloosheid schuilgaan, zodat ze het vrolijk weer dicht kunnen trekken en de smet ervan ver bij de veilige grenzen van hun keurig geordende leventje weg kunnen houden. Ik wens hun een lange dans met Mr Snow toe.

Het bal is al een tijdje bezig als ik Felicity en Ann langzaam maar zeker door de mensenmassa op me af zie komen. Mrs Worthington is hier als chaperonne, maar ze is druk aan het praten met de hoofdarts, Dr. Percy Smith.

'Gemma! O, wat is er met jou gebeurd?' vraagt Felicity als ze mijn met bloed bevlekte handschoen ziet.

'Nell Hawkins heeft me gebeten.'

'Wat vreselijk,' zegt Ann.

'Miss McCleethy is hier vandaag al geweest. Nell is erg van streek. Maar ze weet waar we de tempel kunnen vinden, en vanavond gaat ze het ons laten zien.'

'Als ze tenminste betrouwbaar blijkt te zijn,' zegt Ann.

'Ja,' geef ik toe. 'Inderdaad.'

Opeens staat Tom naast me. Hij prutst zenuwachtig aan zijn das. 'Ik geloof dat het wel goed gaat, denken jullie niet?'

'Het is het leukste bal waar ik ooit ben geweest,' zegt Ann. Het is het enige bal waar ze ooit is geweest, maar dit lijkt me niet het juiste moment om daarover te beginnen.

'Ik hoop echt dat de optredens vanavond bevredigend verlopen,' zegt Tom met een blik in de richting van Dr. Smith. 'Ik heb enkele patiënten wat vermaak voor vanavond laten voorbereiden.'

'Ik weet zeker dat iedereen ervan zal genieten,' zegt Ann alsof het een heel belangrijke kwestie is.

'Dank je, miss Bradshaw. Dat is erg vriendelijk van je.' Tom glimlacht oprecht naar haar.

'Graag gedaan,' zegt Ann, waarna ze verlangend naar de dansvloer kijkt.

Felicity knijpt me zachtjes. Ze kucht beleefd in haar zakdoekje, maar ik weet dat ze wanhopig haar best doet om niet in lachen uit te barsten om dit troosteloze gesprekje. *Toe nou, Tom,* smeek ik hem stilletjes. *Vraag haar ten dans.*

Tom maakt een buiging voor haar. 'Ik hoop dat je een fijne avond zult hebben,' zegt hij voordat hij zich excuseert.

De teleurstelling is van Anns gezicht af te lezen, maar maakt dan plaats voor schrik. 'Ze is er!' fluistert ze.

'Wie?'

Ann vouwt haar waaier helemaal open. Van achter dat verhullende scherm wijst ze naar de andere kant van de zaal. Ik zie alleen Mr Snow die met een lachende Mrs Sommers walst, maar dan valt mijn blik op iets bekends. Ik herken haar niet meteen in haar lichtpaarse jurk, die haar hals bloot laat.

Het is miss McCleethy. Ze is er.

'Wat moeten we nu doen?' vraagt Felicity.

Met de brief van miss Moore in mijn achterhoofd zeg ik: 'We moeten haar koste wat het kost bij Nell vandaan houden.'

Het orkest is gestopt met spelen, en de lampen worden gedimd tot er een knusse gloed overblijft. Mensen verlaten twee aan twee de dansvloer en gaan aan de zijkant van de zaal staan. Tom heeft in het midden postgevat. Hij wil zijn hand door zijn haar halen – dat doet hij altijd wanneer hij nerveus is – maar herinnert zich dan dat hij handschoenen draagt en pommade in zijn haar heeft en bedenkt zich. Lang en luidruchtig schraapt hij zijn keel. Ik krijg last van plaatsvervangende zenuwen. Eindelijk vindt hij zijn stem terug.

'Dames en heren, mag ik even uw aandacht? Dank u voor uw komst op deze koude avond. Bij wijze van dank hebben de spelers van het Bethlem een voorstelling voor u voorbereid. En dan nu, eh... de spelers van het Bethlem!'

Tom heeft het goed gedaan, en hij verlaat onder beleefd applaus de vloer. Ik zie miss McCleethy niet meer staan. Een kille angst kruipt langs mijn ruggengraat omhoog.

'Ik ben miss McCleethy kwijt,' fluister ik tegen Felicity. 'Zie jij haar nog?'

Felicity maakt zich zo lang mogelijk. 'Nee. Waar ga je naartoe?'

'Ik ga haar zoeken,' zeg ik. Ik glip de mensenmassa in, waar ik niet opval.

Terwijl Mrs Sommers een deuntje hamert op de piano, beweeg ik stilletjes als een mistflard door de zaal, op zoek naar miss McCleethy. Het pianospel van Mrs Sommers is eigenlijk niet om aan te horen, maar desondanks wordt er beleefd voor haar geklapt. Onzeker staat ze op, buigend en glimlachend, met haar hand voor haar mond. Als ze aan haar haar begint te trekken, vraagt Tom haar vriendelijk te gaan zitten. De griezelige Mr Snow draagt een fragment voor uit *Een Wintervertelling* van Shakespeare. Hij heeft een geschoolde stem, en ik zou onder de indruk zijn geweest als ik de kleine voorstelling had kunnen vergeten die hij eerder die avond voor me heeft opgevoerd.

Ik ben al halverwege het publiek, maar ik heb miss McCleethy nog altijd niet gezien.

Nell Hawkins wordt voorgesteld. Gekleed in haar mooiste kleren en met haar haren in een keurig knotje in haar nek ziet ze eruit als een lief poppetje. Mooi, net als het lachende meisje dat ik in mijn visioenen heb gezien. De corsage is op haar borst gespeld. Hij is bijna net zo groot als zijzelf.

Nell staart naar het publiek totdat er hier en daar verward gemompel opstijgt: *Wat doet ze? Hoort dit erbij?*

Ze verheft haar griezelige, krasserige fonograafstem. ''k Moet dwalen, 'k moet dwalen, langs bergen en langs dalen. Daar kwam een kleine springer in het veld, hij zwaaide met zijn hoed, hij stampte met zijn voet. Kom laten wij nu dansen gaan, dansen gaan, en de and'ren moeten blijven staan.'

Her en der wordt zachtjes en beleefd gelachen, maar ik ben bang dat ik in tranen zal uitbarsten. Ze heeft het me beloofd. En nu weet ik dat haar belofte niets meer was dan een illusie, gecreëerd door haar gestoorde geest. Ze weet niet waar we de tempel kunnen vinden. Ze is gewoon een arm, krankzinnig meisje, en ik kan voor ons allebei wel huilen.

Opeens wordt Nell levendig, gepassioneerd; ze lijkt haast een ander mens.

'Waar zullen we naartoe gaan, meisjes? Waar zullen we naartoe gaan? Jullie moeten de tuin verlaten. Laat het met een verdrietig vaarwel achter. De rivier af bij de gratie van de gorgone, langs de graaiende handen van de sissende, grissende nimfen. Door de gouden mist van magie. Ga naar het volk van het Woud van Licht. De pijlen, de pijlen moet je verstandig en doordacht gebruiken. Maar bewaar er een. Bewaar er een voor mij. Want ik zal hem nodig hebben.'

Een dame naast me wendt zich tot haar echtgenoot. 'Komt dit uit *Pinafore*?' vraagt ze verward, verwijzend naar een operette van Gilbert en Sullivan.

Ik tintel helemaal. Ze weet het dus toch! Ze heeft een ingenieuze manier bedacht om de locatie van de tempel te onthullen. Want wie begrijpt er iets van dit geraaskal, behalve mijn vriendinnen en ik? Miss McCleethy stapt achter een zuil vandaan. Ik zie alleen de linkerkant van haar lichaam; de rechterkant is in schaduw gehuld. Ook zij staat aandachtig te luisteren.

'Bied de onaanraakbaren hoop, want ze hebben hoop nodig. Reis verder, ver voorbij de lotusbloemen. Volg het pad. Ja, blijf op het pad, meisjes. Want ze zullen je misleiden, verleiden met valse beloften. Hoed je voor de Papaverkrijgers. De Papaverkrijgers stelen je kracht. Ze zullen je opslokken. Slok, slok.'

Daar moet iedereen om lachen. Verschillende patiënten herhalen het woord, 'opslokken', om zichzelf te vermaken. Het lijken wel tokkende kippen, tot de verpleegsters hen tot stilte manen. Het haar in mijn nek staat recht overeind. Het is alsof Nell speciaal voor mij een toneelstukje opvoert in een geheimtaal die ik moet ontcijferen – en anders is ze nu echt krankzinnig geworden.

'Verlaat het pad niet, want het is moeilijk terug te vinden als je het eenmaal kwijt bent. En ze zullen het lied naar de rots brengen. Laat het lied niet sterven. Je moet voorzichtig zijn met schoonheid. Schoonheid moet overgaan. Er zijn donkere schaduwen van geesten. Vlak achter het Grensland, waar de eenzame boom staat en de hemel bloedrood kleurt...'

Enkele dames wapperen met hun waaier, geschrokken omdat ze over bloed begint.

'In het Winterland smeden ze plannetjes met Circe. Ze zullen niet rusten tot het leger op de been is en het rijk weer onder hun bewind valt.'

Nu wordt het publiek onrustig. Kennelijk vindt men dat Nell lang genoeg haar gang heeft kunnen gaan. Tom loopt naar voren. Nee! Pas als ze me heeft verteld waar ik de tempel kan vinden! Maar Tom is er al.

'Dank u, miss Hawkins. En dan nu...'

Nell gaat niet zitten. Ze wordt geagiteerder. 'Ze wil naar binnen! Ze heeft me gevonden, en ik kan haar niet tegenhouden!'

'Zuster, zou je zo vriendelijk willen zijn...'

'Ga waar niemand wil gaan, waar het verboden is, bied hoop... 'k Moet dwalen, 'k moet dwalen, langs bergen en langs dalen, de zee, de zee, het kwam uit de zee... Ga daar waar het donker een spiegel van water verbergt. Zie je angst onder ogen en bind de magie stevig aan jezelf!'

'Kom nu maar mee, miss Hawkins,' zegt de verpleegster, en ze pakt Nell vast. Maar die laat zich niet meenemen en verzet zich fel. Bij de schouder scheurt haar blouse, zodat de verpleegster opeens met een mouw in haar handen staat. Het publiek hapt collectief naar adem. Nell is buiten zichzelf.

'Ze wil mij gebruiken om hem te vinden, Vrouwe Hoop! Ze zal ons allebei gebruiken, en ik zal verloren zijn, voorgoed verloren! Laat haar mij niet meenemen! Aarzel niet! Bevrijd me, Vrouwe Hoop! Bevrijd me!'

Twee potige verplegers komen aangelopen met een dwangbuis.

'Kom met ons mee, miss. Niet zo moeilijk doen.'

Nell schopt en gilt en bewijst opnieuw dat ze verrassend sterk is, maar tegen die twee kan ze niet op. De een klemt zijn vlezige arm om haar slanke hals, terwijl de ander Nells graaiende handen door de mouwen van de dwangbuis wurmt en de veters aan de achterkant stevig strikt. Verslagen laat ze zich tegen de mannen aan zakken, die haar slappe lichaam meeslepen, tot alleen haar gejammer en het doffe bonzen van haar hakken op de vloer nog te horen is.

Het publiek reageert luidruchtig en geschrokken op het spektakel. Tom vraagt de muzikanten om verder te spelen. De muziek brengt de aanwezigen enigszins tot rust, en enkele dappere zielen gaan de dansvloer weer op. Ik beef over mijn hele lichaam. Nell verkeert in gevaar, en ik moet haar redden.

Ik baan me een weg terug naar Felicity en Ann. 'Ik moet weg. Ik moet Nell zoeken,' zeg ik.

'Wat bedoelde ze met "Pas op voor de Papaverkrijgers"?' vraagt Ann.

'Het klinkt als geraaskal,' voegt Felicity eraan toe. 'Wat denk jij ervan?'

'Ik denk dat het een soort geheime boodschap voor ons was over hoe we de tempel kunnen vinden,' zeg ik. 'En ik weet zeker dat miss McCleethy er ook naar stond te luisteren.'

Felicity kijkt om zich heen. 'Waar is ze eigenlijk?'

Miss McCleethy heeft haar plaats bij de zuil verlaten. Ze bevindt zich ook niet te midden van de dansers. Ze is verdwenen.

Met grote ogen kijkt Felicity me aan. 'Ga meteen naar haar toe!'

Ik glip zo snel mogelijk de zaal uit en ren naar de vrouwenafdeling. Ik moet haar bereiken voordat miss McCleethy haar vindt. *Ze heeft me gevonden!* Goed, maar ik sta niet toe dat ze je meeneemt, Nell. Maak je geen zorgen.

Op de gang is het een komen en gaan van verpleegsters. Zodra de laatste weg is, til ik mijn rokken op en ren zo snel als ik kan naar Nells kamer.

Nell zit in een hoekje. Ze hebben de dwangbuis uitgetrokken. De prachtige corsage is beschadigd; de bloemblaadjes zijn gescheurd en geplet. Nell wiegt heen en weer, waarbij ze telkens zachtjes met haar hoofd tegen de muur tikt. Ik pak haar handen vast.

'Miss Hawkins, ik ben het, Gemma Doyle. Nell, we hebben niet veel tijd. Ik moet weten waar de tempel precies staat. Je wilde het me net gaan vertellen toen ze je kwamen halen. Het is nu veilig. Je kunt het me vertellen.'

Een dun straaltje speeksel loopt uit haar mondhoek. De korte ademstootjes die tussen haar lippen vandaan komen ruiken naar overrijp fruit. Ze hebben haar een kalmerend middel gegeven.

'Nell, als je me niet vertelt waar ik de tempel kan vinden, vrees ik dat we verloren zijn. Dan zal Circe hem als eerste vinden, en wie weet wat er dan allemaal gebeurt. Dan kan ze heersen over het rijk. Dan kan ze dit nog een meisje aandoen, en nog een.'

Ergens onder ons verandert de muziek van tempo en wordt er een nieuwe dans ingezet. Ik weet niet hoe lang ik weg kan blijven voordat mensen me komen zoeken.

'Ze zal nooit ophouden.' Nells raspende stem doorbreekt de stilte. 'Nooit. Nooit. Nooit.'

'Dan moeten we haar zelf tegenhouden,' zeg ik. 'Alsjeblieft. Alsjeblieft, help me.'

'Ze wil jou, al die tijd heeft ze jou willen hebben,' zegt ze slissend. 'Ze zal je dwingen haar te vertellen waar de tempel is, zoals ze mij dwingt haar te vertellen waar ze jou kan vinden.'

'Hoe bedoel je?'

Er kriebelt een geluid in mijn oren. Voetstappen op de gang, die dichterbij komen. Ik loop naar de deur en gluur naar buiten. Er komt iemand aan. Iemand in een donkergroene mantel. Bij elke kamer aan de gang blijft ze even staan om naar binnen te kijken. Zachtjes doe ik de deur dicht.

'Nell,' zeg ik met bonzend hart, 'we moeten ons verstoppen.'

'Blijf zitten waar je zit en verroer je niet... stik niet, stik niet.'

'Sst, Nell, je moet stil zijn. Snel, onder het bed.'

Nell is niet groot, maar verdoofd als ze is door de medicijnen is ze bijna niet te tillen. We vallen samen op de grond. Met enige moeite slaag ik erin haar onder het bed te schuiven, waarna ik achter haar aan kruip. De voetstappen stoppen voor Nells deur. Ik hou mijn hand voor haar mond als de deur opengaat. Ik weet niet waar ik banger voor ben: dat Nell opeens iets zal zeggen en daarmee onze schuilplaats zal prijsgeven, of dat het bonzen van mijn hart ons zal verraden.

Er klinkt een fluistering in het donker. 'Nell?'

Ik voel Nell verstijven.

Weer dat gefluister. 'Nell, schat, ben je daar?'

De zoom van haar groene mantel komt in het zicht. Eronder zie ik de dunne veters van gepoetste runderlederen laarsjes. Ik ben ervan overtuigd dat ik mijn angst weerspiegeld zal zien in dat hoogglanzende oppervlak. De laarsjes komen dichterbij. Ik hou mijn adem in en klem mijn hand om Nells open mond. Het speeksel hoopt zich op in mijn handpalm.

Naast me is Nell zo stilletjes dat ik even bang ben dat ze dood is. De laarsjes keren om, en de deur gaat met een klik dicht. Ik kruip onder het bed vandaan en trek Nell achter me aan. Nell klemt haar hand om mijn pols. Haar oogleden trillen en haar lippen verstrakken tot een grimas waar slechts vier woorden aan kunnen ontsnappen.

'Zie wat ik zie...'

We vallen razendsnel een visioen binnen. Maar het is niet mijn visioen. Het is dat van Nell. Ik zie wat zij ziet, voel wat zij voelt. We rennen door het rijk. Gras likt aan onze enkels. Maar het gaat te snel. Nells geest is een chaos en ik begrijp niet wat ik zie. Rozen die door een muur heen dringen. Rode klei op iemands huid. De vrouw in het groen die aan de rand van een diepe, heldere bron Nells hand stevig vasthoudt.

Dan val ik achterover dat water in.

Ik kan geen adem krijgen. Ik stik. Als ik uit het visioen val, ontdek ik dat Nell haar hand om mijn keel heeft geklemd. Haar ogen zijn gesloten. Ze ziet me niet, lijkt zich er niet van bewust wat ze doet. Wanhopig trek ik aan haar hand, maar ik krijg er geen beweging in.

'Nell,' pers ik eruit. 'Nell... toe...'

Ze laat me los, en ik val op de grond, happend naar adem. Mijn hoofd doet pijn van die plotselinge brute actie. Nell trekt zich weer terug in haar krankzinnigheid, maar haar gezicht is nat van de tranen.

'Aarzel niet, Vrouwe Hoop. Bevrijd me.'

HOOFDSTUK VIJFENDERTIG

Vandaag is het kerstavond. Overal in Londen zijn de winkels en de herbergen gevuld met opgewekte mensen en wemelt het op straat van lieden die een geurige boom voor in huis met zich meeslepen of een vette gans uitkiezen voor het diner. Ik zou vervuld moeten zijn van de kerstgeest en de behoefte om iets goeds te doen voor mijn medemens. In plaats daarvan pieker ik over de puzzel die Nell Hawkins me heeft meegegeven.

Ga waar niemand wil gaan, waar het verboden is, bied hoop. Ga daar waar het donker een spiegel van water verbergt. Zie je angst onder ogen en bind de magie stevig aan jezelf. Het slaat nergens op. *Ze zullen je misleiden met valse beloften.* Wie? Wat voor valse beloften? Het is één groot raadsel, verpakt in een tweede en een derde raadsel. Ik kan me laten leiden door de amulet. Maar ik weet niet waar ik de tempel kan vinden, en zonder die wetenschap kan ik niets. Het is zo frustrerend dat ik na een tijdje het liefst mijn waskom door de kamer wil slingeren.

Wat het er allemaal niet beter op maakt, is dat vader niet thuis is. Hij is gisteravond niet thuisgekomen van de club. Ik ben de enige die zich daar druk om lijkt te maken. Grootmoeder is druk bezig met bevelen uitdelen aan de bedienden in verband met het kerstdiner. De keuken is een en al bedrijvigheid, want overal lopen koks rond die pudding, jus en fazant met appels bereiden.

'Heeft hij niet thuis ontbeten?' vraag ik.

'Nee,' zegt grootmoeder, waarop ze me uit de weg duwt zodat ze tegen de kok kan schreeuwen. 'Ik denk dat we de soep maar weglaten. Daar zit toch niemand op te wachten,'

'Maar stel dat er iets met hem is gebeurd?' vraag ik.

'Gemma, toe! Mrs Jones, die van rode zijde is wel goed genoeg, lijkt me.'

Het diner op kerstavond komt en gaat, en nog steeds is vader er niet. Met z'n drieën gaan we naar de salon om cadeautjes open te maken, alsof er niets aan de hand is.

'Aha,' zegt Tom, die net een lange wollen sjaal heeft uitgepakt. 'Perfect. Dank u, grootmoeder.'

'Ik ben blij dat je hem mooi vindt. Maak het jouwe eens open, Gemma.'

Ik pak de doos uit die ik van grootmoeder heb gekregen. Misschien is het een paar mooie handschoenen of een armband. Er zit een set zakdoeken in met mijn initialen erop geborduurd. Ze zijn erg mooi. 'Dank u,' zeg ik.

'Praktische geschenken zijn altijd het best, vind ik,' merkt grootmoeder minachtend snuivend op.

Het uitpakken van de cadeautjes is binnen een paar minuten achter de rug. Afgezien van de zakdoeken heb ik een handspiegel en een blikje chocolaatjes van grootmoeder gekregen, en van Tom een vrolijke rode notenkraker, die ik erg grappig vind. Ik heb grootmoeder een shawl gegeven en Tom een schedel die hij op een dag in zijn praktijk kan neerzetten.

'Ik noem hem Yorick,' zegt Tom opgetogen. En ik ben blij dat ik hem blij heb gemaakt. Vaders cadeau staat onaangeroerd onder de boom.

'Thomas,' zegt grootmoeder. 'Misschien moet je even naar

zijn club gaan en naar hem informeren. Discreet een paar vragen stellen.'

'Maar ik zou vanavond als gast van Simon Middleton naar het Athenaeum gaan,' werpt Tom tegen.

'Vader wordt vermist,' zeg ik.

'Hij wordt niet vermist. Hij kan vast elk moment thuiskomen, waarschijnlijk overladen met geschenken die hij in een opwelling ergens ver weg is gaan kopen. Weet je nog dat hij een keer op kerstochtend verkleed als Sint-Nicolaas kwam opdagen op de rug van een olifant?'

'Ja,' zeg ik, glimlachend om de herinnering. Toen had hij mijn eerste sari voor me gekocht, en kregen Tom en ik kokosmelk, die we als een stel tijgers uit een kom oplikten.

'Hij komt wel weer thuis. Let op mijn woorden. Dat doet hij toch altijd?'

'Je hebt natuurlijk gelijk,' zeg ik, omdat ik hem dolgraag wil geloven.

In het huis valt een stilte die slechts wordt verbroken door het sputteren van haardvuur en het regelmatige getik van klokken. De lampen zijn gedimd tot een gloeiende schim van hun voormalige helderheid. Omdat het al na elven is, hebben de bedienden zich in hun eigen kamers teruggetrokken. Grootmoeder ligt knus in bed en denkt dat ook ik veilig tussen de lakens lig. Maar ik kan niet slapen. Niet zolang vader er niet is. Ik wil dat hij thuiskomt, met of zonder olifant. Dus blijf ik in de salon zitten wachten.

Kartik glipt de kamer binnen, met zijn jas en laarzen nog aan. Hij is buiten adem.

'Kartik! Waar ben je geweest? Wat is er?'

'Is je broer thuis?' Hij is erg geagiteerd.

'Nee. Hij is op stap. Waarom vraag je dat?'

'Het is van het grootste belang dat ik met je broer praat.'

Ik sta op en maak me zo lang mogelijk. 'Ik zeg toch dat hij niet thuis is? Vertel het mij maar.'

Hij pakt een pook en port ermee tegen de brosse houtblokken. Het vuur laait op. Hij zegt niets, waardoor ik meteen het ergste ga denken.

'O, nee. Heeft het met vader te maken? Weet je waar hij is?'

Kartik knikt.

'Waar dan?'

Hij kan me niet recht aankijken. 'Bluegate Fields.'

'Bluegate Fields?' herhaal ik. 'Waar is dat?'

'Het is het droesem van de wereld, een plaats waar alleen dieven, verslaafden, moordenaars en dergelijke wonen. Het spijt me dat ik het moet zeggen.'

'Maar mijn vader... Waarom is hij daar?'

Nog steeds kan Kartik me niet in de ogen kijken. 'Hij is aan opium verslaafd. Hij is bij Chin-Chin, een opiumkit.'

Dat is niet waar. Dat kan niet. Ik heb vader genezen. Het gaat beter met hem sinds ik de magie heb gebruikt, hij heeft niet één keer om laudanum gevraagd. 'Hoe weet je dat?'

'Omdat hij me gisteravond heeft gevraagd hem ernaartoe te rijden en vanaf dat moment niet meer naar buiten is gekomen.'

Mijn maag keert om. 'Mijn broer is met Mr Middleton naar diens club.'

'Dan moeten we hem laten ophalen.'

'Nee! Het schandaal. Tom zou zich kapot schamen.'

'Nee, we willen de hooggeboren Simon Middleton natuurlijk niet voor het hoofd stoten.'

'Je bent veel te brutaal,' zeg ik.

'En jij liegt als je zegt dat je niet wilt dat Tom zich schaamt. Het gaat je alleen maar om jezelf.'

De harde waarheid doet pijn, en ik haat hem een beetje omdat hij het hardop heeft gezegd.

'Het enige wat we kunnen doen is wachten tot je broer thuiskomt,' zegt Kartik.

'Wil je mijn vader echt daar achterlaten?'

'We hebben geen andere keus.'

'Hij is alles wat ik heb,' zeg ik smekend. 'Breng me naar hem toe.'

Kartik schudt zijn hoofd. 'Uitgesloten. Bluegate Fields is geen plaats voor een dame.'

'Ik ga toch, of je me er nu naartoe brengt of niet.'

Snel loop ik naar de deur. Kartik pakt me bij mijn arm. 'Heb je enig idee wat je daar allemaal kan overkomen?'

'Ik zal het moeten riskeren.' Kartik en ik staan letterlijk en figuurlijk lijnrecht tegenover elkaar. 'Ik kan hem daar niet achterlaten, Kartik.'

Hij geeft zich gewonnen. 'Goed dan,' zegt hij. Hij neemt me brutaal van top tot teen op. 'Maar dan moet je wel wat kleren van je broer lenen.'

'Hoe bedoel je?'

'Als je echt wilt gaan, dan zul je je als een man moeten kleden.'

Ik ren de trap op en hoop dat ik grootmoeder en de bedienden niet wakker maak. Toms kleren zijn een mysterie voor me. Met enige moeite slaag ik erin me uit te kleden, de vele lagen kleding en mijn korset uit te trekken. Ik slaak een zucht van verlichting zodra ik ervan bevrijd ben. Dan trek ik een broek van Tom over mijn wollen kousen heen aan en kies een net hemd en een jas uit. Ze zitten een beetje strak. Ik ben lang, maar niet zo tenger als hij. Maar ik zal het ermee moeten doen. Mijn haar wegstoppen onder zijn hoed is nog een hele klus. Telkens valt het er weer onderuit. En om Toms schoenen aan te kunnen moet ik zakdoeken in de punten stoppen, want zijn voeten zijn bijna vijf centimeter groter dan de mijne. Het gevolg is dat ik loop als een dronkenlap.

'Hoe zie ik eruit?' vraag ik als ik de trap af kom.

Kartik kijkt me spottend aan. 'Als iemand op wie iedere vandaal in Oost-Londen zich zal storten. Dit is een verschrikkelijk slecht idee. We wachten gewoon tot je broer terugkomt.'

'Ik laat mijn vader niet alleen achter in een opiumkit om te sterven,' zeg ik. 'Ga het rijtuig halen.'

Het is licht begonnen te sneeuwen. Gingers manen zijn bedekt met een dun grijs poeder als we langzaam de sloppenwijken van Oost-Londen inrijden. Het is een windstille, koude nacht. Elke ademtocht doet pijn. Smalle, smerige straatjes slingeren tussen gammele gebouwen door die zo krom staan als bedelaars. Beschadigde schoorstenen steken uit de natte daken omhoog als mismaakte metalen armen die de hemel om een aalmoes smeken, om hoop, om een teken dat dit leven niet alles is wat ze ooit zullen kennen.

'Trek je hoed naar beneden over je gezicht,' waarschuwt Kartik me. Zelfs vannacht, met deze kou, krioelt het op straat van de dronken, luidruchtige en vloekende mensen. Een drietal mannen in de deuropening van een kroeg bestudeert mij in mijn chique kleren met Kartik naast me.

'Niet naar ze kijken,' zegt Kartik. 'En spreek niemand aan.'

Een groep straatkinderen verdringt zich om ons heen om te bedelen. De een heeft thuis een klein zusje dat ziek is, een ander biedt aan mijn laarzen voor een shilling te poetsen. Nog weer een ander, een jongen van niet ouder dan een jaar of elf, weet een plek waar we naartoe kunnen gaan en waar hij zo lang als ik maar wil 'lief' voor me zal zijn. Hij glimlacht niet, verraadt geen enkele emotie terwijl hij dat zegt. Hij is net zo zakelijk als het jongetje dat aanbiedt mijn laarzen te poetsen.

Kartik haalt zes muntjes uit zijn zak. Ze glinsteren op de zwarte wol van zijn handschoen. De ogen van de jongens worden groot.

'Drie shilling voor degene die op dit rijtuig en het paard wil passen,' zegt hij.

Meteen springen er drie jongens op hem af, die allerlei nare dingen beloven voor eenieder die het waagt het rijtuig van zo'n heer aan te raken.

'En drie voor degene die ons zonder problemen naar Chin-Chin kan brengen,' zegt hij.

Ze zwijgen. Een smerig jochie in rafelige kleren en schoenen waar de gaten in vallen, grijpt de laatste drie munten. 'Ik weet wel waar je Chin ken vinde,' zegt hij. De andere jongens kijken hem vol afgunst en spot aan.

'Deze kant op, here,' zegt de jongen. Hij gaat ons voor door een doolhof van straatjes, waar een vochtige wind heerst die van de nabijgelegen havens afkomstig is. Dikke ratten scharrelen over de keien en porren tegen iets wat in de goot ligt, de hemel mag weten wat het is. Ondanks de wind en het late tijdstip zijn er overal mensen. Het is nog steeds kerstavond, en ze verdringen zich in de kroegen en op straat, soms zo dronken dat ze niet meer op hun benen kunnen staan.

'Hierzo,' zegt de jongen als we een krot aan een piepklein pleintje bereiken. De jongen duwt de scheefhangende deur open en leidt ons een steile, donkere trap op die stinkt naar vocht en urine. Ik struikel ergens over en besef dat het een lichaam is.

'O, da's de ouwe Jim maar,' zegt de jongen zorgeloos. 'Die lig hier altijd.'

Op de eerste verdieping staan we voor een tweede deur. 'Hier is 't. Chin-Chin. Krijg ik nog een paar cente voor de moeite, m'neer, huh?' zegt de jongen met uitgestoken hand.

Ik stop hem nog twee shilling toe.

'Zalig kerstfeest, m'neer.' Hij verdwijnt, en ik klop op de deur, waar een dikke laag vuil op zit. Hij gaat piepend open. Voor ons staat een heel oude Chinese man. Door de schaduwen onder zijn holle ogen lijkt hij meer op een geestverschijning dan op een man van vlees en bloed, maar dan glimlacht hij zijn paar tanden bloot, die zo bruin zijn als rottend fruit. Hij nodigt ons uit hem te volgen naar een krappe kamer met een laag plafond. Overal waar ik kijk zie ik lichamen. Ze liggen her en der verspreid, met trillende oogleden; een enkeling ligt te ratelen, lange zinnen die niets betekenen en af en toe worden onderbroken door een stilte of een zwak lachje, zo leeg dat het de ziel verkilt. Een zeeman met een huid zo donker als oostindische inkt ligt in een hoek knikkebollend te slapen. Naast hem ligt een man die eruitziet alsof hij nooit meer wakker zal worden.

De opiumdampen doen mijn ogen tranen en mijn keel branden. Het mag een wonder heten als we aan deze kamer kunnen ontsnappen zonder zelf ook aan de drug verslaafd te raken. Ik druk mijn zakdoek voor mijn mond om te voorkomen dat ik ga kokhalzen.

'Pas op waar je loopt,' zegt Kartik. Enkele welvarende heren liggen over elkaar heen rondom een opiumschaal, bedwelmd en met open mond. Boven hen is een touw door de kamer heen gespannen, en de smoezelige vodden die eraan hangen, vormen een rafelig gordijn dat naar zure melk stinkt.

'Van welk schip ben jij, m'n jongen?' klinkt een stem in het donker. Een gezicht verschijnt in de lichtkring van een kaars. De man is Indiaas.

'Ik ben geen scheepsjongen. Ik ben zelfs geen jongen meer,' antwoordt Kartik.

Daar moet de Indiase zeeman om lachen. Er loopt een lelijk litteken van zijn ooghoek over zijn wang. Ik huiver bij de gedachte hoe hij die moet hebben opgelopen, en wat er met de andere man is gebeurd. Hij betast de dolk die hij bij zich draagt.

'Ben je een afgerichte hond van de Engelsen?' Hij wijst met

359

de dolk naar mij en maakt een blaffend geluid dat overgaat in gelach, en vervolgens in een hoestbui die zo hevig is dat er bloed op zijn hand achterblijft.

'De Engelsen.' Hij spuugt op de grond. 'Zij dwingen ons tot dit leven. Wij zijn hun honden, jij en ik. Honden. Wat zij beloven, daar kun je niet op vertrouwen. Maar de opium van Chin-Chin maakt de wereld mooi. Rook mee, mijn vriend, en vergeet wat ze je aandoen. Vergeet dat je een hond bent. Dat je altijd een hond zult zijn.'

Met de punt van de dolk wijst hij naar het kleverige zwarte balletje opium dat klaarligt om zijn problemen te verjagen en hem te laten zweven in de vergetelheid, waar hij aan niemand ondergeschikt is. Kartik en ik lopen verder door het rokerige waas. De Chinees brengt ons naar een piepklein kamertje en vraagt ons even te wachten terwijl hij achter de vodden verdwijnt die voor de deur hangen. Kartik heeft zijn kiezen op elkaar geklemd.

'Wat die man zei...' Ik zwijg, niet goed wetend hoe ik het moet verwoorden. 'Ik bedoel, ik hoop dat je weet dat ik er niet zo over denk.'

Kartiks gelaatstrekken verharden. 'Ik ben niet zoals die mannen. Ik ben Rakshana. Een hogere kaste.'

'Maar jij bent ook Indiaas. Het zijn toch je landgenoten?'

Kartik schudt zijn hoofd. 'Het lot bepaalt tot welke kaste je behoort. Je dient het te accepteren en volgens de regels te leven.'

'Dat geloof je toch niet werkelijk?'

'Jawel. Die man heeft de pech dat hij zijn kaste, zijn lot niet kan aanvaarden.'

Ik weet dat Indiërs hun kaste als een merkteken op hun voorhoofd dragen, waar iedereen het kan zien. Ik weet dat we in Engeland ook een kastenstelsel hebben, al wordt het niet onderkend. Een arbeider zal nooit in het parlement zitting kunnen nemen. En een vrouw ook niet. Ik geloof dat ik daar tot op dit moment nooit echt over heb nagedacht.

'Maar hoe zit het dan met de wil, met verlangen? Stel dat iemand iets wil veranderen?'

Kartik houdt zijn blik op de kamer gericht. 'Je kunt je kaste niet veranderen. Je kunt niet tegen het lot in gaan.'

'Dat betekent dat er geen hoop is op een beter leven. Dat je gevangenzit.'

'Zo zie jij het,' antwoordt hij zachtjes.

'Hoe bedoel je?'

'Het kan een opluchting zijn om de weg te volgen die voor je is uitgestippeld, te weten wat je doel is in het leven en je rol te vervullen.'

'Maar hoe kun je zeker weten dat je de juiste weg volgt? Stel dat het lot helemaal niet bestaat, dat je je eigen keuzes maakt?'

'Dan kies ik ervoor om niet zonder het lot te leven,' antwoordt hij met een vaag glimlachje.

Hij lijkt zo zeker van zichzelf, terwijl ik alleen maar onzekerheid ervaar. 'Twijfel je eigenlijk wel eens? Over wat dan ook?'

Zijn glimlach verdwijnt. 'Ja.'

Ik zou graag willen weten waarover, maar de Chinees komt terug en onderbreekt ons gesprek. We lopen achter hem aan, duwen de stinkende vodden opzij. Hij wijst naar een dikke Engelsman met armen zo dik als de poten van een olifant.

'We zoeken Mr Chin-Chin,' zegt Kartik.

'Je kijk naar 'm,' zegt de Engelsman. 'Drie jaar geleje hep ik de boel overgenome van de orsjinele eigenaar. Sommige noeme me Chin. Andere noeme me ome Billy. Wou je es van 't geluk proeve?'

Op een laag tafeltje staat een opiumschaal. Chin roert in de dikke, zwarte substantie. Dan trekt hij er een kleverig, teerachtig bolletje opium uit en duwt het in een houten pijp. Tot mijn grote afschuw zie ik dat hij de trouwring van mijn vader aan een koordje om zijn hals draagt.

'Hoe komt u aan die ring?' vraag ik met een schorre fluisterstem waarvan ik hoop dat hij voor die van een jongeman kan doorgaan.

'Mooi dinkie, hè? Van een klant gekrege. Als betaling voor me opium.'

'Is hij er nog? Die man?'

'Weet ik veel. Ziet 't 'r hier uit as een kosthuis, baas?'

Aan de andere kant van het rafelige gordijn klinkt een dringende, maar hese stem. 'Chin...' Er komt een hand tevoorschijn die bevend naar de pijp zoekt. Aan de magere vingers bungelt een fijne gouden horlogeketting. 'Chin, pak aan... Geef me meer...'

Vader.

Ik duw het smerige gordijn opzij. Mijn vader ligt, slechts gekleed in zijn broek en hemd, op een vies, gescheurd matras. Zijn jasje en overjas worden gedragen door een vrouw die dwars over hem heen zachtjes ligt te snurken. Zijn mooie halsdoek en schoenen zijn weg, gestolen of verhandeld, dat weet ik niet. De stank van urine is overweldigend, en ik moet mijn best doen om niet over te geven.

'Vader.'

In het schaarse licht kost het hem moeite te zien wie er tegen hem praat. Zijn ogen zijn bloeddoorlopen, de pupillen groot en glazig. 'Hallo,' zegt hij met een dromerige glimlach.

Mijn keel brandt van alles wat ik probeer te onderdrukken. 'Vader, het is tijd om naar huis te gaan.'

Chin neemt de horlogeketting aan en stopt hem in zijn zak. Dan geeft hij de pijp aan vader.

'Geef hem alsjeblieft niets meer,' smeek ik.

Ik probeer de pijp te pakken, maar vader rukt hem uit mijn

handen en geeft me een flinke zet. Kartik helpt me weer overeind.

'Chin, een vuurtje graag, m'n beste...'

Chin houdt de kaarsvlam bij de pijp. Mijn vader zuigt de rook
op. Zijn oogleden trillen en er ontsnapt een traan, die traag
een spoor achterlaat op zijn ongeschoren wang. 'Laat me alleen, liefje.'

Ik kan dit geen seconde meer verdragen. Met elk beetje
kracht in mijn lichaam duw ik de vrouw van vader af en sleur
ik hem overeind. Ik wankel naar achteren onder zijn gewicht.
Chin kijkt lachend naar ons, alsof hij toeschouwer is bij een
hanengevecht of een andere sport. Kartik pakt mijn vader bij
zijn andere arm, en samen leiden we hem tussen de vele
opiumschuivers door. Ik schaam me diep dat ik mijn vader in
een dergelijke toestand moet meemaken. Ik wil huilen, maar
ik ben bang dat ik dan niet meer zal kunnen ophouden.

Op de trap struikelen we bijna, maar op de een of andere
manier slagen we er zonder verdere problemen in het rijtuig te
bereiken. De jongens hebben woord gehouden. Inmiddels is
de groep uitgegroeid tot een stuk of twintig kinderen, die zich
allemaal van de banken en van Gingers rug laten glijden. De
koude nachtlucht, die ik eerder zo vervelend vond, is als een
verzachtende balsem na die afschuwelijke opiumdampen. Gul-
zig zuig ik mijn longen vol, terwijl ik samen met Kartik mijn
vader het rijtuig in help. Toms broek blijft aan de deur haken
en scheurt langs de naad open. Tegelijkertijd begeeft mijn zelf-
beheersing het. Alles wat ik heb geprobeerd te onderdrukken
– teleurstelling, eenzaamheid, angst en het overweldigende
verdriet – komt er in een stortvloed van tranen uit.

'Gemma?'

'Kijk... niet... naar... me,' snik ik met mijn gezicht tegen het
koude metaal van het rijtuig. 'Het is... allemaal... zo afschuwelijk... en het is... mijn schuld.'

'Het is niet jouw schuld.'

'Wel, dat is het wel! Als ik niet was wie ik ben, dan zou moeder niet zijn gestorven. Dan zou hij nooit zo zijn geworden. Ik heb zijn geluk vernietigd! En...' Ik zwijg.

'En...?'

'Ik heb geprobeerd hem met de magie te genezen.' Ik ben bang dat Kartik boos zal worden, maar hij zegt niets. 'Ik kon het niet aanzien om hem zo te zien lijden. Wat heb ik aan al die kracht als ik er niets mee kan doen?'

Dat leidt tot een nieuwe tranenvloed. Tot mijn grote verrassing veegt Kartik mijn tranen weg. *'Meraa mitra yahaan aaiye,'* prevelt hij.

Ik versta maar een klein beetje Hindi, maar het is genoeg om te verstaan wat hij zegt: Kom hier, vriendin.

'Ik heb nog nooit zo'n dapper meisje meegemaakt,' zegt hij.

Hij laat me even tegen het rijtuig leunen, tot de tranen opdrogen en mijn lichaam aanvoelt zoals altijd na een fikse huilbui: kalm en gelouterd. Aan de andere kant van de Theems slaan de galmende klokken van de Big Ben twee uur.

Kartik helpt me naast mijn slapende vader op het bankje.

'Vrolijk kerstfeest, miss Doyle.'

Als we thuiskomen, zijn de lampen aan, een onheilspellend teken. Tom zit in de salon te wachten. We kunnen met geen mogelijkheid verhullen wat er is gebeurd.

'Gemma, waar kom jij zo laat vandaan? Waarom heb je mijn kleren aan? En wat heb je met mijn mooiste broek uitgespookt?'

Kartik loopt de kamer binnen, terwijl hij zo goed en zo kwaad als het kan mijn vader ondersteunt.

'Vader!' zegt Tom, verbijsterd hem half ontkleed en bedwelmd te zien. 'Wat is er gebeurd?'

De woorden komen in een angstige stroom over mijn lippen.

'We hebben hem in een opiumkit aangetroffen. Daar was hij al twee dagen. Kartik wilde jou gaan halen, maar ik wilde je in de club niet te schande maken en dus ben ik... ben ik...'

Wakker geworden van het kabaal komt Mrs Jones binnen, met haar slaapmutsje nog op.

'Is er iets, meneer?' vraagt ze.

'Mr Doyle is ziek geworden,' zegt Tom.

Mrs Jones weet dat dat gelogen is, dat zie ik aan haar ogen, maar ze komt onmiddellijk in actie. 'Ik zal meteen thee gaan zetten, meneer. Moet ik de dokter laten halen?'

'Nee! Alleen thee graag, dank u,' blaft Tom. Hij kijkt Kartik streng aan. 'Ik neem het wel van je over.'

'Ja, meneer,' zegt hij.

Even weet ik niet met wie ik mee moet gaan, met Kartik of met mijn broer. Uiteindelijk help ik Tom en Mrs Jones mijn vader in bed te stoppen. Dan trek ik Toms kleren uit, schrob het roet van Oost-Londen van me af en trek mijn eigen nacht-kleding aan. Ik tref Tom in de salon aan, waar hij naar het vuur zit te staren. Hij pakt twijgjes die eigenlijk te klein zijn, breekt ze doormidden en gooit ze systematisch in de flakke-rende vlammen.

'Het spijt me, Tom. Ik wist niet wat ik anders moest doen,' zeg ik. Ik wacht tot hij me vertelt dat ik de familie te schande heb gemaakt en dat ik nooit meer de deur uit mag.

Opnieuw vat er een twijgje vlam. Het lijkt te gillen in het vuur voordat het sissend tot as vergaat. Ik heb geen idee wat ik moet zeggen.

'Ik kan hem niet genezen,' zegt Tom zo zachtjes dat ik mijn oren moet spitsen om hem te kunnen verstaan. 'Een student medicijnen is een man van de wetenschap. Hij hoort alle ant-woorden te hebben. Maar ik kan mijn eigen vader niet eens helpen bij het overwinnen van zijn demonen.'

Ik leg mijn hoofd tegen het hout van de deurpost, iets stevigs om me tegen te houden voor het geval ik van de aardbodem af glijd en in de oneindige diepte verdwijn. 'Uiteindelijk bedenk je wel een manier.' Het is geruststellend bedoeld, maar het werkt niet.

'Nee. De wetenschap is geknakt voor mij. Geknakt.' Hij laat zijn hoofd in zijn handen zakken. Er klinkt een verstikt geluidje. Hij probeert de tranen tegen te houden, maar het is een verloren strijd. Ik wil op hem af rennen en hem omhelzen, ook al loop ik het risico zijn minachting over me af te roepen.

In plaats daarvan draai ik zachtjes de knop om en ga weg. Zo spaar ik zijn trots, maar ik haat mezelf erom.

HOOFDSTUK
ZESENDERTIG

Het gelui van kerkklokken in de verte maakt me wakker. Het is eerste kerstdag. In huis is het zo stil als het graf. Vader en Tom slapen nog na onze lange nacht, en ook grootmoeder heeft ervoor gekozen in bed te blijven. Alleen de bedienden en ik zijn wakker.

Snel en stilletjes kleed ik me aan, waarna ik naar het koetshuis loop. Kartik kijkt nog een beetje slaperig. Het geeft hem een lieve, charmante uitstraling.

'Ik kom mijn excuses aanbieden voor gisteravond. En ik wilde je bedanken omdat je hem hebt geholpen,' zeg ik.

'Iedereen heeft wel eens hulp nodig,' zegt hij.

'Behalve jij.'

Hij geeft geen antwoord. In plaats daarvan overhandigt hij me iets wat slordig in een stuk stof is gewikkeld. 'Vrolijk kerstfeest, miss Doyle.'

Ik ben verbijsterd. 'Wat is het?'

'Maak maar open.'

In het stuk stof ligt een mesje zo groot als een mannenduim. Boven aan het lemmet zit een kleine, grove totem van een man met vele armen en de kop van een buffel.

'Megh Sambara,' legt Kartik uit. 'De Hindoes geloven dat hij bescherming biedt tegen vijanden.'

'Ik dacht dat je geen andere overtuigingen aanhing dan die van de Rakshana.'

Gegeneerd stopt Kartik zijn handen in zijn zakken en schommelt op zijn hakken heen en weer. 'Het is van Amar geweest.'

'Dan moet je het zelf houden,' zeg ik, en ik probeer het hem terug te geven.

Kartik springt achteruit om het lemmet te ontwijken. 'Voorzichtig. Het mag dan klein zijn, maar het is ook scherp. En je zult het misschien nog nodig hebben.'

Ik vind het vreselijk om juist op dit moment aan mijn taak te worden herinnerd. 'Ik zal het bij me houden. Dank je wel.'

Ik zie dat er nog een bundeltje naast hem ligt. Het liefst wil ik vragen of het voor Emily bedoeld is, maar ik kan mezelf er niet toe zetten.

'Vanavond is het kerstbal van miss Worthington, toch?' vraagt Kartik terwijl hij zijn hand door zijn dikke bos krullen haalt.

'Ja,' zeg ik.

'Wat doen jullie op zo'n bal?' vraagt hij verlegen.

'O,' zeg ik met een zucht. 'Er wordt veel geglimlacht, en er wordt gepraat over het weer en hoe mooi iedereen eruitziet. Er is een dinertje en er zijn versnaperingen. En natuurlijk wordt er gedanst.'

'Ik ben nog nooit naar een bal geweest. Ik weet niet hoe daar wordt gedanst.'

'Voor een man is het niet zo moeilijk te leren. De vrouw moet leren het in spiegelbeeld te doen, zonder op de tenen van haar partner te trappen.'

Kartik heft zijn handen alsof hij een denkbeeldige partner vasthoudt. 'Zoiets?' Hij draait in het rond.

'Iets langzamer. Zo ja,' zeg ik.

Kartik zet een bekakt stemmetje op. 'Vertelt u eens, Lady Dinges, hebt u veel bezoekers gehad sinds u in Londen bent aangekomen?'

'Ach, Lord Hoog van de Toren,' antwoord ik op dezelfde toon, 'ik heb zoveel kaartjes van interessante lieden ontvangen dat ik twee porseleinen schalen heb moeten neerzetten om ze allemaal kwijt te kunnen.'

'Twee schalen, zegt u?'

'Twee schalen.'

'Wat vervelend voor u en uw serviesgoed,' zegt Kartik lachend. Wat is hij knap als hij lacht.

'Ik zou je graag eens in een zwart rokkostuum met een witte das zien.'

Kartik blijft staan. 'Denk je dat ik er dan als een echte heer zou uitzien?'

'Ja.'

Hij maakt een buiging voor me. 'Mag ik deze dans van je, miss Doyle?'

Ik maak een reverence. 'O, maar natuurlijk, heer Hoog van de Toren.'

'Nee,' zegt hij zachtjes. 'Mag ík deze dans van je?'

Kartik vraagt me ten dans. Ik kijk om me heen. In het huis slapen de meeste mensen nog. Zelfs de zon verstopt zich nog achter zijn beddengoed, de grijze wolken. Er is nog niemand op de been, maar dat kan niet lang meer duren. In mijn hoofd klinken dringende waarschuwingen: *Niet doen. Niet netjes. Verkeerd. Stel dat iemand ons ziet? En Simon dan?*

Maar mijn hand neemt de beslissing voor me, want als vanzelf reikt hij door de koude ochtendlucht naar die van Kartik.

'Eh, je... andere hand leg je om mijn middel,' zeg ik met mijn blik strak op onze voeten gericht.

'Hier?' vraagt hij met zijn hand op mijn heup.

'Hoger,' kras ik. Zijn hand verschuift naar mijn middel. 'Zo ja.'

'En nu?'

'Nu... kunnen we dansen,' zeg ik. Ik adem met korte, oppervlakkige stootjes.

Hij draait me in het rond, aanvankelijk langzaam en onhandig. Er is zoveel ruimte tussen ons dat er een derde persoon tussen zou passen. Ik hou mijn blik gericht op onze voeten, zo dicht bij elkaar, die patronen maken in het dunne laagje zaagsel op de grond.

'Ik denk dat dit gemakkelijker zou gaan als je niet zo ver van me af stond,' zegt hij.

'Zo hoort het,' antwoord ik.

Hij trekt me naar zich toe, veel dichterbij dan het fatsoen toestaat. Er is nauwelijks nog ruimte tussen zijn borst en de mijne. In een reflex kijk ik om me heen, maar niemand kan ons zien, behalve de paarden. Kartiks hand verschuift van mijn middel naar mijn onderrug, en ik slaak een zacht kreetje. Als we weer ronddraaien, met zijn ene warme hand op mijn rug en de andere om mijn hand, word ik opeens duizelig.

'Gemma,' zegt hij, zodat ik niets anders kan dan recht in die schitterende bruine ogen kijken. 'Ik moet je iets vertellen...'

Hij mag het niet zeggen. Dat zou alles verpesten. Ik ruk me los en leg mijn hand op mijn buik om een beetje tot rust te komen.

'Gaat het wel?' vraagt Kartik.

Ik glimlach zwakjes en knik. 'Het komt door de kou,' zeg ik. 'Misschien kan ik beter teruggaan.'

'Maar eerst moet ik je vertellen...'

'Ik heb nog heel veel te doen,' zeg ik.

'Goed dan,' zegt hij gekwetst. 'Vergeet je cadeautje niet.'

Hij geeft me het mesje. Onze handen strijken langs elkaar, en even is het alsof de wereld zijn adem inhoudt. Dan drukken zijn lippen, die warme, zachte lippen, op de mijne. Het lijkt wel of ik ben overvallen door een plotselinge regenbui. Zo voelt het.

In mijn buik voel ik iets wat lijkt op het fladderen van vleugels. 'Nee, niet doen.'

'Het komt doordat ik Indiaas ben, of niet soms?' vraagt hij.

'Natuurlijk niet,' zeg ik. 'Ik beschouw je niet eens als Indiaas.'

Hij kijkt me aan alsof ik hem een stomp in zijn buik heb ge-geven. Dan werpt hij zijn hoofd in zijn nek en lacht. Ik weet niet wat ik heb gezegd, maar kennelijk was het erg amusant. Dan kijkt hij me zo bars aan dat ik vrees dat mijn hart zal bre-ken. 'Dus je beschouwt me niet eens als Indiaas. Tjonge, wat een ontzettende opluchting.'

'Ik... Zo bedoelde ik het niet.'

'Nee, zo bedoelen de Engelsen het nooit.' Met mij op zijn hie-len loopt hij de stallen in.

Ik heb er nooit bij stilgestaan hoe beledigend het zou klin-ken. Maar nu het te laat is, besef ik dat hij gelijk heeft, dat ik diep vanbinnen altijd heb geweten dat ik bij Kartik zo eerlijk was, zo... mezelf was, omdat hij Indiaas is en er toch nooit iets tussen ons kan gebeuren. Alles wat ik nu kan zeggen, zou ge-logen zijn. Wat heb ik er weer een bende van gemaakt.

Kartik stopt zijn schamele bezittingen in een rugzak.

'Waar ga je naartoe?'

'Naar de Rakshana. Het wordt tijd dat ik mijn plaats opeis. Dat ik met mijn training begin en opklim.'

'Ga alsjeblieft niet weg, Kartik. Ik wil niet dat je weggaat.' Dat is het eerlijkste wat ik die dag heb gezegd.

'Dat spijt me dan voor je.'

Het laantje ontwaakt. Bedienden komen als de piepkleine mechanische figuurtjes in een koekoeksklok in actie.

'Je kunt maar beter naar binnen gaan. Zou je zo vriende-lijk willen zijn dit aan Emily te geven voor me?' vraagt hij op ijzige toon. Hij overhandigt me het andere geschenk. Het doek valt een beetje open, en ik kan zien dat het de *Odyssee* is. 'Zeg maar tegen haar dat ik haar helaas niet meer kan hel-pen met leren lezen en dat ze een andere leraar zal moeten zoeken.'

'Kartik,' begin ik. Het is me opgevallen dat hij het geschenk dat ik maanden geleden aan hem heb gegeven tegen de muur laat staan. 'Wil je je cricketbat niet meenemen?'

'Cricket. Een typisch Engelse sport,' zegt hij. 'Vaarwel, miss Doyle.' Hij hijst de rugzak om zijn schouders en loopt weg, het eerste zwakke licht van de ochtend in.

HOOFDSTUK
ZEVENENDERTIG

Rond het middaguur lijken de straten van Londen wel het toneel van een muziekvoorstelling, met al die klokken die de mensen naar de kerk roepen. Grootmoeder, Tom en ik zitten op harde houten bankjes en laten de woorden van de dominee over ons heen komen.

'Daarop riep Herodes in het geheim de magiërs bij zich; hij wilde precies van hen weten wanneer de ster zichtbaar geworden was, en stuurde hen vervolgens naar Bethlehem met de woorden: "Stel een nauwkeurig onderzoek in naar het kind. Stuur mij bericht zodra u het gevonden hebt, zodat ook ik erheen kan gaan om het eer te bewijzen..."'

Ik kijk om me heen. Overal om me heen zie ik hoofden, gebogen in het gebed. Iedereen lijkt tevreden. Blij. Het is immers Kerstmis.

Op een vlekkerig verlicht glas-in-loodraam is een engel afgebeeld die de geboorte van Jezus komt aankondigen. Aan zijn voeten knielt een bevende Maria, die de angstaanjagende boodschap van haar hemelse bezoeker aanhoort. Op haar gezicht staan het ontzag en de angst af te lezen die ze ervaart bij het horen van het nieuws, over het geschenk waar ze niet om heeft gevraagd maar dat ze desondanks zal dragen. En ik vraag me af waarom er geen passage is waarin haar vreselijke twijfels worden beschreven.

'Toen Herodes begreep dat hij door de magiërs misleid was, werd hij verschrikkelijk kwaad, en afgaande op het tijdstip dat hij van de magiërs had gehoord, gaf hij opdracht om in Bethlehem en de wijde omgeving alle jongetjes van twee jaar en jonger om te brengen...'

Waarom is er geen glas-in-loodraam met vrouwen die zeggen: 'Nee, het spijt me, dit geschenk wil ik niet. Je mag het terug hebben. Ik moet voor mijn schapen zorgen en brood bakken, en ik heb er geen behoefte aan om een heilige boodschapper te worden.'

Dat is het raam dat ik graag zou willen zien.

Een lichtstraal schijnt door het glas, en even lijkt de engel op te lichten als de zon.

Ik mag de middag doorbrengen met Felicity en Ann, zodat grootmoeder en Tom voor vader kunnen zorgen. Mrs Worthington is druk bezig met de kleding van de kleine Polly, met als gevolg dat Felicity al net zo chagrijnig is als ik. Alleen Ann geniet van deze dag. Dit is in haar herinnering de eerste kerst die ze bij iemand thuis doorbrengt met een bal in het vooruitzicht, en ze is buiten zichzelf van vreugde. Ze stelt de ene vraag na de andere.

'Zal ik bloemen en parels in mijn haar dragen? Of is dat te veel van het goede?' vraagt ze.

'Te veel van het goede,' antwoordt Felicity. 'Ik snap niet waarom wij haar in huis moeten nemen. Er zijn toch genoeg familieleden die veel beter geschikt zouden zijn.'

Ik zit aan Felicity's kaptafel mijn haar te borstelen, en ik tel de halen. Met elke beweging van de borstel zie ik in gedachten weer de pijn in Kartiks ogen. 'Vierenzestig, vijfenzestig, zesenzestig...'

'Ze draaien maar om haar heen, een en al aanbidding en bezorgdheid, alsof ze een prinses is,' moppert Felicity.

'Het is een heel mooi meisje,' zegt Ann onnadenkend. 'Ik wilde eigenlijk parfum op doen. Gemma, vindt Tom meisjes die parfum dragen te vrijpostig?'

'Hij vindt de stank van mest aanlokkelijk,' zegt Felicity. 'Misschien moet je even in de stallen gaan rollebollen, dan bloeit zijn liefde voor je in volle glorie op.'

'Wat ben jij in een slechte bui,' moppert Ann.

Ik had niet met hem moeten dansen. Ik had me niet door hem moeten laten kussen. Maar ik wilde dat hij me zou kussen. En toen heb ik hem beledigd.

'O, wat is het allemaal een gedoe,' zegt Felicity, terwijl ze puffend en blazend naar haar bed loopt, dat schuilgaat onder een hoge stapel afgekeurde kousen, zijde en onderrokken. Het lijkt wel of de gehele inhoud van Felicity's kledingkast is uitgestald voor wie het maar wil zien. En toch kan ze niets vinden wat haar aanstaat.

'Ik ga niet,' flapt Felicity eruit. Mokkend hangt ze in haar kamerjas op een chaise longue, met haar wollen kousen om haar enkels. Zelfs de schijn van zedigheid heeft ze laten varen.

'Het is het bal van je moeder,' zeg ik. 'Je moet ernaartoe. Zevenenzestig, achtenzestig...'

'Ik heb niets om aan te trekken!'

Ik maak een groots gebaar naar het bed en tel verder.

'Trek je niet een van de japonnen aan die je moeder in Parijs voor je heeft laten maken?' vraagt Ann. Ze houdt een van de jurken voor zich en draait van links naar rechts. Ze maakt een kleine reverence voor een onzichtbare begeleider.

'Ze zijn allemaal zo burgerlijk,' snuift Felicity minachtend.

Ann strijkt met haar vingertoppen over de waterblauwe zijde, de kraaltjes waarmee de sierlijke halslijn is afgezet. 'Ik vind deze prachtig.'

'Dan trek jij hem toch aan?'

Ann trekt haar hand terug alsof ze zich heeft gebrand. 'Daar pas ik nooit in.'

Felicity lacht meesmuilend. 'Dan had je 's ochtends maar niet zoveel scones moeten eten.'

'Dat zou g-g-geen enkel v-v-verschil hebben gemaakt. Het zou een aanfluiting zijn voor de jurk.'

Felicity springt overeind met een zucht die grenst aan een grauw. 'Waarom doe je dat toch steeds?'

'Wat?' vraagt Ann.

'Jezelf de grond in boren wanneer je de kans krijgt.'

'Ik probeerde alleen maar luchtig te doen.'

'Niet waar. Of wel soms, Gemma?'

'Zevenentachtig, achtentachtig, negenentachtig...' tel ik nadrukkelijk.

'Ann, als je maar blijft zeggen dat je minder waard bent dan anderen, zullen de mensen het gaan geloven.'

Ann haalt haar schouders op en legt de jurk weer op de stapel op het bed. 'Ze geloven wat ze zien.'

'Verander dan wat ze zien.'

'Hoe?'

'Trek die jurk aan. We kunnen hem rond het middel wel een beetje uitleggen.'

'Honderd.' Ik draai me naar hen om. 'Ja, maar dan past hij jou niet meer.'

Felicity's grijns is woest. 'Precies.'

'Is dat wel zo'n goed idee?' vraag ik. Het is een tamelijk dure jurk, die in Parijs speciaal voor Felicity op maat is gemaakt.

'Zal je moeder niet boos zijn?' vraagt Ann.

'Die zal veel te druk bezig zijn met haar gasten om te zien wat we aanhebben. Het enige waar zij zich om bekommert is wat ze zelf aanheeft en of ze er wel jong genoeg in uitziet.'

Het lijkt me een slecht idee, maar Ann strijkt alweer over

de zijde alsof het een lief jong poesje is, en ik wil dit niet voor haar bederven.

Felicity springt overeind. 'Ik zal Franny laten halen. Ze mag dan een lastpak zijn, ze kan ontzettend goed naaien.'

Franny wordt ontboden. Als Felicity uitlegt wat ze wil laten doen, zet het meisje grote ogen op van ongeloof.

'Moet ik dat niet eerst aan Mrs Worthington gaan vragen, miss?'

'Nee, Franny. Het is bedoeld als verrassing voor mijn moeder. Ze zal het fantastisch vinden dat miss Bradshaw er zo mooi bij loopt.'

'Goed dan, miss.'

Franny neemt Anns maten op. 'Het zal niet meevallen, miss. Ik weet niet zeker of er wel genoeg stof is.'

Ann bloost. 'O, toe, doe geen moeite. Ik trek gewoon hetzelfde aan als naar de opera.'

'Franny,' zegt Felicity op zo'n zangerige toon dat de naam klinkt als een lief slaapliedje, 'je bent een begenadigd naaister. Als iemand het kan, ben jij het.'

'Maar als ik hem eenmaal heb vermaakt, miss, kan ik het niet meer terugdraaien,' zegt Franny.

'Laat dat maar aan mij over,' zegt Felicity. Ze duwt de kamenierster met de jurk in haar armen de deur uit.

'Zo, en nu eens kijken of we je een middel kunnen geven,' blaft Felicity.

Ann zet zich met beide handen schrap tegen de muur. Ze wil zich omdraaien om iets tegen me te zeggen, maar Felicity duwt haar weer met haar gezicht naar de muur.

'Je gaat toch niet al te hard trekken, hè?'

'Jawel,' zeg ik zakelijk. 'Blijf stilstaan.' Ik ruk hard aan de veters van haar korset en snoer Anns middel zo strak mogelijk in.

'H-h-hemeltje,' zegt ze moeizaam.

'Nog een keer,' zegt Felicity.

Ik geef nog een harde ruk, en Ann recht happend naar adem en met tranen in haar ogen haar rug.

'Te strak,' perst ze eruit.

'Wil je die jurk aan of niet?' zegt Felicity gemeen.

'Ja... maar ik wil niet dood.'

'Tja, we hebben er ook niets aan als je flauwvalt.' Ik maak de veters iets losser, en Ann krijgt weer wat kleur op haar gezicht.

'Hier, ga maar zitten,' zeg ik terwijl ik haar naar de chaise longue breng. Ze kan niet anders dan met kaarsrechte rug gaan zitten. Ze hijgt als een werkpaard.

'Het valt wel mee als je er eenmaal aan gewend bent,' fluistert Ann met een zwak glimlachje.

Felicity laat zich weer op de chaise longue vallen. 'Dat lieg je.'

'Wat vonden jullie van dat optreden van Nell Hawkins? Mij klonk het als complete onzin in de oren,' zegt Ann moeizaam ademend. 'Tom zag er erg knap uit, vond ik. En wat is hij vriendelijk.'

'Ik begrijp er zelf ook weinig van,' antwoord ik. '*Bied de onaanraakbaren hoop; laat het lied niet sterven. Je moet voorzichtig zijn met schoonheid; schoonheid moet overgaan.*'

'*Verlaat het pad niet.* Wat betekent dat?' vraagt Ann zich hardop af.

'Wat dacht je van *de sissende, grissende nimfen?*' vraagt Felicity giechelend. 'Of: *Hoed je voor de Papaverkrijgers. Ze zullen je opslokken. Slok, slok.*'

Ann begint te giechelen, maar het korset maakt snel een einde aan haar vrolijkheid. Ze kan alleen maar glimlachen en hijgen.

'Ze wilde ons iets duidelijk maken. Dat weet ik zeker.' Opeens voel ik me in de verdediging gedrukt.

'Kom op nou, Gemma! Het was een onzinnig gedicht. Die arme Nell Hawkins is zo maf als een deur.'

'Hoe wist ze dan dat er een gorgone is, en een Woud van Licht? En een gouden mist?'

'Misschien heb je het haar zelf verteld.'

'Dat heb ik niet gedaan!'

'Dan heeft ze het ergens gelezen.'

'Nee,' werp ik tegen. 'Ik geloof dat ze in een soort geheimtaal tegen ons sprak, en als we de boodschap kunnen ontcijferen, zullen we ontdekken waar de tempel zich bevindt.'

'Gemma, ik snap dat je graag wilt geloven dat Nell de sleutel is tot dit alles, maar nu ik haar heb gezien, denk ik echt dat je het mis hebt.'

'Je lijkt Kartik wel.' Meteen heb ik spijt dat ik over hem ben begonnen.'

'Wat is er, Gemma? Je kijkt zo ernstig,' zegt Ann.

'Kartik. Hij is weg.'

'Weg? Waar is hij dan naartoe?' vraagt Felicity. Ze trekt een kous aan en bewondert haar kuit erin.

'Terug naar de Rakshana. Ik heb hem beledigd, en toen is hij weggegaan.'

'Wat heb je dan gezegd?' vraagt Felicity.

'Dat ik hem niet eens als Indiaas beschouwde.'

'Wat is daar zo beledigend aan?' vraagt Felicity niet-begrijpend. Ze trekt de kous weer uit en laat hem op de grond vallen. 'Gemma, gaan we vanavond naar het rijk? Ik wil Pip mijn nieuwe japon laten zien en haar een vrolijk kerstfeest wensen.'

'Het zal moeilijk zijn om weg te glippen,' zeg ik.

'Onzin. Er zijn altijd manieren om aan chaperonnes te ontsnappen. Ik heb het al zo vaak gedaan.'

'Ik wil van het bal genieten,' zeg ik.

Felicity kijkt me met een spottende glimlach aan. 'Je wilt van Simon Middleton genieten.'

'Ik hoopte eigenlijk dat ik een keer met Tom zou kunnen dansen,' geeft Ann toe.

'We gaan morgen wel,' zeg ik om Felicity tevreden te stellen.

'Ik haat het als je zo doet. Ooit zal ik mijn eigen kracht hebben, en dan kan ik naar het rijk wanneer ik maar wil,' zegt Felicity beledigd.

'Felicity, niet boos zijn,' zegt Ann smekend. 'Het is maar één avond. Morgen. Morgen gaan we weer naar het rijk.'

Met een afwijzend gebaar loopt Felicity weg. 'Ik mis Pip. Zij was altijd overal voor in.'

Na Felicity's onbeschofte vertrek praten Ann en ik over koetjes en kalfjes en spelen wat met linten. Vervolgens komt Felicity binnenstormen alsof er niets is gebeurd, met Franny in haar kielzog, die de blauwe zijden jurk voorzichtig over haar armen heeft gedrapeerd.

'O, zullen we eens kijken hoe hij staat?' roept Felicity uit.

Ann stapt in de jurk en steekt haar armen door de gaten. Franny maakt de paarlen knoopjes op haar rug dicht. Het staat haar beeldig. Ann draait in de rondte alsof ze niet kan geloven dat zij en het meisje in de spiegel een en dezelfde persoon zijn.

'Wat vind je ervan?' vraag ik terwijl ik voor het effect haar haar optil.

Ze knikt. 'Ja. Ik vind hem mooi. Dank je wel, Felicity.'

'Je hoeft me niet te bedanken. Ik zal er met volle teugen van genieten om mijn moeders gezicht te zien betrekken.'

'Hoe bedoel je?' vraagt Ann. 'Ik dacht dat je zei dat het haar niets zou kunnen schelen.'

'Heb ik dat gezegd?' vraagt Felicity met geveinsde verbazing.

Ik werp Felicity een waarschuwende blik toe. Ze doet alsof ze het niet ziet en haalt een bordeauxrode fluwelen japon onder de stapel op het bed vandaan. 'Franny? Je bent echt een geweldige naaister, dus het kost je vast geen enkele moeite om deze japon een klein beetje aan te passen. Sterker nog, ik wed dat je het binnen een uur voor elkaar kunt hebben.'

Franny bloost. 'Ja, miss?'

'Ik vind het lijfje van deze jurk veel te keurig voor een jonge-dame die naar zo'n groots bal gaat. Vind je ook niet?'

Franny bestudeert het lijfje. 'Ik denk dat ik hem wel een klein beetje dieper kan uitsnijden, miss.'

'O, ja, graag! Meteen,' zegt Felicity, en ze werkt Franny de deur uit. Dan gaat ze in mijn plaats achter de kaptafel zitten en grijnst ondeugend. 'Dit kan nog leuk worden.'

'Waarom heb je zo'n hekel aan haar?' vraag ik.

'Ik begin eigenlijk best op Franny gesteld te raken.'

'Ik had het over je moeder.'

Felicity houdt bedachtzaam een paar oorknopjes met grana-ten omhoog. 'Haar smaak in japonnen staat me niet aan.'

'Als je het er liever niet over wilt hebben...'

'Nee, liever niet,' zegt Felicity.

Soms is Felicity net zo'n mysterie voor me als de vindplaats van de tempel. Het ene moment is ze hatelijk en kinderachtig, het volgende levendig en opgewekt; aan de ene kant is ze zo vriendelijk om Ann voor Kerstmis mee naar huis te nemen, maar aan de andere kant is ze zo kleingeestig om Kartik als haar mindere te beschouwen.

'Ze lijkt me best aardig,' zegt Ann.

Felicity staart naar het plafond. 'Er is haar veel aan gelegen om aardig te lijken, luchthartig en amusant. Dat is belangrijk voor haar. Maar o wee als je naar haar toe gaat met iets wat er echt toe doet.'

Er flitst iets hards en donkers over Felicity's gezicht.

'Wat bedoel je daarmee?' vraag ik.

'Niets,' mompelt ze. En het mysterie dat Felicity Worthing-ton heet, verdiept zich.

Voor de lol trek ik een van Felicity's jurken aan, een van donkergroen satijn. Ann maakt de haakjes vast, en opeens ver-schijnt er een sierlijk middeltje. Ik schrik ervan om mezelf zo te zien, met de halvemaantjes van mijn bleke borsten die boven de geplooide zijde en bloemen uit piepen. Is dit het meisje dat andere mensen zien?

Voor Felicity en Ann ben ik een manier om in het rijk te komen.

Voor grootmoeder ben ik iets wat moet worden gevormd.

Voor Tom ben ik het kleine zusje dat hij moet tolereren.

Voor vader ben ik een braaf meisje dat hem elk moment kan teleurstellen.

Voor Simon ben ik een mysterie.

Voor Kartik ben ik een taak die hij moet volbrengen.

Mijn spiegelbeeld staart me aan alsof ze erop wacht te worden voorgesteld. *Hallo, meisje in de spiegel. Je heet Gemma Doyle. En ik heb geen idee wie je eigenlijk bent.*

HOOFDSTUK
ACHTENDERTIG

In het luxueuze huis van de familie Worthington branden alle lampen. De vallende sneeuw verleent het gebouw een zachte gloed. Rijtuigen arriveren in een lange, zwarte rij. De lakeien helpen de dames gracieus uit te stappen, maar eenmaal op de stoep leggen ze hun hand op de arm van hun heer en wandelen ze samen naar de voordeur, met het hoofd geheven om hun sieraden en hoge hoeden goed te laten uitkomen.

Onze nieuwe koetsier, Mr Jackson, kijkt toe terwijl de lakei grootmoeder uit het rijtuig helpt. 'Pas op voor die plas, mevrouw,' zegt Jackson, die de nattigheid op de straat opmerkt.

'Erg vriendelijk van je, Jackson,' zegt Tom. 'We boffen maar met je, nu Mr Kartik spoorloos lijkt te zijn verdwenen. Ik zal hem in elk geval geen goede referentie geven, mocht een toekomstige werkgever contact met me opnemen.'

Ik krimp ineen. Zal ik Kartik ooit nog terugzien?

Mr Jackson neemt zijn hoed voor me af. Hij is een lange bruut van een man met een smal, mager gezicht en een hangsnor die hem op een walrus doet lijken. Of misschien ben ik gewoon bevooroordeeld omdat ik Kartik zo mis.

'Waar heb je Mr Jackson gevonden?' vraag ik als we ons bij de chic geklede stellen voegen die naar het huis paraderen.

'O, hij heeft ons gevonden. Hij kwam langs om te vragen of we een koetsier nodig hadden.'

'Op eerste kerstdag? Wat vreemd,' zeg ik.

'Maar wel een meevaller,' zegt Tom. 'Niet vergeten: vader is ziek geworden en kan er vanavond tot zijn grote spijt niet bij zijn.'

Als ik niets zeg, pakt grootmoeder me bij mijn arm, glimlachend en knikkend naar anderen die net arriveren. 'Gemma?'

'Ja,' zeg ik met een zucht. 'Ik zal erom denken.'

Felicity en haar moeder begroeten ons bij binnenkomst. Felicity's jurk, die door Franny is vermaakt, heeft een gewaagd diep decolleté dat niet onopgemerkt blijft. De schrik van de gasten spreekt uit hun talmende blikken. Mrs Worthingtons gespannen glimlach spreekt boekdelen, maar ze kan niet anders dan met een uitgestreken gezicht doen alsof haar dochter haar niet op haar eigen bal te schande maakt. Ik begrijp niet waarom Felicity haar moeder zo kwelt, en waarom haar moeder het verdraagt met hooguit een gemartelde zucht.

'Hoe maak je het?' prevel ik tegen Felicity terwijl we een reverence voor elkaar maken.

'Fijn dat je er bent,' zegt ze. We doen allebei zo formeel dat ik een giechel moet onderdrukken. Felicity gebaart naar de man links van haar. 'Ik geloof dat je mijn vader nog nooit hebt ontmoet. Dit is Sir George Worthington.'

'Hoe maakt u het, Sir George?' zeg ik met een reverence.

Felicity's vader is een knappe man met heldere grijze ogen en lichtblond haar dat een beetje grijs begint te worden. Hij heeft een krachtig profiel dat mooi moet afsteken tegen de achtergrond van een grijze zee. Ik zie hem zó voor me, met zijn armen op zijn rug, net als nu, terwijl hij zijn mannen bevelen toeschreeuwt. En net als zijn dochter heeft hij een charismatische glimlach, die hij toont zodra de kleine Polly

binnenkomt in haar japon van blauw fluweel en met krulletjes in haar haar.

'Mag ik nog even opblijven voor het dansen, oom?' vraagt
ze zachtjes.

'Ze kan beter naar de kinderkamer gaan,' zegt Felicity's
moeder.

'Kom, kom, het is Kerstmis. Onze Polly wil graag dansen,
dus mag ze dansen,' zegt de admiraal. 'Ik geef jongedames nu
eenmaal graag hun zin, oude dwaas die ik ben.'

Daar moeten de gasten om grinniken, opgetogen over zijn
vrolijkheid. Als we weglopen, hoor ik hem hartelijk en charmant zijn volgende gasten begroeten.

'Ja, morgen ga ik naar Greenwich om de oude zeelieden in
het ziekenhuis te bezoeken. Wat denk je, zouden ze mij ook
een bed geven? Stevens, hoe gaat het met je been? Ah, mooi,
mooi...'

Op een tafeltje liggen prachtige balboekjes klaar. Er is heel
slim met een goudkleurig, gevlochten koordje een potloodje
aan bevestigd, zodat we de naam van onze partner kunnen noteren naast de dans – wals, quadrille, galloppade, polka – waarom hij heeft gevraagd. Het liefst wil ik Simons naam bij alle
dansen schrijven, maar ik weet dat ik niet meer dan drie keer
met dezelfde heer mag dansen. En ik zal minstens één keer
met mijn broer moeten dansen.

Het boekje zal een prachtig aandenken zijn aan mijn eerste
bal, hoewel ik officieel nog niet 'van school' ben, wat inhoudt
dat ik mijn debuut nog niet heb gemaakt en nog geen seizoen
achter de rug heb. Maar dit is een familiegelegenheid, en daarom geniet ik vanavond alle privileges die normaal gesproken
alleen jongedames van zeventien en achttien hebben.

Grootmoeder doet er verschrikkelijk lang over om met verschillende dames te praten, en ik moet met haar meelopen,
glimlachen, reverences maken en mijn mond houden tenzij

iemand iets tegen me zegt. Ik ontmoet de chaperonnes – stuk voor stuk verveelde, alleenstaande tantes – en een Mrs Bowles belooft dat ze als een moederkloek over me zal waken terwijl grootmoeder elders gaat kaarten. Aan de andere kant van de zaal zie ik Simon met zijn ouders binnenkomen, en ik krijg vlinders in mijn buik. Zijn aankomst neemt me zo in beslag dat ik een vraag niet hoor die Lady Nog Wat aan me stelt. Zij, grootmoeder en Mrs Bowles staan me aan te staren, wachtend op een antwoord. Even sluit grootmoeder beschaamd haar ogen.

'Ja, dank u,' zeg ik omdat dat me het veiligst lijkt.

Lady Nog Wat glimlacht en wuift zichzelf met haar waaier koelte toe. 'Mooi! De volgende dans begint zo. En daar komt mijn Percival aan.'

Een jongeman duikt aan haar zijde op. De kruin van zijn hoofd komt tot aan mijn kin, en hij heeft de pech dat hij eruitziet als een grote vis met zijn uitpuilende ogen en ongewoon brede mond. En ik heb er net mee ingestemd om met hem te dansen.

Tijdens de polka kom ik tot twee conclusies. Ten eerste dat je eigenlijk gewoon een eeuwigheid door elkaar wordt geschud. En ten tweede dat Percival Nog Wats mond zo breed is omdat hij hem te veel gebruikt. Hij kletst tijdens het dansen aan één stuk door en houdt alleen even op om me vragen te stellen, die hij vervolgens zelf voor me beantwoordt. Ik moet denken aan overlevingsverhalen waarin dappere mannen hun eigen ledematen moesten afhakken om aan valstrikken te ontsnappen, en ik vrees dat ik zelf ook mijn toevlucht zal moeten nemen tot dergelijke wanhopige maatregelen als de muziek niet snel stopt. Gelukkig gebeurt dat wel, en ik slaag erin te ontsnappen door Percival te vertellen dat mijn balboekje 'spijtig genoeg' voor de rest van de avond gevuld is.

Terwijl ik van de dansvloer strompel om het gezelschap van Mrs Bowles en de andere chaperonnes weer op te zoeken, zie

ik Ann met Tom de dansvloer op lopen. Ze ziet er overgelu
kig uit. En Tom lijkt van haar gezelschap te genieten. Het be
zorgt me een warm gevoel om hen zo samen te zien.

'Mag ik deze dans van je, miss Doyle?' Het is Simon, die kort
voor me buigt.

'Het zou me een waar genoegen zijn.'

'Ik zag dat Lady Faber je zover heeft gekregen dat je met haar
zoon Percival ging dansen,' zegt Simon terwijl hij me tijdens de
wals statig ronddraait. Zijn geschoeide hand rust zachtjes op
mijn rug, en hij leidt me met het grootste gemak over de dansvloer.

'Hij is een keurige danser,' zeg ik in een poging beleefd te
zijn.

Simon grijnst. 'O, noem je dat zo? Tja, het is inderdaad wel
indrukwekkend als je de polka kunt dansen en tegelijkertijd
onophoudelijk kunt praten.'

Ik glimlach onwillekeurig.

'Kijk daar eens,' zegt Simon. 'Miss Weston en Mr Sharpe.' Hij
wijst naar een zuur kijkende jonge vrouw die met haar balboekje in haar hand alleen op een stoel zit. Ze werpt vluchtige
blikken op een lange man met donker haar. Die staat met zijn
rug naar miss Weston toe met een andere jongedame en haar
gouvernante te praten. 'Het is een publiek geheim dat miss
Weston een oogje heeft op Mr Sharpe. Het is ook een publiek
geheim dat Mr Sharpe miss Weston helemaal niet ziet staan.
Zie je hoezeer ze ernaar verlangt door hem ten dans te worden
gevraagd? Het zou me niet verbazen als ze haar balboekje leeg
heeft gelaten, voor het geval hij met haar wil dansen.'

Mr Sharpe loopt in miss Westons richting.

'Kijk,' zeg ik. 'Misschien gaat hij haar vragen.'

Miss Weston gaat rechtop zitten, met een hoopvolle glimlach op haar smalle gezicht. Mr Sharpe loopt langs haar heen,

en nadrukkelijk staart ze in de verte, alsof zijn afwijzing haar niets doet. Het is een wreed schouwspel.

'Hm, misschien ook niet,' zegt Simon. Hij maakt zachtjes opmerkingen over de koppels om ons heen. 'Mr Kingsley jaagt op de aanzienlijke erfenis van de weduwe Marsh. Miss Byrne is flink aangekomen sinds het seizoen. In het openbaar eet ze heel weinig, maar het gerucht gaat dat ze thuis in een oogwenk de hele provisiekast kan leegeten. Over Sir Braxton wordt beweerd dat hij een verhouding heeft met de gouvernante. En dan is er nog de kwestie rond onze gastheer en -vrouw, de Worthingtons.'

'Hoe bedoel je?'

'Ze kunnen het nog net opbrengen om beleefd tegen elkaar te doen. Zie je hoe ze hem ontwijkt?' Felicity's moeder loopt van de ene gast naar de andere om hun haar aandacht te schenken, maar ze kijkt naar echtgenoot niet één keer aan.

'Ze is immers de gastvrouw,' zeg ik vanuit de behoefte haar te verdedigen.

'Iedereen weet dat ze in Parijs heeft gewoond met haar minnaar, een Franse kunstenaar. En de jonge miss Worthington laat vanavond veel te veel blote huid zien. Er wordt al druk over geroddeld. Waarschijnlijk moet ze nu met een of andere halfwilde Amerikaan trouwen. Jammer. Haar vader is door de koningin geridderd en benoemd tot officier in de orde van Bath voor zijn uitzonderlijke carrière bij de marine. En nu heeft hij zelfs een jong meisje onder zijn hoede genomen, de verweesde dochter van een verre nicht. Hij is een goed mens, maar zijn dochter dreigt nu een smet te werpen op zijn uitstekende reputatie.'

Wat Simon over Felicity zegt mag dan waar zijn, ik vind het niet leuk om hem op die manier over mijn vriendin te horen praten. Dit is een kant van Simon die ik nog niet kende.

'Ze is gewoon levendig,' werp ik tegen.

en nadrukkelijk staart ze in de verte, alsof zijn afwijzing haar niets doet. Het is een wreed schouwspel.

'Hm, misschien ook niet,' zegt Simon. Hij maakt zachtjes opmerkingen over de koppels om ons heen. 'Mr Kingsley jaagt op de aanzienlijke erfenis van de weduwe Marsh. Miss Byrne is flink aangekomen sinds het seizoen. In het openbaar eet ze heel weinig, maar het gerucht gaat dat ze thuis in een oogwenk de hele provisiekast kan leegeten. Over Sir Braxton wordt beweerd dat hij een verhouding heeft met de gouvernante. En dan is er nog de kwestie rond onze gastheer en -vrouw, de Worthingtons.'

'Hoe bedoel je?'

'Ze kunnen het nog net opbrengen om beleefd tegen elkaar te doen. Zie je hoe ze hem ontwijkt?' Felicity's moeder loopt van de ene gast naar de andere om hun haar aandacht te schenken, maar ze kijkt naar echtgenoot niet één keer aan.

'Ze is immers de gastvrouw,' zeg ik vanuit de behoefte haar te verdedigen.

'Iedereen weet dat ze in Parijs heeft gewoond met haar minnaar, een Franse kunstenaar. En de jonge miss Worthington laat vanavond veel te veel blote huid zien. Er wordt al druk over geroddeld. Waarschijnlijk moet ze nu met een of andere halfwilde Amerikaan trouwen. Jammer. Haar vader is door de koningin geridderd en benoemd tot officier in de orde van Bath voor zijn uitzonderlijke carrière bij de marine. En nu heeft hij zelfs een jong meisje onder zijn hoede genomen, de verweesde dochter van een verre nicht. Hij is een goed mens, maar zijn dochter dreigt nu een smet te werpen op zijn uitstekende reputatie.'

Wat Simon over Felicity zegt mag dan waar zijn, ik vind het niet leuk om hem op die manier over mijn vriendin te horen praten. Dit is een kant van Simon die ik nog niet kende.

'Ze is gewoon levendig,' werp ik tegen.

binnenkomt in haar japon van blauw fluweel en met krulletjes in haar haar.

'Mag ik nog even opblijven voor het dansen, oom?' vraagt ze zachtjes.

'Ze kan beter naar de kinderkamer gaan,' zegt Felicity's moeder.

'Kom, kom, het is Kerstmis. Onze Polly wil graag dansen, dus mag ze dansen,' zegt de admiraal. 'Ik geef jongedames nu eenmaal graag hun zin, oude dwaas die ik ben.'

Daar moeten de gasten om grinniken, opgetogen over zijn vrolijkheid. Als we weglopen, hoor ik hem hartelijk en charmant zijn volgende gasten begroeten.

'Ja, morgen ga ik naar Greenwich om de oude zeelieden in het ziekenhuis te bezoeken. Wat denk je, zouden ze mij ook een bed geven? Stevens, hoe gaat het met je been? Ah, mooi, mooi...'

Op een tafeltje liggen prachtige balboekjes klaar. Er is heel slim met een goudkleurig, gevlochten koordje een potloodje aan bevestigd, zodat we de naam van onze partner kunnen noteren naast de dans – wals, quadrille, galloppade, polka – waarom hij heeft gevraagd. Het liefst wil ik Simons naam bij alle dansen schrijven, maar ik weet dat ik niet meer dan drie keer met dezelfde heer mag dansen. En ik zal minstens één keer met mijn broer moeten dansen.

Het boekje zal een prachtig aandenken zijn aan mijn eerste bal, hoewel ik officieel nog niet 'van school' ben, wat inhoudt dat ik mijn debuut nog niet heb gemaakt en nog geen seizoen achter de rug heb. Maar dit is een familiegelegenheid, en daarom geniet ik vanavond alle privileges die normaal gesproken alleen jongedames van zeventien en achttien hebben.

Grootmoeder doet er verschrikkelijk lang over om met verschillende dames te praten, en ik moet met haar meelopen, glimlachen, reverences maken en mijn mond houden tenzij iemand iets tegen me zegt. Ik ontmoet de chaperonnes – stuk voor stuk verveelde, alleenstaande tantes – en een Mrs Bowles belooft dat ze als een moederkloek over me zal waken terwijl grootmoeder elders gaat kaarten. Aan de andere kant van de zaal zie ik Simon met zijn ouders binnenkomen, en ik krijg vlinders in mijn buik. Zijn aankomst neemt me zo in beslag dat ik een vraag niet hoor die Lady Nog Wat aan me stelt. Zij, grootmoeder en Mrs Bowles staan me aan te staren, wachtend op een antwoord. Even sluit grootmoeder beschaamd haar ogen.

'Ja, dank u,' zeg ik omdat dat me het veiligst lijkt.

Lady Nog Wat glimlacht en wuift zichzelf met haar waaier koelte toe. 'Mooi! De volgende dans begint zo. En daar komt mijn Percival aan.'

Een jongeman duikt aan haar zijde op. De kruin van zijn hoofd komt tot aan mijn kin, en hij heeft de pech dat hij eruitziet als een grote vis met zijn uitpuilende ogen en ongewoon brede mond. En ik heb er net mee ingestemd om met hem te dansen.

Tijdens de polka kom ik tot twee conclusies. Ten eerste dat je eigenlijk gewoon een eeuwigheid door elkaar wordt geschud. En ten tweede dat Percival Nog Wats mond zo breed is omdat hij hem te veel gebruikt. Hij kletst tijdens het dansen aan één stuk door en houdt alleen even op om me vragen te stellen, die hij vervolgens zelf voor me beantwoordt. Ik moet denken aan overlevingsverhalen waarin dappere mannen hun eigen ledematen moesten afhakken om aan valstrikken te ontsnappen, en ik vrees dat ik zelf ook mijn toevlucht zal moeten nemen tot dergelijke wanhopige maatregelen als de muziek niet snel stopt. Gelukkig gebeurt dat wel, en ik slaag erin te ontsnappen door Percival te vertellen dat mijn balboekje 'spijtig genoeg' voor de rest van de avond gevuld is.

Terwijl ik van de dansvloer strompel om het gezelschap van Mrs Bowles en de andere chaperonnes weer op te zoeken, zie ik Ann met Tom de dansvloer op lopen. Ze ziet er overgelukkig uit. En Tom lijkt van haar gezelschap te genieten. Het bezorgt me een warm gevoel om hen zo samen te zien.

'Mag ik deze dans van je, miss Doyle?' Het is Simon, die kort voor me buigt.

'Het zou me een waar genoegen zijn.'

'Ik zag dat Lady Faber je zover heeft gekregen dat je met haar zoon Percival ging dansen,' zegt Simon terwijl hij me tijdens de wals statig ronddraait. Zijn geschoeide hand rust zachtjes op mijn rug, en hij leidt me met het grootste gemak over de dansvloer.

'Hij is een keurige danser,' zeg ik in een poging beleefd te zijn.

Simon grijnst. 'O, noem je dat zo? Tja, het is inderdaad wel indrukwekkend als je de polka kunt dansen en tegelijkertijd onophoudelijk kunt praten.'

Ik glimlach onwillekeurig.

'Kijk daar eens,' zegt Simon. 'Miss Weston en Mr Sharpe.' Hij wijst naar een zuur kijkende jonge vrouw die met haar balboekje in haar hand alleen op een stoel zit. Ze werpt vluchtige blikken op een lange man met donker haar. Die staat met zijn rug naar miss Weston toe met een andere jongedame en haar gouvernante te praten. 'Het is een publiek geheim dat miss Weston een oogje heeft op Mr Sharpe. Het is ook een publiek geheim dat Mr Sharpe miss Weston helemaal niet ziet staan. Zie je hoezeer ze ernaar verlangt door hem ten dans te worden gevraagd? Het zou me niet verbazen als ze haar balboekje leeg heeft gelaten, voor het geval hij met haar wil dansen.'

Mr Sharpe loopt in miss Westons richting.

'Kijk,' zeg ik. 'Misschien gaat hij haar vragen.'

Miss Weston gaat rechtop zitten, met een hoopvolle glimlach op haar smalle gezicht. Mr Sharpe loopt langs haar heen,

'Ik heb je boos gemaakt,' zegt Simon.

'Welnee,' lieg ik, al snap ik zelf niet waarom ik doe alsof ik niet boos ben.

'Jawel. Dat was niet erg netjes van me. Als je een man was, zou ik je een pistool aanbieden om haar eer te verdedigen,' zegt hij met die duivelse halve glimlach van hem.

'Als ik een man was, zou ik het aannemen,' zeg ik. 'Maar waarschijnlijk zou ik mis schieten.'

Daar moet Simon om lachen. 'Miss Doyle, Londen is een stuk interessanter nu jij er bent.'

De dans is voorbij, en Simon leidt me de vloer af. Hij belooft me opnieuw ten dans te vragen zodra mijn balboekje het toelaat. In een mum van tijd staan Ann en Felicity naast me om me mee te nemen naar een aangrenzend vertrek voor een glaasje limonade. Met Mrs Bowles in ons kielzog lopen we arm in arm, zachtjes en snel roddelend door de zaal. 'En toen zei ze dat ik veel te jong was voor zo'n laag uitgesneden japon en dat ze me waarschijnlijk niet had laten komen als ze had geweten dat ik haar zo publiekelijk te schande zou maken, en dat de blauwe jurk geruïneerd was...' babbelt Felicity.

'Ze is toch niet boos op me?' vraagt Ann met een bezorgd gezicht. 'Je hebt toch wel tegen haar gezegd dat ik je nog wilde tegenhouden?'

'Je hoeft je geen zorgen te maken. Je reputatie is nog intact. Trouwens, vader schoot me te hulp en toen krabbelde moeder meteen terug. Ze durft hem toch niet tegen te spreken...'

Naast de balzaal is een kamer die is gereserveerd voor de versnaperingen. We drinken van onze limonade, die koel aanvoelt. Ondanks de winterse kou hebben we het warm van het dansen en de opwinding. Ann kijkt telkens bezorgd naar de balzaal. Op het moment dat de muziek weer begint, pakt ze snel haar balboekje.

'Is dat de quadrille?'

'Nee,' zeg ik. 'Zo te horen is het weer een wals.'

'O, gelukkig maar. Tom heeft me gevraagd de quadrille met hem te dansen. Dat wil ik niet missen.'

Even weet Felicity niet wat ze moet zeggen. 'Tom?'

Ann straalt. 'Ja. Hij zei dat hij alles wilde horen over mijn oom, en over hoe ik een dame ben geworden. O, Gemma, denk je dat hij me leuk vindt?'

Wat hebben we gedaan? Wat zal er gebeuren wanneer de list wordt ontdekt? Ik heb er een slecht gevoel over. 'Vind je hem echt zo leuk?'

'Nou en of. Hij is zo... respectabel.'

Ik verslik me in het vruchtvlees van mijn limonade.

'Hoe gaat het met jou en Mr Middleton?' vraagt Felicity.

'Hij is een uitstekend danser,' zeg ik. Om hen te plagen, natuurlijk.

Felicity geeft me een speelse tik met haar balboekje. 'Is dat alles wat je erover te zeggen hebt? Dat hij een uitstekend danser is?'

'Vertel nou,' dringt Ann aan. Mrs Bowles heeft ons ingehaald. Nu blijft ze vlakbij rondhangen in de hoop iets van ons gesprek op te vangen, het liefst iets schandaligs.

'O hemeltje, er zit een scheur in mijn japon,' zeg ik.

Ann leunt een beetje opzij om mijn rok te bestuderen. 'Waar dan? Ik zie hem niet.'

Felicity snapt het meteen. 'O, inderdaad. We moeten meteen naar de garderobe, dan kan een van de dienstmeisjes hem voor je repareren. Let maar niet op ons, Mrs Bowles!'

Voordat onze chaperonne iets kan zeggen, sleurt Felicity ons mee de trap af naar een kleine serre.

'En?'

'Hij is erg aardig. Het is alsof ik hem al mijn hele leven ken,' zeg ik.

'Hij heeft niet veel met mij op,' zegt Felicity.

Weet ze wat hij tegen mij heeft gezegd over haar? Blozend bedenk ik dat ik haar wel iets feller had mogen verdedigen. 'Waarom zeg je dat?'

'Hij wilde me het hof maken. Ik heb hem vorig jaar afgewezen, en dat heeft hij me nooit vergeven.'

Ik heb het gevoel dat ik een harde schop heb gekregen. 'Ik dacht dat je geen belangstelling had voor Simon.'

'Dat is ook zo. Ik voel niets voor hem. Maar je hebt niet gevraagd wat hij voor mij voelde.'

Mijn geluksgevoel is op de bodem van mijn maag neergeslagen als confetti op een dansvloer. Heeft Simon al die tijd zoveel aandacht aan me besteed om Felicity jaloers te maken? Of geeft hij oprecht om me?'

'Ik denk dat we beter terug kunnen gaan naar het bal,' zeg ik, en ik loop meteen door naar de eerste verdieping, sneller dan nodig is, zodat er een gat ontstaat tussen mij en Felicity. Ik heb nog geen zin om me in het feestgedruis te mengen. Eerst moet ik een beetje tot bedaren komen. Aan de andere kant van de kamer is een openslaande deur die uitkomt op een balkonnetje. Ik glip naar buiten en staar naar het uitgestrekte Hyde Park. In de kale bomen herken ik Felicity, verleidelijk in haar laag uitgesneden baljurk, en mezelf, het lange, slungelige meisje dat zich vanavond heeft verkleed, het meisje dat door visioenen wordt geplaagd. Felicity en Simon. Zij zouden samen een ongecompliceerd leven kunnen leiden. Ze zouden een mooi, modieus en bereisd koppel vormen. Zou ze zijn gevatte grapjes begrijpen? Zou hij ze haar eigenlijk wel vertellen? Misschien zou ze zijn leven tot een hel maken. Misschien.

De kou helpt een beetje. Telkens wanneer ik de frisse lucht inadem, wordt mijn hoofd iets helderder. Al snel ben ik zodanig hersteld dat ik het koud krijg. Beneden hebben de koetsiers en de lakeien zich verzameld rond een koffiekraam. Ze koesteren de warme kopjes in hun handen terwijl ze in de sneeuw heen en weer lopen in een poging warm te blijven. Dit soort bals moet een kwelling zijn voor hen. Even meen ik Kartik te zien. Maar dan herinner ik me weer dat hij weg is.

De avond verstrijkt met veel dansen en gefluister, glimlachjes en beloften. De champagne vloeit rijkelijk en mensen lachen vrolijk, hun zorgen vergeten. Al snel hebben de chaperonnes niet meer zo'n zin om zich om hun pupillen te bekommeren. Ze gaan liever zelf dansen of kaarten in een kamer beneden. Als Simon na het kaarten eindelijk terugkomt in de balzaal, ben ik op van de zenuwen.

'Daar ben je,' zegt hij glimlachend. 'Heb je nog een dans voor me vrijgehouden?'

Ik kan de aandrang niet weerstaan. 'Ik dacht dat je misschien liever met miss Worthington ging dansen.'

Hij fronst. 'Dansen met een roofdier als Felicity? Hoezo? Heeft ze alle andere beschikbare mannen verslonden?'

Zijn reactie lucht me zo op dat ik ondanks mijn vriendschap met Felicity moet lachen. 'Eigenlijk moet ik daar niet om lachen. Je bent vreselijk.'

'Ja,' zegt Simon met opgetrokken wenkbrauw. Daar ben ik erg goed in, vreselijk zijn. Zal ik het je laten zien?'

'Hoe bedoel je?'

'Zullen we een eindje gaan wandelen?'

'O,' zeg ik met een mengeling van angst en opwinding. 'Dan ga ik het even tegen Mrs Bowles zeggen.'

Simon glimlacht. 'Het is maar een wandelingetje. En kijk eens hoe ze van het bal geniet. Waarom zouden we haar geluk verstoren?'

Ik wil Simon niet tegen me in het harnas jagen en hem laten denken dat ik saai ben. Maar het is niet netjes om er in mijn eentje met hem vandoor te gaan. Ik weet niet wat ik moet doen. 'Ik moet het echt even tegen Mrs Bowles zeggen...'

392

'Goed dan,' zegt Simon. Glimlachend verontschuldigt hij zich. Nu heb ik het voor elkaar. Ik heb hem weggejaagd. Maar even later komt hij terug met Felicity en Ann. 'Nu zijn we veilig. Tenminste, jullie reputatie is niet in gevaar. Van de mijne ben ik nog niet zo zeker.'

'Wat moet dit voorstellen?' vraagt Felicity.

'Als de dames me zouden willen vergezellen naar de biljartkamer, komen ze daar snel genoeg achter,' zegt Simon, en hij loopt weg.

We blijven even staan wachten, tot we met goed fatsoen naar boven kunnen lopen, naar de biljartkamer van de Worthingtons. Ik voelde me al niet op mijn gemak bij de gedachte alleen te zijn met Simon, maar nu Felicity erbij is, nemen mijn twijfels alleen maar toe.

'Wat ben je van plan, Simon?' vraagt ze. Als ik hoor hoe vanzelfsprekend ze hem bij zijn voornaam aanspreekt, word ik een beetje misselijk.

Simon loopt naar de boekenkast en haalt een boek van het schap.

'Wil je ons gaan voorlezen?' Felicity trekt haar neus op. Ze duwt een witte bal over het groene vilt van de biljarttafel. Hij botst tegen het keurige driehoekje in het midden, waardoor de andere ballen tegen de banden stoten.

Hij steekt zijn hand in de ruimte achter het boek en haalt er een flesje met een dikke, smaragdgroene vloeistof uit. Het lijkt niet op de sterkedrank die ik ken.

'Wat is dat?' vraag ik met droge mond.

Een kwajongensachtige grijns speelt om zijn lippen. 'De groene fee. Een zeer vriendelijke meesteres, zoals je zult merken.'

Ik snap het nog steeds niet.

'Absint. De drank van kunstenaars en gekken. Sommigen beweren dat de groene fee in een glas absint huist, en dat ze je meevoert naar haar hol, waar allerlei vreemde, mooie dingen te zien zijn. Wil je eens proberen om in twee werelden tegelijk te leven?'

Ik weet niet of ik daarom moet lachen of huilen.

'O,' zegt Ann bezorgd. 'Ik denk dat we beter terug kunnen gaan. Onze afwezigheid is vast al opgemerkt.'

'Dan zeggen we dat we in de garderobe waren om een scheur in je jurk te laten repareren,' zegt Felicity. 'Ik wil die absint wel eens proberen.'

Ik niet. Nou ja, misschien een beetje, als ik zou weten wat voor effect het op me zou hebben. Ik durf eigenlijk niet te blijven, maar ik wil ook niet weggaan en Felicity deze ervaring alleen met Simon laten delen.

'Ik wil het ook wel proberen,' zeg ik schor.

'Een avontuurlijke geest,' zegt Simon met een glimlach naar mij. 'Daar hou ik van.'

Hij steekt zijn hand weer in het gat en haalt er een platte lepel uit met een gleuf erin. Dan schenkt hij een half glas water uit een karaf voor zichzelf in. Het glas zet hij op tafel, met de vreemde lepel erbovenop. Met zijn sierlijke vingers haalt hij een suikerklontje uit zijn zak, dat hij op de lepel legt.

'Waar is dat voor?' vraag ik.

'Tegen de bittere smaak van de alsem.'

De absint, dik als boomhars en groen als gras in de zomer, sijpelt over de suiker en lost die meedogenloos op. In het glas vindt een schitterende alchemie plaats. Het groen wordt een melkwitte kolk. Het is heel bijzonder.

'Hoe kan dat?' vraag ik.

Simon haalt een muntje uit zijn zak, balt zijn vuist en laat me zijn lege hand zien. Het muntje is weg. 'Toverij.'

'Dat zullen we nog wel eens zien,' zegt Felicity met haar hand uitgestoken naar het glas. Simon ontwijkt haar en geeft het eerst aan mij.

'Dames gaan voor,' zegt hij.

Felicity kijkt hem aan alsof ze hem het liefst in zijn gezicht zou spuwen. Het is wreed van hem om haar zo te plagen, maar kennelijk ben ik zelf ook wreed, want onwillekeurig ben ik tevreden dat hij mij als eerste laat drinken. Mijn hand beeft als ik het glas aanpak. Ik verwacht half dat dit vreemde drankje me in een kikker zal veranderen. Zelfs de geur is bedwelmend, als drop gekruid met nootmuskaat. Ik neem een slokje en voel het branden in mijn keel. Meteen grist Felicity het glas uit mijn handen en drinkt haar deel. Dan geeft ze het aan Ann, die er heel voorzichtig van nipt. Tot slot gaat het naar Simon, die er ook wat van drinkt en het glas weer aan mij doorgeeft. Zo gaat het drie keer rond, tot het leeg is.

Met zijn zakdoek veegt Simon het laatste restje absint uit het glas en zet alles terug achter het boek, zodat hij het later kan komen ophalen. Hij gaat dichter bij me staan. Felicity wurmt zich tussen ons in en grijpt me bij mijn pols.

'Dank je, Simon. Nu kunnen we beter even naar de garderobe gaan om onze smoes aannemelijk te maken,' zegt ze met een tevreden glans in haar ogen.

Simon is niet blij, dat kan ik aan hem zien. Maar hij maakt een buiging en laat ons gaan.

'Ik voel me niet anders dan anders,' zegt Ann als we ons in de garderobe koelte toewuiven met onze waaiers en de dienstmeisjes laten zoeken naar denkbeeldige scheuren in onze japonnen.

'Dat komt doordat je maar een heel klein slokje hebt genomen,' fluistert Felicity. 'Ik voel me echt heerlijk.'

Mijn hoofd is gevuld met een zoete warmte, een lichtheid waardoor het lijkt of alles perfect is en me niets kan overkomen. Ik glimlach naar Felicity. Ik ben niet meer boos, ik geniet juist van onze gezamenlijke indiscretie. Hoe komt het toch dat sommige geheimen je het gevoel geven dat je verdrinkt, terwijl andere zorgen voor een band met de mensen om je heen die je nooit meer kwijt wilt?

'Je ziet er beeldschoon uit,' zegt Felicity. Haar pupillen zijn zo groot als manen.

'Jij ook,' zeg ik. Ik kan maar niet ophouden met glimlachen.

'En ik dan?' vraagt Ann.

'Ja,' zeg ik. Met de minuut voel ik me lichter worden. 'Tom zal je niet kunnen weerstaan. Je bent een prinses, Ann.' Het meisje dat mijn jurk inspecteert kijkt even naar me op, maar gaat dan weer aan de slag.

Als we terugkomen in de balzaal, lijkt die helemaal anders. De kleuren zijn zuiverder, het licht is waziger. De groene fee verandert in een vloeibaar vuur dat door mijn aderen raast als een roddelpraatje, als de vleugels van duizend engelen, als het zaligste geheim ooit dat me wordt toegefluisterd. De zaal om me heen is vertraagd tot een schitterend waas van kleur, geluid en beweging; het geruis van de stijve rokken van de dames vermengt zich met het groen, blauw, zilver en bordeauxrood van hun met juwelen behangen lichamen. Ze buigen en wiegen tegen de heren aan als spiegelbeelden die elkaar raken en uit elkaar gaan, elkaar raken en uit elkaar gaan.

Mijn ogen voelen vochtig en prachtig aan. Mijn mond is zo gezwollen als rijp fruit, en ik kan alleen maar glimlachen alsof ik alles weet wat er te weten valt, maar er niets van kan vasthouden. Simon zoekt me op. Ik hoor mezelf ja zeggen als hij me ten dans vraagt. We mengen ons in de kolkende massa. Ik zweef. Simon Middleton is de meest betoverende man die ik ooit heb gekend. Dat wil ik tegen hem zeggen, maar ik kan niet op de juiste woorden komen. In mijn troebele ogen lijkt het net of de balzaal is overgenomen door derwisjen, die rondtollen in hun gewijde dans, zodat hun witte gewaden uitwaaieren als de eerste sneeuw van de winter en de hoge paarse hoeden op hun sierlijk ronddraaiende hoofden lijken te spotten met de zwaartekracht. Maar ik weet dat dat niet echt kan zijn.

Met moeite sluit ik mijn ogen om het beeld uit te wissen, en als ik ze opendoe, zijn de dames en heren weer terug, die elkaar voorzichtig vasthouden voor de wals. Over hun donsachtig witte schouders heen communiceren de dames door middel van subtiele knikjes en zwijgende blikken met elkaar – 'Het meisje van Thetford en de jongen van Roberts, een uitstekende combinatie, denk je niet?' In de schitterende illusie van de kroonluchter, die prisma's van licht werpt, fel als diamanten, zodat alles baadt in een weerspiegeling van kille schoonheid, worden in driekwartsmaat levens veranderd en toekomsten vastgelegd.

Zodra de dans voorbij is, leidt Simon me de dansvloer af. Ik ben duizelig en struikel bijna. Mijn hand zoekt naar iets stevigs om zich aan vast te houden en vindt Simons brede borst. Mijn vingers krommen zich om de witte blaadjes van de roos in zijn knoopsgat.

'Rustig aan. Miss Doyle, gaat het wel?'

Ik glimlach. *O, ja, hoor. Ik kan geen woord uitbrengen en ik voel mijn lichaam niet meer, maar het gaat werkelijk fantastisch met me. Laat me alsjeblieft hier.* Ik glimlach nog steeds. Losgeraakte bloemblaadjes dwarrelen in hun eigen spiraalvormige dans op de grond. Op mijn handschoen zit een kleverige vlek van de roos. Dat vind ik ondraaglijk amusant, en opeens begin ik te lachen.

'Rustig aan...' zegt Simon, die zachtjes in mijn pols knijpt. De pijn brengt me enigszins tot bedaren. Hij neemt me mee voorbij de grote varens aan weerszijden van de deur, achter een rijk bewerkt vouwscherm. Door de vouwen vang ik af en toe een glimp op van de wervelende balzaal. We zijn verborgen, maar kunnen elk moment worden ontdekt. Dat zou me zorgen moeten baren, maar dat doet het niet. Het kan me niets schelen.

'Gemma,' zegt Simon. Zijn lippen strijken vlak onder mijn oorlelletje over mijn huid. Ze laten een vochtig spoor achter naar het kuiltje in mijn hals. Mijn hoofd voelt warm en zwaar aan. Alles in me voelt rijp en gezwollen. De zaal is nog steeds één grote dans van lichtjes, maar de geluiden van het feest zijn gedempt en ver weg. Alleen Simons stem klinkt in mijn oren.

'Gemma, Gemma, je bent een elixir.'

Hij drukt zich tegen me aan. Ik weet niet of het door de absint komt of door iets in mijn binnenste, iets wat ik niet kan verwoorden, maar ik zink in mezelf weg en wil niet dat het ophoudt.

'Kom met me mee,' fluistert hij. Die woorden galmen door mijn hoofd. Hij heeft mijn arm vastgepakt en leidt me weg alsof we de dansvloer op gaan. In plaats daarvan neemt hij me mee de balzaal uit en de trap op naar boven, weg bij het feest. We gaan naar een klein zolderkamertje, dat van een dienstmeisje, denk ik. Het is er grotendeels donker, er brandt alleen een kaars. Het is alsof ik geen eigen wil meer heb. Ik laat me op het bed zakken en verwonder me erover hoe mijn handen er in het kaarslicht uitzien, alsof ze niet eens van mezelf zijn. Simon ziet me naar mijn handen staren. Hij begint mijn handschoen open te knopen. Bij de ontstane opening kust hij de dunne blauwe adertjes onder mijn huid.

Ik wil tegen hem zeggen dat hij moet ophouden. De bedwelming van de absint trekt een beetje weg. Ik ben alleen met Simon. Hij kust mijn blote pols. We horen hier niet te zijn. Dit hoort niet.

'Ik... ik wil terug.'

'Sst, Gemma.' Hij trekt mijn handschoen uit. Mijn naakte huid voelt heel vreemd aan. 'Mijn moeder is op je gesteld. We zouden een mooi stel zijn, denk je niet?'

Denken? Ik kan niet denken. Hij wil de andere handschoen ook uittrekken. Mijn lichaam welft zich, verstijft. O god, het gebeurt weer. Boven de ronding van Simons gebogen hoofd zie ik de kamer blikkeren en ik voel dat al mijn spieren zich spannen in afwachting van het visioen dat ik niet kan tegenhouden. Het laatste wat ik hoor is Simon, die op bezorgde toon 'Gemma, Gemma' zegt, en dan val ik dat zwarte gat in.

De drie meisjes in het wit. Ze zweven vlak achter Simon. 'We hebben hem gevonden. We hebben de tempel gevonden. Kijk zelf maar...'

Ik loop snel achter hen aan door het rijk, naar de top van een heuvel. Ik hoor kreten. Snel, we gaan snel. De heuvel verdwijnt, en daar staat de schitterendste kathedraal die ik ooit heb gezien. Hij blikkert als een luchtspiegeling. De tempel.

'Snel...' fluisteren de meisjes. 'Voordat zij hem vinden.'

Achter hen pakken donkere wolken zich samen. De wind blaast hun haar om hun bleke, beschaduwde gezichten. Er komt iets aan. Iets nadert hen van achteren. Het rijst als een duistere feniks op en buigt zich over hen heen. Een groot, zwart, ge- vleugeld wezen. De meisjes kijken niet om, ze zien het niet. Maar ik wel. Het monster vouwt zijn vleugels open tot ze de hemel vullen, en ze onthullen wat eronder schuilgaat, een gru- welijke massa schreeuwende gezichten.

Dan gil ik het uit.

'Gemma! Gemma!' Dat is Simons stem, die me terugroept. Hij heeft zijn hand voor mijn mond geslagen om het gegil te- gen te houden. 'Het spijt me. Ik bedoelde er niets mee.'

Snel geeft hij me mijn handschoenen terug. Pas als ik weer helemaal bij zinnen ben, besef ik dat Simon mijn blote schou- ders kuste en dat hij denkt dat ik daarom begon te gillen. Ik ben nog een beetje duizelig van het drankje, en opeens word ik misselijk. Ik geef over in de waskom van het dienstmeisje. Snel gaat Simon een handdoek voor me halen.

Ik schaam me dood en mijn hoofd doet pijn. Bovendien beef ik van top tot teen, zowel door het visioen als door wat er tus- sen ons is gebeurd.

'Moet ik iemand laten komen?' vraagt Simon. Hij staat in de deuropening en durft niet dichterbij te komen.

Ik schud mijn hoofd. 'Nee, dank je. Ik wil graag terug naar het bal.'

'Ja, natuurlijk,' zegt Simon. Hij klinkt bang en opgelucht tegelijk.

Ik wil het hem uitleggen, maar hoe? Dus lopen we zwijgend de trap af. Op de eerste verdieping scheiden onze wegen zich. De bel wordt geluid voor het diner, en ik voeg me bij de andere dames.

Het diner duurt lang, en dankzij het eten en het verstrijken van de tijd voel ik me weer een beetje mezelf. Simon is niet komen opdagen voor het eten, en hoe helderder mijn hoofd wordt, hoe meer ik me schaam. Het was dom van me om de absint te drinken en met hem weg te glippen. En toen dat afgrijselijke visioen! Maar heel even heb ik de tempel gezien. Ik heb hem gezien. Hij is binnen handbereik. Dat is vanavond weliswaar een schrale troost, maar toch klamp ik me eraan vast.

Mrs Worthington brengt een toost uit op Kerstmis. Ann wordt voorgesteld en men vraagt haar iets te zingen. Dat doet ze, en alle aanwezigen klappen voor haar, maar niemand applaudisseert zo luid als Tom, die bovendien 'Bravo!' roept. De gouvernante komt binnen met de slaperige Polly, die haar pop stevig vasthoudt.

Admiraal Worthington wenkt naar het meisje. 'Kom eens op mijn knie zitten, kindje. En, ben ik je allerliefste oom?'

Polly klimt bij hem op schoot en schenkt hem een verlegen glimlach. Felicity kijkt met een grimmige trek om haar mond toe. Ik kan niet geloven dat ze werkelijk jaloers is op een klein meisje. Wat kinderachtig. Waarom doet ze toch zulke dingen?

'Zeg, is dat alles wat er voor een oom af kan tegenwoordig? Kom, geef je oom eens een dikke kus.'

Het kind schuift een beetje ongemakkelijk heen en weer. Haar blik gaat van de een naar de ander. Overal ziet ze dezelfde gretige gezichten: *toe dan, geef hem eens een kus.* Berustend buigt het kind met gesloten ogen naar voren en drukt een kus op de wang van de knappe admiraal Worthington. Overal wordt goedkeurend en teder gemompeld. 'Ah, mooi zo.' 'Wat lief.' 'Ziet u, Lord Worthington, dat kind houdt van u alsof u haar vader bent.'

Felicity staat op. 'Papa,' zegt ze, 'Polly moet nu echt naar bed. Het is al laat.'

'Meneer?' De gouvernante kijkt ter bevestiging naar admiraal Worthington.

'Ja, al goed. Ga maar, Polly, liefje. Ik kom straks nog even langs om toverstof over je heen te strooien, schatje, zodat je mooi gaat dromen.'

Felicity houdt de gouvernante tegen. 'Mag ik onze lieve Polly alsjeblieft naar bed brengen?'

De gouvernante knikt kort. 'Zoals u wilt, miss.'

Dit staat me niet aan. Waarom wil Felicity alleen zijn met Polly? Ze zou het kind toch niets aandoen? Met een smoes glip ik de kamer uit om hen te volgen. Felicity loopt met Polly naar boven, naar de kinderkamer. Vlak bij de deur blijf ik staan kijken. Felicity zit op haar hurken, met haar armen over Polly's smalle schoudertjes.

'Polly, je moet me iets beloven. Beloof me dat je je deur op slot doet voordat je naar bed gaat. Beloof je dat?'

'Ja, Felicity.'

'En je moet je deur elke avond op slot doen. Niet vergeten, hoor, Polly. Het is heel belangrijk.'

'Maar waarom dan, Felicity?'

'Om de monsters buiten te houden, natuurlijk.'

'Maar als ik de deur op slot doe, kan mijn oom geen toverstof over me heen strooien.'

'Ik strooi wel toverstof over je heen, Polly. Maar je moet je oom buiten de deur houden.'

Ik begrijp er niets van. Waarom wil ze zo graag dat haar nichtje haar vader buiten de deur houdt? Wat zou de admiraal dan in vredesnaam kunnen doen, dat...

O god. Het afschuwelijke besef doemt op als een reuzenvogel die zijn vleugels van de waarheid langzaam ontvouwt en een angstaanjagende schaduw werpt.

O wee als je naar haar toe gaat met iets wat er echt toe doet.

Nee. Geen admiraals.

Denkt u dat het mogelijk is dat er iets mis is met sommige mensen? Dat er een kwaad in hen huist waardoor anderen... hun dingen aandoen?

Ik trek me terug in de schaduw wanneer Felicity Polly's kamer verlaat. Ze blijft even staan luisteren, tot ze het klikken van het slot hoort. Wat lijkt ze klein. Bij de trap stap ik tevoorschijn. Ze schrikt.

'Gemma! Je maakt me aan het schrikken. Tuiten jouw oren ook zo? Ik drink nooit meer absint, dat kan ik je wel vertellen! Waarom ben je niet op het feest?'

'Ik heb gehoord wat je tegen Polly zei,' zeg ik.

Felicity heeft een opstandige blik in haar ogen. Maar deze keer ben ik niet bang voor haar. 'O ja? En wat dan nog?'

'Had jij geen slot op je deur?' vraag ik.

Felicity ademt scherp in. 'Ik weet niet waar je op doelt, maar ik raad je aan er nu mee op te houden,' zegt ze. Ik leg mijn hand op de hare, maar ze trekt zich terug. 'Hou op!' spuwt ze.

'O, Fee, ik vind het zo erg voor je...'

Ze schudt haar hoofd en wendt zich af, zodat ik haar gezicht niet kan zien. 'Je weet niet hoe het werkelijk zit, Gemma. Het is niet zijn schuld. Het ligt aan mij. Ik haal het in hem naar boven. Dat heeft hij zelf gezegd.'

'Felicity, het is absoluut niet jouw schuld!'

'Ik wist wel dat je het niet zou begrijpen.'

'Hij is je vader!'

Ze kijkt me aan, met een gezicht dat nat is van de tranen. 'Hij meende het niet. Hij houdt van me. Dat heeft hij zelf gezegd.'

'Fee...'

'Dat is in elk geval iets, toch? Het is in elk geval iets.' Ze onderdrukt haar snikken met haar hand voor haar mond, alsof ze ze zo kan opvangen en terugduwen.

'Vaders horen hun kinderen te beschermen.'

Een flits in de ogen. Een beschuldigende vinger. 'En daar weet jij natuurlijk alles van. Zeg eens, Gemma, hoe kan jouw vader je beschermen als hij de hele tijd in een laudanumroes verkeert?'

Ik ben te verbijsterd om iets te zeggen.

'Dat is toch de ware reden dat hij er vanavond niet is? Hij is helemaal niet ziek. Hou op met te doen alsof alles in orde is, terwijl dat helemaal niet zo is!'

'Dat is iets heel anders!'

'Je bent stekeblind. Je ziet alleen wat je wilt zien.' Ze kijkt me boos aan. 'Weet je hoe het is om machteloos te zijn? Hulpeloos? Nee, natuurlijk niet. Jij bent de grote Gemma Doyle. Jij hebt alle macht, nietwaar?'

We staan lijnrecht tegenover elkaar naar elkaar te staren, zonder een woord te zeggen. Ze heeft het recht niet om me zo aan te vallen. Ik wilde alleen maar helpen. Op het moment kan ik maar aan één ding denken: dat ik Felicity nooit meer wil zien.

Zonder nog een woord te zeggen loop ik de trap af.

'Ja, toe maar. Loop maar weg. Je komt en gaat maar zoals het jou goeddunkt. En dat terwijl wij hier vastzitten. Denk je echt dat hij nog steeds van je zou houden als hij wist wie je bent? Hij geeft helemaal niets om je, alleen wanneer het hem uitkomt.'

Even weet ik niet over wie ze het heeft, Simon of mijn vader. Ik loop weg en laat Felicity in de schaduw boven aan de trap achter.

Het bal is voorbij. De vloer is een rommeltje. De feestgangers pakken hun jas, wensen elkaar gapend welterusten en stappen over de troep heen: confetti, kruimels, vergeten balboekjes en bloemblaadjes. Enkele heren zijn aangeschoten en hebben een rode neus. Iets te enthousiast schudden ze Mrs Worthington de hand, en ze spreken veel te luid. Hun echtgenotes trekken hen mee, met een beleefd maar nadrukkelijk: 'Het rijtuig staat voor ons klaar, Mr Johnson.' Sommigen vertrekken met een blos van prille verliefdheid op hun dromerige gezicht; anderen proberen hun gebroken hart te verbergen achter neergeslagen ogen en beverige glimlachjes.

Percival vraagt of hij een keer bij ons langs mag komen. Simon zie ik niet. Het lijkt erop dat de Middletons al weg zijn. Hij is vertrokken zonder me gedag te zeggen.

Ik heb er een bende van gemaakt, met Kartik, Simon, Felicity en vader. Vrolijk kerstfeest. God zegene ons allemaal.

Maar in een visioen heb ik de tempel gezien.

Was er maar iemand aan wie ik dat kon vertellen.

HOOFDSTUK
NEGENENDERTIG

Twee ellendige eenzame dagen gaan voorbij voordat ik genoeg moed heb verzameld om bij Felicity langs te gaan, met de smoes dat ik een boek kom terugbrengen.

'Ik zal even vragen of ze thuis is, miss,' zegt Shames, de butler. Hij pakt grootmoeders kaartje aan, waar ik met keurige letters mijn naam op heb geschreven. Korte tijd later komt hij alleen terug en geeft me het kaartje. 'Het spijt me, miss. Het lijkt erop dat miss Worthington toch weg is.'

Op het pad draai ik me om. Als ik naar boven kijk, zie ik haar gezicht achter het raam. Meteen duikt ze weg achter het gordijn. Ze is gewoon thuis, maar verkiest me te negeren.

Ann komt naar het rijtuig toe. 'Het spijt me, Gemma. Ze meent het vast niet zo. Je weet hoe ze soms is.'

'Dat is geen excuus,' zeg ik. Maar dat is zo te zien niet het enige waar Ann zich druk om maakt. 'Wat is er?'

'Ik heb een briefje gekregen van mijn nicht. Iemand heeft inlichtingen ingewonnen over mijn bewering dat ik familie ben van de hertog van Chesterfield. Gemma, straks val ik nog door de mand.'

'Vast niet.'

'Jawel! En zodra de Worthingtons beseffen wie ik ben en dat

ik hen voor de gek heb gehouden... O, Gemma. Het is afgelopen met me.'

'Vertel Mrs Worthington dan niets over het briefje.'

'Ze is al zo boos vanwege de jurk. Ik ving toevallig op dat ze tegen Felicity zei dat hij zo goed als geruïneerd is nu hij voor mij is vermaakt. Ik had me nooit moeten laten overhalen. En nu... Het is voorgoed afgelopen met me, Gemma.' Ann is bijna ziek van angst en bezorgdheid.

'We vinden er wel iets op,' zeg ik, al heb ik geen flauw idee hoe. Bij het raam zie ik Felicity weer. Er is wel meer waar ik iets op moet zien te vinden. 'Wil je Felicity een boodschap van me doorgeven?'

'Natuurlijk,' zegt Ann kreunend. 'Zolang ik dat nog kan.'

'Wil je tegen haar zeggen dat ik de tempel heb gezien? Op de avond van het bal kreeg ik er een visioen over.'

'Echt waar?'

'De drie meisjes in het wit hebben me de weg gewezen. Zeg tegen haar dat we teruggaan zodra ze er klaar voor is.'

'Dat zal ik doen,' bezweert Ann. 'Gemma...' Niet weer. Ik kan nu niets voor haar doen. 'Je zult hierover toch niets tegen Tom zeggen, hè?'

Als hij erachter komt weet ik niet wie hij erger zal haten om het bedrog, Ann of mij. 'Je geheim is veilig.'

Ik vind het vreselijk om terug te gaan. Vader gaat hard achteruit. Telkens roept hij om laudanum of de pijp, een opiaat om zijn pijn weg te nemen. Tom zit met zijn lange armen op zijn gebogen knieën voor de deur van vaders slaapkamer. Hij is ongeschoren en heeft donkere kringen om zijn ogen.

'Ik heb thee voor je meegebracht,' zeg ik. Ik geef hem het kopje. 'Hoe gaat het met hem?'

Alsof hij antwoord wil geven, kreunt vader aan de andere kant van de deur. Ik hoor het bed kraken omdat hij zo vreselijk ligt te woelen. Hij huilt zachtjes. Tom legt zijn handen aan weerszijden tegen zijn hoofd, alsof hij zo alle gedachten eruit wil persen.

'Ik ben tekortgeschoten, Gemma.'

Deze keer ga ik naast mijn broer zitten. 'Dat is niet waar.'

'Misschien ben ik er niet geschikt voor om dokter te worden.'

'Natuurlijk wel. Ann denkt dat je een van de beste artsen van Londen zult worden,' zeg ik in de hoop dat dat hem zal op-vrolijken. Het is moeilijk om Tom – onmogelijke, arrogante, onstuitbare Tom – zo somber te zien. Hij is de enige constante waarde in mijn leven, al is die constante waarde dan ergernis.

Tom schenkt me een schaapachtige grijns. 'Heeft miss Bradshaw dat echt gezegd? Ze is erg vriendelijk. En rijk bo-vendien. Toen ik je vroeg een geschikte vrouw met een klein fortuin voor me te zoeken, maakte ik maar een grapje. Maar je hebt het letterlijk opgevat, begrijp ik.'

'Ja, nou ja, over dat fortuin...' begin ik. Hoe leg ik die leugen uit? Ik kan het hem maar beter vertellen voordat het echt se-rieus wordt tussen die twee, maar ik kan mezelf er niet toe zetten op te biechten dat Ann geen rijke erfgename is, maar gewoon een lief, hoopvol meisje dat hem aanbidt. 'Ze is ook in andere opzichten rijk, Tom. Vergeet dat niet.'

Vader kreunt luid, en Tom kijkt getergd op. 'Ik kan het niet meer verdragen. Misschien moet ik hem toch maar iets geven, een beetje brandy of...'

'Nee. Waarom ga je niet een eindje wandelen of even naar je club? Dan blijf ik wel bij hem zitten.'

'Dank je, Gemma.' Impulsief geeft hij me een kus op mijn voorhoofd. Het plekje voelt warm aan. 'Geef niet aan hem toe. Ik weet hoe dames soms zijn: te lief om goed op iemand te letten.'

'Hup, wegwezen jij,' zeg ik.

Vaders kamer baadt in een paars, donker waas. Kreunend en

kronkelend ligt hij op het bed. De lakens zitten helemaal in de knoop. Het stinkt in de kamer naar zweet. Vader is drijfnat en zijn slaapkleding kleeft aan zijn lichaam.

'Hallo vader,' zeg ik, terwijl ik de gordijnen dichttrek en de lamp hoger draai. Ik giet water in een glas en zet dat tegen zijn lippen, die bleek en gebarsten zijn. Moeizaam neemt hij een paar slokjes.

'Gemma,' verzucht hij. 'Gemma, liefje. Help me.'

Niet huilen, Gem. Sterk zijn. 'Zal ik u iets voorlezen?'

Hij grijpt me bij mijn arm. 'Ik heb verschrikkelijke nacht-merries. Zo realistisch dat ik niet weet of ze droom of werke-lijkheid zijn.'

Mijn maag keert om. 'Wat voor nachtmerries?'

'Monsters. Ze vertellen me vreselijke verhalen over je moe-der. Dat ze niet was wie ze beweerde te zijn. Dat ze een heks was, een tovenares die verschrikkelijke dingen heeft gedaan. Mijn Virginia... mijn vrouw.'

Hij begint hevig te snikken. Er breekt iets in mijn binnenste. *Niet mijn vader. Laat mijn vader met rust.*

'Mijn vrouw was deugdzaam. Ze was een nobel mens. Een goed mens.' Zijn ogen vinden de mijne. 'Ze zeggen dat het jouw schuld is. Dat dit allemaal door jou komt.'

Ik probeer te ademen. Dan verzacht vaders blik. 'Maar je bent mijn lieve meisje, mijn brave meisje, nietwaar, Gemma?'

'Ja,' fluister ik. 'Natuurlijk.'

Zijn greep is krachtig. 'Ik kan dit geen minuut langer ver-dragen. Wees een braaf meisje, Gemma. Zoek het flesje. Voor-dat die nachtmerries weer terugkomen.'

Mijn vastberadenheid wankelt. Ik ben niet meer zo zeker van mezelf als zijn smeekbedes dringender worden en hij met rauwe, door tranen verstikte stem fluistert: 'Alsjeblieft. Alsje-blieft. Alsjeblieft. Ik kan het niet verdragen.' Een klein speek-selbelletje vormt zich op zijn gebarsten lippen.

Nog even en ik word gek. Van mijn vaders verstand is bijna niets over, net als bij Nell Hawkins. En nu hebben die monsters hem in zijn dromen weten te vinden. Ze willen hem niet met rust laten, vanwege mij. Dit is mijn schuld. Ik moet er iets aan doen. Vanavond zal ik het rijk binnengaan en daar blijven tot ik de tempel heb gevonden.

Maar ondertussen kan ik mijn vader niet laten lijden.

'Sst, vader, ik zal je helpen,' zeg ik. Ik til mijn rokken onbehoorlijk hoog op en ren naar mijn kamer om het kistje te pakken waar ik het flesje in heb verstopt. Daarmee ren ik terug naar mijn vader. Kronkelend en zwetend verdraait hij het beddengoed tussen zijn vingers, terwijl hij met zijn hoofd van voor naar achter wiegt.

'Vader, hier. Hier!' Ik zet het flesje aan zijn lippen. Hij drinkt de laudanum op alsof hij sterft van de dorst.

'Meer,' smeekt hij.

'Sst, meer is er niet.'

'Het is niet genoeg!' jammert hij. 'Niet genoeg!'

'Geef het even de tijd om te werken.'

'Nee! Ga weg!' schreeuwt hij, en hij slaat met zijn hoofd tegen het hoofdeinde van het bed.

'Vader, hou op!' Ik leg mijn handen aan weerszijden van zijn hoofd om te voorkomen dat hij zichzelf nog meer pijn doet.

'Je bent mijn brave meisje, Gemma,' fluistert hij. Zijn oogleden trillen. Zijn greep wordt slapper. Hij zakt weg in een sluimering. Ik hoop dat ik de juiste beslissing heb genomen.

Mrs Jones staat bij de deur. 'Miss, is alles in orde?'

Wankel loop ik naar buiten. 'Ja,' zeg ik, nog steeds een beetje buiten adem. 'Mr Doyle wil nu even rusten. Ik herinner me opeens dat ik nog iets moet doen. Wilt u even bij hem gaan zitten, Mrs Jones? Ik ben zo terug.'

'Ja, miss,' antwoordt ze.

Het regent weer. Er is geen rijtuig, dus neem ik een huurkoets naar het Bethlem-ziekenhuis. Ik wil Nell vertellen dat ik de tempel in een visioen heb gezien en dat hij binnen handbereik is. En ik wil haar vragen of zij misschien weet hoe ik miss McCleethy – Circe – kan vinden. Als zij denkt dat ze haar monsters op mijn vader af kan sturen om hem te kwellen, heeft ze het mis.

Wanneer ik aankom, heerst er grote verwarring. Mrs Sommers haast zich handenwringend door de gang. Haar stem is hoog. Ze is erg opgewonden.

'Ze doet gemene dingen, miss. Heel gemene dingen.'

Verschillende patiënten hebben zich in de gang verzameld, nieuwsgierig naar de oorzaak van al die consternatie. Mrs Sommers trekt aan haar haar. 'Gemeen, gemeen meisje!'

'Nou, nou, Mabel,' zegt een verpleegster terwijl ze Mrs Sommers' armen tegen haar zij drukt. 'Waar hebt u het toch steeds over? Wie doet er gemene dingen?'

'Miss Hawkins. Ze is een gemeen meisje.'

Ergens aan het eind van de gang klinkt een afschuwelijk gekras. Twee van de vrouwen imiteren het geluid. Nu lijkt het overal vandaan te komen, en het snijdt als een mes door me heen.

'Lieve hemel,' roept de verpleegster uit. 'Wat gebeurt er?'

We rennen langs de krassende vrouwen heen naar de zitruimte. Onze voeten galmen op de glanzende vloer. Nell staat met haar rug naar ons toe. Cassandra's kooi is leeg en het deurtje is open.

'Miss Hawkins? Wat is dat toch voor een kabaal...' De verpleegster zwijgt beduusd als Nell zich naar ons omdraait met de vogel koesterend in haar kleine handen. Groene en rode veren liggen als een waterval van kleuren op haar handen. Maar er klopt iets niet met het kopje. Dat maakt een onmogelijke hoek met het fragiele lijfje. Ze heeft het diertje de nek gebroken.

De verpleegster slaakt een kreet. 'O, Nell! Wat heb je gedaan?'

Achter ons verdringen de mensen zich om iets te kunnen zien. Mrs Sommers loopt van de een naar de ander en fluistert: 'Gemeen! Gemeen! Ze zeiden dat ze gemeen was! Echt waar!'

'Je kunt levende wezens niet kooien,' zegt Nell Hawkins op vlakke toon.

Vervuld van afschuw kan de verpleegster alleen maar herhalen: 'Wat heb je gedaan?'

'Ik heb haar bevrijd.' Nu pas lijkt Nell me te zien. Ze glimlacht hartverscheurend naar me. 'Ze komt me halen, Vrouwe Hoop. En dan komt ze u halen.'

Twee potige mannen komen aanlopen met een dwangbuis voor Nell. Ze benaderen haar voorzichtig en wikkelen haar er als een zuigeling in. Ze stribbelt niet tegen. Ze lijkt zich nergens van bewust.

Pas wanneer ze langs me heen loopt, krijst ze: 'Ze zullen je verleiden met valse beloften! Verlaat het pad niet!'

Aan het eind van de volgende dag is Felicity's nieuwsgierigheid sterker geworden dan haar boosheid. Zij en Ann komen me opzoeken. Onze tijd in Londen loopt ten einde. Nog even en we moeten terug naar Spence. Tom begroet Ann warm, en ze licht op. De afgelopen twee weken in Londen is ze zelfverzekerder geworden, alsof ze eindelijk gelooft dat ze het geluk verdient, en ik maak me zorgen dat het verkeerd zal aflopen.

Felicity trekt me mee naar de salon. 'Wat er op het bal is gebeurd, daar mogen we het nooit meer over hebben.' Ze wil me niet recht aankijken. 'Het is toch niet wat je denkt. Mijn vader is een goede, liefhebbende man, een echte heer. Hij zou nooit iemand kwaad doen.'

'En Polly dan?'

'Wat is er met Polly?' vraagt ze. Opeens staart ze me recht aan. Wat kan ze een ijzige blik in die ogen leggen als ze dat wil. 'Ze mag van geluk spreken dat ze door ons in huis is genomen. Ze zal alles hebben wat haar hartje begeert: de beste gouvernante, de beste scholen, kleren, en een seizoen waarvan de meeste meisjes alleen maar kunnen dromen. Veel beter dan het weeshuis.'

Dit is de prijs die ze verlangt voor haar vriendschap: mijn stilzwijgen.

'Zijn we het eens?'

Ann voegt zich bij ons. 'Heb ik iets gemist?'

Felicity wacht op mijn antwoord.

'Nee,' zeg ik tegen Ann.

Felicity laat haar schouders hangen. 'Laten we ons niet druk maken om de verschrikkingen van vakantiebezoekjes aan onze familie. Gemma weet waar ze de tempel kan vinden.'

'Ik geloof dat ik hem heb gezien.'

'Waar wachten we dan nog op? Laten we gaan,' zegt Ann.

De tuin is bijna onherkenbaar. Overal groeit verdroogd onkruid, hoog als stille wachters. Het karkas van een klein diertje, een konijn of een egel, ligt opengescheurd op het verdorde gras. Vliegen zwermen eromheen. Ze produceren een afschuwelijk, luid gezoem.

'Weet je zeker dat we in de tuin zijn?' vraagt Ann, terwijl ze om zich heen kijkt.

'Ja,' zeg ik. 'Kijk, daar is de zilveren boog.' Hij is zwart uitgeslagen, maar hij is er nog.

Felicity vindt de rots waar Pippa haar pijlen en boog heeft verstopt en hangt de koker op haar rug. 'Waar is Pip?'

Een prachtig dier stapt uit de struiken. Het is een soort kruising tussen een hert en een pony, met lange, glanzende manen en mauvekleurige, gevlekte flanken.

'Hallo,' zeg ik.

Het dier slentert in onze richting, maar blijft even staan om de lucht op te snuiven. Ze wordt schichtig, alsof ze iets ruikt waar ze van schrikt. Opeens zet ze het op een rennen, precies op het moment dat iets met een strijdkreet uit de struiken springt.

'Dekking!' schreeuw ik tegen de anderen terwijl ik ze het dichte onkruid in duw.

Het krijsende dier wordt tegen de grond gewerkt. Dan klinkt het misselijkmakende geluid van brekende botten, gevolgd door stilte.

'Wat was dat voor iets?' fluistert Ann.

'Weet ik niet,' antwoord ik.

Felicity omklemt haar boog, en we lopen achter haar aan naar de rand van het onkruid. Iets staat over de opengereten flank van het dier heen gebogen.

Felicity richt haar boog. 'Ophouden, nu!'

Het wezen kijkt op. Het is Pippa. Haar gezicht is besmeurd met het bloed van het dier. Ik durf te zweren dat ik haar ogen even blauwwit zie worden, terwijl er een hongerige uitdrukking over haar gewoonlijk zo lieve gezichtje glijdt.

'Pippa?' vraagt Felicity. Ze laat de boog zakken. 'Wat doe je?'

Pippa staat op. Haar jurk is gescheurd, haar haar zit in de war. 'Ik moest wel. Ze wilde jullie kwaad doen.'

'Niet waar,' zeg ik.

'Wel waar!' schreeuwt ze. 'Jij weet er niets van.' Ze loopt op ons af, en instinctief deins ik terug. Ze plukt een paardenbloem en houdt die Felicity voor. 'Zullen we weer de rivier afzakken? Het is erg mooi op de rivier. Ann, ik weet een plek waar de magie heel sterk is. Daar kunnen we je zo mooi maken dat je alles kunt krijgen wat je maar wenst.'

'Ik zou graag mooi zijn,' zegt Ann. 'Maar pas nadat we de tempel hebben gevonden, natuurlijk.'

'Ann,' zeg ik waarschuwend. Het was niet mijn bedoeling. Het glipt er gewoon uit.

Pippa kijkt van Ann naar Felicity en vervolgens naar mij. 'Weet je waar hij is?'

'Gemma heeft hem gezien in een vis...'

Ik val Felicity in de rede. 'Nee. Nog niet.'

Tranen wellen op in Pippa's ogen. 'Je weet wél waar hij is. Je wil me er alleen niet bij hebben.'

Ze heeft gelijk. Ik ben bang voor Pip, voor wat ze dreigt te worden.

'Natuurlijk willen we je erbij hebben. Ja toch?' vraagt Felicity aan mij.

Pip trekt de bloem kapot. Ze kijkt me boos aan. 'Nee dus. Ze mag me niet. Ze heeft me nooit gemogen.'

'Dat is niet waar,' zeg ik.

'Wel waar! Je bent altijd jaloers op me geweest. Je was jaloers op mijn vriendschap met Felicity. En je was jaloers op de manier waarop die Indiase jongen, Kartik, naar me keek, alsof hij naar me verlangde. Daar haatte je me om. Ontken het maar niet, ik heb je gezicht zelf gezien!'

Dat is recht in de roos, en dat weet ze donders goed. 'Doe niet zo belachelijk,' zeg ik. Ik kan geen adem krijgen.

Ze staart me aan als een gewond dier. 'Ik zou hier niet zijn als jij er niet was geweest.' Daar is het, datgene wat tot nu toe onuitgesproken is gebleven.

'Jij... jij koos ervoor om die bessen te eten,' sputter ik. 'Jij koos ervoor om te blijven.'

'Je hebt me in de rivier achtergelaten om te sterven!'

'Ik kon het niet winnen van Circes huurmoordenaar, dat duistere wezen! En ik ben toch teruggekomen?'

'Als je jezelf dat wilt wijsmaken, moet je het doen, Gemma. Maar in je hart weet je hoe het werkelijk zit. Je hebt me hier met dat monster achtergelaten. En als ik er niet was geweest, zou je nooit hebben geweten...' Ze zwijgt.

'Wat zouden we dan nooit hebben geweten?' vraagt Ann.

'Dat ze je zoeken! Ik ben degene die je heeft gewaarschuwd, in je dromen.'

'Maar je zei dat je daar niets over wist,' zegt Felicity op gekwetste toon. 'Je hebt gelogen. Je hebt tegen me gelogen.'

'Fee, wees alsjeblieft niet boos,' zegt Pip.

'Waarom heb je me dat niet eerder verteld?' vraag ik.

Pippa slaat haar armen over elkaar. 'Waarom zou ik het riskeren om jou alles te vertellen, terwijl jij me niets wilt beloven?'

Haar logica is als een vakkundig gesponnen web, en ik raak erin verstrikt.

'Goed dan. Als ik niet te vertrouwen ben,' zegt Pippa terwijl ze me de rug toekeert, 'dan ga je maar zonder mij op zoek naar de tempel. Maar verwacht niet dat ik je nog eens help.'

'Pippa! Niet weggaan!' roept Felicity haar na. Ik heb Felicity nog nooit ergens om horen smeken. En voor het eerst besteedt Pippa geen aandacht aan haar geroep. Ze loopt door tot we haar uit het oog verliezen.

'Moeten we achter haar aan gaan?' vraagt Ann.

'Nee. Als ze zich als een verwend kind wil gedragen, gaat ze haar gang maar. Ik ga niet achter haar aan,' zegt Felicity, die haar boog stevig omklemt. 'Kom, we gaan verder.'

De amulet wijst ons de weg, en we lopen door het bos, langs het bosje waar de ongelukkige slachtoffers van de fabrieksbrand wachten. We volgen de route van het alziend oog over een lang, kronkelend pad, tot we de vreemde deur naar de Grotten der Zuchten bereiken.

'Hoe zijn we hier nou weer terechtgekomen?' vraagt Felicity.

Ik begrijp er helemaal niets van. 'Geen idee. Ik ben alle gevoel voor richting kwijt, vrees ik.'

Opeens blijft Ann met een angstig gezicht staan. 'Gemma...'

Ik draai me om en zie hen, zwevend boven het pad.

Felicity wil een pijl pakken, maar ik hou haar tegen. 'Hoeft niet,' zeg ik. 'Dat zijn de meisjes in het wit.'

'De tempel is vlakbij,' fluisterden ze met die zoemende stemmen. 'Volg ons.'

Ze bewegen zich snel voort. We moeten ons uiterste best doen om hen in het oog te houden. Het groen van het oerwoudachtige pad wijkt uiteen en onthult golvende heuvels, die overgaan in zandvlakten. Tegen de tijd dat we de derde heuvel over zijn, kan ik de meisjes niet meer zien. Ze zijn verdwenen.

'Waar zijn ze nou?' vraagt Felicity. Ze doet haar pijlenkoker af en wrijft over haar schouder.

'Ik zie ze niet meer,' zeg ik hijgend.

Ann gaat op een rots zitten. 'Ik ben moe. Ik heb het gevoel dat we dagen hebben gelopen.'

'Misschien kunnen we iets zien als we zo'n heuvel op lopen,' zegt Felicity. 'Ze zeiden dat het niet ver meer was. Kom mee, Ann.'

Met tegenzin staat Ann op, en samen lopen we de rotsachtige heuvel rechts van ons op.

'Horen jullie dat ook?' vraag ik.

We blijven staan luisteren, en daar is het weer: een zachte kreet.

'Vogels?' vraagt Felicity.

'Meeuwen,' zegt Ann. 'Kennelijk zijn we in de buurt van water.'

We zijn bijna op de top van de heuvel. Ik geef Ann een hand en trek haar omhoog.

'Jemig,' zegt Ann wanneer ze om zich heen kijkt.

Voor ons, aan de andere kant van een uitgestrekt water, ligt een eilandje. Daarop verrijst een indrukwekkende kathedraal met een blauw met gouden koepel. De meeuwen die we eerder hoorden cirkelen eromheen.

'Dat is hem. Dat is het gebouw uit mijn visioen,' zeg ik.

'We hebben hem gevonden,' roept Felicity. 'We hebben de tempel gevonden!'

In onze krankzinnige haast om de meisjes bij te houden, ben ik vergeten op mijn amulet te kijken om te controleren of we nog de goede kant op gaan. Als ik nu kijk, zie ik dat hij niet meer gloeit.

'We zijn van het pad af,' zeg ik paniekerig.

'Wat maakt het uit?' vraagt Felicity. 'We hebben eindelijk de tempel gevonden.'

'Maar hij ligt niet op het pad,' zeg ik. 'Nell zei dat we op het pad moesten blijven.'

De uitputting heeft Felicity prikkelbaar gemaakt. 'Gemma, ze kletste onzin. Je volgt het advies op van iemand die in het gesticht zit!'

Ik draai in een kringetje rond en beweeg de amulet op en neer in een poging er een of ander signaal van te krijgen. Niets.

Ann legt haar handen op de mijne. 'Dat is waar, Gemma. We hebben geen idee of we kunnen vertrouwen op wat ze zegt. In het beste geval is ze gewoon gek. In het slechtste geval werkt ze misschien wel samen met Circe. Dat weten we niet.'

'Hoe weet je eigenlijk zo zeker dat die amulet betrouwbaar is? Ik bedoel, ga eens na waar hij ons tot nu toe naartoe heeft gebracht. Naar de onaanraakbaren. Naar die meisjes in de struiken. Op de avond van de opera zijn we bijna gedood door die afschuwelijke spoorzoekers,' zegt Felicity vol overtuigingskracht.

Ann knikt. 'Je hebt zelf gezegd dat die meisjes in het wit in een visioen aan je zijn verschenen. Ze hebben je de tempel laten zien, en hier is hij!'

Ja, maar toch...

Het ligt niet op het pad. Nell zei dat we ons niet van het pad moesten laten weglokken. Nell, die in een aanval van woede een papegaai heeft gewurgd en die bovendien heeft geprobeerd mij te wurgen.

Vertrouw haar niet, zeiden de meisjes in het wit.

Maar Kartik zei dat niets in het rijk te vertrouwen was.

Ik weet niet meer wat ik moet geloven.

De kathedraal staat daar als iets wat al eeuwen bestaat. Het moet de tempel wel zijn. Wat kan het anders zijn? Aan het water ligt een roeibootje te wachten, alsof we worden verwacht.

'Gemma?' vraagt Felicity.

'Ja,' zeg ik terwijl ik de amulet wegstop. 'Het moet de tempel wel zijn.'

Met een kreet rent Felicity glijdend en wel de helling af naar het bootje. In de verte lonkt de schitterende kathedraal ons met zijn duizenden lichtjes. We knopen de boot los, duwen af van de kant en peddelen naar het eiland.

Op het water komt er mist opzetten. Opeens wordt het donker. Overal om ons heen klinken de kreten van de meeuwen. Het water dat ons van de tempel scheidt is verrassend breed. Ik kijk op en tuur door het waas, en even lijkt de torenhoge kerk niet meer dan een ruïne. De gelige maan schijnt door een van de hoge, holle ramen van de kathedraal en beschijnt de overgebleven glasscherven, die zijn blijven steken als een baken dat een verdwaald schip naar de veilige haven loodst. Ik sluit mijn ogen, en als ik ze opendoe, is hij weer schitterend en onbeschadigd, een enorm monument van steen, met torenspitsen en grote gotische ramen.

'Het lijkt verlaten,' zegt Felicity. 'Ik kan me niet voorstellen dat daar iemand woont.'

Of iets, wil ik eraan toevoegen.

We trekken de boot op het droge. De tempel staat hoog op de heuvel. Om er te komen, moeten we de steile trap beklimmen die in de rotsen is uitgehakt.

'Hoeveel treden zijn het, denk je?' vraagt Ann, die helemaal naar boven probeert te turen.

'Er is maar één manier om daarachter te komen,' zeg ik, en ik stap op de eerste trede. Het gaat moeizaam. Halverwege moet Ann even gaan zitten om op adem te komen. 'Dit kan ik niet,' puft ze.

'Natuurlijk wel,' zeg ik. 'Het is nog maar een klein stukje. Kijk maar.'

'O!' zegt Ann geschrokken. Een grote zwarte vogel vliegt vlak voor haar gezicht langs en landt naast ons op de trap. Het is een soort raaf. Hij krast luid, waardoor ik kippenvel op mijn armen krijg. Er komt er nog een bij zitten. Met z'n tweeën lijken ze ons uit te dagen om verder te gaan.

'Kom mee,' zeg ik. 'Het is maar een stel vogels.'

We dringen langs hen heen naar de bovenkant van de trap, waar we voor een enorme gouden deur staan. De prachtigste bloemen zijn erin uitgesneden.

'Wat mooi,' zegt Ann. Ze legt haar vingers op de bloemblaadjes, en de deuren zwaaien open. De kathedraal is gigantisch, met een plafond dat zich hoog boven ons verheft. Overal branden kaarsen en toortsen.

'Hallo?' roept Ann. Haar stem galmt door de ruimte: *Hallo, allo, o.*

De marmeren vloer heeft een patroon van rode bloemen. Als ik mijn hoofd de ene kant op draai, lijkt de vloer vies en beschadigd en zitten er grote barsten in de tegels. Maar als ik met mijn ogen knipper, is hij weer mooi en glanzend.

'Zie jij iets?' vraag ik. *Iets, iets, iets.*

'Nee,' zegt Ann. 'Wacht even, wat is dat?'

Ann steekt haar hand uit naar iets in de muur. Dat deel van het steen brokkelt af. Er stuitert iets over de vloer, wat aan mijn voeten blijft liggen. Een schedel.

Ann rilt. 'Wat doet die hier?'

'Dat weet ik niet.' De haartjes in mijn nek staan recht overeind van angst. Mijn ogen bedriegen me, want nu lijkt de vloer weer beschadigd. De schoonheid van de kathedraal flakkert als een kaarsvlammetje en verandert van majestueus in macaber en omgekeerd. Even zie ik een andere kathedraal, een verbrokkelde, vervallen ruïne van een gebouw, met boven ons kapotte ramen die een griezelige gelijkenis vertonen met de lege oogkassen van de schedel.

'Ik denk dat we beter kunnen gaan,' fluister ik.

'Gemma! Ann!' Felicity's stem is een octaaf hoger dan normaal van angst. We rennen op haar af. Ze houdt een kaars dicht bij de muur. Dan zien we het. Er zijn botten in verzonken. Honderden botten. De angst giert door mijn lichaam.

'Dit is niet de tempel,' zeg ik terwijl ik staar naar de botjes van een hand die stevig in het brokkelende steen vastzitten. Er loopt een rilling over mijn rug als de waarheid tot me doordringt. *Blijf op het pad, meisjes.* 'Ze hebben ons misleid, precies zoals Nell al voorspelde.'

Boven ons scharrelt iets. Schaduwen schieten over de koepel.

Ann grijpt mijn arm vast. 'Wat was dat?'

'Weet ik niet.' *Niet, niet, niet.*

Felicity legt haar hand even op de pijlenkoker op haar rug. Het gescharrel komt nu van de andere kant. Voor mijn gevoel is het heel dichtbij.

'We gaan weg,' fluister ik. 'Nu.'

Opeens is er overal om ons heen beweging. De schaduwen schieten als reusachtige vleermuizen vlak onder de gouden koepel door. We zijn bijna bij de deur wanneer we het horen: een hoog, weeklagend geluid dat het bloed in mijn aderen doet stollen.

'Rennen!' schreeuw ik.

We stormen op de deur af. Onze schoenen klakken op de kapotte mozaïekvloer. Maar het is niet genoeg om het afgrijselijke gekrijs, gegrom en geblaf te overstemmen.

'Lopen, lopen!' gil ik.

'Kijk!' roept Felicity.

De duisternis in de vestibule lijkt te bewegen. Wat zich daarstraks ook boven ons bevond, het heeft de deur eerder bereikt dan wij en verspert ons de weg. Het geweeklaag gaat over in een zacht, keelachtig, ritmisch gezang: 'Poppetjes, poppetjes, poppetjes...'

Ze stappen uit de schaduwen, een stuk of zes wezens, misschien wel de meest groteske die ik ooit heb gezien. Stuk voor stuk zijn ze gekleed in gerafelde, smerige witte gewaden over antieke maliënkolders en laarzen met scherpe stalen punten. Sommigen hebben lang haar vol klitten dat tot over hun schouders hangt. Anderen hebben hun hoofd kaalgeschoren; de sneetjes zijn nog vers en bloederig. Eén angstaanjagende ziel heeft een lange strook haar die van zijn voorhoofd tot aan zijn nek midden over zijn kruin loopt. Zijn armen zijn behangen met armbanden en om zijn hals heeft hij een ketting van vingerkootjes. Hij is de leider, en hij doet een stap naar voren.

'Hallo, poppetje,' zegt hij met een afschuwelijke grijns.

Hij steekt zijn hand uit. Zijn nagels zijn zwart gelakt. Er lopen zwarte, getatoeëerde lijntjes over zijn pezige armen, doornige stengels die tranen van pek vergieten. Boven zijn elleboog houden ze op, en daar vormen grote, rode bloemen een band om zijn arm. Papavers.

Nells woorden echoën me door het hoofd: *Pas op voor de Papaverkrijgers.*

HOOFDSTUK EENENVEERTIG

De schaduwen bewegen. Er zijn er nog meer. Veel meer. Ver boven ons zitten ze op balustrades en balken, als een vlucht waterspuwers. Eentje laat zijn goedendag aan de ketting als een slinger heen en weer zwaaien. Ik durf de man die voor me staat niet aan te kijken, maar uiteindelijk doe ik het toch, recht in de ogen waar met kohlpotlood een ruitvorm omheen is getekend. Het is alsof ik naar een levend harlekijnsmasker sta te staren.

Mijn keel is droog. Ik krijg er nauwelijks een begroeting uit geperst. 'H-hoe maakt u het?'

'Hoe maken we wat, poppetje?'

Daar moeten de anderen om lachen. Het geluid bezorgt me koude rillingen.

Hij doet een stap dichterbij. Hij heeft zijn hand om het handvat van een primitief zwaard geklemd, dat hij als wandelstok gebruikt. Om elke vinger zit een ring.

'Neem ons niet kwalijk dat we zomaar zijn binnengekomen...' Verder kan ik geen woord meer uitbrengen. Mijn mond is te droog.

'We zijn verdwaald,' krast Felicity.

'Wie niet, poppetje? Wie niet? Mijn naam is Azreal. Ik ben

een ridder van de papaver, net als mijn metgezellen. Maar jullie hebben ons nog niet verteld hoe jullie heten, schone dames.'

We zeggen niets.

Azreal klakt met zijn tong. 'Zo schiet het niet op. Wat hebben we hier? Aha, ik zie dat jullie vriendschap hebben gesloten met het volk van het woud.' Hij pakt Felicity haar pijl en boog af en legt ze op de grond. 'Dwaas poppetje. Wat heb je hun beloofd-oofd?'

'Het was een geschenk,' antwoordt Felicity.

De massa begint sissend te scanderen: 'Leugens, leugens, leugens, leugens...'

Azreal grijnst. 'In het rijk krijg je niets cadeau, poppetje. Iedereen verwacht iets terug. Wat moet zo'n lief grietje met zo'n vreselijk geschenk? Vertel eens, poppetjes, waar waren jullie naar op zoek? Dachten jullie soms dat dit de tempel was?'

'Welke tempel?' vraagt Felicity.

Daar moet Azreal om lachen. 'Wat een pit. Ik zal het bijna jammer vinden om je te breken. Bijna.'

'En stel dat we inderdaad naar die tempel op zoek zijn?' zeg ik. Mijn hart klopt in mijn keel.

'Nou, poppetje, dan moeten we jullie tegenhouden.'

'Hoe bedoel je?'

'Jullie de magie laten binden? Nee, poppetje. Dan komt er niemand meer bij ons langs. Niemand met wie we kunnen spelen.'

'We zijn hier helemaal niet om de magie te binden. We willen hetzelfde als jullie: een aandeel erin,' lieg ik.

'Leugens, leugens, leugens, leugens!'

'Sst,' zegt Azreal. Hij spreidt zijn handen en wiebelt met zijn vingers. 'De Papaverkrijgers weten heus wel waarvoor jullie zijn gekomen. We weten dat een van jullie de Hoogste is. We kunnen de magie in je ruiken.'

'Maar...' zeg ik, naarstig op zoek naar een goed argument.

Hij legt zijn vinger tegen mijn lippen. 'Sst, niet proberen te onderhandelen. Niet met ons. Zodra we jullie breken, kunnen we de magie uit jullie botten zuigen. Een offer. Dat zal ons grote kracht geven.'

'Maar dan zijn jullie verdoemd,' fluistert Ann.

'Verdoemd zijn we toch al, poppetje. Wat gebeurd is, is gebeurd. Eens zien, wie van jullie zullen we als eerste opofferen?' Voor Felicity blijft Azreal staan. 'Wat zouden we een leuke spelletjes kunnen doen samen, poppetje.' Hij strijkt met zijn scherpe nagel over haar wang en laat een dun spoortje bloed achter. 'Ja. Aan jou zullen we een boel plezier beleven, mooi meisje van me. We hebben ons eerste offer gevonden.'

Hij grijpt Felicity bij haar arm, en doodsbang laat ze zich op haar knieën vallen.

'Wat kan ik jullie aanbieden?' schreeuw ik.

'Ons aanbieden, poppetje?'

'Wat willen jullie?'

'Nou, spelletjes spelen, natuurlijk. We hebben geen queesten meer af te leggen, geen kruistochten. Alleen nog spelletjes.'

Hij klapt in zijn handen, en twee van de monsters grijpen Felicity vast.

'Wacht!' roep ik. 'Dit is niet bepaald sportief, of wel soms?'

Azreal houdt zijn mannen tegen. 'Ga door,' zegt hij tegen me.

'Ik stel voor dat we een spel spelen.'

Azreal grijnst, waardoor zijn gezicht eruitziet als een doodsmasker. 'Je hebt mijn interesse gewekt, poppetje.' Hij laat zijn hand strelend in mijn nek glijden en fluistert in mijn oor: 'Vertel eens, wat voor een spelletje?'

'Een jacht,' fluister ik.

Azreal doet een stap naar achteren.

'Wat doe je?' vraagt Ann op waarschuwende toon.

Ik hou mijn blik strak op Azreal gericht. Als ik ons drieën bij elkaar kan krijgen, kan ik de deur van licht laten verschijnen en kunnen we aan de Papaverkrijgers ontsnappen. Azreal klapt opnieuw en barst uit in een opgetogen gekakel. De Papaverkrijgers volgen zijn voorbeeld. Samen klinken ze als de vogels die we tijdens de oversteek hebben gehoord.

'Een zeer sportief aanbod. Ja, ja, dat staat me wel aan. We nemen het voorstel aan, poppetje. De jacht zal ons des te hongeriger maken. Zie je die deur?'

Hij wijst naar een gewelfde ijzeren deur aan de andere kant van de kathedraal.

'Ja,' zeg ik.

'Die leidt naar de catacomben, en vijf tunnels. Een ervan brengt je naar buiten. Misschien weten jullie die te vinden. Dat zou nog eens magie zijn, poppetjes. We zullen jullie een voorsprong geven.'

'Ja, maar we moeten eerst even overleggen,' zeg ik.

Azreal schudt berispend met zijn vinger. 'Geen tijd om de deur op te roepen, Ordepriesteres,' zegt hij alsof hij mijn gedachten heeft gelezen. 'Ja, ik weet er alles van. Jullie angst verschaft ons toegang.' Hij maakt boven ons hoofd een schuddende beweging met zijn handen, alsof hij toverstof over ons uitstrooit. Zijn armbanden tikken galmend tegen elkaar. 'Kijk maar of jullie de tunnel kunnen vinden. Lopen nu, poppetjes. Rennen, rennen, rennen.' Zangerig herhaalt hij die woorden, alsof hij ons zegent. 'Rennen, rennen, rennen.'

De Papaverkrijgers scanderen mee – *Rennen. Rennen. Rennen.* – tot het als een oorverdovend gebulder tussen de muren van de kathedraal heen en weer kaatst. 'Rrrennennn! Rrrennennn! Rrrennennn!'

'Felicity!' roep ik.

Ze is even blijven staan om haar boog en pijlenkoker te pakken.

'Slim van je, poppetje!' schreeuwt Azreal. 'Wat heb je toch een pit!'

'Lopen!' gilt ze terwijl ze op ons af rent. We verspillen geen

426

seconde meer. We duwen de zware deur open en rennen een lange gang in, die is verlicht met kaarsen.

'Geef me jullie hand!' roep ik.

'Nu?' piept Felicity. 'Ze zitten ons op de hielen!'

'Reden te meer om zo snel mogelijk weg te gaan!'

We pakken elkaars hand vast en ik probeer me te concentreren. Een afschuwelijk, primitief gebrul en gekrijs galmt door de kathedraal. Ze komen achter ons aan. Nog even en ze komen de deur door, en dan hebben we geen schijn van kans. Mijn hele lichaam beeft van angst.

'Gemma, roep de deur van licht op! Haal ons hier weg!' gilt Ann bijna hysterisch.

Ik probeer het nog een keer. Een indringend gekrijs brengt me van mijn stuk en verbreekt mijn concentratie. Felicity's gezicht staat wild van angst.

'Gemma!' roept ze.

'Ik kan het niet. Ik kan me niet concentreren,' zeg ik.

Dan klinkt Azreals zangerige stem. 'Geen magie-agie hier, poppetje. Niet als we zo'n leuk spelletje kunnen spelen.'

'Ze houden hem bij ons vandaan. We zullen een andere uitweg moeten zoeken,' zeg ik.

'Nee, nee, nee!' jammert Felicity.

'Kom op! Goed om je heen kijken!' roep ik. We strompelen door de gang, kloppen op de muren, zoekend naar een uitweg. Het is een gruwelijke taak: mijn handen strijken langs versplinterde botten en tanden. Als ik een plukje haar lostrek, kokhals ik van angst en weerzin. Ann gilt. Ze heeft een skelet gevonden dat aan de muur is gekluisterd, een waarschuwing voor wat ons te wachten staat.

'Wie niet weg is, is gezien, poppetjes, daar komen we!'

O god. Mijn bevende vingers vinden een deurklink. Die zit vast aan een deur die bijna niet opvalt in de muur.

'Wat is dit?' vraag ik. De deur gaat piepend open, en het scheelt niet veel of ik tuimel van een lange, gevaarlijke trap af. Hij loopt zigzaggend langs de muur omlaag en eindigt ver onder ons, waar vijf tunnels beginnen.

'Deze kant op!' roep ik. Felicity en Ann stappen naar binnen, en samen duwen we de zware deur dicht en vergrendelen we hem. Binnensmonds zeg ik een schietgebedje opdat de houten plank die we ervoor hebben geschoven het houdt.

'Blijf zo dicht mogelijk bij de muur, zeg ik terwijl ik over de rand tuur. Ann tikt met haar schoen per ongeluk een steentje over de rand. Het duurt heel wat tellen voordat het de grond raakt. Het is erg diep. Snel maar voorzichtig lopen we naar beneden. Het is alsof we afdalen in de hel. Toortsen werpen een griezelige gloed op de natte, rotsachtige wanden. Eindelijk bereiken we de bodem. We staan in een cirkelvormige ruimte, met om ons heen, als de vijf punten van een ster, vijf tunnels.

Tranen stromen over Anns gezicht en vermengen zich met het snot uit haar neus. Haar ogen zijn groot van angst. 'Wat nu?'

Het gekrijs van de Papaverkrijgers dringt door de kieren in de vergrendelde deur. Ze rammen hem vastberaden, en het hout versplintert met een oorverdovend gekraak.

'We moeten de tunnel naar buiten zien te vinden.'

'Ja, maar welke is het?' vraagt Felicity. De tunnels, allemaal met een toorts bij de ingang, zijn een en al bewegende schaduwen. Vijf tunnels. En we hebben geen idee hoe lang ze zijn of wat ons aan het eind ervan wacht.

'We moeten ons splitsen. Dan kunnen we ieder een tunnel nemen.'

'Nee!' jammert Ann.

'Sst! Het is de enige mogelijkheid. We treffen elkaar telkens weer hier in het midden. Als je de juiste tunnel vindt, moet je roepen.'

'Ik kan het niet, ik kan het niet!' jammert Ann.

'We blijven bij elkaar, weet je nog?' zegt Felicity. Dat is inderdaad wat we op mijn kamer in Spence tegen elkaar hebben gezegd. Dat is nog maar twee weken geleden, maar het lijkt een eeuwigheid.

'Goed dan,' zeg ik.

Ik gris een toorts van de weerzinwekkende muur, en we lopen een donkere tunnel in. In het licht van de vlam kunnen we een paar meter voor ons uit kijken, maar verder niet. Het schijnt op de ratten die vlak voor ons wegschieten, en ik moet een gil onderdrukken. We gaan door tot de tunnel doodloopt.

Ik draai me om. 'Dit is hem niet.'

Dat hoge, weeklagende geluid galmt tussen de muren heen en weer. Het ketst af op de beenderen van de doden, de ongelukkige speeltjes van de Papaverkrijgers. Ik zou er alles voor overhebben om aan dat afschuwelijke geluid te ontsnappen. Boven ons is de deur zwaar gehavend, maar gelukkig heeft hij het nog niet begeven.

De grote zwarte vogels die we buiten al hebben gezien, cirkelen in de catacomben om ons heen. Sommige zijn op de trap gaan zitten. Andere landen krassend op de bodem. Ook de tweede tunnel loopt dood. Ann snikt openlijk tegen de tijd dat we het eind van de derde tunnel hebben bereikt en het zwakke licht van de toorts weer geen uitgang laat zien.

Azreals stem bereikt ons. 'Ik kan je horen, meisje van me. Ik weet welke jij bent: dat dikkerdje. Hoe denk je mij te kunnen ontlopen, poppetje?'

'Ann, hou op met dat gejank!' Felicity schudt Ann heen en weer, maar dat helpt niet.

'We zitten in de val,' snikt ze. 'Ze zullen ons vinden. We gaan hier dood.'

Het geweeklaag van de Papaverkrijgers is overgegaan in gegrauw en gekras, alsof de rollen van de jacht zijn omgedraaid en de dieren de mensen in een hoek drijven. Ik krijg er de koude rillingen van.

'Sst,' zeg ik bevelend, terwijl ik voor de anderen uit de tunnel uit loop. 'We vinden het wel.' Op de open plek zijn nog meer vogels aangekomen. Het krioelt ervan.

'Nog maar twee tunnels,' roept Azreal. Hoe weet hij dat? Ik zie hem niet bij de deur staan. Tenzij er een andere ingang is, een die alleen zij kennen.

Mijn hart klopt zo snel dat ik bang ben dat ik flauw zal vallen, maar dan roept Felicity: 'Gemma, je amulet!'

Hij gloeit zachtjes onder de stof van mijn jurk.

Ann houdt op met huilen. 'Misschien wil hij ons de weg naar buiten wijzen.'

Lieve god, ja, de weg naar buiten! Verwoed trek ik aan de ketting, maar die blijft haken achter het kant van mijn jurk. Met een harde ruk trek ik de amulet los. Hij zeilt door de lucht en stuitert over de grond, om ergens in het donker te blijven liggen.

'We moeten hem vinden. Snel, help me zoeken,' roep ik.

Het is donker in de grot. Op handen en voeten kruipen we rond, op zoek naar iets wat glanst. Mijn hart lijkt wel een hamer die hard tegen mijn ribben slaat. Zo bang ben ik nog nooit geweest. *Toe nou, toe nou. Zoeken, Gemma, zo ja. Druk de angst weg.*

Er glanst iets in het donker. Metaal. Mijn amulet!

Ik haast me naar de plek toe. 'Ik heb hem!' zeg ik.

Het metaal geeft echter niet mee als ik het wil oprapen. Het zit ergens aan vast. Een laars met een stalen punt. Hij krijgt onder mijn vingers vorm, en een gil blijft in mijn keel steken. Als ik opkijk, zie ik Azreal, die lijkt te gloeien in het toortslicht.

'Nee, mooi meisje. Ik heb jou.'

HOOFDSTUK
TWEEËNVEERTIG

De grote vogels krassen. Met een oorverdovend geklapper van vleugels vliegen ze op. Terwijl ze naar beneden zweven, veranderen ze van gedaante. Ze worden mannen, Papaverkrijgers die ons aan alle kanten omringen en onze vluchtroutes afsnijden.

Als hij mijn geschokte gezicht ziet, legt Azreal uit: 'Ja, de Orde heeft ons vervloekt voor onze spelletjes. Het is heel lang geleden dat we zulke mooie speeltjes hadden. Heel lang geleden dat we jullie mooie wereld konden bezoeken en mooie meisjes konden meenemen.' Hij wikkelt mijn haar als een streng om zijn vingers. Ik voel zijn hete adem in mijn oor als hij naar me toe buigt. 'Zo vreselijk lang geleden.'

Mijn keel is gortdroog en mijn knieën knikken.

'Ik denk niet dat je hier nog iets aan hebt,' zegt hij terwijl hij de levenloze amulet in mijn handen laat vallen. 'Hm, met wie zullen we als eerste spelen?' Azreal blijft voor Ann staan. 'Wie zou jou missen, meisje? Zou ook maar iemand zuchte-zuchten om de zoveelste verloren jongedame? Misschien als ze de mooiste was in het land. Maar dit is geen sprookje. En jij bent niet mooi. Integendeel.'

Ann is zo bang dat ze bijna in trance lijkt.

'Het zou een zegen zijn als we jou namen, hmm? Geen brandende jaloezie meer omdat de anderen alles hebben wat hun hartje begeert, en meer. Geen aanleiding meer om in je eigen vlees te snijden. Geen reden meer om je lippen op elkaar te knijpen om zo de gil tegen te houden die in je binnenste opborrelt, telkens wanneer iemand de spot met je drijft.'

Ann knikt instemmend. Azreal buigt naar haar toe. 'Ja, we kunnen er een eind aan maken voor je.'

'Hou op!' spuugt Felicity.

Azreal richt zijn aandacht op haar, streelt haar in haar nek. 'Wat een pit, meisje. Hoe lang zou je het volhouden? Als we je zouden breken, als we je lieten bloeden? Een week? Twee weken?' Een trage grijns verbreidt zich over zijn gezicht. 'Of... zou je je ergens diep in je binnenste terugtrekken, zoals altijd wanneer hij je aanraakte?'

Felicity's schaamte uit zich in één enkele traan die over haar wang biggelt. Hoe weet hij dat over haar?

'Hou je mond,' zegt ze met een stem waar de kwelling vanaf druipt.

'Al die nachten in je kamer. Geen uitweg. Niemand die je kon vertrouwen. Niemand die je kon horen. Zoveel pit had je toen niet, meisje.'

'Hou op,' fluistert Felicity.

Hij likt over haar wang. 'Je onderging het gewoon. En diep vanbinnen hield je jezelf voor: dit is mijn schuld. Ik heb dit veroorzaakt...'

Felicity is doodsbang. Ik kan de angst in haar voelen. Dat kunnen we allemaal. Wat zei hij ook alweer? *Jullie angst verschaft ons toegang.* Versterkt onze angst hun magie soms op de een of andere manier?

'Fee, niet naar hem luisteren!' roep ik.

'Zal ik je eens iets vertellen, meisje? Ik denk dat je het stiekem fijn vond. Het is beter dan helemaal te worden genegeerd, nietwaar? Dat is toch waar je echt bang voor bent, hmm? Dat je, als het erop aankomt, helemaal niet zo beminnelijk bent?'

Felicity snikt zo hard dat ze geen antwoord kan geven.

'Je wilt hier niet langer mee leven, of wel soms, poppetje? De schaamte. Het verdriet. De smet op je ziel. Waarom pak je dit mes niet, zodat je er zelf een eind aan kunt maken?'

Felicity pakt de dolk aan die hij haar aanbiedt.

'Nee!' schreeuw ik, maar ik word door een van de krijgers tegengehouden.

Hij praat op poeslieve toon tegen haar, als een moeder tegen haar kindje. 'Goed zo. Maak er maar een eind aan. Al die pijn. Voorgoed over.'

'Laat ze niet binnen,' zeg ik tegen Felicity. 'Ze gebruiken je angst tegen je. Je moet sterk zijn. Wees sterk!' Sterk. Kracht. Dat doet me denken aan iets wat Nell heeft gezegd. 'Felicity, Nell zei dat de Papaverkrijgers onze kracht zouden stelen. Fee, jij bent onze kracht! We hebben je nodig!'

Ik sta oog in oog met Azreal en zijn dode, met kohlpotlood omrande ogen. 'En jouw angst dan, poppetje? Waar zullen we eens beginnen? Je kunt je eigen vader niet eens helpen.'

'Ik luister niet naar je,' zeg ik. Ik probeer me te concentreren, mijn angst los te laten. Maar het is vreselijk moeilijk.

Azreal praat verder. 'Al die kracht, maar juist dat ene wat ertoe doet, krijg je niet voor elkaar.'

Net nog gloeide de amulet op om me de weg naar buiten te wijzen. Ik omklem hem stevig en beweeg hem zo onopvallend mogelijk in de richting van de laatste twee tunnels. Welke is het?

Een harde klap doet mijn wang branden. 'Luister je wel, poppetje?'

Blijf je concentreren, Gemma. Beeld ik het me in, of gloeit de amulet op? Ja, het is echt zo! Het is een vage gloed, maar hij is er. De tunnel pal achter Azreal is de juiste. Ik heb de uitweg gevonden.

'We gaan af en toe bij je vader op bezoek,' zegt hij.

'Hoe bedoel je?' vraag ik. Mijn concentratie is weg. De gloed verdwijnt.

'Wanneer hij onder de betovering van het opiaat verkeert, is zijn geest voor ons het gemakkelijkst toegankelijk. Wat een spelletjes, wat een spelletjes. We hebben hem alles over je verteld. En over je moeder. Maar hij wordt zwakker. En het is zo langzamerhand helemaal niet leuk meer.'

'Laat hem met rust.'

'Ja, ja, voorlopig wel. Kom, dan gaan we spelen.'

'Blijf waar je bent!' Felicity staat in volmaakt evenwicht op een rots, met haar boog gespannen, en tuurt met één oog dichtgeknepen langs de pijl, die ze een brede boog laat beschrijven, van de ene kant van de ruimte naar de andere. De Papaverkrijgers krassen naar haar. Haar lippen vertrekken zich in een hatelijke glimlach. Ze hebben exact dezelfde vorm als de aangespannen snaar van de boog.

'Leg die boog neer, poppetje.'

Felicity richt de pijl op Azreal. 'Nee.'

Zijn grijns verdwijnt. 'Ik ga je levend opvreten.'

'Niet als het aan mij ligt, verdomme,' zegt ze door haar tranen heen.

Met een luid gekras rent hij op haar af. Felicity's pijl vliegt in een volmaakte, snelle boog door de lucht en doorboort Azreals hals, vlak boven zijn beschermende maliënkolder. Zijn ogen worden groot als hij zich op zijn knieën laat zakken en voorover op de stoffige grond valt, morsdood. Even valt er een verbijsterde stilte, maar dan breekt er een hels kabaal los. De Papaverkrijgers krijsen het uit van woede en verdriet. We hebben geen tijd te verliezen.

'Deze kant op!' schreeuw ik, en ik ren naar de tunnel die de amulet me heeft aangewezen. Felicity en Ann volgen me op de hielen, maar de Papaverkrijgers ook. We hebben geen kans gezien om een toorts te pakken. We rennen door de pikdonkere tunnel, botsen tegen elkaar aan, voelen de ratten over onze voeten kriebelen, horen elkaars wanhopige kreetjes en zware gehijg. En vlak achter ons klinkt het afschuwelijke gekras van die gedaanteverwisselende krijgers.

'Waar is het?' roept Felicity. 'Waar is de uitgang?'

Ik kan nog steeds geen hand voor ogen zien. 'Dat weet ik niet!'

'Gemma!' gilt Ann. Ze komen achter ons aan de tunnel in. Ik kan horen dat ze snel dichterbij komen.

'Doorlopen!' roep ik.

De tunnel beschrijft een scherpe bocht. Opeens zie ik voor me iets: een opening, en daarachter een grijs waas van nevel. Met een laatste wanhopige krachtsinspanning rennen we de dichte mist in, happend naar adem. We staan aan de waterkant.

'Daar is de boot,' gilt Felicity. Hij ligt nog op de plek waar we hem hebben achtergelaten. Ann klautert erin en pakt de peddels, terwijl Felicity en ik het troebele water in waden om hem af te duwen. Met moeite weten we erin te klimmen.

De vogels komen als een dichte, zwarte, krijsende wolk tevoorschijn.

Ann en ik peddelen tegen de stroom in, terwijl Felicity op die afschuwelijke, gevleugelde wezens mikt. Ik sluit mijn ogen en roei met alles wat ik in me heb, omringd door dat vreselijke gekras en het zoeven van Felicity's pijlen door de lucht.

Er stoot iets tegen de boot.

'Wat was dat?' vraagt Ann.

Ik doe mijn ogen open. 'Weet ik niet.' Ik kijk om me heen, maar ik zie niets.

'Doorroeien!' beveelt Felicity, die de ene pijl na de andere afschiet. Vogels storten neer in het water. Ze veranderen in mannen en zinken naar de bodem.

'Ze draaien om!' gilt Felicity. 'Ze gaan weg!'

We juichen. Dan wordt Anns peddel uit haar handen gerukt. Er wordt zo hard tegen de boot aangestoten dat hij wild heen en weer wiegt.

'Wat gebeurt er?' vraagt Ann doodsbang.

Weer een fikse duw, en de boot slaat om. We worden in het troebele water geslingerd. Hoestend en proestend kom ik boven en veeg het water uit mijn ogen.

'Felicity! Ann!' schreeuw ik. Er komt geen antwoord. Ik roep nog harder. 'Felicity!'

Sputterend duikt ze naast me op. 'Hier! Waar is Ann?'

'Ann!' gil ik opnieuw. 'Ann!'

Haar blauwe haarlint drijft op het water, achtergelaten. Ann is weg, en het enige wat we zien is het olieachtige laagje dat de waternimfen op het water hebben achtergelaten.

'Ann!'

We schreeuwen ons schor.

Felicity duikt onder en komt weer boven. 'Ze hebben haar te pakken.'

Nat en rillend strompelen we het droge op. In de verte lijken de lege ramen van de kathedraal naar me te knipogen. Nu de illusie is weggevallen, ziet hij er weer uit zoals hij is: als een indrukwekkende ruïne. Hoestend leg ik mijn hoofd op mijn knieën.

Felicity huilt. 'Fee,' zeg ik met mijn hand op haar rug. 'We vinden haar wel. Dat beloof ik. Het zal niet zo gaan als...' *Het zal niet zo gaan als met Pippa.*

'Hij had die dingen niet tegen me moeten zeggen,' zegt ze tussen de hikkende uithalen door. 'Hij had het niet moeten zeggen.'

Het duurt even voor ik besef dat ze het over Azreal heeft en wat er in de catacomben is gebeurd. Ik denk aan hoe ze op die rots stond en onze kwelgeest met een pijl doorboorde. 'Je moet je niet schuldig voelen over wat je hebt gedaan.'

Ze kijkt me recht aan, en haar gesnik maakt plaats voor een kille woede die geen ruimte laat voor tranen. Ze hijst de bijna lege pijlenkoker over haar schouder. 'Doe ik ook niet.'

De wandeling terug naar de tuin is lang en zwaar. Al snel herken ik de woeste begroeiing op de plek waar we de meisjes van de fabrieksbrand hebben gezien.

'We zijn er bijna,' zeg ik. Ik kan de fabrieksmeisjes horen praten.

'Waar gaan we naartoe?' vraagt een van hen.

'Met Bessies vrienden mee. Zij weten een plek waar we ons kunnen laten genezen,' antwoordt een ander.

Ik trek Felicity met me mee op de grond. Op onze hurken gaan we achter een grote varen zitten. Nu zie ik ze. De drie meisjes in het wit, de meisjes uit mijn visioen, leiden de fabrieksmeisjes weg uit het oerwoud, via een pad dat wij niet kennen. *Ze zullen je misleiden met valse beloften...*

Nell had gelijk. Wie die meisjes vroeger ook waren, nu zijn het duistere geesten die samenwerken met Circe.

'Waar gaan ze naartoe?' fluistert Felicity.

'Naar het Winterland, vrees ik,' antwoord ik.

'Moeten we ze tegenhouden?' vraagt Felicity.

Ik schud mijn hoofd. 'We moeten ze laten gaan. Als het enigszins kan, moeten we Ann redden.'

Felicity knikt. Het is een afschuwelijke keuze, maar we hebben onze beslissing genomen. Dus kijken we ze na als ze weglopen, soms hand in hand, soms zingend, hun ondergang tegemoet.

HOOFDSTUK
DRIEËNVEERTIG

Tegen de tijd dat we de vertrouwde oranje zonsondergang van de tuin bereiken, heeft de stille, ellendige wandeling op onze natte schoenen ons blaren op onze hakken bezorgd. Ze branden en steken bij elke stap. Maar daar kan ik nu niet bij stilstaan. We moeten Ann redden – als ze nog leeft.

'Hemeltje, wat is er met jullie gebeurd?' Het is Pippa. Ze heeft het bloed van haar wangen gewassen. Ze ziet er niet meer zo angstaanjagend uit, maar kalm en mooi.

'We hebben geen tijd om het uit te leggen,' zeg ik. 'De waternimfen hebben Ann te pakken gekregen. We moeten ze vinden.'

'Natuurlijk, Ann zou je nooit achterlaten,' mompelt Pippa. Ik besluit daar niet op in te gaan. 'Ik zei toch dat je mij niet om hulp hoefde te komen vragen?'

'Pip!' blaft Felicity. 'Ik zweer je, als je ons nu in de steek laat, kom ik je nooit meer opzoeken, zo lang als ik leef.'

Pippa schrikt van Felicity's plotselinge woede-uitbarsting. 'Meen je dat?'

'Jazeker.'

'Goed dan,' zegt Pippa. 'Maar hoe wil je het van hen winnen? We zijn maar met z'n drieën.'

'Pip heeft gelijk. We hebben hulp nodig,' geef ik toe.

'Wat dacht je van de gorgone?' vraagt Pip. 'Die heeft ons al eerder geholpen.'

Ik schud mijn hoofd. 'We weten niet of ze op dit moment wel te vertrouwen is. Sterker nog, we weten niet of er in heel het rijk wel iemand is die we kunnen vertrouwen.'

'Wie dan wel?' vraagt Pippa.

Ik adem diep in. 'Ik zal terug moeten om hulp te halen.'

Felicity knijpt boos haar ogen tot spleetjes. 'Je zei dat we Ann niet zouden achterlaten. Dat het niet zo zou gaan als... de vorige keer.'

Pippa wendt haar blik af.

'Ik dacht aan miss Moore,' zeg ik.

Pippa gelooft haar oren niet. 'Miss Moore? Wat kan zij in vredesnaam doen?'

'Weet ik veel!' snauw ik. Ik wrijf met beide handen over mijn slapen. 'Ik kan moeilijk naar mijn familie of die van Felicity gaan. Dan word ik voor de rest van mijn leven weggestopt in een gesticht. Zij is de enige die ik kan bedenken die bereid zou zijn te luisteren.'

'Goed dan,' zegt Felicity. 'Ga haar maar halen.'

Er is magie en concentratie voor nodig om de deur van licht te laten verschijnen en vervolgens snel en onopgemerkt door de straten van Londen te reizen. Ik neem een afschuwelijk risico door zo'n onvoorspelbare kracht te gebruiken, maar ik ben nog nooit zo wanhopig geweest. De magie kan me overigens niet beschermen tegen de regen. Tegen de tijd dat ik de woning van miss Moore heb bereikt, ben ik door- en doornat. Gelukkig is Mrs Porter niet thuis en doet mijn voormalige lerares zelf de deur open.

'M-miss M-Moore,' zeg ik klappertandend, koud tot op het bot.

'Miss Doyle! Wat is er aan de hand? Je bent drijfnat. Kom in 's hemelsnaam binnen.'

Ze neemt me mee naar boven, naar haar vertrekken, en zet

me voor het vuur neer zodat ik een beetje kan opwarmen. 'Het spijt me dat ik zo kom binnenvallen, maar ik moet u iets vertellen. Het is dringend.'

Kennelijk hoort ze de angst in mijn stem. 'Goed, vertel het maar,' zegt ze.

'We hebben uw hulp nodig. Die verhalen die we u hebben verteld over de Orde? We zijn niet helemaal eerlijk geweest. Het is echt. Allemaal. Het rijk, de Orde, Pippa, de magie. We zijn er geweest. We hebben het gezien. We hebben het meegemaakt. Alles. En nu hebben de waternimfen Ann te pakken. Ze hebben haar te pakken, en we moeten haar terug zien te krijgen. Alstublieft. U moet ons helpen.'

Mijn woorden stromen over mijn lippen, als de regen die tegen het raam van miss Moores appartement klettert. Als ik uitgepraat ben, neemt miss Moore me aandachtig op.

'Gemma, ik weet dat je de laatste tijd veel te verduren hebt gehad. Eerst je moeder, toen je vriendin...' Ze legt haar hand op mijn knie.

Ik kan wel janken. Ze gelooft me niet.

'Nee! Ik vertel u geen verhalen om uw medelijden op te wekken. Het is echt waar!' jammer ik. Ik nies twee keer hevig. Mijn keel is rauw en dik.

'Ik wil je wel geloven, maar...' Ze loopt voor de open haard heen en weer. 'Kun je het me bewijzen?'

Ik knik.

'Goed dan. Als je het me hier ter plekke kunt bewijzen, zal ik het geloven. Zo niet, dan breng ik je meteen naar huis en ga ik met je grootmoeder praten.'

'Afgesproken,' zeg ik knikkend. 'Hester...'

Ik verspil geen seconde, maar grijp haar hand vast en gebruik het kleine beetje kracht dat ik nog heb om de deur te laten verschijnen. Als ik mijn ogen open, is hij er, en het felle licht schijnt op miss Moores stomverbaasde gezicht. Ze knijpt haar ogen dicht en doet ze weer open, maar de deur is er nog steeds.

'Kom mee,' zeg ik.

Aan haar hand trek ik haar mee naar binnen. Het kost me moeite. Ik word zwakker. Het geraas van het bloed in haar aderen, dat het hart voedt dat op dit moment leert aanvaarden dat logica feitelijk slechts een illusie is, kan ik nog maar nauwelijks voelen.

De tuin krijgt om ons heen vorm. Daar is de grond, bezaaid met paarse bloemen. Daar is een boom waarvan de krullende bast rozenblaadjes vormt. Daar zijn het hoge onkruid en de vreemde paddenstoelen. Even ben ik bang dat de schok miss Moore te veel is geworden. Ze slaat een bevende hand voor haar mond en zoekt met de andere steun bij de boom. Ze trekt een handvol rozenblaadjes los en laat ze op de grond vallen, terwijl ze verdwaasd over het smaragdgroene gras loopt.

Ze gaat op een rots zitten. 'Ik droom. Dit is een waandenkbeeld. Dat moet wel.'

'Ik zei het toch,' zeg ik.

'Inderdaad.' Ze raakt een van de paarse bloemen aan. Hij verandert in een kousenbandslang, die langs de boom omhoog kronkelt en uit het zicht verdwijnt. 'O!'

Dan worden haar ogen groot als schoteltjes. 'Pippa!'

Pippa en Felicity komen op ons af om ons te begroeten. Voorzichtig raakt miss Moore Pippa's zijdezachte haar aan. 'Je bent het toch echt?'

'Ja, miss Moore. Ik ben het echt,' antwoordt ze.

Miss Moore legt haar hand op haar buik, alsof ze zichzelf probeert te kalmeren. 'Ik ben hier echt, hè? Ik droom toch niet?'

'Nee, u droomt niet,' verzeker ik haar.

Miss Moore strompelt door de tuin en kijkt verwonderd om zich heen. Ik herinner me de eerste keer dat ik hier was, hoe verbijsterd ik toen was. We lopen achter haar aan onder de zwart uitgeslagen zilveren boog door naar de plaats waar de runen hebben gestaan. Ze staart naar de verschroeide aarde.

'Daar heeft Gemma het Orakel van de Runen vernietigd, het zegel op de magie,' zegt Pippa.

'O,' zegt miss Moore met een stem alsof ze heel ver weg is. 'Waren jullie daarom op zoek naar die tempel van jullie?'

'Ja,' zeg ik. 'We zijn nog steeds op zoek.'

'Hebben jullie hem dan nog niet gevonden?'

'Nee. We waren ernaar aan het zoeken toen we door duistere geesten werden misleid. En toen hebben de waternimfen Ann meegenomen,' leg ik uit.

'We moeten haar redden, miss Moore,' roept Felicity uit.

Miss Moore recht haar rug. 'Ja, natuurlijk. Waar vinden we die wezens?'

'Ze leven in de rivier,' zeg ik.

Pippa mengt zich in het gesprek. 'De gorgone weet waar ze zijn.'

Miss Moore zet grote ogen op. 'Is er een gorgone?'

'Ja,' antwoord ik. 'Maar ik weet niet zeker of ze op dit moment wel te vertrouwen is. Ze is door de magie van de Orde gebonden om alleen de waarheid te vertellen en niemand kwaad te doen. Maar de magie is niet meer wat hij geweest is.'

'Aha,' zegt miss Moore. 'Is er een andere manier?'

'Geen snellere in elk geval,' redeneert Felicity. 'We hebben niet genoeg tijd. We zullen de gorgone moeten vertrouwen.'

Het staat me niet aan dat ik moet vertrouwen op een wezen uit het rijk, maar Felicity heeft gelijk. We moeten Ann zo snel mogelijk zien te vinden.

De gorgone ligt geduldig op de rivier te wachten. Als we op haar af lopen, draait ze haar afschuwelijke, kronkelende hoofd naar ons toe. Miss Moore deinst terug bij de aanblik.

De gorgone knippert met haar verontrustende gele ogen. 'Ik zie dat jullie een nieuwe vriendin hebben meegenomen.'

'Een oude vriendin,' zegt Felicity. 'Gorgone, mag ik je voorstellen aan miss Hester Moore?'

'Miss Moore...' sist het groene, glibberige hoofd.

'Ja, Hester Moore,' antwoordt miss Moore. 'Hoe maakt u het?'

'Als altijd,' zegt de gorgone.

De loopplank wordt neergelaten, en miss Moore loopt de schuit op alsof ze verwacht dat hij elk moment in rook kan opgaan.

'Gorgone,' zeg ik. 'De dag dat we naar het Woud van Licht zijn geweest, zwommen de waternimfen in die richting weg.' Ik wijs naar de rivier. 'Weet jij waar ze wonen?'

'Ja,' zegt de gorgone. Langzaam knippert ze met haar slangachtige ogen. 'De lagune is hun thuis. Maar hij is omringd door zwarte rotsen. Verder dan die rotsen kan ik jullie niet meenemen. Vanaf daar moeten jullie te voet verder.'

'Dat is goed genoeg,' zegt Pippa.

'Hun lied is krachtig,' waarschuwt de gorgone. 'Kunnen jullie er weerstand aan bieden?'

'We zullen gewoon ons best moeten doen,' antwoord ik.

We gaan aan boord, en de grote schuit keert om stroomafwaarts de rivier af te varen. Ik neem mijn amulet in mijn handen.

'Het alziend oog...' zegt miss Moore. 'Mag ik?'

Ik geef het aan haar. 'Het is een kompas. Zo moet u het vasthouden.'

Ze beweegt het heen en weer, maar de amulet laat geen gloed zien waar ik op af kan gaan. We hebben het pad nu helemaal verlaten en moeten het zelf uitzoeken. De boot laat de zonsondergang van de tuin achter zich en vaart een groene mistbank in die ons het zicht ernstig belemmert.

'Hoe heb je dit oord ontdekt?' vraagt miss Moore, die nog steeds in opperste verwondering om zich heen kijkt.

'Via mijn moeder,' zeg ik. 'Ze was lid van de Orde. Zij was Mary Dowd.'

'De vrouw uit het dagboek?' vraagt ze.

Ik knik.

'En jij denkt dat die miss McCleethy van je haar heeft vermoord?'

'Ja. Ik denk dat ze allerlei scholen is afgereisd om me te vinden.'

'En wat ga je doen als ze je achterna komt?'

Ik staar naar de kolkende mist, die kleine trechtertjes vormt. 'Dan zorg ik ervoor dat ze nooit meer iemand kwaad kan doen.'

Miss Moore pakt mijn hand vast. 'Ik maak me zorgen om je, Gemma.'

Ja, ik ook.

Het wordt warmer. Zweet sijpelt tussen mijn schouderbladen naar beneden, en mijn haar kleeft in strengen aan mijn voorhoofd.

'Wat een hitte,' zegt Felicity. Met de rug van haar hand veegt ze haar voorhoofd af.

'Het is afschuwelijk.' Pippa tilt haar haar op, zodat het haar nek vrijlaat. Maar aangezien er geen verkoelend briesje staat, laat ze het weer los.

Miss Moore richt haar blik op de rivier om elk beeld, elk geluid in te drinken. Starend naar het water dat onder ons door stroomt vraag ik me af wat er is geworden van Mae en Bessie Timmons en de andere fabrieksmeisjes. Zijn ze opgeslokt door de duistere geesten van het Winterland en tot slaaf gemaakt? Is het snel gegaan of hebben ze genoeg tijd gehad om te beseffen wat voor iets verschrikkelijks er met hen gebeurde?

Ik knijp mijn ogen dicht om die gedachten buiten te sluiten en laat me sussen door het wiegen van de boot.

'We naderen het ondiepe water,' zegt de gorgone.

De rivier is van kleur veranderd. Ik kan de bodem zien. Die is bedekt met fosforescerende stenen en zandbanken, waardoor het lijkt of onze handen groen met blauw zijn. De schuit komt tot stilstand.

'Verder kan ik niet,' zegt de gorgone.

'Vanaf hier moeten we te voet verder,' zeg ik. 'Gorgone, mogen we de netten meenemen?'

De gorgone knikt met haar reusachtige hoofd. De anderen haasten zich om ze los te maken. De gorgone roept me bij zich. 'Pas op dat u zelf niet in een net verstrikt raakt, Hoogsssste,' zegt ze.

'Dat zal ik doen,' zeg ik, een beetje ongerust.

Maar de gorgone schudt haar hoofd. 'Sommige netten zijn moeilijk te zien, tot je er helemaal in verstrikt bent.'

'Gemma!' roept Felicity op luide fluistertoon. Ik voeg me snel bij de anderen. Felicity heeft haar pijlen, Pip en miss Moore hebben de netten en een touw. We stappen de schuit af het water in, dat tot onze enkels komt, en van daaruit op het droge, waar een mistbank hangt. De grond onder onze voeten is hard en oneffen. We moeten elkaars hand vasthouden om niet te vallen. De mist trekt een beetje op, en ik zie een onherbergzaam landschap van zwarte, rotsachtige heuvels. Hier en daar zijn kleine, stomende vijvertjes in de rotsen uitgesleten. De mist stijgt er in groene, zwavelachtige spiralen uit op.

Op handen en knieën klimmen we naar de top van een scherpe rots. Voor ons in de diepte strekt zich een diepe, brede lagune uit. De fosforescerende stenen op de bodem geven het water een blauwgroene gloed die de mist kleurt die boven het oppervlak hangt.

'Ik zie haar!' zegt Felicity.

'Waar dan?' vraagt miss Moore met haar blik op de horizon gericht.

Felicity wijst naar een platte rots aan de overkant van de lagune. Uitgekleed tot op haar hemd is Ann aan de rots vastgebonden, alsof ze het boegbeeld van een schip is. Ze staart recht voor zich uit, kennelijk in een soort trance.

En ze zullen het lied naar de rots brengen. Laat het lied niet sterven.

'Laat het lied niet sterven,' zeg ik. 'Ann is het lied. Dat probeerde Nell ons duidelijk te maken.'

'Kom, we gaan,' zegt Felicity, en ze wil al aan de afdaling beginnen.

Ik hou haar tegen. 'Wacht even,' zeg ik.

De waternimfen duiken op uit het diepe water. Hun glanzende hoofden steken als volmaakt gladde stenen boven de gloed van het water uit. Ze zingen Ann lieflijk toe. De verlokking van hun stemmen mist zijn uitwerking op mij niet.

'Ze lijken op de sirenen uit de legenden. Niet luisteren. Stop je oren dicht,' beveelt miss Moore. We doen wat ze zegt, behalve Pippa. Zij is niet vatbaar voor hun lied, en dat herinnert me er nog eens aan dat ze niet meer de Pippa is die we van vroeger kennen, hoe graag we dat ook willen geloven.

Onder ons strijken de waternimfen met een soort zeespons over Anns warrige haardos, waardoor haar lokken een paarlemoeren, groengouden glans krijgen. Met hun zwemvliesachtige vingers strelen ze over haar armen en benen. Ze is bedekt met de lichte glans van de fonkelende schubben die op haar huid achterblijven. Dan halen ze de spons over Anns huid, en ze huivert. Haar huid krijgt dezelfde groengouden glans als haar haar.

De nimfen zijn opgehouden met zingen.

'Wat doen ze?' fluister ik.

Miss Moores gezicht is grimmig. 'Als de legenden kloppen, zijn ze miss Bradshaw aan het prepareren.'

'Waarvoor?' vraagt Felicity.

Miss Moore zwijgt even. 'Ze willen haar huid afstropen.'

We slaken kreetjes van afschuw.

'Dat maakt het water zo mooi en warm,' legt miss Moore uit. 'Menselijke huid.'

Aan de andere kant van de lagune wordt de mist lichter en neemt hij vorm aan. Er komt een meisje tevoorschijn, gevolgd door een tweede en een derde, tot alle drie de spookachtige gestalten zichtbaar zijn. De drie in het wit. Even kijken ze met een merkwaardige glimlach in onze richting, maar ze verraden ons niet.

Ik trek aan miss Moores rok. 'Bukken,' zeg ik. Ze gaat plat op de rots liggen. 'Dat zijn heel duistere geesten. U wilt niet door hen worden gezien.'

De meisjes roepen de nimfen aan in een taal die ik niet versta. Als ik over de rots heen gluur, zie ik dat de meisjes de nimfen om een steiger heen leiden, uit het zicht.

'Nu,' zeg ik.

Zo snel als we kunnen klauteren we van het rotsachtige klif af, de waterkant op.

'Wie gaat er?' vraagt Pippa bezorgd.

'Ik,' zegt miss Moore.

'Nee,' zeg ik. 'Ik ga. Ze is mijn verantwoordelijkheid.'

Miss Moore knikt. 'Zoals je wilt.'

Ze bindt het touw om haar middel. 'Als je op moeilijkheden stuit, geef dan een ruk aan het touw. Dan trekken we je naar ons toe.'

Ik pak het andere uiteinde vast en zwem in de richting van Ann, die nog steeds op de rots ligt. Het water is verrassend lekker, maar ik huiver als ik eraan denk waarom het zo heerlijk is. Uiteindelijk moet ik mijn ogen dichtknijpen om te kunnen blijven zwemmen. Eindelijk weet ik Ann te bereiken.

'Ann?' fluister ik, en dan dringender: 'Ann!'

'Gemma?' vraagt ze zwakjes, alsof ze heel even ontwaakt uit een diepe bedwelming. 'Ben jij het?'

'Ja,' fluister ik. 'We komen je redden. Blijf liggen.'

Ik sla het touw om Anns middel en knoop het stevig vast. Mijn vingers zijn glibberig door het water van de lagune, maar ik slaag erin de touwen los te maken waarmee haar handen en voeten zijn vastgebonden. Met een zachte plons glijdt Ann het water in.

'Gemma!' roept-fluistert Felicity vanaf de kant. 'Laat haar niet verdrinken.'

Ik trek aan het touw en Ann komt weer boven, hoestend, bij kennis. Ze slaat wild om zich heen.

'Ann! Zachtjes! Straks horen ze je...'

Te laat. Aan de andere kant van de lagune is het gesprek tussen de nimfen en de afschuwelijke meisjes in het wit voorbij. Ze zien wat ik doe. Hun boze gegrauw gaat over in een fel gekrijs dat als een mes door me heen snijdt. Ze vinden het maar niets dat ik het heb gewaagd hun speeltje af te pakken. Dan zie ik alleen nog hun zilverglanzende, gebogen ruggen als ze een voor een onder water duiken en snel op ons af zwemmen, hunkerend naar onze mooie huid.

Ik zet me af tegen de rots en trek Ann met me mee. Ik kan voelen dat miss Moore hard aan het touw trekt, maar we hebben allebei moeite met Anns gewicht.

'Kom op, Annie, je moet wel zwemmen,' zeg ik smekend.

Half verdoofd probeert ze het, maaiend met haar armen, maar we kunnen niet op tegen de woeste nimfen die op ons af komen.

Stilte doet er niet meer toe, dus gil ik: 'Trekken! Aan het touw. Trekken zo hard als je kunt!'

Felicity en Pippa schieten miss Moore te hulp. Grommend zetten ze zich schrap en trekken zo hard als ze kunnen. Woest proberen we ons een weg door het water te banen. Maar het is niet genoeg.

'Gebruik de netten!' krijs ik. Er loopt water in mijn mond, en ik begin te hoesten en te proesten.

Pippa rent op de netten af. Ze slingert er een weg. Hij zeilt over ons heen en landt met een plons in het water. De nimfen krijsen het uit van woede. Het net heeft hen bang gemaakt, maar dat duurt niet lang. Al snel komen ze weer op ons af. Het tweede net dat Pippa werpt komt op vier van de nimfen terecht. Er klinkt een ijzingwekkend gegil, want het net brandt hun huid. Borrelend lossen ze op, en na een tijdje is er niets van hen over behalve wat zeeschuim.

De anderen houden in, bang om verder te gaan. Felicity en Pippa sleuren ons het water uit, de scherpe klippen op.

Miss Moore helpt me overeind. 'Gaat het wel?'

Ann braakt op de klippen. Ze is verzwakt, maar ze leeft nog.

We zijn hen te slim af geweest. Ik kan er niets aan doen. Vol leedvermaak en genoegen roep ik: 'Dus jullie wilden onze huid afpakken? Ha! Lekker puh!'

'Gemma,' zegt miss Moore waarschuwend terwijl ze me bij het water vandaan trekt. 'Daag ze niet uit.'

De nimfen vatten mijn opmerking inderdaad niet erg sportief op. Ze beginnen te zingen. De verlokking ervan is als een net dat me naar het water trekt. O, die klanken, als een belofte dat ik me nooit meer ergens zorgen over zal hoeven maken, nooit meer iets tekort zal komen. Het lied is genoeg om me dronken te maken.

Miss Moore stopt haar vingers in haar oren. 'Niet luisteren!'

Felicity waadt tot aan haar enkels, tot aan haar knieën het warme water in, aangetrokken door het lied. Pippa rent naar de waterkant en schreeuwt haar naam: 'Fee! Fee!'

Ann begint mee te zingen. Even leidt haar stem me af. Wat doe ik in het water? Ik stap op het droge. Dan houdt Ann op met zingen en word ik weer overspoeld door de zoete beloften van de waternimfen.

Vaag ben ik me ervan bewust dat miss Moore gilt: 'Ann! Zingen! Je moet zingen!'

Ann vindt haar melodie weer terug. Ik trek me terug van het water en de nimfen, en meteen beseffen ze wat er gaande is. Felicity daarentegen zwemt nu op hen af.

'Zingen, Ann!' roep ik. Mijn hand vindt de zachte trilling in haar keel. 'Zing alsof je leven ervan afhangt.'

Aanvankelijk is Anns ijle lied geen partij voor de verleiding in Felicity's oren. Maar dan wordt haar stem vaster. Ze zingt harder en krachtiger dan ik haar ooit heb horen doen, tot ze één wordt met het lied. Ze staart naar die wezens als een krijger die waarschuwt voor de ophanden zijnde strijd. In het water blijft Felicity liggen. Pippa waadt snel naar haar toe.

'Fee, kom met me mee terug.'

Ze steekt haar hand uit, en Felicity pakt hem vast.

'Kom mee,' zegt Pippa zachtjes in een poging haar het water uit te lokken. 'Kom mee.'

Felicity volgt Anns stem en Pippa's hand, tot ze weer veilig op het droge staat.

'Pippa?' vraagt Felicity.

Pippa omhelst haar, en Felicity houdt haar zo stevig vast dat ik bang ben dat ze haar zal fijnknijpen.

De nimfen beseffen dat ze de strijd hebben verloren en krijsen van woede.

'Zullen we hier maar snel weggaan?' vraagt miss Moore. Ze heeft het touw opgerold en over haar schouder gehangen. Op dit moment ben ik zo dankbaar dat miss Moore er is dat ik wel kan huilen.

'Dank je, Hester,' zeg ik.

'Ik zou jou moeten bedanken, Gemma.'

'Waarvoor?' vraag ik.

Maar op die vraag komt geen antwoord. Want de meisjes in het wit zijn terug. En ze zijn niet alleen. Ze hebben het angstaanjagende wezen bij zich dat ik in mijn visioen heb gezien, het wezen dat ons vanaf de Grotten der Zuchten is gevolgd: een spoorzoeker. In de duisternis achter hen duikt hij op, hoog en breed, tot hij een uitgestrekte, kolkende massa is waar we onze blik niet van kunnen losrukken. De meisjes stappen erin, als kinderen die zich vastklampen aan de rokken van hun moeder.

'Eindelijk...' zegt hij.

Rennen. Wegwezen. Kan me niet verroeren. De angst. Wat een vreselijke angst. De vleugels spreiden zich en onthullen de afgrijselijke gezichten erachter. *Wat een haat. Wat een doodsangst.*

Miss Moore duwt me uit de weg en beveelt met krachtige stem: 'Rennen!'

Struikelend rennen we de zwarte rots af. De wand is ruw. Ik haal mijn handen eraan open, maar we weten snel de grond te bereiken.

'Naar de gorgone,' roept Felicity. Ze loopt voorop, met Pippa vlak achter zich. Ik sleur Ann mee, die nauwelijks kan rennen. Maar waar is miss Moore? Ik zie haar! Ze duikt op uit de zwavelige, groene mist. Het monster en de meisjes zitten haar op de hielen.

Ze gebaart dat we moeten doorlopen. 'Wegwezen, wegwezen!'

Met Ann op sleeptouw ren ik zo hard als ik kan, tot ik de gorgone in het ondiepe water zie. Alle vier klimmen we aan boord.

Miss Moore komt eraan, maar het monster is snel. Het verspert haar de weg.

'Miss Moore!' schreeuw ik.

'Nee! Gemma, wegwezen!' schreeuwt ze terug. 'Wacht niet op mij!'

Met een machtige kreun zet de gorgone koers naar de tuin. Ik klim op de reling, maar Felicity en Pippa houden mijn armen vast. Ik stribbel als een gek tegen.

'Gorgone, stop, nu meteen! Ik beveel je te stoppen!'

Maar dat doet ze niet. We varen weg bij de oever, waar het afschuwelijke monster boven mijn vriendin uittorent.

'Miss Moore! Miss Moore!' schreeuw ik tot mijn keel rauw is en mijn stem het begeeft. 'Miss Moore,' kras ik, en ik laat me op de bodem van de schuit zakken.

We zijn terug in de tuin. Mijn ogen zijn rood van het huilen. Ik ben uitgeput en misselijk. Ik draai me om naar de gorgone.

'Waarom stopte je niet toen ik je dat beval?'

Langzaam draait dat grote, geschubde hoofd in mijn richting. 'Allereerst moet ik ervoor zorgen dat u niets overkomt, Hoogssste.'

'We hadden haar kunnen redden!' roep ik.

Het hoofd draait weg. 'Dat denk ik niet.'

'Gemma,' zegt Ann zachtjes. 'Je moet de deur laten verschijnen.'

Felicity en Pippa zitten naast elkaar met hun armen verstrengeld. Het liefst willen ze bij elkaar blijven.

Ik sluit mijn ogen.

'Gemma,' zegt Ann.

'Circes monster heeft haar te pakken, en ik kon hem niet tegenhouden.'

Niemand heeft een troostend woord voor me.

'Ik ga haar vermoorden,' zeg ik staalhard. 'Ik neem het tegen haar op, en dan vermoord ik haar.'

Het kost me ontzettend veel moeite om de deur te laten verschijnen. De anderen moeten me overeind houden. Maar eindelijk verschijnt hij, blikkerend. Pippa zwaait ons allemaal gedag en werpt ons kushandjes toe. Ik ga als laatste, en terwijl ik sta te wachten, werp ik nog één laatste blik op Pippa. Ze heeft iets gepakt wat achter een boom verborgen heeft gelegen. Het is het karkas van een klein dier. Ze staart er verlangend naar, waarna ze zich op haar hurken laat zakken alsof ze zelf ook een dier is. Ze brengt het vlees naar haar mond en eet ervan. Haar hongerige ogen zijn wit.

HOOFDSTUK
VIERENVEERTIG

Miss Moore is weg. Ze is weg. Ik heb de tempel niet gevonden. De Rakshana hadden me deze taak nooit moeten toevertrouwen. Ik ben niet Nells Vrouwe Hoop. Ik ben niet de Hoogste, degene die de Orde en de magie in haar oude luister kan herstellen. Ik ben Gemma Doyle, en ik heb gefaald.

Wat ben ik moe. Mijn hele lichaam doet pijn en mijn hoofd voelt aan alsof het vol watten zit. Het liefst wil ik in bed kruipen en dagenlang slapen. Ik ben zelfs te moe om me uit te kleden. Ik ga dwars op mijn bed liggen. Even draait de kamer om me heen, en dan val ik in een diepe slaap. Ik droom.

Ik vlieg over donkere straten, nat van de regen, door steegjes waar smerige kinderen aan droog brood knagen waar de vliegen omheen zoemen. Ik vlieg verder, tot ik door de gangen van het Bethlem zweef en Nell Hawkins' kamer binnenga.

'Vrouwe Hoop,' fluistert ze. 'Wat hebt u gedaan?'

Ik begrijp het niet. Ik kan haar vraag niet beantwoorden. Er klinken voetstappen op de gang.

'Wat heb je gedaan? Wat heb je gedaan?' schreeuwt ze. ''k Moet dwalen, 'k moet dwalen, langs bergen en langs dalen; 'k moet dwalen, 'k moet dwalen, langs bergen en langs dalen; 'k moet dwalen, 'k moet dwalen, langs bergen en langs dalen.'

Op haar onsamenhangende gebabbel zweef ik weg, en dan hang ik hoog boven de gang, waar de dame in de groene mantel onopgemerkt door de duisternis schrijdt. Ik vlieg in de inktzwarte nacht boven de St. George als ik Nell Hawkins' vage, gedempte kreet hoor.

Ik weet niet hoe lang ik heb geslapen, welke dag het is of waar ik ben wanneer ik door een geagiteerde Mrs Jones word gewekt.

'Miss, miss! U kunt zich maar beter snel aankleden. Lady Denby is op bezoek met Mr Simon. Ik moest u meteen gaan halen van uw grootmoeder.'

'Ik voel me niet lekker,' zeg ik. Ik laat me weer op de kussens vallen.

Mrs Jones trekt me overeind. 'Zodra ze weg zijn, kunt u slapen zoveel als u wilt, miss. Maar nu moet ik u helpen aankleden, en snel ook.'

Als ik beneden kom, zit iedereen dicht bij elkaar in de salon, gebogen over theekopjes. Als dit een beleefdheidsbezoekje is, verloopt het niet goed. Er is iets mis. Zelfs Simon glimlacht niet.

'Gemma,' zegt grootmoeder. 'Ga zitten, kind.'

'Ik ben bang dat ik verontrustend nieuws heb over je kennis, miss Bradshaw,' zegt Lady Denby. Mijn hart slaat een slag over.

'O?' vraag ik zwakjes.

'Ja. Ik vond het al vreemd dat ik nooit van haar familie had gehoord, dus heb ik navraag gedaan. Er is geen hertog van Chesterfield in Kent. Sterker nog, ik kon niets ontdekken over een meisje dat van Russische adel zou zijn.'

Grootmoeder schudt het hoofd. 'Het is vreselijk. Ronduit vreselijk!'

'Wat ik wél heb ontdekt, is dat ze een nogal platvloerse nicht heeft, de vrouw van een koopman, die in Croydon woont. Ik vrees dat die miss Bradshaw van jou niet meer is dan een fortuinjaagster,' zeg Lady Denby.

'Ik heb haar nooit gemogen,' zegt grootmoeder.

'Er moet een vergissing in het spel zijn,' zeg ik zwakjes.

'Lief van je dat je dat denkt, kindje,' zegt Lady Denby. Ze geeft me een klopje op mijn hand. 'Maar vergeet niet dat dit schandaal ook jou raakt. En Mrs Worthington, natuurlijk. En dan te bedenken dat ze haar in huis hebben genomen. Niet dat Mrs Worthington bekendstaat om haar goede beoordelingsvermogen, als ik zo vrij mag zijn.'

Grootmoeder spreekt haar oordeel uit. 'Ik wil niet dat je nog met dat meisje omgaat.'

Tom komt binnen. Zijn gezicht is bleek en afgetobd.

'Thomas? Wat is er?' vraagt grootmoeder.

'Er is iets met miss Hawkins. Ze heeft vannacht plotseling koorts gekregen. We krijgen haar niet wakker.' Hij schudt zijn hoofd, niet in staat verder te gaan.

'Ik heb vannacht over haar gedroomd,' flap ik eruit.

'O ja? Wat dan?' vraagt Simon.

Ik droomde over Circe en Nells gedempte kreet. Maar stel dat het geen droom was?

'Dat... dat weet ik niet meer,' zeg ik.

'O, arm kind, wat zie je bleek,' zegt Lady Denby. 'Het valt niet mee om te moeten horen dat je voor de gek bent gehouden door iemand die je als een vriendin beschouwde. En nu is miss Hawkins ook nog eens ziek. Dat moet een vreselijke schok zijn.'

'Ja, dank u,' zeg ik. 'Ik voel me niet zo lekker.'

'Arm kind,' prevelt Lady Denby opnieuw. 'Simon, wees een heer en ga miss Doyle helpen.'

Simon pakt me bij mijn arm en leidt me de kamer uit.

'Ik kan de gedachte niet verdragen dat Ann het zo moeilijk heeft,' zeg ik.

'Als ze zich heeft voorgedaan als iemand anders, verdient ze niet beter,' zegt Simon. 'Mensen worden niet graag voor de gek gehouden.'

Maar ik hou Simon toch ook voor de gek door te doen alsof

455

ik een ongecompliceerd schoolmeisje ben? Zou hij weglopen als hij de waarheid vernam? Zou hij vinden dat ik hem had misleid? Geheimen bewaren is net zozeer een illusie als het opvoeren van een ingewikkelde schijnvertoning.

'Ik weet dat ik je iets vrijwel onmogelijks vraag, Mr Middleton,' zeg ik. 'Maar zou je willen proberen je moeders bezoek aan Mrs Worthington uit te stellen tot ik kans heb gezien met miss Bradshaw te praten?'

Simon schenkt me een glimlach. 'Ik zal mijn best doen. Maar je moet weten dat mijn moeder zich niet makkelijk laat weerhouden als ze haar vizier ergens op heeft gericht. En ik denk dat ze haar vizier op jou heeft gericht.'

Ik zou gevleid moeten zijn. En dan ben ik ook wel, een beetje. Maar ik kan het gevoel niet van me af zetten dat ik een heel ander meisje zal moeten worden als ik wil dat Simon en zijn familie van me gaan houden, en dat ze me niet zo warm zouden verwelkomen als ze me werkelijk kenden.

'Maar stel dat je teleurgesteld in me raakt?'

'Dat gebeurt niet.'

'Maar stel dat je iets... verrassends over me ontdekte?'

Simon knikt. 'Ik weet al wat het is, miss Doyle.'

'O ja?' fluister ik.

'Ja,' zegt hij ernstig. 'Je hebt een bochel op je rug die alleen na middernacht zichtbaar wordt. Ik zal je geheim met me meenemen in het graf.'

'Ja, dat is het,' zeg ik glimlachend, terwijl ik verwoed de tranen wegknipper die achter mijn ogen branden.

'Zie je? Ik weet alles over je,' zegt Simon. 'Ga nu maar rusten. Ik zie je morgen.'

Ik hoor hen roddelen in de salon. Ik hoor hen omdat ik op de trap sta, geruisloos als het licht van de sterren. En dan loop ik stilletjes de deur uit naar het huis van de Worthingtons om hen te waarschuwen. Daarna ga ik op zoek naar miss McCleethy om haar ter verantwoording te roepen vanwege miss Moore, mijn moeder, Nell Hawkins en de anderen. Met dat doel in mijn achterhoofd steek ik het mes dat Kartik me heeft gegeven in mijn laars.

Felicity's butler opent de deur en ik dring langs hem heen naar binnen, zonder acht te slaan op zijn tegenwerpingen.

'Felicity!' roep ik, volledig tegen alle gedragsregels en etiquette in. 'Ann!'

'Hier!' roept Felicity vanuit de bibliotheek.

Ik storm naar binnen, met de butler op mijn hielen. 'Miss Doyle wil u graag spreken, miss,' zegt hij, vastbesloten om de formaliteiten zoveel mogelijk in acht te nemen.

'Dank je, Shames. Je kunt wel gaan,' zegt Felicity. 'Wat is er?' vraagt ze zodra we alleen zijn. 'Weet je iets over miss Moore? Heb je een manier bedacht om haar terug te krijgen?'

Ik schud mijn hoofd. 'Ons geheim is ontdekt. Lady Denby heeft inlichtingen ingewonnen. Ze heeft je nicht gevonden, Ann. Ze weet dat we al die tijd toneel hebben gespeeld.' Ik laat me in een stoel zakken. Ik ben doodmoe.

'Dan weet iedereen het binnenkort. Daar kun je op rekenen,' zegt Felicity. Ze kijkt oprecht bang.

Ann verbleekt. 'Ik dacht dat je zei dat er geen haan naar zou kraaien!'

'Ik heb buiten Lady Denby en haar haat jegens mijn moeder gerekend.'

Bevend gaat Ann zitten. 'Ik ben geruïneerd. En we mogen elkaar vast nooit meer zien.'

Felicity heeft haar gebalde vuist tegen haar buik gedrukt. 'Mijn vader vermoordt me.'

'Het was jouw idee,' zegt Ann met een beschuldigende vinger naar Felicity.

'Jij speelde het spelletje anders maar wat graag mee!'

'Hou op, alsjeblieft,' zeg ik. 'We moeten voorkomen dat Lady Denby iedereen vertelt wat ze weet.'

'Niemand kan haar daarvan weerhouden.' zegt Felicity. 'Ze is een erg vastberaden vrouw. En dit is het soort roddels waar ze voor leeft.'

'We moeten een ander verhaal bedenken,' zegt Ann. Ze ijsbeert door de kamer.

'Zodat ze daar ook weer inlichtingen over kan inwinnen?' vraag ik.

Ann gaat op de bank zitten, legt haar hoofd op haar armen en begint te huilen.

'We kunnen de magie gebruiken,' zegt Felicity.

'Nee,' antwoord ik.

Felicity's ogen vonken. 'Waarom niet?'

'Ben je soms vergeten wat er gisteravond is gebeurd? We zullen elk greintje magie nodig hebben om de tempel te vinden en het tegen Circe op te nemen.'

'Circe!' spuugt Felicity. 'Pippa had gelijk. Je denkt alleen maar aan jezelf.'

'Dat is niet waar,' zeg ik.

'O nee?'

'Gemma, toe,' snottert Ann.

'Je hebt zelf gezien wat een tol de magie van me eist,' zeg ik. 'Ik ben vandaag niet mezelf. En Nell Hawkins is in trance geraakt. Vannacht heb ik gedroomd dat ze in Circes handen viel.'

Felicity's butler komt binnen. 'Is alles in orde, miss Worthington?'

'Ja, Shames. Dank je.'

Hij vertrekt, maar onze woede gaat niet met hem mee. Die blijft in de kamer hangen en uit zich in gekwetste blikken en een vijandige stilte. Ik heb hoofdpijn.

'Denk je dat het echt zo is? Denk je dat Circe Nell Hawkins te pakken heeft gekregen?' vraagt Ann door haar tranen heen.

'Ja,' zeg ik. 'Dus je begrijpt dat het van het allergrootste belang is dat we vanavond weer naar het rijk gaan. Zodra we de tempel hebben gevonden en de magie hebben gebonden, mag je hem voor mijn part gebruiken om mensen te laten denken dat je koningin Victoria bent. Maar eerst moeten we de tempel vinden.' En Circe.

Felicity zucht diep. 'Dank je, Gemma. Tot morgen kan ik moeder wel afleiden en uit de klauwen van Lady Denby houden. Ann, je wordt zo heel erg ziek.'

'O ja?'

'Niemand waagt het om kwaad te spreken over een zieke,' legt ze uit. 'Flauwvallen, nu.'

'Maar stel dat iemand merkt dat ik doe alsof?'

'Ann, flauwvallen is het simpelste wat er is. Vrouwen doen het zo vaak. Je laat je gewoon op de grond vallen, doet je ogen dicht en zegt niets.'

'Ja,' zegt Ann. 'Moet ik me op de grond laten vallen of daar op de bank?'

'O, god nog aan toe, wat maakt het uit! Val nou maar gewoon flauw.'

Ann knikt. Met de finesse van een geboren actrice draait ze haar ogen weg en laat zich theatraal op de grond vallen, als een inzakkende soufflé. Zo'n gracieuze flauwte heb ik nog nooit gezien. Jammer dat het niet aan ons is besteed.

'Vanavond,' zegt Felicity met mijn handen in de hare.

'Vanavond,' zeg ik instemmend.

Met alle paniek die we kunnen opbrengen rennen we de salon uit. 'Shames, Shames!' roept Felicity.

De lange, ijzig kijkende butler komt tevoorschijn. 'Ja, miss?'

'Shames, miss Bradshaw is flauwgevallen. Ik vrees dat ze ziek is geworden. We moeten moeder gaan halen, meteen.'

Zelfs de onverstoorbare Shames schrikt hiervan. 'Ja, miss. Meteen.'

Terwijl er in het huis een opgewonden chaos uitbreekt – want kennelijk is iedereen dol op ellende, zolang die de saaie monotonie kan doorbreken – neem ik afscheid. Ik moet toegeven dat ik een woest soort bevrediging put uit het oefenen van de toespraak die ik tegen grootmoeder zal houden over dit bezoekje. '... en miss Bradshaw, die lieve, tedere ziel, was zo gekwetst door de valse beschuldigingen dat ze ter plekke ziek werd en flauwviel...'

Ja, dat zal een zeer bevredigend moment zijn. Was ik maar niet zo moe.

Het is donker geworden in Londen, en er valt natte sneeuw. Het is een gure avond, en ik zal blij zijn als ik weer voor de open haard zit. Ik vraag me af wat er met miss Moore is gebeurd, of ik iets kan doen om haar voor haar afschuwelijke lot te behoeden. Ik vraag me af of ik Kartik ooit nog zal zien, of dat hij door de schaduw van de Rakshana is opgeslokt.

Jackson staat geduldig bij de stoeprand te wachten. Dat kan alleen maar betekenen dat ze thuis hebben ontdekt dat ik weg ben en daar de logische conclusie uit hebben getrokken. Nu zit ik net zo diep in de penarie als Felicity en Ann. Waarschijnlijk zit Tom in het rijtuig, ziedend van woede.

'Goedenavond, miss. Uw grootmoeder maakte zich vreselijk zorgen om u,' zegt Jackson terwijl hij de deur van het rijtuig voor me openhoudt. Hij pakt mijn hand om me erin te helpen.

'Dank je, Jack...' Ik verstijf. Het is niet Tom, en ook niet grootmoeder, die op me zit te wachten. In mijn rijtuig zit miss McCleethy. Bij haar is Fowlson van de Rakshana.

'Stapt u alstublieft in, miss,' zegt Jackson. Hij geeft me een duw in mijn rug.

Ik wil gillen, maar hij slaat zijn hand voor mijn open mond, zodat het geluid in mijn keel blijft steken. 'Ik weet waar je f'mi-

460

lie woont. Denk an je arme pa, die kwetsbaar als wat op z'n ziekbed leg.'

'Jackson,' zegt miss McCleethy. 'Zo is het genoeg.'

Met tegenzin laat Jackson me los. Hij duwt de deur achter me dicht en klimt op de bok. De lichtjes van Mayfair verdwijnen in de verte als het rijtuig zich met een ruk bij de verkeersstroom naar Bond Street voegt.

'Waar brengen jullie me naartoe?' vraag ik op hoge toon.

'Naar een plek waar we rustig kunnen praten,' zegt miss McCleethy. 'Je bent niet makkelijk te vangen, miss Doyle.'

'Wat hebt u met Nell Hawkins gedaan?' vraag ik.

'Miss Hawkins is op dit moment mijn minste zorg. We moeten het over de tempel hebben.'

Fowlson bevochtigt een zakdoek met een vloeistof uit een flesje.

'Wat doe je?' vraag ik. De angst welt op in mijn keel.

'Het zou niet goed zijn als je de weg naar onze schuilplaats zou kennen,' zegt Fowlson.

Hij buigt over me heen. Ik stribbel tegen en draai mijn hoofd van links naar rechts om hem te ontwijken, maar hij is te sterk. Het enige wat ik zie is het wit van de zakdoek, die langzaam op me afkomt en op mijn neus en mond wordt gedrukt. Daar is de onvermijdelijke, verstikkende geur van ether. Het laatste wat ik zie voordat ik me overgeef aan de duisternis is miss McCleethy, die kalmpjes een stuk toffee in haar mond stopt.

Langzaam maar zeker kom ik bij. Eerst is er de smaak in mijn mond, smerig en zwavelachtig, die aan mijn tong kleeft en me doet kokhalzen. Dan is er het wazige beeld. Ik moet mijn arm optillen om het onvaste, dansende licht te weren. Ik ben in een donkere kamer. Er branden kaarsen. Ben ik alleen? Ik zie niemand, maar ik ben me bewust van anderen. Ik kan

461

voelen dat ze in de kamer zijn. In de duisternis boven me klinkt geritsel.

Twee gemaskerde mannen komen de kamer binnen, met tussen zich in iemand met een blinddoek. Ze doen de blinddoek af. Het is Kartik! De andere mannen gaan weg en laten ons alleen.

'Gemma,' zegt hij.

'Kartik,' kras ik. Mijn keel is droog. Mijn stem slaat over. 'Wat doe jij hier? Hebben ze jou ook ontvoerd?'

'Gaat het wel? Hier, drink een beetje water,' zegt hij.

Ik neem een slokje. 'Het spijt me vreselijk wat ik die dag tegen je zei. Ik bedoelde er niets mee.'

Hij schudt zijn hoofd. 'Vergeven en vergeten. Weet je zeker dat het wel gaat?'

'Je moet me helpen. Fowlson en miss McCleethy hebben me ontvoerd en hiernaartoe gebracht. Als hij trouw is aan haar, kunnen we de Rakshana niet vertrouwen.'

'Sst, Gemma. Ik ben hier niet tegen mijn wil naartoe gebracht. Miss McCleethy behoort tot de Orde. Ze werkt samen met de Rakshana om de tempel te vinden en de Orde in zijn oude glorie te herstellen. Ze komt je helpen.'

Ik laat mijn stem dalen tot een fluistering. 'Kartik, je weet dat miss McCleethy Circe is.'

'Fowlson zegt van niet.'

'Hoe weet hij dat nou? En hoe weet jij dat hij niet is overgelopen? Hoe weet je dat je hem kan vertrouwen?'

'Miss McCleethy is niet wie jij denkt dat ze is. Ze heet Sahirah Foster. Ze is al een tijdje op jacht naar Circe. De naam McCleethy heeft ze aangenomen als afleidingsmanoeuvre, in de hoop dat ze zo de aandacht van de echte Circe op zich zou vestigen. Dat was namelijk de naam die Circe gebruikte toen ze op het Sint-Victoria werkte.'

'En dat verhaal geloof jij?' sneer ik.

'Fowlson gelooft het.'

'Ik weet zeker dat Nell Hawkins je iets heel anders zou vertellen. Snap je het dan niet?' vraag ik smekend. 'Ze is Circe! Ze heeft die meisjes vermoord, Kartik. En mijn moeder en jouw broer! Ik sta niet toe dat ze mij ook nog doodt.'

'Gemma, je vergist je.'

Hij heeft zich door haar in de luren laten leggen. Ik kan hem niet meer vertrouwen.

Miss McCleethy komt binnen. Haar lange groene mantel strijkt over de grond.

'Dit duurt al veel te lang, miss Doyle. Jij neemt me mee naar het rijk en dan help ik je de tempel te vinden. Dan kunnen we de magie binden en de Orde in ere herstellen.'

Ergens boven ons klinkt een diepe stem. 'En eindelijk zullen de Rakshana ook toegang krijgen tot het rijk en de magie.' In het kaarslicht kan ik alleen een gemaskerd gezicht zien.

'Ja, natuurlijk,' zegt miss McCleethy.

'Ik weet alles over u,' zeg ik. 'Ik heb een brief geschreven naar het Sint-Victoria. Ik weet wat u Nell Hawkins hebt aangedaan, en die andere meisjes vóór haar.'

'Je weet helemaal niets, miss Doyle. Dat denk je alleen maar, en daarin schuilt het probleem.'

'Ik weet dat Mrs Nightwing uw zus is,' verkondig ik triomfantelijk.

Miss McCleethy kijkt verrast. 'Lillian is gewoon een goede vriendin. Ik heb geen zus.'

'U liegt,' zeg ik.

Boven ons galmt die stem weer. 'Genoeg! Het is tijd.'

'Ik neem jullie niet mee naar binnen!' schreeuw ik tegen alle aanwezigen.

Ruw grijpt Fowlson me bij de arm. 'Ik ben je spelletjes meer dan beu, miss Doyle. Ze hebben ons al veel te veel tijd gekost.'

'Je kunt me niet dwingen,' zeg ik.

'O nee?'

Miss McCleethy komt tussenbeide. 'Mr Fowlson. Laat mij even met het meisje praten, alsjeblieft.'

Ze neemt me terzijde. Haar diepe stem is slechts een fluistering. 'Maak je geen zorgen, liefje. Ik ben absoluut niet van plan de Rakshana zeggenschap te geven over het rijk. Ik hou ze alleen maar zoet met de belofte.'

'Dus zij helpen u en als dank keert u hun de rug toe.'

'Maak je er niet al te druk over.' Ze laat haar stem nog verder dalen. 'Ze waren van plan het rijk voor zichzelf op te eisen. Met welke woorden moest je van hen de magie binden?'

Ik bind de magie in de naam van de Ster van het Oosten.'

Ze glimlacht. 'Met die woorden zou je hun de macht over de tempel hebben geschonken.'

'Waarom zou ik u geloven? Kartik zei...'

'Kartik?' sneert ze vol afkeer. 'Zeg eens, heeft hij je ook verteld wat zijn taak is?'

'Mij helpen de tempel te vinden.'

'Miss Doyle, wat ben je goedgelovig. Zijn taak was je te helpen de tempel te vinden, zodat de Rakshana de macht konden grijpen. En denk je echt dat ze jou nog nodig zouden hebben zodra ze al die kracht tot hun beschikking hadden?'

'Hoe bedoelt u?'

'Vanaf dat moment zou je nog maar een ergernis zijn. Een risico. En dat brengt ons bij zijn ware taak: jou doden.'

De kamer lijkt veel kleiner te worden. Ik krijg geen adem. 'U liegt.'

'O ja? Waarom vraag je het hem niet zelf? O, ik verwacht niet dat hij je de waarheid zal vertellen. Maar let op hem, let op zijn ogen. Die liegen nooit.'

Vergeet je taak niet, novice...

Was het allemaal één grote leugen? Was er ook maar iets van waar?

'Dus je begrijpt, liefje, dat we uiteindelijk toch op elkaar aangewezen zijn.'

Ik ben te verbitterd om te huilen. Mijn bloed kookt van haat. 'Daar lijkt het inderdaad op,' zeg ik. De woede is als een opgerolde slang in mijn buik, klaar om aan te vallen.

'Je beschikt over uitzonderlijke gaven, Gemma. Onder mijn hoede zul je veel leren. Maar vergeet niet dat je eerst in naam van de Orde de magie moet binden.' Miss McCleethy glimlacht. Ze doet me denken aan een serpent. 'Ik heb twintig jaar op dit moment gewacht.'

Over mijn lijk. 'Ik moet de waarheid weten,' zeg ik.

Ze knikt. 'Goed dan. Fowlson!' roept ze. Even later komt hij binnen, met Kartik. Boven ons loopt de kamer vol. Overal klinkt het zachte geluid van discrete voetstappen. Dan wordt alles stil. Het enige wat beweegt is het flakkerende kaarslicht.

'Kartik,' zeg ik, en mijn stem kaatst tussen de wanden heen en weer. De ruimte is kleiner dan ik dacht. 'Wat was de taak die de Rakshana je hebben opgedragen? Ik bedoel niet het vinden van de tempel,' zeg ik, met een stem waar de haat vanaf druipt. 'Die andere taak.'

'Die... andere taak?' vraagt hij, struikelend over zijn woorden.

'Ja. Zodra ik de tempel had gevonden. Wat moest je dan doen?' Nog nooit heb ik iemand op deze manier aangekeken, met een moordlustige woede. En ik heb Kartik nog nooit zo bang gezien.

Hij slikt moeizaam. Onwillekeurig gaat zijn blik naar de gezichtloze mannen in de schaduw.

'Voorzichtig, broeder,' fluistert Fowlson.

'Ik moest je helpen de tempel te vinden. Een andere taak had ik niet,' zegt Kartik. Maar hij kijkt me niet recht aan als hij dat zegt, en nu weet ik het. Ik weet dat hij liegt. Ik weet dat het zijn taak is om me te doden.

'Leugenaar,' zeg ik. Dat dwingt hem me aan te kijken, maar

net zo snel wendt hij zijn blik weer af. 'Ik ben er klaar voor.'

'Mooi,' zegt miss McCleethy.

Ik pak miss McCleethy's sterke handen vast en sluit mijn ogen. ... *flauwvallen is het simpelste wat er is. Vrouwen doen het zo vaak. Je laat je gewoon op de grond vallen, doet je ogen dicht en zegt niets.*

Dat is precies wat ik doe. 'Ooh,' kreun ik.

Ik pak het niet zo gracieus aan als mijn vriendin Ann. Ik laat me iets voorover vallen, zodat mijn hand op een paar centimeter van mijn laars blijft liggen. Mijn vingers vinden Megh Sambara, het handvat van het verborgen mes. Als ik ooit bescherming tegen mijn vijanden nodig heb gehad, is het nu.

'Wat nu weer?' verzucht Fowlson.

'Ze doet alsof,' zegt miss McCleethy. Ze geeft me een schop. Ik verroer me niet. 'Geloof me, het is niet echt.'

'Hijs haar overeind!' galmt de diepe stem boven.

Kartik haakt zijn armen onder mijn oksels en tilt me op. Dan sleept hij me naar de deur, die voor ons opengaat.

'Haal het reukzout,' beveelt Fowlson.

'Ze bluft,' snauwt miss McCleethy. 'Vertrouw haar geen ogenblik.'

Ik hou mijn ogen ontspannen dicht en tuur door de spleetjes heen om te kijken waar Kartik me mee naartoe neemt. We bevinden ons in een schemerige gang. Ergens ver boven me hoor ik mannen lachen en gedempt praten. Is dat een uitweg?

Ik houd de totem stevig vast. Dan duw ik Kartik van me af en trek mijn mes, dat ik dreigend omhooghoud.

'Je kunt toch niet ontsnappen. Je weet niet waar de uitgang is,' zegt Fowlson.

Hij heeft gelijk. Ik zit als een rat in de val, Fowlson en Jackson komen dichterbij. Miss McCleethy wacht af, maar kijkt naar me alsof ze me met alle plezier levend zou verslinden.

466

'Nu is het wel genoeg geweest met die dwaasheid, miss Doyle. Ik ben niet de vijand.'

Welke deur leidt naar buiten? Kartik. Ik kijk hem aan. Even aarzelt hij. Dan glijdt zijn blik naar een deur links van me. Hij knikt bijna onmerkbaar, en dan weet ik dat hij hen heeft verraden en mij de uitweg heeft gewezen.

'Wat voer jij daar uit, knul?' roept Jackson.

Dat zorgt voor zoveel afleiding dat ik erin slaag de deur door te rennen, met Kartik op mijn hielen. Hij duwt de deur achter ons dicht.

'Gemma! Het mes, snel! Door die klink daar!'

Ik steek het mes door de ijzeren klink, zodat de deur niet meer open kan. Aan de andere kant hoor ik ze bonken en schreeuwen. De deur zal het niet eindeloos houden. Ik kan alleen maar hopen dat hij het zo lang houdt dat wij kunnen ontsnappen.

'Deze kant op,' zegt Kartik. We zijn uitgekomen op een donkere Londense straat. Sneeuwvlokjes vermengen zich met de door gaslampen verlichte mist en de duisternis, waardoor het zicht erg beperkt is. Maar er zijn nog meer mensen op straat. Ik herken dit deel van de stad. We zijn niet ver van Pall Mall Square en de meest exclusieve herenclubs in Londen. Dat waren de mannenstemmen die ik hoorde!

'Ik zal ze tegenhouden, dan kun jij vluchten,' zegt Kartik buiten adem.

'Wacht! Kartik, je kunt niet terug,' zeg ik. 'Je kunt nooit meer terug.'

Kartik wiebelt op zijn hakken heen en weer, niet wetend of hij moet blijven staan of terug moet gaan, als een kind dat naar zijn moeder rent om te zeggen: *Het spijt me, het spijt me wat ik heb gedaan, vergeef me alsjeblieft.* Maar de Rakshana zijn niet vergevensgezind. Kartik begint nu pas te beseffen wat hij met zijn impulsieve daad heeft aangericht. Door mij te helpen, heeft hij in één klap een eind gemaakt aan zijn kansen om als volwaardig lid tot de broederschap te worden toegelaten. De enige familie die hij ooit heeft gekend, heeft hij de rug toegekeerd. Nu geniet hij geen bescherming meer, heeft hij geen thuis meer. Hij is alleen, net als ik.

Fowlson en Jackson rennen de stoep op en kijken wild om zich heen. Ze zien ons. Miss McCleethy komt achter hen aan. Kartik staat er nog steeds bij alsof hij niet weet waar hij naartoe moet.

'Kom mee,' zeg ik terwijl ik brutaal mijn arm door de zijne haak. 'We gaan een eindje wandelen.'

We doen ons best om niet op te vallen tussen de mensen die druk over straat heen en weer lopen, de mannen die na het eten, een sigaartje en een glaasje brandy hun club verlaten, de stellen die op weg zijn naar het theater of een feestje.

Achter ons hoor ik Fowlson een militair deuntje fluiten, iets wat ik Engelse soldaten in India wel eens heb horen zingen.

'Ik zou het nooit hebben gedaan,' zegt hij.

'Loop nou maar gewoon door,' zeg ik.

'Ik zou je hebben laten ontsnappen.'

Fowlsons gefluit, bedrieglijk zuiver, snijdt dwars door het kabaal van de straat en het verkeer heen en verkilt me tot op het bot. Ik kijk vluchtig achterom. Ze komen dichterbij. Als ik me weer omdraai, zie ik iets waar ik nog veel erger van schrik: Simon en zijn vader die net de Athenaeum-club verlaten. Ze mogen me hier niet zien. Ik laat Kartiks arm los en draai me om.

'Wat doe je?' vraagt hij.

'Dat is Simon,' zeg ik. 'Hij mag me hier niet zien.'

'Nou, die kant kunnen we zeker niet op!'

Ik ben in paniek. Simon stapt onder het waakzame oog van het standbeeld van Athene vandaan, dat boven de chique ingang van de club staat. Hij komt onze kant op. Zijn rijtuig staat op straat te wachten. Iemand stapt uit een huurrijtuig en betaalt de koetsier. Kartik duwt een ander stel uit de weg en doet de deur voor me open.

'De hertogin van Kent,' zegt hij glimlachend tegen de verontwaardigde man en vrouw. 'Ze wordt zo spoedig mogelijk verwacht in paleis St. James.'

De man sputtert luidkeels tegen, wat de aandacht trekt van enkele mensen op straat, onder wie Simon en zijn vader. Ik duik snel weg.

De woedende man eist dat ik uit zijn huurrijtuig stap. 'Ik móét protesteren, mevrouw! Wij hebben recht op dit rijtuig!'

Toe, toe, laat mij nou. Fowlson heeft ons gezien. Hij is opgehouden met fluiten en versnelt zijn pas. Nog een paar tellen en hij heeft ons bereikt.

'Wat is er aan de hand?' Dat is de stem van Lord Denby.

'Deze jongedame heeft ons huurrijtuig in beslag genomen,' briest de man. 'En die Indiase jongen beweert dat ze de hertogin van Kent is.'

'Zeg, vader, is dat niet de vroegere koetsier van Mr Doyle? Ja, inderdaad!'

Lord Denby recht zijn schouders. 'Zeg, jongen! Wat heeft dit te betekenen?'

'Moeten we de politie erbij halen?' vraagt Simon.

'Miss,' zegt de man hooghartig. Hij steekt zijn hand door het raam naar binnen, terwijl ik mijn uiterste best doe om uit het zicht te blijven. 'U hebt uw pleziertje gehad. Nu wil ik graag dat u ons rijtuig verlaat.'

'Kom, miss,' roept de koetsier. 'Late we niet zo moeilijk doen. 't Is ommers een kouwe nacht.'

Dit is het einde. Ofwel ik word door Simon en zijn vader gezien en mijn reputatie is voorgoed naar de maan, of Fowlson en miss McCleethy nemen me mee naar God weet waar.

Mijn hand ligt al op de deurklink als Kartik opeens als een

krankzinnige op en neer begint te springen. Hij zingt een vrolijk wijsje en gooit zijn hakken hoog in de lucht.

'Is hij dronken of gestoord?' vraagt Lord Denby.

Kartik leunt naar het rijtuig toe. 'Je weet waar je me kunt
vinden.'

Hij gooit hij handen in de lucht en laat er vervolgens één
met een pets op de romp van het paard terechtkomen. Luid
hinnikend rent het dier de straat op. Vruchteloos roept de
koetsier: 'Ho, rustig an, Tillie!' Het enige wat hij kan doen is
het dier wegleiden van de clubs, de verkeersstroom in die Pall
Mall verlaat. Als ik nog één keer snel achteromkijk, zie ik dat
Kartik nog steeds de dwaze clown uithangt. Er komt een politieagent aan, die op zijn fluitje blaast. Fowlson en Jackson
trekken zich terug. Voorlopig krijgen ze Kartik niet te pakken.
Alleen miss McCleethy is nergens te bekennen. Ze is in het
niets verdwenen.

'Waarnaartoe, miss?' roept de koetsier uiteindelijk.

Waar kan ik naartoe? Waar kan ik me verbergen?

'Baker Street,' roep ik. Ik geef hem het adres van miss Moore.
'En haast je, alsjeblieft.'

HOOFDSTUK
VIJFENVEERTIG

Als we Baker Street bereiken, besef ik inmiddels dat ik mijn handtasje niet bij me heb. Ik kan de rit niet betalen.

'Daar zijn we dan, miss,' zegt de koetsier als hij me het rijtuig uit helpt.

'O hemel,' zeg ik. 'Ik geloof dat ik mijn handtasje ben vergeten. Als je me je naam en adres wilt geven, zorg ik ervoor dat je dubbel en dwars wordt betaald. Dat beloof ik.'

'En de koningin is me ouwe moer,' zegt hij.

'Ik meen het serieus, meneer.'

Aan de andere kant van de straat loopt een agent. De koperen knopen van zijn uniform glanzen, ondanks de duisternis. Mijn hartslag versnelt.

'Legt u het de agent maar uit,' zegt hij. 'Hé, Bob! Hierzo!'

Ik ga ervandoor. Achter me klinkt het schelle fluitje van de agent. Snel glip ik een donker steegje in, waar ik even blijf staan. De sneeuw is overgegaan in ijzel. De piepkleine, harde ijsschilfertjes maken mijn wangen rood en geven me een loopneus. De huizen glanzen door het nieuwe laagje ijs en de gasverlichting. Elke ademtocht is een pijnlijk gerasp, een gevecht om lucht tegen de kou. Maar er is meer aan de hand. De magie heeft me uitgeput. Ik voel me vreemd, alsof ik koorts heb.

De voetstappen van de agent klinken scherp en dichtbij.

'En toen zei ie dat zij de hertogin van Kent was,' legt de koetsier uit.

Ik druk me zo plat mogelijk tegen de muur. Mijn hart bonkt tegen mijn ribben; ik houd mijn adem zo goed mogelijk in.

'Je kunt beter geen vreemde vrouwen meenemen, vriend,' zegt de agent.

'Hoe most ik nou weten dat ze vreemd was?' werpt de koetsier tegen.

Al kibbelend lopen ze op enkele centimeters afstand langs me heen, zonder ook maar opzij te kijken, tot hun voetstappen en stemmen niet meer zijn dan vage echo's, die uiteindelijk door de nacht worden opgeslokt. Opgelucht en luidruchtig blaas ik mijn ingehouden adem uit. Ik heb geen tijd te verliezen. Zo snel als ik kan in mijn verzwakte toestand strompel ik de straat af, naar het appartement van miss Moore. In het huis is alles donker. Ik klop ferm aan, hopend dat ik een smoes kan bedenken waarmee ik binnen kan komen. Mrs Porter steekt haar hoofd door een raam op de bovenverdieping en roept geïrriteerd naar beneden: 'Wat mot je?'

'Mrs Porter, het spijt me vreselijk dat ik u moet lastigvallen. Ik heb een dringende boodschap voor miss Moore.'

'Die is d'r niet.'

Dat weet ik, en het is mijn schuld. Even ben ik bang dat ik ga flauwvallen. Mijn gezicht is verdoofd door de wrede geseling van de ijzel. Elk moment kan de agent terugkomen. Ik moet naar binnen. Ik heb een plaats nodig waar ik even kan schuilen, kan nadenken, kan uitrusten.

'Hoor es, 't is al laat. Kom morgen maar terug.'

Er klinken galmende voetstappen op de gladde kinderkopjes. Er komt iemand aan.

'Beste Mrs Porter,' zeg ik wanhopig, 'ik ben het, Felicity Worthington. De dochter van admiraal Worthington.'

'De dochter van Admiraal Worthington, zeggie? O, lieve kind toch, hoe is 't met de admiraal?'

'Prima, dank u. O, nee, ik bedoel, het gaat helemaal niet goed met hem. Daarom kom ik miss Moore opzoeken. Het is echt dringend. Mag ik hier op haar wachten?' *Alstublieft, laat me binnen. Al is het maar tot ik een beetje tot rust ben gekomen.*

Verderop in de straat hoor ik het gestage klakken van de schoenen van de agent, die terugkomt.

'Nouww...' zegt Mrs Porter. Ze heeft haar nachtkleding al aan.

'Ik zou het nooit van u vragen als ik niet wist wat een lieve, vriendelijke ziel u bent. Ik weet zeker dat mijn vader u persoonlijk zal willen bedanken zodra hij weer beter is.'

Mrs Porter steekt trots haar borst vooruit. 'Ik kom er zo aan.'

De lantaarn van de agent strekt vingers van licht naar me uit. *Alstublieft, Mrs Porter, schiet op.* Dan doet ze de deur open en laat me binnen.

''n Avond, Mrs Porter,' roept de agent. Hij neemt zijn hoed voor haar af.

''n Avond, Mr John,' antwoordt ze.

Ze sluit de deur. Ik leg een hand tegen de muur om niet te vallen.

'Wat fijn om gezelschap te hebbe. Zo onverwachts. Kom, dan neem ik uw jas an.'

Ik trek mijn jas strak om mijn pijnlijke keel. 'Beste Mrs Porter,' kras ik. 'Vergeef me, maar ik moet mijn zaken met miss Moore afhandelen en dan moet ik snel terug naar mijn zieke vader.'

Mrs Porter kijkt alsof ze in een chocolaatje heeft gehapt, om vervolgens tot de ontdekking gekomen dat er zuur in zit. 'Hmf. Maar ik ken u niet zomaar in d'r kamer late. Ik ben een eerlijke zakevrouw, snappie.'

'Ja, natuurlijk,' zeg ik.

Mrs Porter denkt even na over haar dilemma, maar dan

keert ze een vaas om op een bijzettafeltje en schudt de sleutel van miss Moores kamer uit zijn bergplaats. 'Deze kant op dan maar.'

Ik loop achter haar aan de smalle trap op naar de vertrekken van miss Moore. 'Maar as ze om hallef nog niet terug is, mot je weg,' zegt ze terwijl ze de sleutel in het slot omdraait. De deur gaat open en ik loop naar binnen.

'Ja, dank u. Doet u alstublieft geen moeite, Mrs Porter, blijft u niet op. Het tocht hier, en als u door mij kou zou vatten, zou ik het mezelf nooit vergeven.'

Dat lijkt Mrs Porter voorlopig te vermurwen, en ze laat me alleen. Met zware tred loopt ze de trap af.

Ik doe de deur achter me dicht. In het donker ziet de kamer er onvertrouwd en dreigend uit. Ik laat mijn vingers over het vergeelde behang glijden tot ik de gaslamp heb gevonden. Sissend kom hij tot leven; de vlam likt aan het glas. De kamer lijkt uit een sluimering te ontwaken: de fluwelen bank, de wereldbol op zijn standaard, het bureautje waar de gebruikelijke chaos heerst, de rijen beduimelde boeken. De maskers lijken in het donker veel angstaanjagender. Ik kan er niet naar kijken. In plaats daarvan put ik troost uit miss Moores schilderijen: de paarse heide van Schotland, de scherpe kliffen bij de zee, de bemoste grotten in het bos achter Spence.

Ik ga op het randje van de bank zitten om tot bedaren te komen en alles op een rijtje te zetten. Wat ben ik moe. Ik wil slapen, maar dat kan niet. Nog niet. Eerst moet ik bedenken wat ik nu moet doen. Als de Rakshana onder één hoedje spelen met miss McCleethy, met Circe zelf, dan zijn ze niet te vertrouwen. Kartik moest me doden zodra ik de tempel had gevonden. Maar hij heeft hen verraden door mij te helpen ontsnappen. De klok tikt de minuten weg. Vijf. Tien. Ik trek het gordijn opzij en gluur naar de straat, maar ik zie Mr Fowlson en het zwarte rijtuig nergens.

Ik schrik me bijna dood wanneer er op de deur wordt geklopt. Mrs Porter komt binnen met een brief.

'Liefie, je hoef niet meer te wachte. Ik had dit niet zien ligge. Miss Moore hep 't vanochtend voor me op 't bijzettafeltje geleg.'

'Vanochtend?' herhaal ik. Dat is onmogelijk. Miss Moore zit vast in het rijk. 'Weet u het zeker?'

'Jazekers. Ik heb haar eiges zien weggaan. Sindsdien hep ik d'r niet meer gezien. Maar die brief hep ik net pas geleze. D'r staat dat ze naar d'r familie toe is.'

'Maar miss Moore heeft helemaal geen familie,' zeg ik.

'Nou, kennelijk wel.' Mrs Porter leest hardop voor. '"Beste Missus Porter. Sorry da 'k 't zo laat pas meld, maar ik mot meteen weg. Ik heb een baan aangenomme bij een school vlak bij Londe, waar me zus directrice is. Ik zal me spulle zo snel mogelijk late ophale. Met vriendelijke groete, Hester Asa Moore." Hmf. Ze probeert onder de huur uit te komme, zeker. Ze loop twee weke achter, mot je wete.'

'Een school? Waar haar zus directrice is?' vraag ik zwakjes.

Die zin ben ik al eens eerder tegengekomen, in de brief die Mrs Morrissey van het Sint-Victoria me heeft geschreven. Maar toen had ze het over miss McCleethy.

'Daar lijk 't op,' zegt Mrs Porter.

In mijn binnenste vormt zich moeizaam een afschuwelijke gedachte. De schilderijen. Schotland, Spence. En dat zeezicht komt me griezelig bekend voor, want het lijkt op het tafereel in mijn visioenen. Het zou zo maar Wales kunnen zijn, besef ik vol afschuw. Elke plek op de lijst van miss McCleethy komt overeen met een schilderij aan die muur.

Maar miss McCleethy is degene die aan al die scholen heeft lesgegeven. Zij was de lerares die op zoek was naar een meisje dat haar kon meenemen naar het rijk.

Tenzij miss McCleethy en Kartik de waarheid vertelden. Tenzij miss Moore helemaal geen miss Moore heet.

475

'Het hep nu geen zin om op d'r te wachte, miss Worthington,'
zegt Mrs Porter.

'Nee,' kras ik. 'Misschien laat ik even een briefje achter, dan
kunt u dat met haar spullen meesturen.'

'U doet maar,' zegt Mrs Porter, die al weg wil gaan. 'Ken u d'r
meteen vragen of ze me geld stuurt. Die huur hep ik nooit
gekrege.'

Naarstig zoek ik naar een pen en een vel papier. Dan adem
ik een keer diep in. Niet miss Moore. Dat kan niet. Miss Moore
is degene die altijd in me heeft geloofd. Die ons als eerste over
de Orde heeft verteld. Die luisterde toen ik haar vertelde over...
alles.

Nee, miss Moore is Circe niet. En ik zal het bewijzen.

Ik schrijf haar naam met grote blokletters: HESTER MOORE.

De letters lijken me aan te staren. Ann heeft al een anagram
van miss Moores naam proberen te maken. Dat leverde alleen
maar onzin op. Mijn blik valt op het briefje. *Met vriendelijke
groet, Hester Asa Moore.* Die tweede naam. Ik streep de letters
door en begin opnieuw. Met bevende vingers hussel ik de
letters van haar naam door elkaar om er iets nieuws van te
maken. S, A, R. Uiteindelijk zet ik ook de overige letters op hun
plaats. H, R, E. De kamer verdwijnt in het niets, de naam dringt
zich aan me op.

Sarah Rees-Toome.

Miss Moore is Sarah Rees-Toome. Circe. Nee. Ik weiger het te
geloven. Miss Moore heeft ons geholpen Ann te redden. Ze zei
tegen ons dat we moesten vluchten terwijl ze het opnam tegen
Circes monster. Háár monster. En ik heb haar meegenomen
naar het rijk. Ik heb haar de kracht gegeven.

Allerlei herinneringen schieten door mijn hoofd: miss Moores intensieve belangstelling voor miss McCleethy. Dat ze ons
opdroeg bij Nell Hawkins uit de buurt te blijven. Hoe de meisjes in het wit in het rijk naar haar keken, alsof ze haar kenden.

Zie wat ik zie, dat had Nell gezegd.

'Ik moet het zien. Ik wil de waarheid weten,' zeg ik.

Het visioen overvalt me met de felheid van een plotselinge Indiase regenbui. Mijn armen beven en ik val op mijn knieën, zo krachtig is het. *Blijven ademen, Gemma. Vecht er niet tegen.* Ik kan het niet onder controle houden, en de paniek giert door me heen terwijl ik val als een baksteen.

Alles staat stil. Er heerst kalmte. Ik ken deze plaats. Ik heb er al eerder delen van gezien. Het gebulder van de zee klinkt in mijn oren. Het opspattende water kust de kartelige kliffen en bedekt mijn haar en lippen met een laagje zoute mist. De grond is gebarsten en verweerd waar de huid van de rots is versplinterd tot duizenden piepkleine kloofjes.

Voor me zie ik de drie meisjes. Maar het zijn geen spookachtige geestverschijningen. Ze leven, ze lachen en zijn gelukkig. De wind krijgt vat op hun rokken. Die wapperen achter hen aan als de zakdoek van een moeder. Het eerste meisje struikelt en weet maar nauwelijks op de been te blijven, maar haar gil gaat over in gelach als ze daar toch in slaagt.

Haar lach galmt als een trage echo om mijn hoofd heen. 'Kom mee, Nell!'

Nell. Ik beleef dit moment als Nell. Ik zie wat zij zag.

'Ze komt ons de kracht schenken! We zullen het rijk binnengaan en zusters van de Orde worden!' roept het tweede meisje in het wit. Ze straalt van verwachting. Wat ben ik traag. Ik kan hen niet bijhouden.

De meisjes zwaaien naar iemand achter me.

Daar is ze, de vrouw met de groene mantel, die met grote passen over het verweerde land loopt. Ze roepen naar haar. 'Miss McCleethy! Miss McCleethy!'

'Ja, ik kom eraan,' antwoordt ze. De vrouw zet de kap van haar mantel af. Maar het is niet de miss McCleethy die ik ken. Het is miss Moore. En nu begrijp ik miss Moores geschrokken gezicht toen we die naam voor het eerst noemden, de haast waarmee ze onze nieuwe lerares in diskrediet probeerde te brengen. Ze begreep dat iemand van de Orde achter haar aan zat. En ik heb het vanaf het allereerste begin bij het verkeerde eind gehad.

'Geeft u ons de kracht?' roepen de meisjes.

'Ja,' zegt miss Moore met haperende stem. 'Loop nog iets verder de rotsen op.'

De meisjes klauteren over de rotsen, vrolijk en roekeloos gillend wanneer de wind hen teistert en ze zich heel even sterfelijk voelen. Ik probeer bij hen te komen.

'Nell!' roept miss Moore. 'Blijf maar bij mij.'

'Maar miss McCleethy,' hoor ik mezelf zeggen. 'Ze lopen op ons uit.'

'Laat ze maar. Blijf bij mij.'

Verward blijft Nell staan kijken naar haar vriendinnen op de rotsen. Miss Moore steekt haar hand op. Ze heeft geen slangenring om haar vinger. Die heeft ze ook nooit gehad, besef ik nu. Ik heb miss Moore verteld over de ring, en toen lieten de meisjes in het wit me zien wat ik wilde zien.

Miss Moore mompelt iets in een taal die ik niet kan verstaan. De staalgrijze hemel komt tot leven, begint te kolken en draaien. De meisjes voelen de verandering aan. Hun gezichten staan verschrikt. Het wezen rijst op uit de zee. De meisjes gillen het uit van angst. Ze willen wegrennen, maar het enorme fantoom rekt zich als een wolk uit. Het stort zich op de meisjes en slokt hen zo snel op dat het lijkt of ze nooit hebben bestaan. Het wezen zucht en kreunt. Het vouwt zijn grote vleugels open, en ik zie de gillende meisjes die er gevangenzitten.

Miss Moores hand beeft. Ze sluit haar ogen.

Het monster draait zijn afgrijselijke kop in onze richting. 'Er is er nog een, zie ik,' sist hij. Het geluid doet het bloed in mijn aderen stollen.

'Nee,' zegt miss Moore. 'Deze niet.'

'Ze kan je niet mee naar binnen nemen. Wat maakt het jou uit of ze wordt opgeofferd?' krijst het wezen met die doemstem.

'Deze niet,' herhaalt miss Moore. 'Alsjeblieft.'

'Wij bepalen wie er wordt gespaard, niet jij. Dat jij om ze gaat geven, is jouw probleem.' Het monster groeit tot het de hele hemel lijkt te vullen. Het skeletachtige gezicht is zo groot als de maan. De muil gaat open en onthult kartelige tanden.

'Rennen!' gilt miss Moore. 'Rennen, Nell! Blijf niet stilstaan! Weer het uit je gedachten!'

Ik doe wat ze zegt. In Nells lichaam ren ik zo hard als ik kan, uitglijdend over de stenen. Mijn hak blijft steken in een spleet, en mijn enkel zwikt om en begeeft het. Krimpend van de pijn strompel ik door, langs de kliffen omlaag, met het monster op mijn hielen.

Het wezen krijst het uit van woede.

De angst is overweldigend. Het wordt mijn dood nog. Ik moet hem uit mijn hoofd weren. '''k Moet dwalen, 'k moet dwalen, langs bergen en langs dalen. Daar kwam een kleine springer in het veld, hij zwaaide met zijn hoed, hij stampte met zijn voet. Kom laten wij nu dansen gaan, dansen gaan, en de and'ren moeten blijven staan.'

Ik loop over de glibberige rotsen. De zee grijpt naar mijn enkels en maakt me drijfnat. Het komt eraan. O god, het komt me halen. '''k Moet dwalen, 'k moet dwalen, 'k moet dwalen...'

Het is vreselijk dichtbij. Ik laat me in de rusteloze zee vallen. Ik zink weg. Mijn longen snakken naar lucht. Belletjes schieten naar het oppervlak. Ik vecht tegen de stroming. Straks verdrink ik nog! Ik open mijn ogen. Daar zijn ze, alle drie. Wat een bleke gezichten! Donkere kringen onder hun holle ogen. Mijn gil wordt opgeslokt door de zee. En als ik door twee vissershanden uit het water word getrokken, gil ik nog steeds.

De druk is terug. Het visioen is voorbij, en ik ben weer terug in miss Moores geel verlichte appartement.

Ik weet de waarheid. Als ik probeer op te staan, kunnen mijn benen me niet dragen. Met grote moeite sta ik op. Als ik wegga, neem ik niet eens de moeite om de deur achter me dicht te doen. De treden van de trap lijken te bewegen. Ik probeer mijn voet erop te zetten en val bijna.

'Gaat 't wel?' vraagt Mrs Porter. Ik kan geen antwoord geven. Moet naar buiten. Lucht. Ik snak naar lucht.

Mrs Porter komt me achterna. 'Heb je d'r gevraagd naar me huur?'

Ik strompel het nachtelijke duister in. Ik beef over mijn hele lichaam, maar niet van de kou. Het is de magie die bezit neemt van mijn lichaam en me uitput.

'Miss Moore!' gil ik tegen het donker. Mijn stem is niet veel meer dan een rauwe kreet. 'Miss Moore!'

Bij een bocht in de straat wachten ze op me, die afschuwelijke meisjes in het wit. Hun schaduwen worden langer, lange, donkere vingers kruipen over de natte kinderkopjes en overbruggen de afstand tussen ons. De bekende stem klinkt in mijn oren.

'Onze meesteres is binnen. We hebben de zieneres. Zij zal ons naar de tempel brengen.'

'Nee...' zeg ik.

'Hij is bijna van ons. Je hebt verloren.'

Ik wil naar hen uithalen, maar ik kan mijn armen nauwelijks bewegen. Ik val op de natte straat. Hun schaduwen strijken over mijn handen en hullen me in duisternis.

'Tijd om te sterven...'

Het schrille fluitje van de agent galmt in mijn oren. De schaduw trekt zich terug.

'Rustig maar, miss. We brengen u wel naar huis.'

De agent tilt me op en loopt de straat uit. Ik hoor het ritmische geklak van zijn schoenen op de kinderkopjes. Ik hoor het fluitje, de stemmen. Ik hoor mezelf keer op keer zeggen, als een mantra: 'Vergeef me, vergeef me, vergeef me...'

HOOFDSTUK
ZESENVEERTIG

Iemand trekt de gordijnen dicht. Het wordt schemerdonker in de kamer. Ik kan niets zeggen. Tom en grootmoeder zitten aan mijn bed. Ik hoor nog een stem. Een dokter.

'Koorts...' zegt hij.

Het is geen koorts. Het is de magie. Ik probeer hun dat te vertellen, probeer iets te zeggen, maar het lukt niet.

'Je moet rusten,' zegt Tom met mijn hand in de zijne.

In de hoek van de kamer zie ik de drie meisjes wachten, die stille, glimlachende geestverschijningen. De donkere kringen om hun holle ogen doen me denken aan het skeletachtige gelaat van dat monster bij de kliffen.

'Nee,' zeg ik, maar het komt als een zachte fluistering over mijn lippen.

'Sst, ga maar slapen,' zegt grootmoeder.

'Ja, ga maar slapen,' fluisteren de meisjes in het wit zoetsappig. 'Slaap maar verder.'

'Dit zal haar helpen te slapen...' De stem van de dokter klinkt ijl. Hij haalt een bruin flesje tevoorschijn. Tom aarzelt. Ja, goed zo, Tom. Maar de dokter staat erop, en Tom zet het flesje aan mijn lippen. Nee! Ik mag het niet drinken. Mag niet in slaap vallen. Maar ik kan niet genoeg weerstand opbrengen. Ik draai mijn hoofd weg, maar Toms hand is sterk.

'Toe, Gemma.'

De meisjes zitten daar maar met hun handen op schoot. 'Ja. Zo zoet. Drink het en ga slapen. Onze meesteres is nu binnen. Dus ga slapen.'

'Ga maar lekker slapen,' zegt Tom. Zijn stem klinkt heel ver weg.

'We zien je wel in je dromen,' zeggen de meisjes terwijl ik in de ban van het verdovende middel raak.

Ik zie de Grotten der Zuchten, maar niet zoals ze nu zijn. Dit is geen ruïne, maar een schitterende tempel. Ik loop door de smalle tunnels. Waar ik met mijn vingers over de bobbelige muren strijk, komen de verbleekte tekeningen in felle kleuren tot leven: rood, blauw, groen, roze en oranje. Het zijn schilderingen van alle rijken. Het Woud van het Licht. De waternimfen in hun troebele wateren. Het gorgoneschip. De tuin. Het Orakel van de Runen zoals het er vroeger uitzag. De gouden horizon achter de rivier, waar onze ziel naartoe moet reizen. De vrouwen van de Orde in hun mantels, die elkaars hand vasthouden.

'Ik heb hem gevonden,' mompel ik met een tong die dik is van de opiaten.

'Sst,' zegt iemand. 'Ga maar weer slapen.'

Ga maar weer slapen. Ga maar weer slapen.

De woorden zweven door een tunnel mijn lichaam binnen, waar ze veranderen in rozenblaadjes die over mijn blote voeten en de stoffige grond dwarrelen. Ik prik mijn vinger aan een doorn die door een barst in de muur uitsteekt. Bloeddruppeltjes vallen in het stof aan mijn voeten. Dikke, groene ranken persen zich door de barsten heen naar buiten. Ze wikkelen zich in hoog tempo om de zuilen in patronen zo ingewikkeld als de hennatatoeages van de Hajin. Dikke knoppen ontvouwen zich, worden prachtige donkerroze rozen en wikkelen zich om de zuilen als de verstrengelde vingers van geliefden. Wat is het mooi, zo mooi.

Er komt iemand aan. Asha, de onaanraakbare. Want wie is er geschikter om de tempel te bewaken dan degenen van wie iedereen denkt dat ze helemaal geen macht hebben?

Ze drukt haar handpalmen tegen elkaar en raakt met haar vingertoppen haar voorhoofd aan terwijl ze me met een buiging begroet. Ik doe hetzelfde. 'Wat biedt u ons?'

Bied de onaanraakbaren hoop, want ze hebben hoop nodig. Vrouwe Hoop. Ik ben de hoop. Ik ben de hoop.

De hemel splijt open. Asha's gezicht staat bezorgd.

'Wat is er?'

'Ze voelt uw aanwezigheid. Als u blijft, zal ze de tempel vinden. U moet deze droom verlaten. Verbreek het visioen, Hoogste. Doe het nu!'

'Ja, ik zal gaan,' zeg ik. Ik probeer mezelf aan het visioen te onttrekken, maar het opiaat krijgt me in zijn greep. Ik kan me niet losrukken.

'Ga weg! Ren het rijk in,' zegt ze. 'Verdrijf het beeld van de tempel uit uw gedachten. Anders ziet ze wat u ziet.'

Het opiaat maakt me zwaar. Zo zwaar. Ik kan mijn brein niet laten gehoorzamen. Ik strompel de grot uit. Achter me verliezen de schilderingen hun kleur, vouwen de rozen zich op tot knoppen en trekken de ranken zich terug tussen de barsten. Als ik de grot uit kom, is de hemel donker geworden. De wierookpotten zenden hun kleurige rookpluimen richting de wolken, als een waarschuwing. De rook wijkt uiteen. Voor me staat miss Moore met de arme Nell Hawkins, haar offer.

'De tempel. Dank je, Gemma.'

Ik open mijn ogen. Het plafond, beroet door de gaslampen, wordt scherp. De gordijnen zitten dicht. Ik weet niet hoe laat het is. Ik hoor gefluister.

'Gemma?'

'Ze deed haar ogen open. Ik heb het zelf gezien.'

Felicity en Ann. Ze haasten zich op me af, gaan op de rand van het bed zitten en pakken mijn handen vast.

'Gemma? Ik ben het, Ann. Hoe voel je je? We hebben ons vreselijk zorgen om je gemaakt.'

'Ze zeiden dat je koorts had, dus uiteraard mochten we niet langskomen, maar uiteindelijk heb ik mijn poot stijf gehouden. Je hebt drie dagen geslapen,' zegt Felicity.

Drie dagen. En ik ben nog steeds moe.

'Ze hebben je in Baker Street gevonden. Wat deed je daar, bij de vertrekken van miss Moore?'

Miss Moore. Miss Moore is Circe. Ze heeft de tempel gevonden. Ik heb gefaald. Ik ben alles kwijt. Ik draai mijn gezicht naar de muur.

Ann babbelt verder. 'Door al die consternatie heeft Lady Denby nog geen kans gezien om Mrs Worthington over mij te vertellen.'

'Simon is hier elke dag nog geweest, Gemma,' zegt Felicity. 'Elke dag! Daar zul je wel blij om zijn.'

'Gemma?' vraagt Ann bezorgd.

'Het kan me niet schelen.' Wat klinkt mijn stem kleintjes en droog.

'Het kan je niet schelen? Hoe bedoel je? Ik dacht dat je gek op hem was. Het lijkt er in elk geval op dat hij gek is op jou. Dat is toch goed nieuws?' vraagt Felicity.

'Ik ben de tempel kwijt.'

'Hoe bedoel je?' vraagt Ann.

Het is te veel om uit te leggen. Mijn hoofd bonst. Ik wil slapen en nooit meer wakker worden. 'We hebben ons vergist in miss McCleethy. In alles. Miss Moore is Circe.'

Ik wil hen niet aankijken. Ik kan het niet.

'Ik heb haar meegenomen naar het rijk. Zij heeft nu de kracht. Het is voorbij. Het spijt me.'

485

'Geen magie meer?' vraagt Ann.

Ik schud mijn hoofd. Dat doet pijn.

'En Pippa dan?' vraagt Felicity, die begint te huilen.

Ik sluit mijn ogen. 'Ik ben moe,' zeg ik.

'Het kan niet waar zijn,' zegt Ann snikkend. 'Nooit meer naar het rijk?'

Ik geef geen antwoord. In plaats daarvan doe ik alsof ik slaap, tot ik aan het kraken van het bed hoor dat ze weggaan. Ik blijf liggen, starend in het niets. Licht piept tussen de dichte gordijnen door. Dus het is dag. Niet dat het me ook maar iets kan schelen.

's Avonds draagt Tom me naar de salon, zodat ik bij de open haard kan zitten.

'Je hebt een onverwachte bezoeker,' zegt hij.

Met mij in zijn armen duwt hij de deur van de salon open. Simon is gekomen, zonder zijn moeder. Tom legt me op de bank en trekt een deken over me heen. Waarschijnlijk zie ik er afschuwelijk uit, maar het kan me niets schelen.

'Ik zal Mrs Jones vragen thee te brengen,' zegt Tom terwijl hij achteruit de kamer uit loopt. Hij laat de deur open, maar desondanks zijn Simon en ik nu alleen.

'Hoe voel je je?' vraagt hij. Ik zeg niets. 'Je hebt ons allemaal flink laten schrikken. Hoe ben je in zo'n vreselijk deel van de stad verzeild geraakt?'

De kerstboom is verdroogd. De naalden vallen er met bosjes vanaf.

'We dachten dat iemand misschien om losgeld wilde vragen. Wellicht was die man die je op station Victoria volgde toch geen hersenspinsel.'

Simon. Wat kijkt hij bezorgd. Ik moet iets zeggen om hem gerust te stellen. Ik schraap mijn keel. Er komt niets uit. Zijn haar heeft exact dezelfde kleur als een doffe munt.

'Ik heb iets voor je,' zegt hij. Hij komt dichterbij en haalt een broche uit de zak van zijn jasje. Hij is versierd met een heleboel parels en ziet er oud en kostbaar uit.

'Deze is van de eerste burggravin van Denby geweest,' zegt Simon terwijl hij de vederlichte paarlen broche tussen zijn vingers houdt. Twee keer schraapt hij zijn keel. 'Hij is meer dan honderd jaar oud en is altijd gedragen door de vrouwen in mijn familie. Hij zou naar mijn zus zijn gegaan als ik er een had gehad. Maar die heb ik niet, zoals je weet.' Opnieuw schraapt hij zijn keel.

Dan speldt hij hem op het kant van mijn bedjasje. Vaag besef ik dat ik nu een teken van zijn belofte draag. Ik besef dat er met dat ene kleine gebaar veel is veranderd.

'Miss Doyle. Gemma. Mag ik zo brutaal zijn?' Hij geeft me een kuis kusje, heel anders dan op de avond van het bal.

Tom komt terug met Mrs Jones en de thee. De mannen babbelen joviaal met elkaar terwijl ik blijf staren naar de dennennaalden die op de grond vallen. Ik heb het gevoel dat ik wegzink in de bank, naar beneden gedrukt door het gewicht van de broche.

'Ik had bedacht dat we vandaag maar eens naar het Bethlem moesten gaan,' verkondigt Tom tijdens de lunch.

'Waarom?' vraag ik.

'Je bent al dagen in je slaapkleding binnen. Het zou je goeddoen om er even uit te gaan. En ik dacht dat miss Hawkins' toestand misschien wat zou verbeteren als je bij haar op bezoek ging.'

Haar toestand zal niet veranderen. Een deel van haar zit voorgoed in het rijk gevangen.

'Alsjeblieft?' vraagt Tom.

Uiteindelijk geef ik toe en ga met Tom mee. We hebben weer een nieuwe koetsier, want Jackson is verdwenen. Dat verbaast me niets.

'Grootmoeder zegt dat Ann Bradshaw helemaal niet verwant is aan de hertog van Chesterfield,' zegt Tom zodra we onderweg zijn. 'Ze zegt ook dat miss Bradshaw flauwviel toen ze die beschuldigingen hoorde.' Wanneer ik dat bevestig noch ontken, gaat hij verder. 'Volgens mij kan het niet waar zijn. Miss Bradshaw is de vriendelijkheid zelve. Ze zou nooit iemand misleiden. Het feit alleen al dat ze flauwviel bewijst dat haar karakter te goed is om zoiets zelfs maar te overwegen.'

'Mensen zijn niet altijd zoals je graag zou willen,' mompel ik.

'Pardon?' vraagt Tom.

'Niets,' zeg ik.

Word wakker, Tom. Vaders kunnen hun kinderen moedwillig pijn doen. Ze kunnen verslaafd raken en te zwak zijn om met hun slechte gewoonten te breken, hoezeer ze anderen ook kwetsen. Moeders kunnen je dusdanig verwaarlozen dat je het gevoel krijgt onzichtbaar te zijn. Ze kunnen je uitwissen met een ontkenning, een weigering om je te zien staan. Vrienden kunnen je bedriegen. Mensen liegen. De wereld is hard en kil. Ik kan het Nell Hawkins niet kwalijk nemen dat ze zich heeft teruggetrokken in haar zelfgekozen krankzinnigheid om eraan te ontsnappen.

De gangen van het Bethlem hebben nu een welhaast kalmerend effect op me. Mrs Sommers zit achter de piano en ramt er een deuntje vol valse noten uit. In een hoek is een naaikransje opgezet. De vrouwen zitten geconcentreerd over hun borduurwerk gebogen, alsof ze met elke zorgvuldige steek dichter bij de verlossing komen.

Ik word naar Nells kamer gebracht. Ze ligt languit op het bed. Haar ogen zijn open, maar zien niets.

'Hallo, Nell,' zeg ik. Het is stil in de kamer. 'Misschien kun je ons beter alleen laten,' zeg ik tegen Tom.

'Hè? O, ja.' Tom gaat weg.

Ik neem Nells handen in de mijne. Wat zijn ze klein en koud.

'Het spijt me, Nell,' zeg ik. De verontschuldiging klinkt als een snik. 'Het spijt me.'

Opeens omklemt Nell mijn handen. Met elk beetje kracht dat ze nog in zich heeft vecht ze ergens tegen. We zijn verbonden, en in mijn hoofd hoor ik haar stem.

'Ze... kan hem... niet binden,' fluistert ze. 'Er... is.... nog... hoop.'

Haar spieren ontspannen. Haar handen glijden uit de mijne.

'Gemma?' vraagt Tom als ik uit Nells kamer kom stormen en in één keer doorren naar het rijtuig. 'Gemma! Gemma, waar ga je naartoe?'

Het is kwart over vijf als ik eindelijk een huurrijtuig heb gevonden. Met een beetje geluk kan ik op station Victoria zijn voordat Felicity en Ann op de trein van kwart voor zes naar Spence stappen. Maar het zit me niet mee. Op straat wemelt het van de mensen en voertuigen in alle soorten en maten. Dit is niet het juiste tijdstip om haast te hebben.

Big Ben luidt het halve uur. Ik steek mijn hoofd door het raampje naar buiten. Voor ons strekt zich een zee van paarden, wagens, huurrijtuigen, koetsen en omnibussen uit. Het is misschien nog vierhonderd meter tot aan het station, maar we staan muurvast.

Ik roep naar de koetsier: 'Ik wil hier graag uitstappen, alstublieft.'

Tussen de snuivende paarden door loop ik snel de straat over en de stoep op. Het is maar een klein stukje naar station Victoria, maar ik merk dat ik verzwakt ben na die vele dagen in bed. Tegen de tijd dat ik het station heb bereikt, moet ik even tegen de muur aan gaan staan om te voorkomen dat ik flauwval.

Tien minuten over halfzes. Ik heb geen tijd om uit te rusten. Het perron staat vol met mensen. In die drukte zal ik ze nooit vinden. Dan zie ik een leeg krantenkrat en ga erop staan om te zoeken tussen de mensen, zonder acht te slaan op de boze blikken die ik krijg van voorbijgangers die mijn extravagante gedrag een belediging voor alle dames vinden. Eindelijk zie ik ze. Ze staan met Franny op het perron. De Worthingtons hebben niet eens de moeite genomen om hun dochter met een kus en een paar tranen uit te zwaaien.

'Ann! Felicity!' roep ik. Nog een smet op mijn reputatie. Ik strompel op hen af.

'Gemma, wat doe jij hier? Ik dacht dat je pas over een paar dagen terug zou gaan naar Spence,' zegt Felicity. Ze draagt een chic reiskostuum in een flatteuze mauvetint.

'De magie is nog niet van haar,' leg ik hijgend uit. 'Ze is er nog niet in geslaagd hem te binden.'

'Hoe weet je dat?' vraagt Felicity.

'Dat heeft Nell me verteld. Kennelijk heeft ze zelf niet genoeg kracht. Ze heeft mij ervoor nodig.'

'Wat doen we nu?' vraagt Ann.

Er klinkt gefluit. De trein naar Spence staat in een rokerig waas op het spoor. Hij is klaar voor vertrek. De conducteur op het perron roept de passagiers op in te stappen.

'We gaan achter hen aan,' zeg ik.

Ik zie dat Jackson en Fowlson er zijn. Ze hebben ons gezien en komen recht op ons af.

'We hebben gezelschap,' zeg ik.

Felicity ziet de mannen. 'Zij daar?'

'Rakshana,' zeg ik. 'Ze zullen proberen ons tegen te houden en de macht te grijpen.'

'Dan zorgen we dat ze ons niet te pakken krijgen,' zegt Felicity. Ze stapt de trein in.

'Zij stappen ook in!' zegt Ann paniekerig.

'Dan moeten wij weer uitstappen,' zeg ik. We zijn bijna bij de deur, als de trein met een schok in beweging komt. Het perron verdwijnt achter ons uit het zicht en de mensen die afscheid zijn komen nemen, zwaaien eerst achter het ene raam, dan achter het volgende, dan achter het raam daarna, enzovoorts, tot ze niet meer te zien zijn.

'Wat nu?' vraagt Felicity. 'Nu vinden ze ons zeker.'

'Zoek een lege coupé,' zeg ik.

We kijken naar links en naar rechts, tot we een lege coupé vinden en de deur achter ons dichttrekken. 'We zullen snel moeten zijn,' zeg ik. 'Geef me een hand.'

Stel dat ik de deur niet kan oproepen? Stel dat ik te zwak ben of dat de magie op de een of andere manier niet meer naar behoren werkt? *Toe, laat ons alsjeblieft nog één keer binnen.*

'Er gebeurt niets,' zegt Felicity.

Verderop in de gang hoor ik een deur opengaan, en dan Fowlson die zegt: 'Neemt u me niet kwalijk, ik dacht dat dit mijn coupé was.'

'Ik ben te zwak. Ik heb jullie hulp nodig,' zeg ik. 'We moeten het nog een keer proberen. Doe je uiterste best, zoals je nog nooit in je leven je best hebt gedaan.'

Opnieuw sluiten we onze ogen. Ik concentreer me op mijn ademhaling. Ik voel de zachte, vlezige warmte van Anns hand onder haar handschoen. Ik hoor het dappere kloppen van Felicity's gewonde hart en voel de zwarte smet die op haar ziel drukt. Ik ruik de aardegeur van Fowlson die door de gang dichterbij komt. Dan voel ik een diepe bron van kracht in mijn binnenste opwellen. Alles in me komt tot leven.

De deur verschijnt.

'Nu,' zeg ik, en we betreden opnieuw het rijk.

De tuin is verwilderd. Er zijn meer paddenstoelen. Ze zijn bijna twee meter hoog geworden, soms nog groter. Diepe zwarte gaten zijn uitgevreten in de dikke, deegachtige stelen. Een smaragdgroene slang glibbert uit een van de gaten en valt op het gras, bijna boven op Anns voet.

'O!' gilt ze.

'Wat is hier gebeurd?' Felicity kan haar ogen niet geloven.

'Hoe sneller we bij de tempel zijn, hoe beter.'

'Maar waar is hij?' vraagt Ann.

'Als ik gelijk heb, heeft hij al die tijd pal voor onze neus gestaan,' zeg ik.

'Hoe bedoel je?' vraagt Felicity.

'Niet hier,' zeg ik terwijl ik om me heen kijk. 'Hier is het niet veilig.'

'We moeten Pip zoeken,' zegt Felicity.

Ik hou haar tegen. 'Nee,' zeg ik. 'Niemand is nog te vertrouwen. We gaan alleen.'

Ik zet me al schrap voor een woordenwisseling, maar die komt niet. 'Goed dan. Maar ik neem wel mijn pijlen mee,' zegt Felicity terwijl ze naar de bergplaats zoekt.

'Pijl, bedoel je,' verbetert Ann haar. Felicity heeft ze op één na allemaal gebruikt.

'We zullen het ermee moeten doen,' zegt ze terwijl ze hem uit de koker haalt. Ze hangt haar boog over haar schouder. 'Ik ben er klaar voor.'

We volgen het pad door het dichte struikgewas tot we onder aan de berg staan. 'Waarom gaan we deze kant op?' vraagt Felicity.

'We gaan naar de tempel.'

'Maar dit is de weg naar de Grotten der Zuchten,' zegt Felicity met een stem waar het ongeloof vanaf druipt. 'Je wilt toch niet zeggen...'

Ann is verbijsterd. 'Maar het zijn alleen maar grotten en een paar oude ruïnes. Hoe kan dat de tempel zijn?'

'We hebben hem gewoon niet gezien zoals hij echt is. Als je je kostbaarste bezit wilt verbergen, dan stop je het toch weg op een plaats waar niemand het zal zoeken? En waarom zou je het dan niet laten bewaken door degenen van wie iedereen denkt dat ze geen enkele macht hebben?'

Bied de onaanraakbaren hoop, want ze hebben hoop nodig, zegt Ann. Ze herhaalt letterlijk wat Nell heeft gezegd.

'Precies,' zeg ik. Ik wijs naar Felicity en dan naar Ann. 'Kracht. Lied. Ik ben hoop. Vrouwe Hoop. Zo noemde ze me telkens.'

Felicity schudt haar hoofd. 'Ik begrijp het nog steeds niet.'

'Dat komt nog wel,' zeg ik.

We lopen verder over de smalle, stoffige weg die naar de top van de berg leidt, waar de Grotten der Zuchten wachten. Onderweg moet ik even stoppen om uit te rusten.

Felicity laat me op haar schouder leunen. 'Gaat het wel?'

'Ja. Maar ik ben nog behoorlijk zwak, vrees ik.'

Ik kijk op en bescherm mijn ogen met mijn hand. Het lijkt nog heel ver naar de top.

'Gemma! Felicity!' roept Ann. 'Kijk daar eens!' Ze wijst naar de rivier. De gorgoneschuit vaart met hoge snelheid op ons af.

Pippa is in het kraaiennest geklommen. In de wind wappert haar zwarte haar als een zijden mantel achter haar aan.

'Pippa!' roept Felicity zwaaiend.

'Wat doe je?' Ik trek haar arm naar beneden.

Te laat. Pippa heeft ons gezien. Ze zwaait terug terwijl de gorgone naar de oever vaart.

'Als we de magie gaan binden, hoort Pip erbij te zijn,' zegt Felicity. 'En misschien is er een manier...' Ze maakt haar zin niet af.

Kracht. Lied. Hoop. En schoonheid. *Je moet voorzichtig zijn met schoonheid. Schoonheid moet overgaan...*

'Je weet dat ik dat niet kan beloven, Fee. Ik weet ook niet wat er gaat gebeuren.'

Ze knikt. Tranen wellen op in haar ogen.

'Ahoi!' roept Pippa. Daar moet Felicity een beetje bitter om lachen.

'Het minste wat je kunt doen is ons de kans geven fatsoenlijk afscheid te nemen. Niet zoals de vorige keer,' zegt ze zachtjes.

Ik kijk toe terwijl Pippa vrolijk door het struikgewas naar het zandpad trippelt dat naar boven voert. Ze lijkt een en al leven.

'Ze komt eraan,' zegt Ann. Ze kijkt me aan en wacht mijn reactie af.

'We wachten op haar,' zeg ik uiteindelijk.

Het duurt niet lang voor Pip ons heeft ingehaald. 'Waar gaan jullie naartoe?' vraagt ze. Haar kroon van madeliefjes is weg. Er zitten nog maar een paar verdroogde bloemetjes in haar warrige haar.

'We hebben de tempel gevonden,' zegt Felicity.

Pippa is verbijsterd. 'Dit hier? Dat meen je niet.'

'Gemma zegt dat het een illusie is, dat we hem niet zien zoals hij in werkelijkheid is,' legt Ann uit.

'Is dit de plek waar de magie ontspringt?' vraagt Pippa.

'En waar hij kan worden ingedamd,' zeg ik.

Er trekt een wolk over Pippa's gezicht.

Ik sta op. 'We hebben te lang gewacht. We moeten verder.'

De wierookpotten braken rode en blauwe rook uit als we de lange gang met de verbleekte fresco's in lopen. De wind jaagt gedroogde rozenblaadjes in het rond, in een op en neer bewegende spiraal. Even word ik overvallen door twijfel. Hoe kan deze ruïne in vredesnaam de bron zijn van alle magie in het rijk? Misschien klopte mijn visioen niet en kijk ik weer op de verkeerde plek. Als een luchtspiegeling stapt Asha naar voren. Ze legt haar handen tegen elkaar en maakt een buiging. Ik beantwoord het gebaar. Ze glimlacht.

'Wat biedt u ons?' vraagt ze.

'Mezelf,' zeg ik. 'Ik bied hoop.'

Asha glimlacht opnieuw. Het is een prachtige lach. 'Ik ben uw dienaar.'

'En ik die van jou,' antwoord ik.

'Bent u klaar om de magie te binden?'

'Ik denk het wel,' zeg ik, opeens bang. 'Maar hoe?'

'Zodra u er klaar voor bent, moet u door de waterval heen lopen naar de plaats waar de bron van de eeuwigheid wacht.'

'En wat gebeurt er dan?'

'Dat kan ik niet zeggen. Daar zult u uw angst onder ogen moeten zien, en misschien slaagt u erin die te overwinnen.'

'Misschien slaag ik erin die te overwinnen?' vraag ik. 'Is dat dan niet zeker?'

'Niets is ooit zeker, Vrouwe Hoop,' zegt ze.

Misschien. Wat een mager woord om je aan vast te klampen.

'En als ik hem overwin?'

'Dan moet u de woorden kiezen waarmee u de magie bindt. Uw woorden bepalen de koers die hij zal inslaan. Kies ze zorgvuldig.'

'Ik wil graag beginnen,' zeg ik.

Asha brengt me naar een vreemde waterval, die zowel omhoog als omlaag lijkt te stromen. 'Als u klaar bent, loop er dan zonder angst doorheen.'

Ik sluit mijn ogen. Haal diep adem, en nog een keer. Ik kan voelen hoe de tempel om me heen tot leven komt. De rozen persen zich door de barsten in de muren. Hun geur verspreidt zich. De kleuren van de fresco's bloeien op. De zachte zuchten veranderen in duidelijke stemmen die vele talen spreken, maar ik kan ze allemaal horen. Het bonzen van mijn hart voegt zich bij dat koor.

Ik ben er klaar voor.

Ik loop door het watergordijn heen en omarm mijn lotsbestemming. De bron van de eeuwigheid is een volmaakt ronde waterput, en het oppervlak is zo glad dat er nauwelijks een rimpeltje te zien is. Het toont me in één klap alles. Het toont me het rijk, de wereld, het verleden, het heden en misschien zelfs de toekomst, al weet ik dat niet zeker. Ligt mijn lotsbestemming in dat water besloten? Of is het slechts een mogelijkheid? Ik staar ernaar terwijl ik nadenk hoe ik de magie wil binden en welke woorden ik daarvoor nodig zal hebben.

Ik word afgeleid door een geluid. In de schaduwen van de grot beweegt iets.

Daar zult u uw angst onder ogen moeten zien, en misschien slaagt u erin die te overwinnen.

Er komt iets aan. Miss Moore stapt het licht in, met naast zich Nell, haar gevangene.

'Hallo, Gemma. Ik heb op je gewacht.'

HOOFDSTUK
ACHTENVEERTIG

Ik kijk achterom naar het gordijn van water waar ik doorheen ben gelopen. Glashelder zie ik de bezorgde gezichten van Felicity, Pippa en Ann. Alleen Asha toont geen emotie. Ik wil terug rennen, naar de veilige kant van de waterval. Maar ook veiligheid is een illusie. Ik kan alleen maar vooruitkijken.

'Je kunt niet bij de magie, hè? Daarom heb je Nell nodig. En mij. Je kunt de magie alleen via iemand anders beheersen.'

'Jij bent de Hoogste. Uiteindelijk wil de magie alleen jouw woorden horen,' zegt ze. 'Gemma, samen kunnen jij en ik de macht en de glorie van de Orde doen herleven. We kunnen goede daden verrichten, schitterende daden. Jij hebt meer magie in je dan wie ook in de geschiedenis van de Orde. Er zijn geen grenzen aan wat jij en ik kunnen doen.' Ze steekt haar hand naar me uit. Ik pak hem niet vast.

'Je geeft niets om mij,' zeg ik. 'Het enige wat je wilt, is heersen over de magie en het rijk.'

'Gemma...'

'Wat je ook te zeggen hebt, ik wil het niet horen.'

'Wil je alsjeblieft even naar me luisteren?' smeekt ze. 'Weet je hoe het is als de kracht van je wordt afgenomen? Als je je voorgoed ondergeschikt moet maken aan een ander? Ik had de macht in handen, ik bepaalde mijn eigen lot, en opeens werd dat me afgepakt.'

'Het rijk heeft je niet gekozen,' zeg ik. Ik hou de waterput zorgvuldig tussen ons in.

'Nee. Dat maken ze je alleen maar wijs. Het rijk heeft me de gave geschonken. De Orde heeft hem van me afgepakt. Ze hebben je moeder gekozen in plaats van mij. Omdat ze meegaander was. Ze was bereid te doen wat ze zeiden.'

'Laat mijn moeder erbuiten.'

'Is dat wat je wilt, Gemma? Hun trouwe dienaar zijn? Ben je bereid voor hen te vechten, de tempel te veroveren, de magie te binden en het vervolgens allemaal aan hen te overhandigen zodat zij de magie naar eigen inzicht kunnen verdelen? Stel dat ze ervoor kiezen om jou erbuiten te houden? Stel dat ze je dit nu allemaal afpakken? Hebben ze je ook maar iets beloofd?'

Nee. Ik heb er niet eens bij nagedacht. Ik heb gewoon gedaan wat ze zeiden.

'Je weet dat ik de waarheid spreek. Waarom hebben ze niet aangeboden je te helpen? Waarom hebben ze de magie niet zelf gebonden? Omdat ze het zonder jou niet kunnen. Maar zodra je de magie hebt gebonden en het gevaar geweken is, zullen ze je vragen hen naar het rijk te brengen. Dan nemen ze de macht over. En dan hebben ze niets meer aan je, tenzij je doet wat ze willen. Ze geven niets om je. Ik wel.'

'Zoals je om Nell gaf? Zoals je om mijn moeder gaf?' Ik spuug de woorden zowat uit.

'Ze beloofde me te helpen. Ze stuurde me vanuit Bombay een brief waarin ze zei dat ze van gedachten was veranderd. Maar toen verried ze me aan de Rakshana.'

'Dus heb je haar vermoord.'

'Nee, ik niet. Het monster.'

'Dat komt op hetzelfde neer.'

'Nee, dat is niet waar. Je weet maar heel weinig over de duistere geesten, Gemma. Ze zullen je levend verslinden. Je hebt mijn hulp nodig.' Ze probeert het nog één keer. 'Zonder de magie kan ik mijn band met die wezens niet verbreken, Gemma. Jij kunt me redden van dit ellendige bestaan. Jarenlang heb ik gezocht naar de ware, naar jou. Alles wat ik heb gedaan, deed ik voor dit moment, voor deze kans. We kunnen een nieuwe Orde opzetten, Gemma. Als je de juiste woorden maar gebruikt...'

'Ik heb gezien wat je met die meisjes hebt gedaan.'

'Dat was afschuwelijk. Dat zal ik niet ontkennen. Ik heb hiervoor vele offers gebracht,' zegt miss Moore. 'Wat voor offers ben jij bereid te brengen?'

'Ik weiger te doen wat jij hebt gedaan.'

'Dat zeg je nu. Iedere leider heeft bloed aan zijn handen.'

'Ik vertrouwde je!'

'Dat weet ik. En het spijt me. Soms stellen mensen je teleur, Gemma. De vraag is nu of je met die teleurstelling kunt leren leven en hem achter je kunt laten. Ik bied je een nieuwe wereld.'

Ik kan er niet mee leven.

'Ze hadden gelijk dat ze je de kracht afpakten. Eugenia Spence had gelijk.'

Haar ogen vonken. 'Eugenia! Jij weet niet wat er van haar is geworden, Gemma. Al die tijd heeft ze onder de duistere geesten verkeerd. Hoe wil je het van haar winnen als je het tegen haar moet opnemen? Je zult me in de toekomst nog nodig hebben. Dat verzeker ik je.'

'Je probeert me in verwarring te brengen,' zeg ik.

'Je mag niet oversteken!' Dat is Asha's stem.

Pippa is door de muur van water heen gerend.

'Pip!' Felicity gaat achter haar aan. Ann aarzelt even, maar volgt uiteindelijk toch.

'Wat gebeurt er?' vraagt Pippa.

499

Felicity tilt haar boog op. 'Ik heb nog één pijl over.'

'Als je me doodschiet, neem ik alle geheimen die ik ken over de duistere geesten en het Winterland met me mee het graf in. Dan zul je ze nooit kennen.'

'Weet je hoe je met behulp van de magie een ziel in vrijheid hier kunt houden?' vraagt Pippa gretig.

'Ja,' antwoordt miss Moore. 'Ik kan een manier bedenken om je te geven wat je wilt. Dan hoef je niet over te gaan. Dan kun je voorgoed in het rijk blijven.'

'Ze liegt, Pippa,' zeg ik.

Maar ik zie het schrijnende verlangen in Pippa's ogen. Miss Moore ook.

'Dan zou ik niet bij je weg hoeven, Fee,' zegt Pippa. Aan miss Moore vraagt ze: 'Doet het erg pijn?'

'Nee. Helemaal niet.'

'En blijf ik dan zoals ik ben?'

'Ja.'

'Geloof haar nou niet, Pip.'

'Wat heb jij me ooit beloofd, Gemma? Ik heb je geholpen, en wat heb ik ervoor teruggekregen?'

Ze loopt om de waterput heen en pakt miss Moores hand vast. 'Zo kunnen we weer samen zijn, Fee. Net als vroeger.'

Felicity's hand aan de boog trilt. De pees wordt slap.

'Felicity, je weet dat het niet kan,' fluister ik.

'Schiet haar dood,' fluistert Ann. 'Schiet Circe dood.'

Felicity richt, maar Pippa gaat vóór miss Moore staan en beschermt haar als een schild. Ik weet niet wat er met Pippa, een geest, zou gebeuren als ze in het rijk werd gedood.

Daar staat Felicity, met al haar spieren gespannen onder het gewicht van de boog en haar zware taak. Dan laat ze de boog zakken. 'Ik kan het niet. Ik kan het niet.'

Pippa's lach is hartverscheurend liefdevol. 'Dank je, Fee,' zegt ze, en ze rent op haar vriendin af om haar te omhelzen.

Ik grijp de boog en hou hem stevig vast. Ik kan niet zo goed schieten als Felicity, en ik heb maar één pijl.

Miss Moore trekt Nell tegen zich aan. 'Ik kan Nell nu meteen opofferen. Als je je bij me aansluit, laat ik haar ongedeerd gaan.'

'Je biedt me een onmogelijke keus,' zeg ik.

'Maar het is in elk geval een keus, en dat is meer dan je mij hebt gegeven.'

Nell hangt als een levenloze pop tegen miss Moore aan. Het laatste restje van de sprankeling die ze ooit in haar ogen heeft gehad, is verdwenen, begraven onder dikke lagen pijn. Ik kan Nell sparen, me bij miss Moore aansluiten en de tempel met haar delen. Of ik kan toekijken terwijl ze Nell aan het monster opoffert en de kracht gebruikt zoals ze zelf wil.

Nell richt haar gekwelde blik op me. *Aarzel niet...*

Ik laat de pijl los. Snel en soepel springt hij van de boog en doorboort Nell Hawkins' keel. Met een zachte zucht glijdt ze op de grond. Als offer is ze nu nutteloos.

Miss Moore kijkt met een mengeling van woede en schrik in haar ogen op. 'Wat heb je gedaan?'

'Nu kleeft er aan mijn handen ook bloed,' zeg ik.

Miss Moore rent op me af. Ik heb geen tijd om dit volgens de regels te doen. Ik zal zelf nieuwe regels moeten bedenken. Met mijn ogen dicht ren ik op de put af. Maar miss Moore is snel. Ze pakt mijn hand vast. Ik verlies mijn evenwicht, en samen vallen we, al trekkend en duwend, in dat diepe, eeuwige water.

Ik voel miss Moores ademhaling, hoor het wilde bonzen van haar hart dat het bloed, die noodzakelijke boodschapper, rondpompt. Ik ruik de vage geur van Londens schoorsteenroet en seringenpoeder en nog iets. Onder haar huid gaat angst schuil. Pijn. Berouw. Hunkering. Verlangen. Een wilde behoefte aan macht. Alles tegelijk. We zijn één. Het is alsof we ons in het oog van een enorme storm bevinden. Om ons heen tollen de werelden van het rijk als een reusachtige caleidoscoop waarin de beelden keer op keer in elkaar overvloeien. Zoveel werelden! Zoveel te ontdekken.

Ja, lijkt miss Moore in mijn hoofd te zeggen. *Zoveel wat je nog niet weet.*

Ik word naar alle kanten uitgerekt, van top tot teen, tot ik deel uitmaak van alles wat ik zie. Ik ben het blad dat in een vlinder verandert, de rivier die de stenen op de oever polijst. Ik ben de hongerige buik van de werkster, de vage teleurstelling die de bankier voelt wanneer hij aan zijn kinderen denkt, het verlangen naar opwinding dat het meisje overspoelt. Ik wil lachen en huilen tegelijk. Het is zoveel, zoveel.

Er komt een bevroren woestenij in zicht. We scheren over kartelige bergen onder een woeste hemel. In de diepte jankt een leger van geesten, zeker duizend zielen sterk, tegen de leegte. Ik kan ze in mijn binnenste voelen. De angst. De woede. Ik ben het vuur. Ik ben het monster dat vernietigt. Ik wil geen einde maken aan het wrede gevecht. Dat gevecht houdt me juist in leven.

Ik voel miss Moores sterke armen om me heen. Ze laat zich geen tweede keer met een kluitje in het riet sturen. Nu ben ik me nergens meer van bewust, behalve van onze strijd. Slechts één van ons kan uit de waterput klimmen. Alsof ze mijn gedachten kan lezen, geeft miss Moore me een harde duw. Ze wil winnen, met heel haar hart.

Maar ik wil ook winnen.

Dan moet u de woorden kiezen waarmee u de magie bindt. Uw woorden bepalen de koers die hij zal inslaan. Ik moet een manier bedenken om de magie in te dammen, maar dat valt niet mee als je in een wanhopige strijd bent verwikkeld. Het enige wat ik zie is miss Moore, mijn lerares, mijn vriendin, mijn vijand. En opeens weet ik wat ik moet doen, hoe ik hier een eind aan moet maken.

Met een krachtige zet maak ik me los uit miss Moores greep, en ze vliegt naar achteren. Haar ogen worden groot. Ze weet waar ik aan denk, wat ik van plan ben. Ze duikt op me af, maar deze keer maakt mijn vastberadenheid me snel. Ik klim over de rand van de waterput heen, nat en glanzend als een pasgeboren kindje. Dan hou ik mijn handen boven het water en spreek de woorden uit waarvan ik hoop dat die het evenwicht zullen herstellen.

'Ik plaats een zegel op de kracht. Laat het evenwicht van het rijk hersteld worden en laat niemand de pracht ervan verstoren. Ik bind de magie in naam van eenieder die op een dag de kracht zal delen. Want ik ben de tempel; de magie leeft in mij.'

Opeens laait er een helwit licht op, zo krachtig dat ik even bang ben dat ik in tweeën zal splijten. Dit is de magie. Het zegel gebruikt mij als doorgang. Als water raast het door me heen. En dan is het voorbij. Ik zit op mijn knieën, happend naar adem.

Maar de grot baadt in kleuren. De fresco's zijn fris en helder. De rozen bloeien en de grote standbeelden lijken te leven.

'Wat is er met miss Moore gebeurd?' vraagt Ann.

'Ik heb gedaan wat ze me vroeg. Ik heb haar gered van haar ellendige bestaan en haar ergens opgesloten waar ze geen kwaad meer kan aanrichten.'

'Dus het is gelukt?' Dat is Pippa's stem.

Ann slaat een zacht kreetje als Pippa achter een rotsblok vandaan stapt. Nu de magie niet wild meer is, vervaagt de illusie. De bloemenkrans op haar krullen is weer vers, maar Pippa is niet meer de Pippa die we kennen en van wie we houden. Ze verandert voor onze ogen. Haar tanden worden een beetje kartelig, haar huid wordt dunner, zodat het blauw van haar aderen erdoorheen schijnt. En haar ogen...

Die zijn nu troebel en wit, met zwarte speldenprikjes in het midden.

'Waarom kijken jullie zo naar me?' vraagt ze angstig.

Geen van allen kunnen we antwoord geven.

'Het is gelukt, ik ben er nog,' zegt ze. Ze glimlacht, maar het effect is ijzingwekkend.

'Het is tijd om weg te gaan, Pip,' zeg ik zachtjes. 'Tijd om ons los te laten.'

'Nee!' jammert ze als een gewond dier. Mijn hart breekt. 'Toe, ik wil niet weg. Nog niet. Laat me alsjeblieft niet alleen! Toe! Fee!'

Felicity huilt. 'Het spijt me, Pip.'

'Je hebt beloofd dat je me nooit in de steek zou laten. Dat heb je beloofd!' Met haar armen veegt ze haar tranen weg. 'Hier krijgen jullie spijt van.'

'Pippa!' roept Felicity, maar het is te laat. Ze heeft ons achtergelaten en rent naar de enige plaats waar ze bescherming zal vinden. Op een dag zullen we elkaar weer treffen, niet als vriendinnen, maar als vijanden.

'Ik kon de magie niet gebruiken om haar hier te houden. Dat begrijpen jullie toch wel?'

Felicity kijkt me niet aan. 'Ik ben het hier zat. Ik wil naar huis.' Ze loopt met grote passen weg, de berg af, tot ze door de kleurige rook van de wierookpotten aan het zicht wordt onttrokken.

Ann laat haar hand in de mijne glijden. Op die manier probeert ze me duidelijk te maken dat ze me vergeeft, en daar ben ik haar dankbaar voor. Ik kan alleen maar hopen dat Felicity me in de loop van de tijd ook zal vergeven.

'Kijk, Vrouwe Hoop!' roept Asha.

Aan de andere kant van de rivier zie ik ze: duizenden zielen die overgaan naar de wereld achter deze, eindelijk klaar voor die laatste reis. Zonder acht op ons te slaan stromen ze voorbij. Ze verlangen slechts naar rust. Tegen beter weten in hoop ik dat ik Bessie Timmons en Mae Sutter zal zien, maar nee.

Dan hebben ze het Winterland bereikt, waar ook Pippa binnenkort zal aankomen. Maar dat is een gevecht voor later.

'Vrouwe Hoop!'

Als ik me omdraai, zie ik Nell Hawkins, die dromerig vanaf de oever naar me zwaait. Ze ziet eruit zoals ik me haar uit mijn visioenen herinner: een klein, vrolijk meisje. Ik voel een steek van berouw. Het bloed van Nell Hawkins kleeft voorgoed aan mijn handen. Heb ik de juiste beslissing genomen? Zullen er nog meer volgen?

'Het spijt me,' zeg ik.

'Je kunt levende wezens niet kooien,' antwoordt ze. 'Vaarwel, Vrouwe Hoop.' Met die woorden waadt ze de rivier in, verdwijnt onder water en komt aan de andere kant weer boven, waarna ze de oranje hemel tegemoet loopt tot ik haar uit het oog verlies.

De gorgone wacht in de rivier op ons.

'Zal ik u naar de tuin brengen, Hoogsssste?' vraagt ze.

'Gorgone, ik verlos je van de ban van de Orde,' zeg ik. 'Je bent vrij, al vermoed ik dat je dat al bent sinds de magie werd losgelaten.'

De slangen op haar hoofd dansen. 'Dank u,' antwoordt ze. 'Zal ik u naar de tuin brengen?'

'Heb je me gehoord? Je bent vrij.'

'Ja. Keuzevrijheid. Dat is een mooi iets. En ik kies ervoor u weg te brengen, Hoogsssste.'

Op de rug van de gorgone drijven we stroomafwaarts. Nu al voelt de lucht lichter aan. De dingen veranderen. Wat voor vorm ze uiteindelijk zullen aannemen weet ik niet, maar de verandering op zich is het belangrijkst. Die geeft me het gevoel dat alles mogelijk is.

Aan de voet van de Grotten der Zuchten heeft het volk van het woud zich verzameld. Ze verdringen zich langs de oever wanneer we voorbijvaren. Philon springt op een rots en schreeuwt: 'We verwachten een beloning, priesteres. Vergeet dat niet.'

Ik leg mijn handen tegen elkaar en maak een buiging, zoals ik Asha heb zien doen. Philon beantwoordt het gebaar. We sluiten vrede, voorlopig althans.

Ik kan niet zeggen hoe lang die vrede zal standhouden.

'Je probeerde me te waarschuwen voor miss Moore, niet-waar?' vraag ik aan de gorgone zodra we op de open rivier zijn. Boven ons vormen de wolken langgerekte, korrelige strepen, alsof er suiker op de vloer van de hemel is gemorst.

'Ik heb haar ooit onder een andere naam gekend.'

'Je weet vast heel veel,' zeg ik.

Het gesis van de gorgone klinkt als een zucht. 'Op een dag, als er tijd is, zal ik u verhalen over het verleden vertellen.'

'Mis je die tijd?' vraag ik.

'Dat was slechts de tijd waarin mijn volk nog leefde,' zegt ze. 'Ik kijk uit naar de tijd die voor ons ligt.'

Vaders kamer is donker als het graf wanneer ik eindelijk thuis-kom. Hij ligt onrustig te slapen onder zijn met zweet door-drenkte lakens. Dit is de eerste keer dat ik de magie ga gebrui-ken sinds ik hem heb gebonden. Ik hoop dat ik het deze keer beter doe. De eerste keer heb ik geprobeerd hem te genezen, maar ik ben tot de conclusie gekomen dat het zo niet werkt. Ik kan de magie niet gebruiken om een ander te beheersen. Ik kan hem niet helen. Het enige wat ik kan doen is hem op de goede weg helpen.

Ik leg mijn hand op zijn hart. 'Heb moed, vader. Gebruik je vechtlust. Die is er nog. Dat beloof ik je.'

Zijn ademhaling wordt minder zwaar. De lijntjes op zijn voorhoofd trekken weg. Volgens mij bespeur ik zelfs een vaag glimlachje. Misschien komt het gewoon door de lichtval. Misschien komt het door de magie van het rijk die via mij zijn werk doet. Of misschien is het gewoon een combinatie van vechtlust, verlangen, liefde en hoop, iets wat we allemaal in ons hebben en kunnen gebruiken, zodra we weten waar we zonder angst moeten kijken.

Het is mijn laatste dag in Londen voordat ik terugga naar Spence. Grootmoeder heeft ermee ingestemd om vader in een sanatorium te laten opnemen, zodat hij kan rusten. Morgen keert ze terug naar het platteland om zelf ook uit te rusten. In het huis lopen de bedienden druk heen en weer om de meubels met lakens te bedekken. Koffers worden ingepakt. Lonen worden uitbetaald. De dure huizen in Londen lopen leeg en zullen leeg blijven tot in april het seizoen begint.

Vanavond gaan we nog één keer dineren met Simon en zijn familie. Maar eerst moet ik twee bezoekjes afleggen.

Hij is verbaasd me te zien. Als ik zijn kamer binnenschrijd door het deurtje achter het wandtapijt dat hij me ooit heeft laten zien en zelfverzekerd mijn kap afzet, gaat hij geruisloos staan, als een kind dat wacht op een afranseling of een zoen van vergiffenis. Ik kom hem geen van beide geven. Ik kom met mijn eigen compromis.

'Je wist het nog,' zegt hij.

'Ik wist het nog.'

'Gemma... Miss Doyle, ik...'

Drie geschoeide vingers, meer is er niet voor nodig om hem het zwijgen op te leggen.

'Ik zal het kort houden. Er is veel te doen. Ik kan je hulp goed gebruiken, als je bereid bent die vrijelijk te bieden, zonder verplichtingen aan een ander. Je kunt niet zowel onze vriendschap als de Rakshana dienen.'

Zijn glimlach verrast me. Hij fladdert over de zachte contouren van zijn lippen, als een gewonde vogel die niet goed weet waar hij moet landen. Dan vullen zijn donkere ogen zich met tranen, die hij met een wanhopig soort inspanning weg knippert.

'Ik...' Hij schraapt zijn keel. 'Ik vind dat ik je moet vertellen dat ik niet langer gewenst ben bij de Rakshana. Het zal je zaak misschien geen goed doen indien iemand die zo in ongenade is gevallen zich ervoor inzet.'

'We zullen het ermee moeten doen. We zijn een beetje een samengeraapt zootje.'

Zijn ogen worden weer helder. Hij knikt tegen niemand in het bijzonder.

'Het lijkt erop dat je toch je lotsbestemming hebt veranderd,' zeg ik.

'Tenzij het voorbestemd was dat ik dat zou doen,' antwoordt hij glimlachend. Zijn stem klinkt krachtiger.

'Tja,' zeg ik. Ik zet mijn kap weer op en ben al bijna veilig de deur uit, als hij toch nog één ding zegt.

'Trouw aan de Orde... is dat de enige belofte die je van me verlangt?'

Waarom heeft die ene vraag de macht om alle lucht uit mijn longen te drijven?

'Ja,' fluister ik zonder me om te draaien. 'Dat is alles.'

Begeleid door het geruis van fluweel en zijde loop ik de deur uit. Ik laat niets achter dan de geur van jeneverbessenolie, stilte en de schaduw van een fluistering: *voorlopig...*

Miss McCleethy verblijft in Lambeth, niet ver van het Bethlemziekenhuis.

'Mag ik binnenkomen?' vraag ik.

Met voorgewende vriendelijkheid laat ze me binnen. 'Miss Doyle. Waaraan heb ik dit verrassingsbezoek te danken?'

'Ik heb twee vragen voor u. Eén over Mrs Nightwing en één over de Orde.'

'Zeg het maar,' zegt ze terwijl ze op een stoel gaat zitten.

'Is Mrs Nightwing een van ons?'

'Nee. Ze is gewoon een vriendin van me.'

'Maar jullie hadden woorden tijdens het kerstfeest, en later in de oostvleugel.'

'Ja, over het herstellen van de schade aan de oostvleugel. Ik vind dat het tijd is voor wederopbouw. Maar Lillian is erg zuinig.'

'Maar ze noemde u miss McCleethy, ook al is dat niet uw echte naam.'

'Ik heb tegen haar gezegd dat ik mijn naam heb veranderd om aan een misgelopen liefdesaffaire te ontsnappen. Dat is iets wat je begrijpt. En meer zit er niet achter. Wat is je andere vraag?'

Ik weet niet zeker of ze me de waarheid vertelt. Ik ga verder.

'Waarom heeft de Orde nooit de kracht met anderen gedeeld?'

Ze richt die verontrustende strakke blik op me. 'Hij komt ons rechtmatig toe. We hebben ervoor gevochten. Er offers voor gebracht, er bloed voor vergoten.'

'Maar jullie hebben anderen tekortgedaan. Jullie hebben hun de kans ontzegd om te delen in de magie en mee te beslissen.'

'Ik verzeker je dat zij hetzelfde zouden doen. We dienen in de eerste plaats onze eigen belangen. Zo is het nu eenmaal.'

'Het deugt niet,' zeg ik.

'Zo gaat dat met macht,' zegt ze zonder een spoortje spijt. 'Ik was er niet blij mee dat je me bij de Rakshana achterliet. Maar ik begrijp dat je dacht dat ik Circe was. Het doet er nu niet meer toe. Je hebt Circe bij de tempel en de magie vandaan gehouden. Je hebt het goed gedaan. Nu kunnen we samen met onze zusters de Orde in ere herstellen en...'

'Dat denk ik niet,' zeg ik.

Miss McCleethy's lippen trillen alsof ze wil glimlachen. 'Wat zeg je?'

'Ik ga nieuwe bondgenootschappen aan. Met Felicity. Ann. Kartik van de Rakshana. Philon van het woud. Asha de onaanraakbare.'

Ze schudt haar hoofd. 'Dat kun je niet menen.'

'De kracht moet worden gedeeld.'

'Nee. Dat is verboden. We weten niet of ze met de magie te vertrouwen zijn.'

'Nee, dat weten we inderdaad niet. We zullen er gewoon op moeten vertrouwen.'

Miss McCleethy is ziedend. 'Absoluut niet! De Orde moet zuiver blijven.'

'Ja, want kijk maar eens hoe goed dat heeft uitgepakt,' zeg ik met al het venijn dat ik kan opbrengen.

Zodra ze begrijpt dat dit niets oplevert, verandert miss McCleethy van tactiek. Ze spreekt me vriendelijk toe, als een moeder die een bang kind geruststelt. 'Je mag natuurlijk proberen met hen samen te werken, maar de kans is groot dat het niet zal lukken. Het rijk bepaalt wie er tot de Orde wordt toegelaten. Daar hebben wij niets over te zeggen. Zo is het altijd geweest.'

Ze wil me een aai over mijn hoofd geven, maar ik ontwijk haar.

'Dingen veranderen,' zeg ik, en ik vertrek.

Zonder acht te slaan op de regels van goed gedrag roept miss McCleethy me door het raam na: 'Je wilt ons niet tegen je in het harnas jagen, miss Doyle. Zo gemakkelijk staan we onze macht niet af.'

Ik draai me niet naar haar om. Ik kijk recht voor me uit, op zoek naar de ingang van de metro. Op een ingelijst affiche aan de muur wordt de lof gezongen van de ophanden zijnde revolutie in het reizen. Op sommige stations worden de spoorlijnen inmiddels elektrisch gemaakt. Nog even en alle treinen worden aangedreven door de onzichtbare kracht van die moderne vinding.

Het is inderdaad een nieuwe wereld.

Het diner met de Middletons is bitterzoet. Het valt niet mee om tijdens de soep en de erwtjes een beleefd gesprek te voeren terwijl ik nog zoveel te doen heb. Zodra het tijd is voor de mannen en vrouwen om zich in aparte kamers terug te trekken, neemt Simon me mee naar de zitkamer. Niemand uit bezwaren.

'Ik zal je gezelschap missen,' zegt hij. 'Zul je me schrijven?'

'Ja, natuurlijk,' zeg ik.

'Heb ik je al verteld dat miss Weston zichzelf voor gek heeft gezet door tijdens een thé dansant als een jong hondje achter Mr Sharpe aan te lopen?'

Ik vind het verhaal niet amusant. Ik heb alleen maar medelijden met die arme miss Weston. Opeens heb ik het gevoel dat ik geen adem kan krijgen.

Simon is bezorgd. 'Gemma, wat is er?'

'Simon, zou je nog steeds om me geven als je ontdekte dat ik niet was wie ik beweerde te zijn?'

'Hoe bedoel je?'

'Ik bedoel: zou je altijd om me blijven geven, wat je ook over me te weten kwam?'

'Wat een vraag. Ik weet niet wat ik daarop moet antwoorden.'

Het antwoord is nee. Hij hoeft het niet hardop te zeggen. Met een zucht begint Simon met de ijzeren pook in het vuur te porren. Stukken van het zwartgeblakerde houtblok brokkelen af, zodat de gloeiende binnenkant zichtbaar wordt. Even laait er een feloranje gloed op, maar die sterft meteen weer weg. Na drie pogingen geeft hij het op.

'Ik vrees dat het vuur niet meer te redden is.'

Ik zie dat er nog een paar gloeiende sintels over zijn. 'Ik denk van wel. Als...'

Hij zucht, en dat zegt alles.

'Let maar niet op mij,' zeg ik. Ik slik moeizaam. 'Ik ben gewoon moe.'

Op die smoes haakt hij meteen in. 'Ja,' zegt hij. 'Je bent vast nog niet helemaal hersteld. Maar straks is het allemaal achter de rug en dan is alles weer zoals het was.'

Het wordt nooit meer zoals het was. Alles is al anders. Ik ben anders.

Het dienstmeisje klopt aan. 'Neem me niet kwalijk, meneer. Lady Denby vraagt naar u.'

'Dank je. Miss Doyle... Gemma, wil je me even excuseren? Ik ben zo terug.'

Zodra ik alleen ben, pak ik de pook en sla er keer op keer mee tegen de smeulende houtblokken, tot er een klein vuurtje oplaait. Hij heeft het te snel opgegeven. Er was alleen maar een beetje meer zorg en aandacht voor nodig. De stilte in de kamer benauwt me opeens. De zorgvuldig gegroepeerde meubelen. De portretten die met levenloze ogen op me neerkijken. De hoge klok die de tijd aftelt die me nog rest. Door de open deur kan ik Simon en zijn familie zien, glimlachend, tevreden, volkomen zorgeloos. Alles is van hen, niet zomaar binnen handbereik, maar in hun bezit. Ze kennen geen honger, angst of twijfel. Ze hoeven niet te vechten voor wat ze willen. Alles staat gewoon te wachten tot ze er naar binnen gaan. Mijn hart schrijnt. Ik wil niets liever dan mezelf in de warme deken van die familie wikkelen. Maar ik heb te veel meegemaakt om binnen die deken te kunnen leven.

Ik laat de paarlen broche op de schoorsteenmantel achter,

pak mijn jas voordat het dienstmeisje hem kan aangeven en loop de koude schemering in. Simon zal me niet achterna komen. Daar is hij de man niet naar. Hij zal trouwen met een ander meisje, dat de broche helemaal niet zwaar zal vinden.

Het is bijtend koud buiten. De lantaarnopsteker slentert met zijn lange stok de straat door. Achter hem branden de lampen. Aan de andere kant van Park Lane strekt Hyde Park zich uit. De lijkwade van de winter bedekt de lente die uiteindelijk zal opbloeien. En daarachter staat Buckingham Palace, geregeerd door een vrouw.

Alles is mogelijk.

Morgen ben ik terug op Spence, waar ik hoor.

HOOFDSTUK
VIJFTIG

Spence, die strenge, imposante dame ten oosten van Londen, heeft tijdens mijn afwezigheid een vriendelijk gezicht gekregen. Ik ben in alle zestien jaar van mijn leven nog nooit zo blij geweest om een gebouw te zien. Zelfs de waterspuwers zien er niet meer zo woest uit. Ze lijken meer op verdwaalde huisdieren die te dom zijn om van het dak af te komen, dus laten we ze daar wonen, boos kijkend maar vrolijk.

De wildste geruchten doen op school de ronde over de nacht dat de agent me in Baker Street heeft gevonden. Ik was ontvoerd door piraten. Ik heb met één been in het graf gestaan. Ik ben bijna een been, nee, een arm, kwijtgeraakt als gevolg van gangreen. Ik ben gestorven en begraven, maar vervolgens heb ik met mijn teen aan het schelkoord getrokken, zodat de arme grafdelver zich half doodschrok en me nog net op tijd uit de kist kon bevrijden. Het is ongelooflijk wat een verhalen meisjes soms verzinnen om de verveling te verdrijven. Toch is het leuk dat iedereen voor me rent en vliegt en dat ze ruim baan voor me maken wanneer ik een kamer binnenkom. Ik zal er niet om liegen: ik geniet met volle teugen van mijn herstelperiode.

Felicity heeft het op zich genomen om de jongere meisjes te leren boogschieten. Ze aanbidden haar natuurlijk, met haar

Parijse haarkammetjes en haar status als een van de oudere, populaire meisjes. Ik vermoed dat ze haar overal achterna zouden lopen alsof ze de rattenvanger van Hamelen was, hoe gemeen ze ook tegen hen deed. En ik vermoed dat Felicity zich daarvan bewust is en ervan geniet dat ze zoveel bewonderaars heeft.

Aangezien zowel grootmoeder als Mrs Nightwing me streng heeft bevolen me niet in te spannen tot ik weer helemaal beter ben, zit ik onder een stapel dekens op een grote stoel die speciaal voor mij naar buiten is gedragen. Naar mijn mening is dit de fijnste manier om lichaamsbeweging te krijgen, en ik zal proberen het zo lang mogelijk te rekken.

Op het grote grasveld zijn de doelwitten klaargezet. Felicity probeert een groepje meisjes van tien de juiste techniek bij te brengen. Ze corrigeert de houding van de een en berispt een ander omdat ze staat te giechelen. Ernstig recht het giechelende meisje haar rug, knijpt een oog dicht en schiet. De pijl stuitert over de grond en blijft in een kluitje zand steken.

'Nee, nee,' verzucht Felicity. 'Let goed op. Ik zal nog één keer voordoen hoe je moet gaan staan.'

Ik maak de post van die ochtend open. Er zit een brief van grootmoeder bij. Pas helemaal aan het eind zegt ze iets over vader. *Je vader gaat goed vooruit in het sanatorium en doet je de hartelijke groeten.*

Er zit ook een pakje van Simon bij. Eigenlijk durf ik het niet open te maken, maar uiteindelijk wint mijn nieuwsgierigheid het van mijn angst. In het pakje zit het zwarte kistje dat ik per koerier naar hem heb teruggestuurd, met het oorspronkelijke briefje erbij: *Een plek om al je geheimen te bewaren.* Dat is alles. Hij heeft me verrast. Opeens ben ik niet meer zo zeker van mezelf, weet ik niet meer zo goed of ik wel de juiste beslissing heb genomen toen ik hem liet gaan. Simon heeft iets veiligs, iets troostends. Maar dat gevoel lijkt een beetje op dat kistje met de valse bodem. Ergens diep vanbinnen heb ik het gevoel dat ik uiteindelijk door de bodem van zijn opgewekte genegenheid heen zal vallen en dan als een rat in de val zal zitten.

Ik ga zo op in mijn eigen gedachten dat ik niet heb gemerkt dat Mrs Nightwing achter me is komen staan. Ze kijkt naar de meisjes met hun pijlen en bogen en klakt afkeurend met haar tong.

'Ik weet niet of dit wel zo'n goed idee is,' zegt ze.

'Het is prettig om keuzes te hebben,' zeg ik met het kistje in mijn handen. Ik moet mijn best doen om niet te gaan huilen.

'In mijn tijd hadden we niet zulke keuzes. Zoveel vrijheid. Niemand die zei: "Kijk, de wereld ligt voor het grijpen. Je hoeft alleen maar je hand uit te steken."'

Op dat moment gaat Felicity's hand open en vliegt de pijl weg. Hij doorklieft de lucht en boort zich midden in het doelwit. Precies in de roos. Felicity kan zich niet bedwingen. Ze gilt het op volkomen natuurlijke en ondamesachtige wijze uit van vreugde en triomf, en de meisjes volgen haar voorbeeld.

Mrs Nightwing schudt haar hoofd en slaat haar ogen ten hemel. 'Het einde van de beschaving is in zicht.'

Een vage glimlach ontsnapt haar, maar ze onderdrukt hem snel. Voor het eerst valt me de slappe huid bij haar kaak op, het fijne dons dat als de afdruk van een kinderhand op haar wang ligt, en ik vraag me af hoe het moet zijn om jezelf onder invloed van de verstreken jaren zachter te zien worden, zonder dat je er iets aan kunt doen. Hoe het moet zijn om je dagen af te meten aan de hand van volmaakte reverences en je dagelijkse glaasje sherry, terwijl je de wereld probeert bij te houden die je meesleurt naar de toekomst, wetend dat je altijd een pas achterloopt.

Mrs Nightwing werpt een vluchtige blik op het kistje in mijn handen. Ze schraapt haar keel. 'Ik heb begrepen dat je hebt besloten nee te zeggen tegen Mr Middleton.'

Er hebben zich dus ook andere geruchten verspreid.

'Ja,' zeg ik, vechtend tegen de tranen. 'Iedereen verklaart me voor gek. Misschien ben ik dat ook wel.' Ik probeer te lachen, maar er komt een zachte snik over mijn lippen. 'Misschien is er wel iets mis met me, dat ik niet gelukkig kan zijn met hem.'

Ik verwacht dat Mrs Nightwing zal zeggen: Ja, natuurlijk, dat weet toch iedereen, droog je tranen en doe niet zo dwaas. Maar in plaats daarvan legt ze haar hand op mijn schouder. 'Je kunt het maar beter heel zeker weten,' zegt ze met haar blik strak gericht op de meisjes die op het grasveld spelen en rondrennen. 'Anders kom je op een dag misschien thuis in een leeg huis en ligt er een briefje: *Ik ben even weg*. Dan wacht je de hele avond tot hij terugkomt. De avonden worden weken, de weken worden jaren. Het is afschuwelijk, dat wachten. Je kunt het nauwelijks verdragen. En misschien ben je jaren later in Brighton op vakantie als je hem ziet, wandelend op de promenade, als in een droom. Niet meer vermist. Je hart gaat sneller slaan. Je moet hem roepen. Maar iemand anders roept hem eerst. Een mooie jonge vrouw met een kindje. Hij blijft staan en bukt om het kind op te tillen. Zijn kind. Snel en stiekem geeft hij zijn jonge echtgenote een kus. Hij geeft haar een doosje snoepgoed, chocolaatjes van Chollier, weet je. Met zijn gezin wandelt hij verder. In je binnenste sterft iets. Je zult nooit meer zo zijn als je was. Het enige wat je nu nog kunt doen, is een nieuw mens worden. Wat voor mens, dat weet je nog niet. Maar in elk geval is er aan het wachten een eind gekomen.'

Ik kan nauwelijks ademen. 'Ja. Dank u,' zeg ik zodra ik mijn stem weer terug heb.

Mrs Nightwing geeft me een kort schouderklopje voordat ze haar hand weghaalt om haar rok recht te trekken en de kreukels uit de band om haar middel te strijken. Een van de meisjes slaakt een kreet. Ze heeft een jong vogeltje gevonden dat uit het nest is gevallen en op de een of andere manier de win-

terse kou heeft overleefd. Het diertje tjilpt in haar handen terwijl ze ermee naar Mrs Nightwing rent.

'O, wat is dit nu weer voor gekkigheid?' mompelt onze directrice, die meteen in actie komt.

'Mrs Nightwing, toe... mogen we hem houden?' Het gezichtje van het meisje straalt openheid en oprechtheid uit. 'Ja, toe,
toe!' kwetteren de andere meisjes als gretige kuikentjes.

'O, goed dan.'

De meisjes juichen. Mrs Nightwing moet schreeuwen om
zich verstaanbaar te maken. 'Maar ik wil er de verantwoordelijkheid niet voor dragen. Het is jullie taak. Jullie moeten voor
hem zorgen. Ongetwijfeld ga ik spijt krijgen van deze beslissing,' zegt ze snuivend. 'En als jullie me nu willen excuseren,
dan wil ik graag mijn boek uitlezen, alleen, zonder dat er ook
maar één meisje met pijpenkrulletjes in de buurt is om me te
storen. Als jullie me dan voor het eten komen roepen en me
in mijn stoel aantreffen, eindelijk bij de engelen, dan zullen
jullie weten dat ik alleen ben gestorven, met andere woorden:
volmaakt gelukkig.'

Mrs Nightwing marcheert de heuvel af naar de school. Onderweg wordt ze door minstens vier meisjes staande gehouden
die haar iets willen vragen. Ze wordt belaagd. Uiteindelijk geeft
ze het op, en loopt ze met een hele kluit meisjes in haar kielzog Spence binnen. Ze zal pas vanavond aan haar boek toeko-
men, en om de een of andere reden weet ik dat dit is wat ze
graag wil: dat anderen haar nodig hebben. Dit is háár taak.

Dit is haar plek. Ze heeft hem gevonden. Of misschien heeft
hij haar gevonden.

Als we na het eten in de grote salon om de open haard zitten,
komt Mademoiselle LeFarge terug van een dagje Londen met
inspecteur Kent. Ze straalt. Ik heb haar nog nooit zo gelukkig
gezien.

'*Bonjour, mes filles!*' zegt ze terwijl ze in haar mooie nieuwe rok en blouse statig de kamer binnenkomt. 'Ik heb nieuws.'

De meisjes stormen op haar af en gunnen haar nauwelijks de tijd om bij het vuur te gaan zitten en haar handschoenen uit te trekken. Zodra ze dat heeft gedaan, valt ons meteen het diamantje aan de ringvinger van haar linkerhand op. Mademoiselle LeFarge heeft inderdaad nieuws, wat heet.

'In mei gaan we trouwen,' zegt ze, glimlachend alsof haar gezicht elk moment kan splijten van vreugde.

We bewonderen de ring uitgebreid en bestoken onze lerares met vragen: Hoe heeft hij haar om haar hand gevraagd? Wanneer trouwen ze precies? Mogen we erbij zijn? Ze moet in Londen trouwen, nee, op het platteland! Zal ze oranjebloesems dragen, omdat die geluk brengen? En waar dan, in haar haar of op haar jurk geborduurd?

'Ongelooflijk dat zelfs een ouwe vrijster als ik nog het geluk kan vinden,' zegt ze met een geringschattend lachje, maar dan betrap ik haar erop dat ze de ringvinger van haar linkerhand strekt. Ze kijkt naar de ring, maar doet haar best te verbergen hoe overgelukkig ze ermee is.

Op de eerste woensdag van het nieuwe jaar maken we een pelgrimstocht naar Pippa's altaar. We gaan aan de voet van de oude eik zitten en speuren naar een teken van de lente, al weten we dat het nog maanden kan duren voordat we er een zien.

'Ik heb Tom een brief geschreven en hem de waarheid verteld,' zegt Ann.

'En?' vraagt Felicity.

'Hij vond het niet leuk dat ik hem had misleid. Hij vond me een vreselijk meisje omdat ik me had voorgedaan als iemand anders.'

'Het spijt me, Ann,' zeg ik.

'Ja, nou ja, ik vind hem maar een boerenkinkel, en hij heeft geen gevoel voor humor,' zegt Felicity stellig.

'Dat is niet waar. Hij heeft alle recht om boos op me te zijn.'

Daar kan ik niets tegen inbrengen. Ze heeft gelijk.

'In boeken komt alles altijd goed zodra de waarheid boven tafel komt. De goeden winnen. De slechteriken krijgen hun verdiende loon. Iedereen is gelukkig. Maar in het echt gaat het niet zo, hè?'

'Nee,' zeg ik. 'Iedereen komt de waarheid te weten, en verder niets.'

We leggen ons hoofd achterover tegen de boomstam en kijken naar de pluizige witte wolken.

'Waarom zou je dan al die moeite doen?' vraagt Ann.

Er drijft loom een wolk voorbij in de vorm van een kasteel, dat langzaam in een hond verandert.

'Omdat je de illusie niet eindeloos in stand kunt houden,' zeg ik. 'Over zoveel magie beschikt niemand.'

Een hele tijd zwijgen we. Niemand probeert de hand van een ander vast te pakken of een grapje te maken, of te praten over wat er is gebeurd en wat er nog gaat komen. We blijven gewoon zitten, met onze rug tegen de boom en onze schouders tegen elkaar. Het is een minieme aanraking, maar toch is het genoeg om me met beide benen op de grond te houden.

Heel even besef ik dat ik vrienden heb op dit eenzame pad, dat je plek niet altijd iets is wat je moet zoeken, maar iets waar je gewoon naartoe kunt wanneer je het nodig hebt.

De wind trekt aan. Het lijkt of de blaadjes dekking zoeken, tot er een zachter briesje opsteekt en ze rustig weer gaan liggen, alsof er wordt gefluisterd: *Sst, rustig maar, het is al goed.* Eén blaadje danst nog door de lucht. Steeds hoger tolt het, spottend met de logica en de wetten van de zwaartekracht, alsof het reikt naar iets wat net buiten zijn bereik is. Het valt natuurlijk een keer op de grond. Uiteindelijk. Maar op dit moment hou ik mijn adem in en wens ik vurig dat het kan blijven dwarrelen, omdat ik troost put uit zijn strijd.

Weer een vlaag. Het blaadje wordt op de krachtige vleugels van de wind meegevoerd naar de horizon. Ik kijk het na tot het nog maar een lijntje is, en dan een stipje. Ik kijk het na tot ik niets meer zie, tot het pad dat het heeft afgelegd wordt uitgewist door een nieuwe wervelwind van blaadjes.

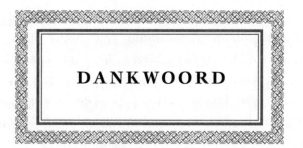

DANKWOORD

Boeken worden niet vanzelf geschreven. Als dat zo was, zou ik veel meer tijd kunnen doorbrengen in Target. Ook worden boeken niet geschreven zonder wijze raad, eerlijke input en incidentele aanmoediging van derden. Daarom moet ik zoveel geweldige mensen bedanken.

Mijn fantastische redacteur Wendy Loggia, zonder wie ik verloren zou zijn. Mijn brutale en schrandere uitgever, Beverly Horowitz; de getalenteerde designer Trish Parcell Watts; goddelijke persklaarmaker Colleen Fellingham; de veelgemiste Emily Jacobs; publiciteitswichten Judith Haut en Amy Ehrenreich; Adrienne Waintraub en Tracy Bloom, voor de regelmatige frietleveringen; de zalig boosaardige en zotte Chip Gibson; en alle anderen voor al het andere. Random House is te gek.

Mijn geweldige agent Barry Goldblatt, en niet alleen omdat hij geld aan me overmaakt en me van zelfmoord weerhoudt wanneer ik bang ben dat wat ik heb geschreven zo slecht is dat een lezer er inwendig letsel aan zou kunnen overhouden.

De Stoere Goden van de Victoriaanse Kennis: Colin Gale, hoofdarchivaris van het Bethlem-ziekenhuis, die onvermoeibaar mijn vragen beantwoordde en wiens boek *Presumed Curable* een geschenk uit de hemel was. Mark Kirby van het London Transport Museum, die onveranderlijk beleefd en onge-looflijk gedetailleerd antwoordde, zelfs als ik dingen zei als: 'Oké, maar stel dat ze de ondergrondse nam vanaf Piccadilly...' alsof ik een scène uit *Monty Python and the Holy Grail* aan het ensceneren was. En de verrukkelijke Lee Jackson, aan wie je alles, en dan bedoel ik werkelijk álles, kunt vragen over het victoriaanse tijdperk. Slim, grappig, snel met antwoorden via de e-mail, en fan van Elvis Costello. Mijn hart zwelt van liefde. Die mannen weten waar ze het over hebben. Als er fouten zijn gemaakt of ongeoorloofde vrijheden zijn genomen, is dat uit-sluitend aan de schrijfster te wijten.

Laurie Allee, uitzonderlijk meelezer, die wederom de spijker op z'n kop sloeg. Ik ben je niet waard.

Holly Black, Cassandra Claire en Emily Lauer, die je op een slechte dag nog meer over fantasy en magiestelsels kunnen vertellen dan ik ooit zal weten.

Nancy Werlin, omdat ze altijd de juiste vragen stelt.

De edelhoogachtbare Kate Duffy van Kensington Books, die haar gelijke niet kent op het gebied van de adel.

Mijn vrienden bij YAWriter voor zo'n beetje alles.

De barista's van de Tea Lounge in Brooklyn: Brigid, Ben, Mario, Ali, Alma, Sherry, Peter, Amanda, Jonathan, Jesse, Emily, Rachel, Geoffrey: voor de cafeïne, omdat ze me aan het lachen maakten, geweldige muziek draaiden, me uren lieten zitten en over het algemeen het werken plezierig maakten. Ik kan haast niet wachten tot ze klaar zijn met mijn zitje bij de uitgang...

De gepassioneerde boekenverkopers en bibliothecarissen die ik heb leren kennen. Jullie zijn mijn helden.

BookDivas, mogen ze nog lang lezen en regeren.

Alle lezers die ik tijdens deze dollemansrit heb leren ken-nen. Bedankt voor alle inspiratie en aanmoediging.

En lest best: mijn dank aan mijn zoon Josh, voor al zijn ge-duld. Ja, lieverd, nu kunnen we weer Cluedo spelen.

OVER DE AUTEUR

De eerste twee romans van Libba Bray, *Een verschrikkelijke schoonheid* en *Opstand van de engelen*, hebben allebei op de bestsellerlijst van de *New York Times* gestaan. Dat zegt ze graag hardop, vooral op dagen dat haar haar niet wil meewerken. Ze woont in de New Yorkse wijk Brooklyn met haar man, zoon en kat. Als ze niet schrijft, denkt ze vaak aan schrijven, wat haar op de trappen van de metro wel eens in de problemen brengt. Ze zou het fantastisch vinden als je haar website eens bezocht: www.libbabray.com. Maar ze begrijpt het best als je het daar te druk voor hebt.

Lees ook het eerste deel in de
Gemma Doyle-trilogie: